Contenido

Podrá descargar algunos elementos de este libro en la página web de Ediciones ENI: **http://www.ediciones-eni.com**. Escriba la referencia ENI del libro **RIT28PHP** en la zona de búsqueda y valide. Haga clic en el título y después en el botón de descarga.

Capítulo 1
Preámbulo

1. Objetivo del libro . . . 11
2. Breve historia de PHP . . . 12
3. ¿Dónde puedo adquirir PHP? . . . 13
4. Convenciones de escritura . . . 14
5. Sobre los ejercicios . . . 15

Capítulo 2
Introducción a PHP

1. ¿Qué es PHP? . . . 17
2. Estructura básica de una página PHP . . . 19
   - 2.1 Las etiquetas PHP . . . 19
   - 2.2 La función echo . . . 19
   - 2.3 Separador de instrucciones . . . 21
   - 2.4 Comentarios . . . 22
   - 2.5 Mezclar PHP y HTML . . . 22
   - 2.6 Reglas para los nombres . . . 25
   - 2.7 Ejercicio 1: mi primer script PHP . . . 26
3. Configuración de PHP . . . 27
   - 3.1 El archivo de configuración php.ini . . . 27
   - 3.2 Información sobre la configuración . . . 28
   - 3.3 Juego de caracteres . . . 31
4. Utilizar PHP desde la línea de comandos . . . 31

5. Las bases del lenguaje PHP 32
5.1 Constantes 32
5.1.1 Definición 32
5.1.2 Alcance 35
5.2 Variables 35
5.2.1 Inicialización y asignación 36
5.2.2 Alcance y duración 37
5.2.3 Variables dinámicas (o variables variables) 38
5.3 Tipos de datos 38
5.3.1 Tipos de datos disponibles 38
5.3.2 Tipos de datos escalares 39
5.3.3 Tipos de datos especiales 47
5.3.4 Declaración de tipo 48
5.4 Matrices 50
5.4.1 Definición 50
5.4.2 Creación 52
5.4.3 Manipulación 57
5.4.4 Descomponer una matriz 62
5.4.5 Alcance 64
5.5 Operadores 65
5.5.1 El operador de asignación por valor 65
5.5.2 El operador de asignación por referencia 67
5.5.3 Los operadores aritméticos 68
5.5.4 El operador de cadena 68
5.5.5 Los operadores combinados 69
5.5.6 Los operadores de comparación 69
5.5.7 Los operadores lógicos 71
5.5.8 El operador ternario 71
5.5.9 El operador de fusión NULL 73
5.5.10 El operador de asignación de fusión NULL 73
5.5.11 El operador de comparación combinado 74
5.5.12 Precedencia de los operadores 75
5.6 Estructuras de control 76
5.6.1 La estructura if 76
5.6.2 La estructura switch 79
5.6.3 La estructura while 82
5.6.4 La estructura do ... while 84

5.6.5 La estructura for. 85
5.6.6 Las instrucciones continue y break. 88
5.6.7 La expresión match 89
5.7 Incluir un archivo 91
5.7.1 Funcionamiento. 91
5.7.2 Utilización 93
5.8 Interrumpir el script 95
5.9 Ejercicio 2: variables y estructuras de control. 96

Capítulo 3
Utilizar las funciones PHP

1. Preámbulo 103
2. Manipular las constantes, las variables y los tipos de datos. 104
2.1 Constantes 104
2.2 Variables 105
2.3 Tipos de datos. 111
2.3.1 Conversiones 111
2.3.2 Funciones útiles 116
3. Manipular las matrices 122
4. Manipular los números 136
5. Manipular las cadenas de caracteres. 141
6. Utilizar expresiones regulares. 161
6.1 Introducción 161
6.2 Estructura de una expresión regular 161
6.3 Funciones 171
7. Manipular las fechas 176
8. Generar un identificador único. 197
9. Manipular los archivos en el servidor. 198
9.1 Funciones útiles 198
9.2 Ejemplos de uso 207
10. Manipular los encabezados HTTP 208

11. Ejercicios . . . 210
11.1 Ejercicio 3: manipular los datos . . . 210
11.2 Ejercicio 4: escribir y leer un archivo en el servidor . . . 214

Capítulo 4
Escribir funciones y clases PHP

1. Funciones . . . 219
1.1 Introducción . . . 219
1.2 Declaración y llamada . . . 219
1.3 Parámetros . . . 230
1.3.1 Sintaxis . . . 230
1.3.2 Valor predeterminado . . . 231
1.3.3 Declaración del tipo de datos . . . 233
1.3.4 Pasar por referencia . . . 237
1.3.5 Lista variable de parámetros . . . 239
1.3.6 Utilizar el nombre del parámetro en la llamada . . . 241
1.4 Consideraciones sobre las variables utilizadas en las funciones . . . 244
1.4.1 Variables locales/globales . . . 244
1.4.2 Variables estáticas . . . 246
1.5 Las constantes y las funciones . . . 247
1.6 Recursividad . . . 248
1.7 Función anónima . . . 250
1.8 Función de flecha . . . 251
1.9 Función generadora . . . 253
1.10 Ejercicio 5: escribir funciones . . . 256
2. Clases . . . 257
2.1 Concepto . . . 257
2.2 Definir una clase . . . 258
2.3 Instanciar una clase . . . 264
2.4 Legado . . . 268
2.5 Otras características de las clases . . . 273
2.5.1 Clases o métodos abstractos . . . 273
2.5.2 Clases o métodos finales . . . 274
2.5.3 Interfaces . . . 275
2.5.4 Propiedades o métodos estáticos - Constantes de clases . . . 277

2.5.5 Traits 280
2.5.6 Clases anónimas 283
2.6 Excepciones 284
2.7 Enumeraciones 288
2.8 Ejercicio 6: escribir una clase 294
3. Espacios de nombres 297

Capítulo 5
Gestionar los errores en un script PHP

1. Información general 303
2. Mensajes de error de PHP 304
3. Las funciones de gestión de errores 308
4. Ejercicio 7: gestionar los errores 323

Capítulo 6
Gestionar formularios y enlaces

1. Información general 327
1.1 Introducción 327
1.2 Los enlaces 327
1.3 Los formularios 330
1.3.1 Rápido recordatorio sobre los formularios 330
1.3.2 Construir un formulario de forma dinámica 333
1.3.3 Procesar un formulario utilizando un script PHP 337
1.4 Recuperar los datos de una URL o de un formulario 342
2. Recuperar los datos pasados por la URL 344
2.1 Consideraciones 344
2.1.1 ¿Qué sucede si dos parámetros comparten el mismo nombre? 344
2.1.2 Utilizar una matriz para pasar datos en la URL 345
2.2 Transferir caracteres especiales 345
2.3 Ejercicio 8: recuperar los datos pasados por la URL 348

3. Recuperar los datos introducidos en el formulario 351
3.1 Consideraciones 351
3.1.1 ¿Qué sucede si dos campos comparten el mismo nombre?. . . 351
3.1.2 ¿Qué ocurre si hay dos formularios en la página HTML?. . . . 351
3.1.3 Usar una matriz para recuperar los datos introducidos. 352
3.1.4 Pasar información en un campo de formulario oculto 353
3.2 Los diferentes tipos de campos. 355
3.2.1 Resumen general 355
3.2.2 Campos que contienen texto 357
3.2.3 Grupos de botones de opción 358
3.2.4 Casillas de verificación. 358
3.2.5 Listas de selección única 361
3.2.6 Listas de selección múltiple. 362
3.2.7 Botones de validación 364
3.2.8 Botones de imagen. 365
3.2.9 Botones «reset» o «button». 366
3.3 Resumen 366
3.4 Ejercicio 9: recuperar los datos introducidos en un formulario 369
4. Controlar los datos recuperados 372
4.1 Información general 372
4.2 Comprobaciones clásicas 372
4.2.1 Limpieza de los espacios no deseados 372
4.2.2 Datos obligatorios 373
4.2.3 Longitud máxima de una cadena 373
4.2.4 Caracteres permitidos para una cadena - Formato 373
4.2.5 Validez de una fecha - Rango de valores. 374
4.2.6 Validez de un número - Rango de valores 376
4.2.7 Validez de una dirección de correo electrónico 377
5. Problemas con los datos recuperados 378
6. Utilizar filtros. 385
6.1 Principios 385
6.2 Aplicación a los formularios. 394
6.3 Ejercicios 396
6.3.1 Ejercicio 10: controlar los datos que se pasan por la URL. . . . 396
6.3.2 Ejercicio 11: controlar los datos introducidos
en un formulario 397

7. Ir a otra página . . . 401
8. Intercambiar un archivo entre el cliente y el servidor . . . 407
8.1 Resumen general . . . 407
8.2 Enviar un archivo desde el cliente (upload) . . . 407
8.3 Descargar un archivo desde el servidor (download) . . . 413

Capítulo 7
Acceder a las bases de datos

1. Introducción . . . 419
1.1 Información general . . . 419
1.2 El concepto de fetch (recuperar) . . . 421
2. Utilizar MySQL . . . 422
2.1 Preámbulo . . . 422
2.2 Conexión y desconexión . . . 423
2.2.1 Conexión . . . 423
2.2.2 Desconexión . . . 424
2.2.3 Obtener información sobre el servidor MySQL . . . 424
2.2.4 Definir el juego de caracteres del cliente . . . 424
2.2.5 Obtener información en caso de error de conexión . . . 425
2.2.6 Forma de notificar errores . . . 425
2.2.7 Ejemplo . . . 426
2.3 Seleccionar una base de datos . . . 427
2.4 Utilizar consultas no preparadas . . . 429
2.4.1 Resumen general . . . 429
2.4.2 Ejecutar una consulta . . . 429
2.4.3 Conocer el número de líneas del resultado de una consulta de lectura . . . 431
2.4.4 Extraer el resultado de una consulta de lectura . . . 432
2.4.5 Obtener información sobre el resultado de una consulta de actualización . . . 441
2.4.6 Gestionar los errores . . . 444
2.5 Utilizar consultas preparadas . . . 446
2.5.1 Información general . . . 446
2.5.2 Preparar una consulta . . . 447
2.5.3 Asociar variables PHP a los parámetros de la consulta . . . 448

2.5.4 Ejecutar la consulta preparada ... 450
2.5.5 Vincular variables PHP con las columnas del resultado de una consulta de lectura ... 452
2.5.6 Extraer el resultado de una consulta de lectura ... 453
2.5.7 Utilizar un resultado almacenado ... 455
2.5.8 Obtener información sobre el resultado de una consulta de actualización ... 458
2.5.9 Gestionar los errores ... 461
2.5.10 Cerrar una consulta preparada ... 462
2.6 Gestionar las transacciones ... 463
2.7 Llamar un programa almacenado ... 465
2.7.1 Procedimiento almacenado ... 465
2.7.2 Función almacenada ... 470
2.8 Ejercicio 12: utilizar MySQL ... 472
3. Utilizar Oracle ... 480
3.1 Preámbulo ... 480
3.2 Entorno NLS ... 480
3.3 Conexión y desconexión ... 481
3.3.1 Conexión ... 481
3.3.2 Desconexión ... 483
3.3.3 Obtener información sobre el servidor Oracle ... 484
3.3.4 Obtener información en caso de error de conexión ... 484
3.3.5 Ejemplo ... 484
3.4 Ejecutar una consulta ... 486
3.4.1 Resumen general ... 486
3.4.2 Analizar una consulta ... 487
3.4.3 Vincular las variables de PHP a los parámetros de la consulta ... 488
3.4.4 Ejecutar una consulta ... 491
3.4.5 Extraer el resultado de la consulta de lectura ... 493
3.4.6 Actualizar los datos y gestionar las transacciones ... 506
3.4.7 Cerrar un cursor ... 512
3.5 Llamar un procedimiento almacenado ... 512
3.6 Ilustración de problemas relacionados con el entorno NLS ... 517
3.7 Gestionar errores ... 520
3.8 Ejercicio 13: utilizar Oracle ... 523
4. PHP Data Objects (PDO) ... 531

5. Gestionar los apóstrofos en el texto de las consultas 533
6. Ejemplos de integración en formularios. 538
6.1 Resumen general. 538
6.2 Crear una lista de selección en un formulario. 550
6.3 Visualizar una lista 552
6.4 Formulario de entrada con lista 555
6.5 Formulario de búsqueda y de introducción de datos 560

Capítulo 8
Gestionar sesiones

1. Descripción del problema 565
2. Autenticar 566
2.1 Información general 566
2.2 Introducir las credenciales de identificación. 566
2.2.1 Identificación por formulario 567
2.2.2 Identificación a través de autenticación HTTP. 569
2.3 Verificar las credenciales de identificación introducidas 571
3. Utilizar cookies 573
3.1 Principio. 573
3.2 Aplicación a la gestión de sesiones. 579
4. Utilizar la gestión de sesiones de PHP 580
4.1 Principios. 580
4.2 Implementación 580
4.3 Autogestión de la transmisión del identificador de sesión. 594
4.3.1 Descripción del problema 594
4.3.2 Solución 598
4.4 Algunas directivas de configuración adicionales. 600
4.5 Ejemplos de aplicación 602
4.5.1 Principios 602
4.5.2 Con autenticación de usuarios 604
4.6 Notas y conclusión. 608
4.7 Ejercicio 14: gestionar sesiones 611
5. Conservar la información de una visita a otra. 616
6. Breve resumen de las variables Get/Post/Cookie/Session. 622

Capítulo 9
Enviar un correo electrónico

1. Información general....625
2. Enviar un mensaje de texto sin archivos adjuntos....625
3. Enviar un mensaje en formato MIME....629
   3.1 Preámbulo....629
   3.2 Mensaje en formato HTML....629
   3.3 Mensaje con archivo adjunto....632
4. Ejercicio 15: enviar un correo electrónico....636

Anexo

1. Variables PHP predefinidas....639
2. Constantes PHP predefinidas....641
3. Ejemplos adicionales....642
   3.1 Introducción....642
   3.2 Leer un documento XML....643
   3.3 Generar un documento PDF....647
   3.4 Generar una imagen....652
4. Resumen de las principales novedades de la versión 8.0, 8.1 y 8.2....658

Índice....663

Capítulo 1
Preámbulo

1. Objetivo del libro

El objetivo de este libro es aprender a desarrollar un sitio web dinámico e interactivo usando PHP 8.

Para cumplir con este objetivo, este libro presenta de manera rápida las funciones básicas del lenguaje PHP antes de estudiar en detalle las características necesarias para desarrollar un sitio web dinámico e interactivo:

- Gestión de formularios.
- Acceso a bases de datos, como MySQL y Oracle.
- Gestión de sesiones (autenticación, gestión de un contexto, el uso de cookies).
- Envío de correos electrónicos en formato HTML y con datos adjuntos.
- Gestión de archivos (incluyendo la transferencia de archivos desde la estación de trabajo del usuario al servidor).

Este libro está dirigido a gestores de proyecto, diseñadores y desarrolladores con un conocimiento básico de programación web en HTML (*HyperText Markup Language*) y algunos conocimientos de SQL (*Structured Query Language* - lenguaje estándar de acceso a las bases de datos relacionales) para el capítulo sobre las bases de datos.

Asimismo, aborda la versión 8.2 de PHP; las nuevas características, específicas para esta versión, están claramente indicadas y se basa en la versión 8.2.3 publicada en febrero de 2023.

2. Breve historia de PHP

El lenguaje PHP (históricamente *Personal Home Page*, oficialmente acrónimo recursivo de PHP: *Hypertext Preprocessor*) fue diseñado en 1994 por Rasmus Lerdorf para sus necesidades personales antes de su lanzamiento a principios de 1995.

En 1995 se publicó una nueva versión completamente reescrita con el nombre de PHP/FI versión 2. Esta versión, capaz de manejar formularios y de acceder a la base de datos mSQL, permite al lenguaje crecer rápidamente.

En 1997, el desarrollo del lenguaje recae en un equipo liderado por Rasmus Lerdorf y conduce al lanzamiento de la versión 3 en junio de 1998.

En 2000, el analizador PHP se migra al motor de análisis de Zend para proporcionar un mejor rendimiento y admitir un mayor número de extensiones: se trata de la versión 4 de PHP.

En 2004 nace la versión 5. Esta nueva versión, basada en la versión del motor Zend 2, aporta varias características nuevas, la mayoría de ellas relacionadas con el desarrollo orientado a objetos.

Once años más tarde, en noviembre de 2015, después de seis evoluciones importantes de la versión 5, se publica oficialmente la versión 7. Esta nueva versión, basada en la versión 3 del motor Zend, mejora enormemente el rendimiento y aporta algunas nuevas funcionalidades.

¿Y la versión 6? Esta versión, cuyo desarrollo se inició en 2005, murió oficialmente el 11 de marzo de 2010 a las 11:09:37 GMT, fundamentalmente a causa de las dificultades que se encontraron en la implementación de Unicode. El 30 de julio de 2014, tras una votación, el equipo de desarrollo de PHP eligió oficialmente llamar a la nueva versión PHP 7 en lugar de PHP 6, con 58 votos a favor por 24 votos en contra. Una de las principales razones para esta elección fue la de evitar cualquier confusión con la versión 6, que ya había hecho correr demasiada tinta.

En noviembre de 2020, vio la luz la nueva versión 8 de PHP. Se basa en la versión 4 del motor Zend y añade un gran número de nuevas funcionalidades, especialmente en la mejora del rendimiento y la gestión de tipos y errores. Esta nueva versión puede provocar problemas de compatibilidad con el código ya existente, pero la mayor parte de las funcionalidades que se ven afectadas ya habían sido anunciadas en las versiones 7.x. En este libro, las novedades de la versión 8 que merecen una atención especial se señalan en el índice del libro con la entrada "Versión 8" y en las páginas con el logo siguiente: Versión 8. Así mismo, se ha incluido un anexo con las principales novedades.

A día de hoy, los analistas creen que un poco más del 79 % de los sitios web utilizan PHP en el mundo (en número de dominios, según W3Techs).

3. ¿Dónde puedo adquirir PHP?

Existen muchas páginas web dedicadas al lenguaje PHP. Permiten descargar el lenguaje, consultar ejemplos de secuencias de comandos (scripts) o participar en las discusiones de sus foros:

- https://www.php.net: página web oficial de PHP que permite descargar las fuentes y un manual de referencia en línea muy práctico. Puede escribir `www.php.net/nombre_de_la_funcion` para acceder directamente a la ayuda en línea para una función de PHP. Además, hay una página específica que presenta las principales novedades de la versión 8 (https://www.php.net/releases/8.0/es.php) o de la versión 8.2 (https://www.php.net/releases/8.2/es.php).
- https://www.easyphp.org: página web disponible en inglés que ofrece gratuitamente un producto instalable (Easy PHP Devserver) para la plataforma Windows. Este producto incluye: un servidor Apache, PHP y MySQL. Una vez descargado el producto, haga doble clic en el archivo ejecutable para instalar los diversos elementos. Cinco minutos más tarde, su entorno PHP ya está operativo. Esta página web es indispensable para aquellos que deseen montar una configuración rápida plenamente operativa en Windows.
- https://www.apachefriends.org/es/index.html: otro sitio que ofrece un producto instalable (XAMPP) en diferentes plataformas (Linux, Windows, Solaris, Mac OS X). Este producto incluye, entre otras cosas, un servidor Apache, PHP y MariaDB, que es un fork común de MySQL. Además, su instalación es muy sencilla y muy rápida.
- https://bitnami.com/stack/lamp: otro sitio web que propone una máquina virtual (VMware o VirtualBox) en la que ya están instalados, entre otros, un sistema operativo Linux mínimo, un servidor Apache, PHP y MariaDB.
- www.ediciones-eni.com/: página web de Ediciones ENI desde la que se pueden descargar los ejemplos tratados en este libro.

Evidentemente, esta lista no es exhaustiva, pero todos los sitios recogidos en ella proporcionan enlaces a otros sitios. ¡No lo dude y siga navegando!

4. Convenciones de escritura

La sintaxis de las funciones se describe de la siguiente manera en este libro:

```
tipo_devuelto nombre_función(tipo_parámetro nombre_parámetro)
```

tipo_devuelto	Tipo de valor que la función devuelve.
nombre_función	Nombre de la función.
tipo_parámetro	Tipo de parámetro aceptado por la función.
nombre_parámetro	Nombre que se da al parámetro.

Los tipos de datos posibles se presentarán en el capítulo Introducción a PHP. En el caso de que la función acepte un parámetro de cualquier tipo o devuelva un valor de cualquier tipo, se utiliza el término `mixto`.

Si la función no devuelve ningún valor, la información *tipo_devuelto* se omite.

Ejemplo

```
nombre_función(tipo_parámetro nombre_parámetro)
```

Si la función no toma ningún parámetro, la información *tipo_parámetro* y `nombre_parámetro` se omiten.

Ejemplo

```
tipo_devuelto nombre_función()
```

Los parámetros opcionales se indican entre corchetes ([]).

Ejemplo

```
tipo_devuelto nombre_función([tipo_parámetro nombre_parámetro])
```

Si la función acepta varios parámetros, estos últimos se indican, separados por una coma, siguiendo la misma convención.

Ejemplo

```
tipo_devuelto nombre_función(tipo_parámetro_1 nombre_parámetro_1,
tipo_parámetro_2 nombre_parámetro_2)
```

Si un parámetro se puede repetir un número indefinido de veces, simplemente sigue la secuencia [, ...].

Ejemplo

```
tipo_devuelto nombre_función(tipo_parámetro nombre_parámetro[, ...])
```

5. Sobre los ejercicios

Este libro ofrece varios ejercicios destinados a permitirle poner en práctica los conocimientos adquiridos en los diferentes capítulos.

Durante la escritura de un script PHP, normalmente hay varios métodos para resolver un problema. Cada solución propuesta en el libro es una solución entre muchas y tiene un objetivo pedagógico; puede haber soluciones más compactas o eficaces pero menos fáciles de entender.

Algunos ejercicios consisten en enriquecer y completar un ejercicio anterior; en este caso, se aconseja partir de la solución anterior. Si lo desea, en ese caso puede utilizar la solución propuesta en el libro; las soluciones de los diferentes ejercicios se pueden descargar desde el sitio web de Ediciones ENI. En determinados casos, cuando un ejercicio requiere varios pasos, se proporcionan las soluciones intermedias correspondientes a cada uno de ellos, precisando el número de paso en el nombre del archivo (`iniciol-1.php`, `inicio-2.php`, etc., `inicio.php` corresponde a la versión final de la solución).

Capítulo 2
Introducción a PHP

1. ¿Qué es PHP?

PHP es un lenguaje de script (secuencia de comandos) que se ejecuta del lado del servidor; el código PHP se incluye en una página HTML normal. Por lo tanto, se puede comparar con otros lenguajes de script que se ejecutan según el mismo principio: ASP (*Active Server Pages*), JSP (*Java Server Pages*) o PL/SQL Server Pages (PSP).

A diferencia de un lenguaje como JavaScript, donde el código se ejecuta del lado del cliente (en el explorador), el código PHP se ejecuta del lado del servidor. El resultado de esta ejecución se incrusta en la página HTML, que se envía al navegador. Este último no tiene conocimiento de la existencia del procesamiento que se ha llevado a cabo en el servidor.

Esta técnica permite realizar páginas web dinámicas cuyo contenido se puede generar total o parcialmente en el momento de la llamada de la página, gracias a la información que se recopila en un formulario o se extrae de una base de datos.

Ejemplo sencillo de página PHP

```
<!DOCTYPE html >
<html xmlns=http://www.w3.org/1999/xhtml lang="es">
  <head>
    <meta charset=utf-8" />
    <title>Ejemplo de página PHP</title>
  </head>
  <body>
    <?php
    echo '<p>¡Hola Olivier!</p>';
```

```
    ?>
  </body>
</html>
```

La parte en negrita es el código PHP incluido en la página HTML dentro de las etiquetas `<?php` y `?>`. En este sencillo ejemplo, el código PHP simplemente muestra un texto estático «¡Hola Olivier!» gracias a la función `echo`. En un programa real de PHP, es probable que este texto se genere de forma dinámica en función de la identificación del usuario.

Para indicar al servidor web que una página HTML contiene código PHP que debe ejecutarse, basta con dar al archivo una extensión específica: `.php` (excepto en caso de configuración especial del servidor).

El siguiente diagrama explica cómo el servidor web procesa un archivo PHP.

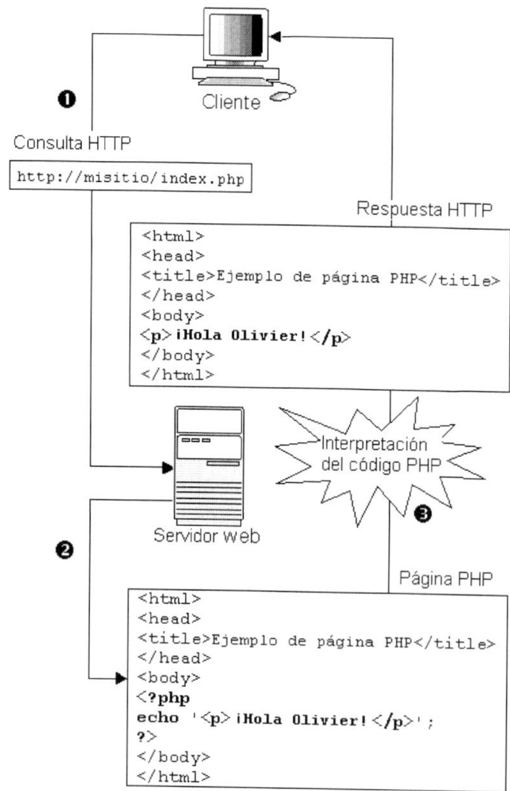

Cuando se solicita un archivo PHP en el servidor web, el código PHP incluido en la página HTML primero se ejecuta en el servidor. El resultado de esta ejecución se inserta en la página en lugar del código PHP y la página se reenvía al navegador.

Otros lenguajes, como PERL (*Practical Extraction and Report Language*) o C, permiten escribir scripts CGI (*Common Gateway Interface*) con el fin de lograr el mismo resultado. Estos lenguajes a menudo se consideran menos prácticos y menos legibles que PHP para realizar una página web con contenido dinámico. De hecho, el programa debe generar toda la página HTML, mientras que en PHP solo se codificará la parte realmente dinámica en el interior de la página.

Además, PHP es un lenguaje diseñado específicamente para el Web y tiene características perfectamente adaptadas a este tipo de desarrollo, lo cual no es el caso de PERL ni de C (que, sin embargo, también son excelentes lenguajes).

2. Estructura básica de una página PHP

2.1 Las etiquetas PHP

Como hemos visto anteriormente, el código PHP se incluye en una página HTML dentro de las etiquetas (también conocidas por su término en inglés, *tags*).

PHP acepta dos sintaxis para las etiquetas:

- `<?php ... ?>`
- `<? ... ?>`

La primera es la sintaxis habitual y la más recomendada.

La segunda sintaxis solo es posible si está permitida en el archivo de configuración de PHP (`php.ini`) poniendo la directiva `short_open_tag` en `on`. No es aconsejable utilizar esta sintaxis si el código debe desplegarse en un servidor cuya configuración no puede modificar y que no es compatible con esta sintaxis.

Si el script solo contiene código PHP, la etiqueta de cierre se puede omitir.

2.2 La función echo

La función `echo` es la función básica de cualquier página PHP. Permite mostrar una o varias cadenas y, por tanto, incluir texto en la página HTML que se envía al explorador.

Sintaxis

```
echo(cadena de texto)
echo cadena de texto[,...]
```

`texto`: texto que se mostrará.

La primera sintaxis únicamente acepta un parámetro, mientras que la segunda acepta varios.

Ejemplo

```
<!DOCTYPE html>
<html xmlns=http://www.w3.org/1999/xhtml lang="es">
  <head>
    <meta charset=utf-8" />
    <title>Ejemplo de página PHP</title>
  </head>
  <body>
    <p>
    <?php
    echo('¡Hola Olivier!');
    ?>
    <br />
    <?php
    echo '¡Hola ','Valeria','!';
    ?>
    </p>
  </body>
</html>
```

Resultado

```
¡Hola Olivier!
¡Hola Valeria!
```

No hay salto de línea automático en el resultado de la ejecución del código PHP. Si es necesario, se debe insertar la etiqueta HTML `<br />`, que provoca un salto de línea en la página HTML final (véase el ejemplo anterior).

El texto configurado en la función `echo` se puede escribir en varias líneas en la fuente, pero se muestra solo en una en el resultado:

Ejemplo

```
<?php
echo '¡Hola
Olivier', '!';
?>
```

Resultado

```
¡Hola Olivier!
```

También es posible insertar texto en la página HTML utilizando el operador = inmediatamente después de la etiqueta de apertura corta (<?). Esta sintaxis no necesita que la directiva de configuración `short_open_tags` esté en `on` en el archivo de configuración de PHP.

Ejemplo

```
<?='¿Cómo estás?'?>
```

Resultado

```
¿Cómo estás?
```

Más adelante veremos que esta sintaxis se puede utilizar con una variable (`<?=$UnaVariable?>`) o expresión (`<?=1+1?>`).

2.3 Separador de instrucciones

En PHP, todas las instrucciones deben terminar con un punto y coma.

Ejemplo

```
<?php
echo '¡Hola ';
echo 'Olivier!';
?>
```

Resultado

```
¡Hola Olivier!
```

Si se omite el punto y coma, se genera un error.

La única excepción es la instrucción que precede a la etiqueta de cierre, para la que se puede omitir el punto y coma.

Es posible escribir varias instrucciones en la misma línea siempre y cuando estén separadas por un punto y coma. Sin embargo, a veces esta escritura dificulta la legibilidad del código.

Ejemplo

```
<?php
echo '¡Hola '; echo 'Olivier!';
?>
```

Resultado

```
¡Hola Olivier!
```

2.4 Comentarios

PHP ofrece dos sintaxis:

- `//` o `#` para insertar comentarios en una línea «dedicada» o después de una instrucción.
- `/* ... */` para insertar comentarios en varias líneas.

Ejemplo

```
<html>
<?php
// comentario en una sola línea
# comentario en una sola línea
/* comentario en
varias líneas */
echo '¡Hola'; // comentario hasta el final de la línea
echo 'Olivier!'; # comentario hasta el final de la línea
?>
</html>
```

Resultado

```
¡Hola Olivier!
```

Observación

Los comentarios `/*... */` no deben ser anidados.

2.5 Mezclar PHP y HTML

Existen muchos enfoques para mezclar PHP y HTML.

Sin embargo, estos enfoques se basan en dos principios simples:

- La página puede contener una o varias inclusiones de código PHP.
- El código PHP genera el «texto» que se integra en la página HTML que se envía al explorador. Por lo tanto, cualquier «texto» comprensible por el navegador puede generarse por código PHP: texto simple, código HTML, código JavaScript...

Los siguientes ejemplos utilizan variables y funciones de PHP (recuperar la fecha y la hora). Estos conceptos se abordan en mayor detalle en este manual.

Ejemplo de página que contiene código PHP en varios lugares

```
<?php
// Declaración de variables que se utilizarán más adelante.
// Esta sección de código PHP no genera una salida en la
// página HTML (no hay ninguna llamada a echo).
$nombre = 'Olivier'; // nombre del usuario
```

```
$titulo_pagina = 'Ediciones ENI presenta...'; // título de la página
$hoy = date("d/m/Y"); // fecha del día
$hora = date("H:i:s"); // hora
?>
<!DOCTYPE html>
  <html xmlns="http://www.w3.org/1999/xhtml" lang="es">
  <head>
    <meta charset=utf-8" />
    <title>
    <?php /* muestra el título */ echo $titulo_pagina; ?>
    </title>
  </head>
  <body>
    <p>
   <?php
    /* Muestra el nombre del usuario.
    ** Las etiquetas de negrita del nombre (<b>) y del salto de
    ** línea (<br />) están incluidas en la cadena enviada
    ** por echo.
    */
    echo "¡Hola <b>$nombre</b>!<br />";
    // Muestra la fecha y la hora.
    echo "Hoy estamos a $hoy; son las $hora.";
    ?>
    </p>
  </body>
</html>
```

Resultado

```
¡Hola Olivier!
Hoy estamos a 22/02/2021; son las 08:11:33.
```

Fuente de la página en el navegador (los elementos generados por PHP están en negrita)

```
<!DOCTYPE html>
<html xmlns="http://www.w3.org/1999/xhtml" lang="es">
  <head>
    <meta http-equiv="content-type"
            content="text/html; charset=utf-8" />
    <title>
    Ediciones ENI presenta...
    </title>
    </head>
    <body>
      <p>
      ¡Hola <b>Olivier</b>!<br />Hoy estamos a 22/02/2024; son las 08:11:33.
    </p>
  </body>
</html>
```

Ejemplo de página generada en su totalidad por código PHP (siguiendo el principio CGI)

```
<?php
// Declaración de variables que se utilizarán más adelante.
$nombre = 'Olivier'; // nombre del usuario
$titulo_pagina = 'Ediciones ENI presenta...'; // título de la página
$hoy = date("d/m/Y"); // fecha del día
$hora = date("H:i:s"); // hora
// Generación de las etiquetas de apertura del documento HTML.
echo '<!DOCTYPE html> ',
echo '<html xmlns="http://www.w3.org/1999/xhtml" lang="es">';
echo '<head>';
echo '<meta charset=utf-8" />';
echo "<title>$titulo_pagina</title>";
echo '</head>';
echo '<body>';
echo '<p>';
 /* Muestra el nombre del usuario.
 ** Las etiquetas de negrita del nombre (<b>) y del salto de línea
 ** (<br />) están incluidas en la cadena enviada por echo.
 */
echo "¡Hola <b>$nombre</b>!<br />";
// Muestra la fecha y la hora.
echo "Hoy estamos a $hoy; son las $hora.";
echo '</p>';
echo '</body>';
echo '</html>';
?>
```

Resultado

¡Hola **Olivier**!
Hoy estamos a 22/02/2024; son las 08:13:14.

Código fuente de la página en el navegador (todo está en una línea)

```
<!DOCTYPE html><html xmlns="http://www.w3.org/1999/xhtml"><head>
<meta charset=utf-8" /><title>Ediciones ENI presenta...</title></head>
<body><p>¡Hola <b>Olivier</b>!<br />Hoy estamos a 22/02/2024; son las
08:13:14.</p></body></html>
```

No existe ninguna regla para mezclar PHP y HTML. Un enfoque comúnmente utilizado por los desarrolladores es usar PHP únicamente para generar la parte verdaderamente dinámica de la página; el resto se escribe directamente en HTML en el archivo. Esta técnica hace que el código sea menos pesado y permite ver inmediatamente dónde se encuentra la lógica de la aplicación.

El documento HTML que se envía al navegador debe ser válido y, si es posible, conforme a los estándares HTML o XHTML del W3C (*World Wide Web Consortium*). Si es necesario, utilice el servicio de validación del W3C (http://validator.w3.org/).

En este libro, los ejemplos respetan al máximo la recomendación HTML 5. Sin embargo, por razones de espacio, los ejemplos no integran sistemáticamente las declaraciones iniciales:

```
<!DOCTYPE html>
<html xmlns="http://www.w3.org/1999/xhtml" lang="es">
  <head>
    <meta charset="utf-8" />
...
```

En HTML 5, el atributo `xmlns` de la etiqueta `<html>` es opcional y se puede omitir.

Los ejemplos también intentan respetar varias reglas de XHTML (cierre de todas las etiquetas, etiquetas y atributos en minúsculas, valor de los atributos entre comillas, etc.) y también se pueden convertir muy fácilmente en XHTML. Si desea servir sus páginas a XHTML 1.0 Strict, puede utilizar la declaración siguiente:

```
<!DOCTYPE html>
<html xmlns="http://www.w3.org/1999/xhtml" xml:lang="es" lang="es">
  <head>
    <meta http-equiv="content-type" content="text/html; charset=utf-8" />
...
```

Observación

En lo que respecta al juego de caracteres, consulte también la directiva de configuración `default_charset` un poco más adelante en este capítulo.

2.6 Reglas para los nombres

Cualquier entidad PHP con nombre (variable, constante, función...) debe tener un nombre que respete las siguientes reglas:

- empezar con una letra o guion bajo (_);
- a continuación, debe contener letras, números o guiones bajos.

En esta definición, una letra representa cualquier letra mayúscula o minúscula entre A y Z (a-z y A-Z) y todos los caracteres ASCII entre 127 y 255. Por lo tanto, los caracteres acentuados están permitidos, pero no los caracteres #$%&, que tienen un significado especial en el lenguaje PHP.

2.7 Ejercicio 1: mi primer script PHP

Escriba un script PHP llamado `inicio.php` que muestre une página llamada «Inicio» con los mensajes «Hola PHP.» y «Bienvenido a miSitio.com» en dos líneas.

Resultado esperado

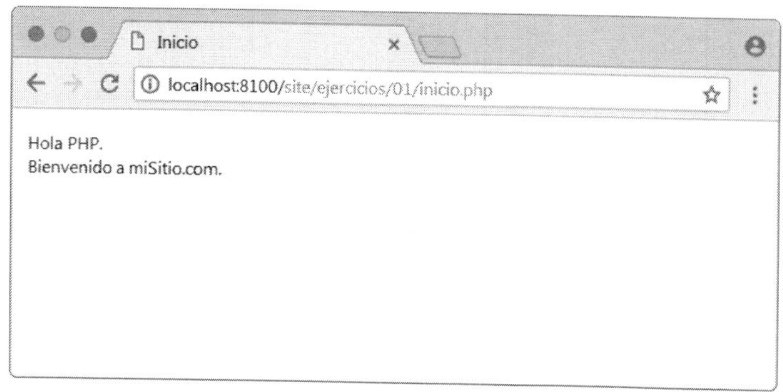

Solución

```
<!DOCTYPE html>
<html xmlns="http://www.w3.org/1999/xhtml" lang="es">
  <head>
    <meta charset="utf-8" />
    <title>Inicio</title>
  </head>
  <body>
    <div>
    <?php
    echo 'Hola PHP.<br />';
    echo 'Bienvenido a miSitio.com.';
    ?>
    </div>
  </body>
</html>
```

■Observación

Para este primer script tan sencillo, una simple página HTML estática puede ser suficiente. En los siguientes ejercicios, utilizaremos este script como punto de partida para explotar realmente el lenguaje PHP.

3. Configuración de PHP

3.1 El archivo de configuración php.ini

A lo largo de este libro nos encontramos con varias directivas de configuración que se utilizan para modificar el comportamiento de PHP.

Estas directivas de configuración se introducen en el archivo de configuración de PHP (`php.ini`).

PHP dispone de dos archivos `php.ini` de muestra: `php.ini-development` y `php.ini-production`.

El archivo `php.ini-development` es un ejemplo de un archivo de configuración especialmente destinado a su uso en un entorno de desarrollo. Por el contrario, el archivo `php.ini-production` está especialmente destinado a su uso en un entorno operativo y contiene la configuración de PHP más segura o de mejor rendimiento.

Ambos archivos presentan multitud de comentarios que explican el papel de cada directiva y ofrecen consejos sobre su uso.

Para utilizar uno de estos archivos, cópielo a la ubicación apropiada de su plataforma y cámbiele el nombre a `php.ini`. El archivo `php.ini` se encuentra normalmente en los siguientes lugares (en este orden):

- Una ubicación específica en el servidor web (por ejemplo, la directiva `PHPIniDir` de Apache 2).
- Un lugar definido por la variable de entorno `PHPRC`.
- La carpeta `/usr/local/lib` en Linux/Unix y `c:\windows` o `c:\winnt` en Windows.

Con Apache, también es posible definir directivas de configuración de PHP en el archivo de configuración de Apache (por ejemplo, `httpd.conf`) o en un archivo `htaccess`.

Por otra parte, PHP permite definir directivas de configuración por directorio, pero solo en modo CGI o FastCGI. Para ello hay disponibles dos métodos:

- Crear un archivo `.user.ini` en el directorio con los valores deseados.
- Definir una o varias secciones `[PATH=/ruta/al/directorio]` en el archivo `php.ini`.

Para obtener más información sobre la aplicación y las limitaciones de estas características, consulte la documentación de PHP.

En este libro, y a menos que se indique lo contrario, asumiremos que se han colocado tres directivas relativas a la gestión de errores y del huso horario de la siguiente manera:

`display_errors = on`	Se mostrarán los errores.
`error_reporting = E_ALL`	Se mostrarán todos los errores.
`date.timezone = "Europe/Madrid"`	Huso horario predefinido.

La gestión de los errores se aborda en detalle en el capítulo Gestionar los errores en un script PHP.

3.2 Información sobre la configuración

PHP dispone de dos funciones particularmente útiles para obtener información sobre la configuración: `phpversion` y `phpinfo`.

La función `phpversion` devuelve el número de versión de PHP y la función `phpinfo` muestra una gran cantidad de información sobre la configuración de PHP y su entorno. El número de versión también está disponible a través de la constante predefinida `PHP_VERSION`.

Sintaxis

```
cadena phpversion([extensión])
booleano phpinfo([número entero])
```

Donde

`extensión`

Si se especifica este parámetro, la función devuelve la versión de la extensión con este nombre (o `FALSE` si se desconoce la versión o si la extensión no está disponible).

`Número entero`

Naturaleza de la información deseada. Utilizar una o varias (total) de las siguientes constantes:

`INFO_GENERAL (1)`: información general (versión, ubicación del archivo `php.ini`, sistema operativo, etc.).

`INFO_CREDITS (2)`: información sobre los autores.

`INFO_CONFIGURATION (4)`: información sobre la configuración (valores de directivas).

INFO_MODULES (8): información sobre los módulos cargados con su configuración respectiva.

INFO_ENVIRONMENT (16): información sobre el entorno (véase la variable $_ENV en anexo).

INFO_VARIABLES (32): valores de todas las variables predefinidas (véase Anexo).

INFO_LICENSE (64): información de licencia.

INFO_ALL (-1): toda la información (valor predeterminado).

phpinfo devuelve TRUE en caso de éxito y FALSE en caso de error.

Ejemplo 1

```
<?php
echo phpversion();
?>
```

Resultado

```
8.2.3
```

Ejemplo 2

```
<?php
// información general e información
// de licencia
phpinfo(INFO_GENERAL);
?>
```

Resultado

PHP Version 8.2.3

php

System	Linux elld 5.15.0-92-generic #102-Ubuntu SMP Wed Jan 10 09:33:48 UTC 2024 x86_64
Build Date	Aug 18 2023 11:41:11
Build System	Linux
Server API	Apache 2.0 Handler
Virtual Directory Support	disabled
Configuration File (php.ini) Path	/etc/php/8.1/apache2
Loaded Configuration File	/etc/php/8.1/apache2/php.ini
Scan this dir for additional .ini files	/etc/php/8.1/apache2/conf.d
Additional .ini files parsed	/etc/php/8.1/apache2/conf.d/10-mysqlnd.ini, /etc/php/8.1/apache2/conf.d/10-opcache.ini, /etc/php/8.1/apache2/conf.d/10-pdo.ini, /etc/php/8.1/apache2/conf.d/20-calendar.ini, /etc/php/8.1/apache2/conf.d/20-ctype.ini, /etc/php/8.1/apache2/conf.d/20-exif.ini, /etc/php/8.1/apache2/conf.d/20-ffi.ini, /etc/php/8.1/apache2/conf.d/20-fileinfo.ini, /etc/php/8.1/apache2/conf.d/20-ftp.ini, /etc/php/8.1/apache2/conf.d/20-gettext.ini, /etc/php/8.1/apache2/conf.d/20-iconv.ini, /etc/php/8.1/apache2/conf.d/20-mysqli.ini, /etc/php/8.1/apache2/conf.d/20-pdo_mysql.ini, /etc/php/8.1/apache2/conf.d/20-phar.ini, /etc/php/8.1/apache2/conf.d/20-posix.ini, /etc/php/8.1/apache2/conf.d/20-readline.ini, /etc/php/8.1/apache2/conf.d/20-shmop.ini, /etc/php/8.1/apache2/conf.d/20-sockets.ini, /etc/php/8.1/apache2/conf.d/20-sysvmsg.ini, /etc/php/8.1/apache2/conf.d/20-sysvsem.ini, /etc/php/8.1/apache2/conf.d/20-sysvshm.ini, /etc/php/8.1/apache2/conf.d/20-tokenizer.ini
PHP API	20210902
PHP Extension	20210902
Zend Extension	420210902
Zend Extension Build	API420210902,NTS
PHP Extension Build	API20210902,NTS
Debug Build	no
Thread Safety	disabled
Zend Signal Handling	enabled
Zend Memory Manager	enabled
Zend Multibyte Support	disabled
IPv6 Support	enabled
DTrace Support	available, disabled
Registered PHP Streams	https, ftps, compress.zlib, php, file, glob, data, http, ftp, phar
Registered Stream Socket Transports	tcp, udp, unix, udg, ssl, tls, tlsv1.0, tlsv1.1, tlsv1.2, tlsv1.3
Registered Stream Filters	zlib.*, string.rot13, string.toupper, string.tolower, convert.*, consumed, dechunk, convert.iconv.*

This program makes use of the Zend Scripting Language Engine:
Zend Engine v4.1.2, Copyright (c) Zend Technologies
with Zend OPcache v8.1.2-1ubuntu2.14, Copyright (c), by Zend Technologies

zend engine

Ejemplo 3

```
<?php
// toda la información
phpinfo();
?>
```

Observación

Véase también las funciones `ini_get_all`, `ini_get` y `get_loaded_extensions`, que permiten obtener información sobre las directivas de compilación y las extensiones cargadas.

3.3 Juego de caracteres

La directiva de configuración `default_charset` está predefinida como `UTF-8` y este valor se utiliza como juego de caracteres en el encabezado `Content-Type` enviado por PHP al navegador (si este encabezado no se sobrescribe por una llamada de la función `header()`).

Por tanto, el valor predefinido de esta directiva recomienda el uso del juego de caracteres UTF-8 para su sitio, lo que incluye:

- Guardar todas sus secuencias de comandos en UTF-8.
- Utilizar el juego de caracteres UTF-8 para los intercambios con las bases de datos.

4. Utilizar PHP desde la línea de comandos

Es posible utilizar PHP desde la línea de comandos. Este modo de funcionamiento no requiere un servidor web y se utiliza, por ejemplo, para el desarrollo de secuencias de comandos administrativas.

Sintaxis simplificada

```
php [opciones] [script]
```

Donde

`opciones`	Opciones en la línea de comandos (por ejemplo, `-h` para obtener la ayuda, `-v` para la versión, etc.).
`script`	El archivo que contiene el código PHP que se va a ejecutar.

Ejemplo

```
# php -v
PHP 8.2.3 (cli) (built: Feb 28 2023 17:22:24) (NTS)
Copyright (c) The PHP Group
Zend Engine v4.2.3, Copyright (c) Zend Technologies

## php script.php Olivier
¡Hola Olivier!
```

Contenido del script `script.php`:

```
<?php
// mostrar un mensaje simple
// utilizando el parámetro
// pasado en la línea de comandos
echo "¡Hola $argv[1]!\n";
?>
```

PHP en línea de comandos ofrece también un pequeño servidor web que se puede utilizar para el desarrollo. Este servidor web integrado se puede iniciar de la siguiente manera:

```
php -S servidor:puerto [-t ruta]
```

`servidor`	Nombre o dirección IP del servidor.
`puerto`	Puerto de escucha.
`ruta`	Directorio raíz de los documentos (directorio actual predefinido).

5. Las bases del lenguaje PHP

5.1 Constantes

5.1.1 Definición

La función `define` o la palabra clave `const` permiten definir una constante.

Una constante es un área de memoria identificada por un nombre que contiene un valor que el programa puede leer pero no modificar.

Sintaxis

```
booleano define(cadena nombre, mixto valor[, booleano case insensible])
const nombre = valor
```

`nombre`	Nombre de la constante (véase la sección Estructura básica de una página PHP - Reglas para los nombres, en este capítulo).
`valor`	Valor de la constante.
`case_insensible`	Indica si el nombre de la constante distingue entre mayúsculas y minúsculas (`TRUE`) o no (`FALSE` – valor predefinido, único valor autorizado a partir de la versión 8).

La función `define` devuelve `TRUE` en caso de éxito y `FALSE` en caso de error.

Cualquier tipo de dato escalar (véase la sección Las bases del lenguaje PHP - Tipos de datos de este capítulo) o de tipo matriz (ver la sección Las bases del lenguaje PHP - Matrices de este capítulo) se puede usar como tipo de dato de una constante.

El nombre de una constante no puede comenzar con un $, ya que este prefijo está reservado para el nombre de las variables (véase la sección Las bases del lenguaje PHP - Variables, en este capítulo). Definir una constante cuyo nombre comienza por $ no genera un error (`define` devuelve `TRUE`). Sin embargo, cuando se utiliza, la constante se verá como una variable no inicializada.

Con la función `define`, el valor de la constante se puede definir con la ayuda de una expresión que utiliza valores literales, constantes, variables, operadores o llamadas de funciones.

Con la palabra clave `const`, también es posible definir el valor de la constante con la ayuda de una expresión, pero que utiliza únicamente valores literales, constantes y operadores (no llamadas de función ni variables).

A partir de la **versión 8.1**, en las dos sintaxis, el valor de una constante puede ser también un objeto instanciado con el operador `new` (ver la sección Clases en el capítulo Escribir funciones y clases PHP).

Una vez creada, una constante no se puede cambiar, ni por una nueva llamada a `define` (devuelve `FALSE`, genera un error de nivel `E_WARNING` y deja el valor de la constante inalterado), ni por asignación directa (genera un error de nivel `E_WARNING` y deja el valor de la constante inalterado).

Ejemplo

```
<?php
// Definir una constante (nombre predefinido
// sensible a mayúsculas y minúsculas).
define('CONSTANTE','valor de la CONSTANTE');
// Mostrar el valor de la CONSTANTE (=> OK).
echo 'CONSTANTE = ',CONSTANTE,'<br />';
// Utilización de la palabra clave const
const OTRA_CONSTANTE = 'PHP 8.2';
echo 'OTRA_CONSTANTE = ', OTRA_CONSTANTE, '<br />';
// Utilización de una expresión compleja para definir el
// valor de una constante con la función define.
define('UNA CONSTANTE MÁS',md5(uniqid(rand())));
echo 'UNA CONSTANTE MÁS = ', UNA CONSTANTE MÁS,'<br />';
// Utilización de una expresión simple para definir el valor
// de una constante con la palabra clave const.
const UNA ÚLTIMA_CONSTANTE = OTRA CONSTANTE . ' (nuevo)';
echo 'UNA ÚLTIMA CONSTANTE = ', UNA_ÚLTIMA_CONSTANTE;
?>
```

Resultado

```
CONSTANTE = valor de CONSTANTE
OTRA_CONSTANTE = PHP 8.2
UNA CONSTANTE MÁS = 0905bdc2e59bb029edb72a60c62cb69c
UNA ÚLTIMA_CONSTANTE = PHP 8.2 (nuevo)
```

Versión 8

Tradicionalmente, los nombres de las constantes se definen en mayúsculas.

A partir de la **versión 8**, ya no se autoriza definir constantes cuyos nombres no diferencian entre mayúsculas y minúsculas (esta posibilidad quedó obsoleta a partir de la versión 7.3). Por este motivo, pasar `TRUE` al parámetro `case_insensitive` genera un error de nivel `E_WARNING` (pero la constante está bien definida y solo puede utilizarse respetando escrupulosamente las mayúsculas y las minúsculas).

Ejemplo

```
<?php
define('CONSTANTE','valor de la CONSTANTE',TRUE);
echo 'CONSTANTE = ', CONSTANTE;
?>
```

Resultado

```
Warning: define(): Argument #3 ($case_insensitive) is ignored since
declaration of case-insensitive constants is no longer supported in
/app/scripts/index.php on line 2
CONSTANTE = valor de CONSTANTE
```

A partir de la **versión 8**, utilizar una constante no definida genera una excepción `Error` que interrumpe el script si no se administra (en la versión 7 es un simple error de nivel, `E_WARNING` a partir de la versión 7.2). El nivel del error reportado por PHP depende de las directivas de configuración en el archivo `php.ini` (véase el capítulo Gestionar los errores en un script PHP).

Ejemplo

```
<?php
echo 'constante = ',constante;
?>
```

Resultado

```
constante =
Fatal error: Uncaught Error: Undefined constant "constante" in
/app/scripts/index.php:2 Stack trace: #0 {main} thrown in
/app/scripts/index.php on line 2
```

Obtenemos un error similar con la función `define` si el nombre de la constante no está delimitado por apóstrofos o comillas.

Ejemplo

```
<?php
define(PI,3.14);
echo PI ;
?>
```

Resultado

```
Fatal error: Uncaught Error: Undefined constant "PI" in
/app/scripts/index.php:2 Stack trace: #0 {main} thrown in
/app/scripts/index.php on line 2
```

En este ejemplo, en la función `define`, PHP interpreta `PI` como una constante no definida, lo que genera una excepción `Error` que interrumpe el script (si la excepción no se gestiona).

5.1.2 Alcance

El alcance de una constante es la secuencia de comandos en la que se define. Por lo tanto, una constante se puede definir en una primera sección de código PHP y utilizarse en otra sección de código PHP del mismo script.

Ejemplo

```
<?php
// Definir una constante.
define('NOMBRE','Olivier');
?>
<html>
<body>
<p>¡Hola <b><?= echo NOMBRE; ?></b>!</p>
</body>
</html>
```

Resultado

```
¡Hola Olivier!
```

5.2 Variables

Una variable es un área de memoria identificada por un nombre que contiene un valor que el programa puede leer o modificar.

5.2.1 Inicialización y asignación

En PHP, las variables se identifican por el prefijo $ seguido de un nombre que cumple con las reglas para los nombres presentadas en este capítulo (véase la sección Estructura básica de una página PHP - Reglas para los nombres).

● Versión 8

El nombre de las variables distingue entre mayúsculas y minúsculas: PHP considera `$nombre` y `$Nombre` como variables diferentes. Este comportamiento es peligroso, ya que, en caso de utilizar una sintaxis incorrecta, se crea una nueva variable vacía con un error de nivel `E_WARNING` (`E_NOTICE` antes de la **versión 8**)que no se puede mostrar (véase el capítulo Gestionar los errores en un script PHP). Por tanto, es esencial adoptar una convención para los nombres y respetarla. Algunas sugerencias:

- todo en minúsculas (`$nombre`).
- primera letra en mayúscula y el resto en minúsculas (`$Nombre`).
- primera letra de cada palabra en mayúscula y el resto en minúsculas (`$NombreDePila`).

Las variables de PHP se definen automáticamente la primera vez que se utilizan. No hay instrucciones específicas para crear una variable.

Las variables de PHP se escriben de forma automática; cada vez que se asigne un valor a una variable, el tipo de variable se define o se redefine automáticamente (véase la sección Las bases del lenguaje PHP - Tipos de datos).

Un valor se puede asignar a una variable mediante el operador de asignación «=» (véase la sección Las bases del lenguaje PHP - Operadores, para obtener una lista de todos los operadores).

Ejemplo

```
<?php
// Inicializar una variable $nombre.
$nombre = 'Olivier';
// Mostrar la variable $nombre.
echo '$nombre = ',$nombre,'<br />';
// Mostrar la variable $Nombre.
echo '$<b>N</b>ombre = ',$Nombre;
echo ' => vacío (es otra variable)<br />';
// Modificar el valor (y el tipo) de la variable $nombre.
$nombre = 123;
// Mostrar la variable $nombre.
echo '$nombre = ',$nombre,'<br />';
?>
```

Resultado (si los errores de nivel E_WARNING se muestran)

```
$nombre = Olivier
$Nombre =
Warning: Undefined variable $Nombre in /app/scripts/index.php on line 7
=> vacío (es otra variable)
$nombre = 123
```

Observación

A lo largo de este libro, tendremos la oportunidad de conocer las variables definidas automáticamente por PHP y que contienen valores relativos al entorno, a PHP, a formularios, cookies...

5.2.2 Alcance y duración

El alcance de una variable es la secuencia de comandos en la que se define. Por lo tanto, una variable se puede definir en una primera sección de código PHP y utilizarse en otra sección de código PHP del mismo script.

La duración de una variable es el tiempo de ejecución del script. Cuando el script termina, las variables se eliminan. Si más adelante se llama al mismo script, se definen nuevas variables.

Ejemplo

```
<?php
// Mostrar el contenido de la variable $nombre.
echo '$nombre = ',$nombre,'<br />';
// Inicializar la variable $nombre.
$nombre = 'Olivier';
// Mostrar de nuevo el contenido de la variable $nombre.
echo '$nombre = ',$nombre,'<br />';
?>
```

Resultado de la primera llamada del script

```
$nombre =
$nombre = Olivier
```

Resultado de la segunda llamada del script

```
$nombre =
$nombre = Olivier
```

Entre las dos llamadas, se ha eliminado la variable. Al comienzo de la segunda llamada, no contiene el valor que tenía al final de la primera llamada (no es la misma variable). Este ejemplo presupone que no se muestran los errores de nivel `E_WARNING`.

Observación

En los capítulos Gestionar sesiones y Gestionar formularios y enlaces, veremos cómo conservar el valor de una variable más allá de la ejecución del script o cómo transmitir el valor de una variable de un script a otro.

5.2.3 Variables dinámicas (o variables variables)

PHP ofrece una función de variable dinámica (también llamada variable variable) útil en determinadas situaciones.

El principio consiste en utilizar una variable que almacena el nombre de otra variable y, a continuación, se hace referencia a ella con una notación del tipo `$$variable` o `${$variable}`. Con esta notación, la `$variable` «interior» se sustituye por el valor de la variable `$variable` (`valor`, por ejemplo) que se utiliza como un nombre de variable por la $ «exterior» (es decir, `$valor` en nuestro ejemplo).

Ejemplo

```
<?php
$una_variable = 10;
$nombre_variable = 'una_variable';
echo '$una_variable = ',$una_variable,'<br />';
echo '$nombre_variable = ',$nombre_variable,'<br />';
echo '$$nombre_variable = ',$$nombre_variable,'<br />';
?>
```

Resultado

```
$una_variable = 10
$nombre_variable = una_variable
$$nombre_variable = 10
```

5.3 Tipos de datos

5.3.1 Tipos de datos disponibles

PHP dispone de cuatro tipos de datos escalares (solo pueden contener un valor), dos tipos compuestos (pueden contener varios valores) y cuatro tipos especiales:

- Tipos escalares:
  - número entero
  - número de punto flotante
  - cadena de caracteres
  - booleano

- Tipos compuestos:
  - matriz (véase la sección Las bases del lenguaje PHP - Matrices, de este capítulo)
  - objeto (véase el capítulo Escribir funciones y clases PHP)
- Tipos especiales:
  - NULL
  - Recurso
  - función de recordatorio
  - iterable

5.3.2 Tipos de datos escalares

Entero (int)

El tipo entero (*integer*) permite almacenar un número entero de 32 bits o de 64 bits, es decir, cuyos valores estén comprendidos entre -2^{31} (-2 147 483 648) y $+2^{31}-1$ (+2 147 483 647) en 32 bits y entre -2^{63} y $+2^{63}-1$ en 64 bits. Los valores del entero más pequeño y del más grande admitidos por su plataforma son facilitados respectivamente por las constantes predefinidas `PHP_INT_MIN` y `PHP_INT_MAX`.

En caso de desbordamiento de capacidad en un cálculo, el resultado se convierte automáticamente a un número de punto flotante.

Hay que tener en cuenta que un valor entero literal puede contener el carácter guion bajo (_) entre las cifras. De este modo, `123_456` es un entero válido igual a `123456`.

Número de punto flotante (float)

El tipo número de punto flotante (*float*) permite almacenar un número decimal en un rango de valores dependiente de la plataforma (normalmente del orden de 10^{-308} a 10^{+308}).

Este número se puede expresar en notación decimal x.y (por ejemplo, 123.456) o en notación científica x.yEz o x.yez (por ejemplo, 1.23456E2). Puede haber un signo "más" (+) o "menos" (-) delante del número o delante del exponente, en ambos casos sin espacio (por ejemplo `-123.456` o `1.23456E-2`)

Los valores más pequeño y más grandes representables son respectivamente dados por las constantes predefinidas `PHP_FLOAT_MIN` y `PHP_FLOAT_MAX` (ver también las constantes `PHP_FLOAT_DIG` y `PHP_FLOAT_EPSILON` relativas a la precisión de los números de punto flotante).

En caso de conversión de un número de punto flotante en entero, el número se trunca (no se redondea) al entero más próximo (1.9 da 1, por ejemplo). En caso de desbordamiento de capacidad, no aparece ningún mensaje, pero el valor a la llegada es indefinido.

Como en el caso de un entero, un número de punto flotante puede contener el carácter guion bajo (_) entre las cifras. De este modo, `1_234.56` es un número válido igual a `1234.56`.

Versión 8

A partir de la **versión 8**, la conversión de un número de punto flotante en una cadena de caracteres ya no tiene en cuenta el entorno de localización (inglés, español, etc.). Por ejemplo, en la versión 8, el código siguiente mostrará siempre `1.23` sea cual sea el entorno de localización:

```
<?php
$x = 1.23;
echo $x;
?>
```

En las versiones anteriores, puede mostrarse en su lugar el valor `1,23` si la coma es el separador decimal del entorno de localización de ejecución. Para convertir un número en una cadena de caracteres y controlar el separador decimal que se utiliza, recomendamos utilizar la función `number_format` que se presenta en el capítulo Utilizar las funciones PHP (en ese capítulo también presentaremos la función `setlocale` que permite modificar el entorno de localización de ejecución si fuera necesario).

A partir de la versión 8.1, una conversión implícita de un número en punto flotante a un número entero que provoque una pérdida de precisión queda obsoleta y, por tanto, genera una alerta `E_DEPRECATED` (mensaje de tipo **Deprecated**: `Implicit conversion from float x.x to int loses precision in ...`). Para evitarlo, basta con realizar una conversión explícita de entero a punto flotante (véase la notación `int` o la función `intval` más adelante en este capítulo).

Observación

PHP ofrece bibliotecas especiales (también llamadas librerías) para manejar los números de gran tamaño (bibliotecas BC o GMP).

Cadena de caracteres (string)

El tipo cadena de caracteres (*string*) permite almacenar cualquier secuencia de caracteres de un byte (código ASCII entre 0 y 255), sin limitación de tamaño.

Una expresión literal de tipo cadena de caracteres se puede especificar entre comillas (`"esto es una cadena"`) o entre apóstrofos (`'esto también es una cadena'`) con importantes diferencias en el comportamiento, que se describen a continuación.

Las comillas presentes en una cadena delimitada por comillas o los apóstrofos presentes en una cadena delimitada por apóstrofos deben «escaparse», es decir, deben ir precedidos por una barra invertida (\). Además, una barra invertida al final de esta cadena, justo antes de la comilla o el apóstrofo final, también debe escaparse mediante una barra invertida.

Ejemplo

```
<?php
echo 'It\'s raining.<br />';
echo "Yo digo \"hola\".<br />";
?>
```

Resultado

```
It's raining.
Yo digo "hola".
```

Una cadena se puede introducir en varias líneas, pero se muestra en una sola línea en el navegador. Para mostrar una cadena en varias líneas en el navegador, debe insertar una etiqueta `<br />`.

```
<?php
$cadena = '<p>Yo me llamo Olivier
y vivo en España.</p>';
echo $cadena;
$cadena = '<p>Yo me llamo Olivier<br />
y vivo en España.</p>';
echo $cadena;
?>
```

Resultado

```
Yo me llamo Olivier y vivo en España.

Yo me llamo Olivier
y vivo en España.
```

Cuando una cadena está delimitada por comillas, cualquier secuencia de caracteres que comience con el signo $ se interpreta como una variable y se sustituye por el valor de la variable: es el mecanismo de sustitución de variables por su valor. Esta característica, muy práctica, no funciona con las cadenas delimitadas por apóstrofos (primera diferencia entre los dos tipos de cadenas).

Ejemplo

```
<?php
$nombre = 'Olivier';
echo "Yo me llamo $nombre.<br />";
echo 'Yo me llamo $nombre.<br />'; // no funciona
?>
```

Resultado

```
Yo me llamo Olivier.
Yo me llamo $nombre.
```

En algunos casos, es posible que este comportamiento no sea el deseado. Basta con escapar el signo $ con la barra invertida (\) para que se comporte como un $.

Ejemplo

```
<?php
$nombre = 'Olivier';
echo "\$nombre = $nombre";
?>
```

Resultado

```
$nombre = Olivier
```

En otros casos, el comportamiento puede ser deseado si existe la necesidad de adjuntar un texto adicional después del nombre de la variable.

Ejemplo

```
<?php
$fruta = 'manzana';
echo "Una $fruta no es cara.<br />";
echo "Dos $frutas cuestan el doble.<br />";
?>
```

Resultado (si no se muestran los errores de nivel `E_WARNING`)

```
Una manzana no es cara.
Dos cuestan el doble.
```

En este ejemplo, PHP interpreta la «s» plural como perteneciente a la secuencia de caracteres situada detrás del $ y, por lo tanto, a la variable `$frutas` que se reconoce y se sustituye por su valor (vacío, ya que la variable no se ha inicializado).

La solución consiste en delimitar el nombre de la variable con llaves en forma de `{$variable}` (o `${variable}`, aunque esta última sintaxis se quedó obsoleta a partir de la **versión 8.2**). Con esta sintaxis, para que se conserve la llave, es necesario duplicarla (`{{$variable}}`). De todos modos, una llave que no esté precedida o seguida de un $ no escapado se deja tal cual.

Ejemplo

```
<?php
$fruta = 'manzana';
echo "Una $fruta no es cara.<br />";
echo "Dos {$fruta}s cuestan el doble.<br />";
echo "Tres ${fruta}s cuestan el triple.<br />";
echo "{\$fruta} = {{$fruta}}.<br />";
?>
```

Resultado

```
Una manzana no es cara.
Dos manzanas cuestan el doble.
Tres manzanas cuestan el triple.
{$fruta} = {manzana}.
```

Observación

No hay mecanismo de sustitución equivalente para las constantes; esta es una razón válida para utilizar variables en lugar de constantes reales.

Además, se pueden utilizar otras secuencias de escape en las cadenas delimitadas por comillas, pero no en las delimitadas por apóstrofos (segunda diferencia entre los dos tipos de cadenas).

Secuencia	Valor
`\n`	Salto de línea (= LF = código ASCII 10)
`\r`	Retorno de carro (= CR = código ASCII 13)
`\t`	Tabulación (= HT = código ASCII 9)
`\v`	Tabulación vertical (= VT = código ASCII 11)
`\e`	Escape (= ESC = código ASCII 27)
`\f`	Página siguiente (= FF = código ASCII 12)
`\\`	\ (ya explicado)
`\$`	$ (ya explicado)
`\"`	" (ya explicado)
`\nnn`	El carácter designado por el código ASCII nnn expresado en octal
`\xnn`	El carácter designado por el código ASCII nn expresado en hexadecimal
`\u{nnnnnn}`	El carácter designado por el código Unicode (UTF-8) nnnnnn expresado en hexadecimal

Ejemplo

```
<?php
echo "Yo me llamo Olivier.<br />\n";
echo "Yo me llamo \117\154\151\166\151\145\162.";
echo "\u{1F600}";
?>
```

Resultado

```
Yo me llamo Olivier.
Yo me llamo Olivier.
```

Observación

Recordatorio: un salto de línea en el código fuente de la página enviada al navegador no causa ningún salto de línea en la página. Este es el caso de la secuencia "`\n`", utilizada en nuestro ejemplo. Aquí, la etiqueta `<br />` provoca el salto de línea en la página actual.

● Versión 8

Es posible acceder al enésimo carácter en una cadena usando la notación `$x[i]`, donde `$x` designa la variable de tipo cadena e `i` el número del carácter (el primer carácter lleva el número `0`). Antes de la versión 8, también se podían utilizar las llaves (con una advertencia de funcionalidad obsoleta desde la versión 7.4). A partir de la **versión 8**, la utilización de llaves provoca un error fatal. El índice puede ser negativo; en este caso, el conteo se realiza partiendo desde el final de la cadena (-1 = último carácter).

Ejemplo

```
<?php
$nombre = 'Olivier';
echo $nombre[0],$nombre[6],$nombre[-2];
?>
```

Resultado

```
Ore
```

● Versión 8

PHP es capaz de convertir una cadena en un número (entero o decimal) con unas reglas que se han hecho más restrictivas a partir de la **versión 8** con respecto a las versiones anteriores. Para simplificarlo, una cadena puede convertirse en un número si contiene un número que puede interpretarse como entero (`int`) o como número de punto flotante (`float`, con una notación decimal o científica), autorizando los caracteres "blancos" (espacio, tabulación, LF, CR) al principio o al final (caracteres que se ignoran en la conversión).

Ejemplo (sin error)

```
<?php
echo '1 + "1" = ',(1 + "1"),'<br />';
echo '1 + "1.5" = ',(1 + "1.5"),'<br />';
echo '1 + ".5" = ',(1 + ".5"),'<br />';
echo '1 + "1.5E2" = ',(1 + "1.5E2"),'<br />';
echo '1 + "1e3" = ',(1 + "1e3"),'<br />';
echo '1 + "-5" = ',(1 + "-5"),'<br />';
echo '1 + " \t\n\r 5  " = ',(1 + " \t\n\r 5  "),'<br />';
```

Resultado

```
1 + "1" = 2
1 + "1.5" = 2.5
1 + ".5" = 1.5
1 + "1.5E2" = 151
1 + "1e3" = 1001
1 + "-5" = -4
1 + " \t\n\r 5" = 6
```

Si la cadena comienza por un valor numérico pero contiene caracteres no numéricos al final, se genera un error `E_WARNING` (error de nivel `E_NOTICE` en la versión 7), pero el valor numérico se tiene en cuenta.

Si la cadena no contiene un valor numérico o no comienza por un valor numérico, se genera una excepción `TypeError` que interrumpe el script si no se administra (simple error de nivel `E_WARNING` en la versión 7).

Ejemplo (con errores)

```
<?php
echo '1 + 1abc = ',(1 + "1abc"),'<br />';
echo '1 + "1.5abc" = ',(1 + "1.5abc"),'<br />';
echo '1 + "  1.5 abc" = ',(1 + "  1.5 abc"),'<br />';
echo '1 + "abc1" = ',(1 + "abc1"),'<br />';
?>
```

Resultado

```
1 + 1abc =
Warning: A non-numeric value encountered in /app/scripts/index.php
on line 2
2
1 + "1.5abc" =
Warning: A non-numeric value encountered in /app/scripts/index.php
on line 3
2.5
1 + "  1.5 abc" =
Warning: A non-numeric value encountered in /app/scripts/index.php
```

```
on line 4
2.5
1 + "abc1" =
Fatal error: Uncaught TypeError: Unsupported operand types: int + string
in /app/scripts/index.php:5 Stack trace: #0 {main} thrown
in /app/scripts/index.php on line 5
```

Los tres primeros ejemplos ilustran el caso de una cadena que comienza por un valor numérico, pero que luego contiene caracteres no numéricos: se tiene en cuenta el valor numérico, pero se genera un error `E_WARNING`.

El cuarto ejemplo muestra que una cadena que no contiene un valor numérico o no comienza por un valor numérico genera una excepción `TypeError`.

Estos mecanismos de conversión son muy prácticos en algunos casos, pero también pueden conducir a problemas difíciles de detectar. En este sentido, el comportamiento más estricto de la versión 8 de PHP puede provocar anomalías en el código ya existente.

Booleano (bool)

El tipo booleano (*boolean*) puede tomar dos valores: `TRUE` (o `true`) y `FALSE` (o `false`).

Este tipo de datos se utiliza principalmente en las estructuras de control para probar una condición (véase Las bases del lenguaje PHP - Estructuras de control, en este capítulo).

PHP es capaz de convertir cualquier tipo de datos en booleano según las siguientes reglas:

Valor	Resultado de la conversión
Número entero 0 Número decimal 0.000... Cadena vacía ("") Cadena igual a 0 ("0") Matriz vacía Objeto vacío Constante NULL (véase el "tipo" Null)	FALSE
Todo lo demás	TRUE

Observación

Un valor igual a -1 se convierte en `TRUE` con PHP.

Por el contrario, PHP es capaz de hacer las conversiones siguientes:

	TRUE	**FALSE**
Booleano -> Número	1	0
Booleano -> Cadena	"1"	"" (cadena vacía)

Teniendo en cuenta la lógica de conversión que se ha indicado anteriormente, es posible probar cualquier variable como un valor lógico (PHP se encarga de la conversión). Este funcionamiento suele ser práctico, pero puede dar lugar a errores difíciles de detectar.

5.3.3 Tipos de datos especiales

El tipo NULL (null)

Este tipo es algo especial y corresponde al tipo de una variable utilizada sin haber sido inicializada. Tiene un valor único, el valor `NULL` definido por la constante `NULL` (o `null`).

Si se convierte en booleano, `NULL` toma el valor `FALSE`.

El tipo recurso (resource)

Este tipo genérico es un poco particular y es una referencia a un recurso externo: archivo abierto, conexión con base de datos, etc.

En varias ocasiones en este libro, tendremos la oportunidad de presentar funciones que permiten manipular estos datos de tipo recurso.

El tipo función de retrollamada (callable)

Más adelante en este libro, veremos que podemos pasar funciones o métodos de objetos como parámetros de otras funciones. En ese caso, el tipo del parámetro se designa mediante la expresión «función de retrollamada» (*callable*).

Una función de retrollamada puede definirse por su nombre en la forma de una cadena de caracteres: `'nombre_función'` o `"nombre_función"`. A partir de la versión 8.1, también se puede usar la sintaxis `(...)` añadida al nombre de la función: `nombre_función (...)`. En esta sintaxis, el nombre de la función puede introducirse opcionalmente como una cadena de caracteres, o ser una variable que contenga el nombre de la función o, de forma más general, una expresión (si es necesario encerrada entre paréntesis) que devuelva el nombre de la función. La ventaja de esta sintaxis es que PHP puede comprobar durante la compilación que la función designada existe realmente; si no es así, se produce un error fatal

El tipo iterable (iterable)

Este tipo iterable es un pseudotipo de datos que designa una estructura que contiene un conjunto de valores que pueden ser recorridos con la instrucción `foreach`. Puede tratarse de una matriz (véase el siguiente apartado, Matrices) o de una clase que implementa la interfaz `Traversable`.

A partir de la **versión 8.2**, el tipo `iterable` ya no es un pseudotipo sino un alias para la unión de tipos `array|Traversable` que autoriza el tipo `array` o la interfaz `Traversable` (véase la noción de unión de tipo más adelante). El uso de esta evolución es intuitivo.

5.3.4 Declaración de tipo

PHP permite declarar tipos de datos en ciertos casos: parámetros de las funciones y los métodos, valor de retorno de las funciones y los métodos, o propiedades (atributos) de las clases. En ese caso, el tipo de datos se especifica mediante una palabra clave:

`int`	El valor debe ser un entero.
`float`	El valor debe ser un número de punto flotante.
`string`	El valor debe ser una cadena de caracteres.
`bool`	El valor debe ser un booleano.
`array`	El valor debe ser una matriz.
`callable`	El valor debe ser el nombre de una función de recordatorio.
`iterable`	El valor debe ser del tipo iterable (matriz o clase que implemente la interfaz `Traversable`).
`object`	El valor debe ser un objeto.
`self`	El valor debe ser un objeto (una instancia) de la misma clase que aquella que contiene la declaración de tipo. Únicamente puede utilizarse en una clase.
`parent`	El valor debe ser un objeto (una instancia) del padre de la clase que contiene la declaración de tipo. Únicamente puede utilizarse en una clase.
`mixed`	Versión 8 El valor puede ser de cualquier tipo (incluido `NULL`). Es una novedad de la **versión 8**.
`null`	El valor debe ser `NULL`. Esto es posible a partir de la **versión 8.2**.
`true`	El valor debe ser `TRUE`. Novedad en la **versión 8.2**.

`false` El valor debe ser `FALSE`. Novedad en la **versión 8.2**.

Como complemento, todo nombre de clase o de interfaz definido anteriormente (véase el capítulo Escribir funciones y clases PHP) también puede utilizarse como nombre de tipo. En ese caso, el valor debe ser un objeto (una instancia) de la clase o interfaz en cuestión.

El nombre del tipo puede ir precedido de un punto de interrogación (?) que indica que el valor puede ser `NULL`.

En el caso del valor de retorno de una función o un método, pueden especificarse dos otros tipos:

`void` La función o el método no devuelve ningún valor.

`static` El valor debe ser un objeto (una instancia) de la misma clase que aquella desde donde se llama al método. Es una novedad de la **versión 8**.

`never` La función o método interrumpen la ejecución del programa, genera una excepción o no termina nunca. Aparece en la **versión 8.1**.

Desde la **versión 8**, existe la posibilidad de especificar un tipo con el formato de una unión de tipos. Para ello, basta con listar los tipos separados mediante una barra vertical, por ejemplo `int|float`. En este caso, pueden utilizarse dos tipos adicionales en la lista, `null` y `false` antes de la versión 8.2. No es posible combinar los dos tipos `false` y `true` en un tipo unión (`false|true` genera un error), en su lugar se puede usar el tipo `boolean`.:

El tipo `mixed` se define como una unión de tipos:

```
array|bool|callable|int|float|object|resource|string|null
```

Desde la **versión 8.1**, es posible especificar un tipo en forma de intersección de tipos. Esta característica solo se aplica a clases e interfaces, y no tiene sentido para tipos escalares, matrices y todos los demás tipos. Para definir una intersección de tipos, basta con enumerar los tipos separados por el carácter &, por ejemplo, `tipo1&tipo2`.

Desde la **versión 8.2**, se puede combinar una unión de tipos y una intersección de tipos, siempre que lo escriba en forma normal disyuntiva con las intersecciones de tipos entre paréntesis, por ejemplo:

```
(tipo1&tipo2)|tipo3|tipo4
(tipo1&tipo2)|(tipo3&tipo4)
```

El nombre del tipo puede ir precedido de un signo de interrogación (`?`) que indica que el valor puede ser `NULL`, excepto para los siguientes tipos: `null` (¡ya es `NULL`!), `void`, `never`, `mixed`, unión e intersecciones de tipos. En virtud de su definición, el tipo `mixed` permite un valor `NULL`. Del mismo modo, en una unión de tipos, el tipo `null` puede especificarse en la unión para permitir el valor `NULL` porque el signo de interrogación no está permitido (`?int|float` genera un error); en su lugar, el tipo `null` se puede especificar en la lista (`int|float|null`).

En el capítulo Escribir funciones y clases PHP veremos las implicaciones de la declaración de tipo en las funciones y las clases.

Asimismo, en la **versión 8.1**, PHP introdujo la noción de enumeración, que permite definir un tipo personalizado limitado a una lista de valores posibles. En el lenguaje PHP, las enumeraciones son un tipo especial de objeto, por lo que se presentarán en el capítulo Escribir funciones y clases PHP.

5.4 Matrices

5.4.1 Definición

En PHP, una matriz es una colección (lista de elementos) ordenada por la pareja clave/valor.

La clave puede ser de tipo número entero o de tipo cadena. En el primer caso, se dice que la matriz es numérica y la clave se designa por el término Índice. En el segundo caso, se dice que la matriz es asociativa: las claves no son necesariamente consecutivas ni ordenadas y esta matriz puede tener claves enteras y claves de tipo cadena.

El valor asociado a la clave puede ser de cualquier tipo, incluyendo el tipo matriz, en cuyo caso se dice que la matriz es multidimensional.

Ejemplo

– Matriz numérica (índices ordenados consecutivos)

Clave/Índice	Valor
0	cero
1	uno
2	dos
3	tres

– Matriz numérica (índices no ordenados, no consecutivos)

Clave/Índice	Valor
20	veinte
30	treinta
10	diez

– Matriz mixta

Clave/Índice	Valor
0	cero
cero	0
uno	1
1	uno
dos	2
2	dos
tres	3
3	tres

– Matriz multidimensional (lista de ciudades por país)

Clave/Índice	Valor	
ESPAÑA	**Clave/Índice**	**Valor**
	0	Madrid
	1	León
	2	Barcelona
ITALIA	**Clave/Índice**	**Valor**
	0	Roma
	1	Venecia

5.4.2 Creación

Una variable de tipo matriz se puede definir explícitamente a través de la función `array` o implícitamente mediante una notación entre corchetes ([]).

Es posible utilizar una sintaxis abreviada para definir explícitamente una matriz sin utilizar la función `array`.

Notación entre corchetes ([ ])

Una variable utilizada por primera vez con una notación de la forma `$variable[...]` se crea automáticamente con el tipo matriz.

Si se efectúa la misma operación en una variable ya definida, con un tipo escalar, produce un mensaje de error.

El contenido de una matriz puede estar bien definido por varias asignaciones de tipo `$matriz[...] = valor`.

Con una asignación del tipo `$matriz[] = valor`, PHP busca el índice entero mayor utilizado y asocia el valor al índice inmediatamente superior. Si la tabla está vacía (o solo utiliza llaves alfanuméricas no convertibles en entero), el elemento se colocará en el índice 0.

Con una asignación del tipo `$matriz[clave] = valor`, PHP asocia el valor a la clave especificada (que puede ser de tipo entero o de tipo cadena).

Ambas notaciones se pueden mezclar en una secuencia de asignación.

Ejemplo

```
<?php
$números[] = 'cero'; // => índice 0
$números[] = 'uno'; // => índice max (0) + 1 = 1
$números[] = 'dos'; // => índice max (1) + 1 = 2
$números[] = 'tres'; // => índice max (2) + 1 = 3
$números[5] = 'cinco'; // => índice 5
$números[] = 'seis'; // => índice max (5) + 1 = 6
$números['uno'] = 1; // índice "un"
$números[] = 'siete'; // => índice max (6) + 1 = 7
$números[-1] = 'menos uno'; // => -1
?>
```

Resultado

Clave/Índice	Valor
0	cero
1	uno
2	dos

Clave/Índice	Valor
3	tres
5	cinco
6	seis
uno	1
7	siete
-1	menos uno

Estas notaciones se pueden utilizar para construir una matriz multidimensional en forma de `$matriz[...] = $matriz_interior` o `$matriz[...][...] = valor`. La primera notación permite almacenar una matriz en una ubicación de otra matriz, y la segunda notación, almacenar un valor directamente en una ubicación dentro de otra matriz.

Ejemplo

– Primer método:

```
<?php
// creación de una tabla que contiene las ciudades de España
$ciudades_españa[] = 'Madrid';
$ciudades_españa[] = 'León';
$ciudades_españa[] = 'Barcelona';
// almacenamiento de la tabla de ciudades de España en la tabla
// de ciudades
$ciudades['ESPAÑA'] = $ciudades_españa;
// ídem con las ciudades de Italia
$ciudades_italia[] = 'Roma';
$ciudades_italia[] = 'Venecia';
$ciudades['ITALIA'] = $ciudades_italia;
?>
```

– Segundo método:

```
<?php
// almacenamiento directo de las ciudades en la tabla
//    - para España
$ciudades['ESPAÑA'][] = 'Madrid';
$ciudades['ESPAÑA'][] = 'León';
$ciudades['ESPAÑA'][] = 'Barcelona';
//    - para Italia
$ciudades['ITALIA'][] = 'Roma';
$ciudades['ITALIA'][] = 'Venecia';
?>
```

Resultado (en ambos casos)

Clave/Índice	Valor	
ESPAÑA	**Clave/Índice**	**Valor**
	0	Madrid
	1	León
	2	Barcelona
ITALIA	**Clave/Índice**	**Valor**
	0	Roma
	1	Venecia

La función array

La función `array` permite crear una matriz a partir de una lista de elementos.

Sintaxis

```
matriz array([mixto valor[, ...]])
```

o

```
matriz array([{cadena | entero} clave => mixto valor[, ...]])
```

`valor` Elemento de la matriz.

`clave` Valor de la clave.

En la primera sintaxis, las claves/índices no se han especificado y se crea una matriz numérica con índices consecutivos empezando en 0: el primer argumento de la función se almacena en el índice 0, el segundo en el índice 1, etc.

En la segunda sintaxis, el índice o la clave se especifican ya sea mediante un número entero o una cadena, y se le asocia un valor mediante el operador =>.

Ambas sintaxis se pueden mezclar. En este caso, cuando no se ha especificado el índice o la clave, PHP busca el índice entero mayor utilizado y asocia el valor al índice inmediatamente superior; si no hay índices enteros, el elemento se coloca en el índice 0.

La función `array`, llamada sin argumentos, crea una matriz vacía.

Ejemplo

```
<?php
$números = array('cero','uno','dos','tres',
  5 => 'cinco','seis','uno' => 1,'siete',-1 => 'menos uno');
?>
```

Resultado

Clave/Índice	Valor
0	cero
1	uno
2	dos
3	tres
5	cinco
6	seis
uno	1
7	siete
-1	menos uno

La función `array` acepta como argumentos los datos de tipo matriz (ya sea una variable o una llamada anidada en `array`), lo que permite crear una matriz multidimensional.

Ejemplo

– Primer método:

```
<?php
// creación de una matriz que contiene las ciudades de España
$ciudades_españa = array('Madrid','León','Barcelona');
// idem con las ciudades de Italia
$ciudades_italia = array('Roma','Venecia');
// almacenamiento de las 2 matrices en la tabla de ciudades
$ciudades = array('ESPAÑA' => $ciudades_españa,
              'ITALIA' => $ciudades_italia);
?>
```

– Segundo método:

```
<?php
// creación por anidamiento de llamadas a array
$ciudades = array('ESPAÑA' => array('Madrid','León','Barcelona'),
  'ITALIA' => array('Roma','Venecia'));
?>
```

Resultado (en ambos casos)

Clave/Índice	Valor	
ESPAÑA	**Clave/Índice**	**Valor**
	0	Madrid
	1	León
	2	Barcelona
ITALIA	**Clave/Índice**	**Valor**
	0	Roma
	1	Venecia

La sintaxis permite que haya una coma aislada al final de la lista de valores.

Ejemplo

```
<?php
$números = array('cero','uno','dos','tres',); // fíjese en la coma al final
?>
```

Sintaxis corta

Es posible definir una matriz explícitamente utilizando una notación entre corchetes (`[]`) en lugar de la función `array()`.

Ejemplo

```
<?php
$números = ['cero','uno','dos','tres',
  5 => 'cinco','seis','uno' => 1, 'siete',-1 => 'menos uno'];
?>
```

Al igual que al utilizar la función `array()`, otra matriz puede definirse como elemento, ya sea con la función `array()` o bien con la sintaxis corta, como en el siguiente ejemplo.

Ejemplo

```
<?php
$ciudades = ['ESPAÑA' => ['Madrid','León','Barcelona'],
             'ITALIA' => ['Roma','Venecia']];
?>
```

Esta sintaxis corta permite aligerar la escritura en un cierto número de situaciones (pasar de una matriz en parámetro a una función, definición de matrices multidimensionales).

En este caso, la sintaxis también permite que haya una coma aislada al final de la lista de valores.

Ejemplo

```
<?php
$números = ['cero','uno','dos','tres',]; // fíjese en la coma al final
?>
```

Matriz constante

Es posible definir una constante de tipo matriz con la palabra clave `const` y con la función `define`.

Ejemplo

```
<?php
const PAÍS = array('ESPAÑA','ITALIA');
const CAPITALES = [['ESPAÑA','Madrid'],['ITALIA','Roma']];
define (VOCALES, array('A','E','I','O','U','Y'));
define (COLORES, [['R','#FF0000'],['V','#00FF00'],['B','#0000 FF ']]);
?>
```

Una matriz constante se manipula como una matriz variable, pero no se puede modificar una vez ha sido inicializada.

5.4.3 Manipulación

En el manejo de matrices existen dos necesidades comunes:

- Acceder a un elemento individual de la matriz.
- Examinar la matriz.

Así mismo, es posible descomponer una matriz en una lista de valores.

Acceder a un elemento individual de la matriz

La notación entre paréntesis se utiliza para acceder, leer o escribir un elemento individual de la matriz:

`$matriz[{`*`cadena`*` | `*`entero`*`} clave]`

`$matriz`	Matriz correspondiente.
`clave`	Valor de la clave/índice.

Para las matrices multidimensionales, se deben utilizar varias series de corchetes.

Versión 8

En las versiones anteriores, las llaves ({ }) podían utilizarse en lugar de los corchetes (pero quedó obsoleto a partir de la versión 7.4); esta sintaxis ya no está autorizada desde la versión 8 (provoca un error fatal durante el análisis del script).

Ejemplo

```
<?php
$números = array('cero','uno','dos','tres',
  5 => 'cinco','seis','uno' => 1,'siete',-1 => 'menos uno');
echo $números[1],'<br />';
echo $números['un'],'<br />';
$ciudades = array('ESPAÑA' => array('Madrid','León','Barcelona'),
                'ITALIA' => array('Roma','Venecia'));
echo $ciudades['ESPAÑA'][0],'<br />';
echo $ciudades['ITALIA'][1],'<br />';
?>
```

Resultado

```
uno
1
Madrid
Venecia
```

Cuando especifica una clave de tipo cadena en una matriz asociativa, no debe olvidar utilizar el delimitador de cadena (comillas o apóstrofos), por ejemplo `$números['uno']`. Si omite el delimitador de cadena, PHP busca si existe una constante con ese nombre (en este caso, `uno`); si esa constante no existe, PHP genera una excepción `Error` (que interrumpe el script si no se administra).

Ejemplo

```
<?php
$números = array('uno' => 1,'dos' => 2);
// utilización de $números[uno] y no $números['uno']
echo $números[uno];
?>
```

Resultado

```
Fatal error: Uncaught Error: Undefined constant "un" in
/app/scripts/index.php:4 Stack trace: #0 {main} thrown in
/app/scripts/index.php on line 4
```

● Versión 8

Antes de la **versión 8**, al constatar que la constante no existía, PHP generaba un simple error de nivel `E_WARNING` (desde la versión 7.2, anteriormente era `E_NOTICE`) y remplazaba la cadena por una cadena entre apóstrofos (`uno` por `'uno'`), lo que permitía obtener el resultado correcto... hasta el día en que se definía una constante `uno` con valor `1`, por ejemplo. En consecuencia, no se recomendaba utilizar esta sintaxis «simplificada».

El principio de sustitución de variables en las cadenas delimitadas por comillas funciona con las matrices. Es necesario utilizar llaves para delimitar la expresión en dos casos:

- Para especificar una clave de tipo cadena expresada en forma de un literal: `{$matriz['...']}`
- Para una matriz multidimensional: `{$matriz[...][...]}`

Ejemplo

```
<?php
$números = array('cero','uno','dos','tres',
  5 => 'cinco','seis','uno' => 1,'siete',-1 => 'menos uno');
echo "\$números[1] = $números[1]<br />";
echo "\$números['un'] = {$números['uno']}<br />";
$ciudades = array('ESPAÑA' => array('Madrid','León','Barcelona'),
                  'ITALIA' => array('Roma','Venecia'));
echo "\$ciudades['ESPAÑA'][0] = {$ciudades['ESPAÑA'][0]}<br />";?>
```

Resultado

```
$números[1] = uno
$números['un'] = 1
$ciudades['ESPAÑA'][0] = Madrid
```

● Versión 8

Así mismo, desde la **versión 8**, tratar de acceder a una variable de tipo `null`, `bool`, `int`, `float` o resource con una notación de tipo matriz genera un error de nivel `E_WARNING` (`E_NOTICE` en la versión 7.4 y ningún error anteriormente).

Ejemplo

```
<?php
$x = 123;
echo $x[0];
?>
```

Resultado

```
Warning: Trying to access array offset on value of type int in
/app/scripts/index.php on line 3
```

Examinar la matriz

Se pueden utilizar multitud de métodos para examinar una matriz con las siguientes construcciones:

- la estructura de control iterativa `for`
- la estructura de control iterativa `while`
- la estructura de examen de matriz `foreach`

En este capítulo, solo estudiaremos el uso de la estructura `foreach`, que es sin duda la forma más fácil de examinar una matriz. Este método no requiere ningún conocimiento especial sobre la naturaleza de la matriz (numérica, asociativa, rango de índices/claves...).

Sintaxis

```
foreach(matriz as variable_valor)
  { instrucciones }
```

o

```
foreach(matriz as variable_clave => variable_valor)
  { instrucciones }
```

La primera sintaxis permite examinar la matriz de principio a fin; en cada iteración, el valor actual de la matriz se almacena en la variable `variable_valor` y las instrucciones entre llaves se ejecutan. Esta sintaxis es suficiente si el procesamiento no necesita hacer referencia a los valores de la clave.

La segunda sintaxis funciona basándose en el mismo principio, pero, en cada iteración, la clave actual se almacena en la variable `variable_clave`, y el valor, en la variable `variable_valor`. Esta sintaxis es útil si el procesamiento necesita hacer referencia a los valores de la clave.

Ejemplo

```
<?php
// Inicialización de una matriz.
$números = array('cero','uno','dos',
                 'cero' => 0,'uno' => 1,'dos' => 2);
// Examen de la matriz con la primera sintaxis.
echo '<b>Primera sintaxis:</b><br />';
foreach($números as $número) {
  echo "$número<br />";
}
// Examen de la matriz con la segunda sintaxis
echo '<b>Segunda sintaxis:</b><br />';
```

```
foreach($números as $clave => $número) {
  echo "$clave => $número<br />";
}
?>
```

Resultado

```
Primera sintaxis:
cero
uno
dos
0
1
2

Segunda sintaxis:
0 => cero
1 => uno
2 => dos
cero => 0
uno => 1
dos => 2
```

Estos dos ejemplos demuestran que no es necesario ningún conocimiento previo de la matriz para examinarla: ni su tamaño, ni su estructura de claves.

La estructura `foreach` permite examinar una matriz de matrices y recuperar los elementos de la matriz anidada en variables con la ayuda de la función `list`.

Sintaxis

```
foreach(matriz as list(variable[,... ]))
```

En cada iteración, los elementos de la matriz anidada actual se almacenan en las variables enumeradas en la función `list` (primer elemento en la primera variable, segundo elemento en la segunda variable, etc.).

Ejemplo

```
<?php
$capitales = [['ESPAÑA','Madrid'],['ITALIA','Roma']];
foreach ($capitales as list($país,$ciudad)) {
  echo "$país: $ciudad<br />";
}
?>
```

Resultado

```
ESPAÑA: Madrid
ITALIA: Roma
```

En la función list, si hay menos variables que elementos en la tabla anidada, los elementos sobrantes de esta última se ignorarán. Por el contrario, si hay muchas variables en la función list, se generará una alerta de nivel E_WARNING (desde la versión 8, E_NOTICE anteriormente) y las variables sobrantes no se inicializarán.

Desde la versión 7.1, se puede utilizar la sintaxis [] en lugar de la función list.

Ejemplo

```
<?php
$capitales = [['FRANCIA','París'],['ITALIA','Roma']];
foreach ($capitales as [$pais,$ciudad]) {
  echo "$pais: $ciudad<br />";
}
?>
```

Resultado

```
FRANCIA: París
ITALIA: Roma
```

También es posible utilizar las claves en la función list o su equivalente sintáctico [].

Ejemplo

```
<?php
$capitales = [['pais' => 'FRANCIA','ciudad' => 'París'],
             ['pais' => 'ITALIA',' ciudad ' => 'Roma']];
foreach ($capitales as list('pais' => $pais,'ciudad' => $ ciudad)) {
  echo "$pais : $ ciudad <br />";
}
foreach ($capitales as ['pais' => $pais,'ciudad' => $ ciudad]) {
  echo "$pais: $ ciudad <br />";
}
?>
```

Ejemplo

```
FRANCIA: París
ITALIA:  Roma
FRANCIA: París
ITALIA:  Roma
```

5.4.4 Descomponer una matriz

Una matriz puede descomponerse en una lista de valores utilizando el operador de descomposición ... de la forma ...$matriz.

Este método puede utilizarse, por ejemplo, para «fusionar» dos matrices o insertar una matriz en otra matriz.

Ejemplo

```
<?php
$x = ['x','y','z'];
$y = ['a','b','c',...$x]; // = ['a','b','c','x','y','z']
$y = ['a',...$x,'b'];     // = ['a','x','y','z','b']
?>
```

Antes de la **versión 8.1**, descomponer una matriz que tuviese claves alfabéticas no se admitía y generaba un error fatal:

```
Fatal error: Cannot unpack array with string keys in...
```

Esta limitación desaparece con la versión 8.1.

Ejemplo

```
<?php
$x = ['A'=>65,'B'=>66,'Z'=>0];
$y = ['C'=>67,'D'=>68,'Z'=>90];
$z = [...$x,...$y]; // = ['A'=>65,'B'=>66,'Z'=>90,'C'=>67,'D'=>68]
?>
```

Como lo muestra este ejemplo, si una clave está presente varias veces (aquí la `'Z'`), es el último valor de la clave que se encuentra el que se utiliza (esto es 90 en lugar de 0 en este ejemplo).

Esta sintaxis también se puede emplear para pasar el contenido de una matriz como lista de parámetros a una función.

Ejemplo

```
<?php
hitos = [1,10];
echo rand(...$hitos),'<br />';
echo rand($hitos[0],$hitos[1]); // sintaxis equivalente
?>
```

Resultado (aleatorio)

```
5
10
```

A partir de la **versión 8.1**, es posible hacer lo mismo con una matriz cuyas claves sean iguales a los nombres de parámetros de la función.

Descripción de la función rand en la documentación

```
rand(int $min, int $max): int
```

Llamada

```
<?php
$bornes = ['max'=>100,'min'=>1];
echo rand(...$bornes);
?>
```

Resultado (aleatorio)

```
15
```

Con esta sintaxis, el número de valores de la matriz debe ser igual o superior al número de parámetros que espera la función para que no se produzca un error (no obstante, los valores que hay de más en la matriz se ignoran). Así mismo, los tipos de datos de los valores en la matriz deben corresponder a los que espera la función.

Esta sintaxis también puede utilizarse para pasar valores a una parte de los parámetros, pero únicamente si están situados al final.

Ejemplo

```
<?php
$x = 1234.567;
$separador = [',',' '];
echo number_format($x,2,...$separador);
?>
```

Resultado (aleatorio)

```
1 234,57
```

Este ejemplo utiliza la función `number_format` que presentaremos con más detalle posteriormente. Esta función acepta cuatro parámetros y aquí utilizamos la descomposición de la matriz para pasar los dos últimos parámetros.

Volveremos a ver esta sintaxis en el capítulo Escribir funciones y clases PHP.

5.4.5 Alcance

Las variables de tipo matriz siguen las mismas reglas de alcance y de duración que las variables de tipo escalar (véase sección Variables - Alcance y duración).

5.5 Operadores

5.5.1 El operador de asignación por valor

El operador de asignación es el signo de igual (=).

Sintaxis

```
$variable = expresión;
```

`expresión` puede ser un valor literal de cualquier tipo (`123`, `'Hola'`, `TRUE`...), otra variable o cualquier expresión que combina valores literales, variables con funciones y operadores.

Ejemplo

```
<?php
$nombre = 'Olivier';
$índice = 1;
?>
```

Con esta sintaxis, la asignación se efectúa por valor, es decir, que el valor de la expresión situada a la derecha del signo igual se copia en la variable mencionada a la izquierda. Al realizar una asignación de una variable en otra, la modificación posterior de la primera variable no tiene efecto en la segunda.

Ejemplo

```
<?php
// Inicialización de una variable.
$x = 1;
// Asignación de la variable $x en la variable $y.
$y = $x;
// Modificación de la variable $x.
$x = 2;
// Visualización del resultado.
echo "\$x = $x<br />";
echo "\$y = $y<br />";
?>
```

Resultado

```
$x = 2
$y = 1
```

La operación de asignación es una expresión que tiene un valor igual al valor asignado y que se puede utilizar directamente en otra expresión. Por ejemplo, el valor de la expresión `$x=1` es `1` y se puede escribir una instrucción de tipo `$y=($x=1)+2` que asigna al valor 3 a `$y`.

Ejemplo

```
<?php
// Asignación de una instrucción de $x y $y.
$y = ($x = 1) + 2;
// Visualización del resultado.
echo "\$x = $x<br />";
echo "\$y = $y<br />";
?>
```

Resultado

```
$x = 1
$y = 3
```

De una forma más sencilla, esta sintaxis puede utilizarse para inicializar varias variables con el mismo valor.

Ejemplo

```
<?php
// Inicialización de tres variables con el mismo valor.
$x = $y = $z = 0;
// Visualización del resultado.
echo "\$x = $x<br />";
echo "\$y = $y<br />";
echo "\$z = $z<br />";
?>
```

Resultado

```
$x = 0
$y = 0
$z = 0
```

Esta técnica es muy práctica, pero puede afectar a la legibilidad del código.

Observación

Para todos los operadores que se estudian en este capítulo, pueden existir espacios en todo el operador.

5.5.2 El operador de asignación por referencia

Es posible realizar una asignación por referencia utilizando el operador &.

Sintaxis

```
$variable2 = &$variable1;
```

Con esta sintaxis, el valor de la variable `$variable1` no se copia en la variable `$variable2`. La variable `$variable2` hace referencia a la variable `$variable1`; las dos variables apuntan a la misma zona de memoria y la modificación de una variable afecta a la otra.

Ejemplo

```
<?php
// Inicialización de una variable.
$apellido = 'Olivier';
// Asignación en otra variable por referencia.
$patronímico = &$apellido;
// Visualización del resultado.
echo "<b>Inicialmente:</b><br />";
echo "\$apellido = $apellido<br />";
echo "\$patronímico = $patronímico<br />";
// Modificación de la primera variable.
$apellido = 'Heurtel';
// Visualización del resultado.
echo "<b>Después de la modificación de \$apellido:</b><br />";
echo "\$apellido = $apellido<br />";
echo "\$patronímico = $patronímico<br />";
?>
```

Resultado

```
Inicialmente:
$apellido = Olivier
$patronímico = Olivier
Después de la modificación de $apellido:
$apellido = Heurtel
$patronímico = Heurtel
```

5.5.3 Los operadores aritméticos

Los operadores aritméticos son los siguientes:

Operación	Operador	Ejemplo ($x=13 y $y=8)
Suma	+	`echo $x + $y; => 21`
Resta	-	`echo $x - $y; => 5`
Multiplicación	*	`echo $x * $y; => 104`
División	/	`echo $x / $y;` `=> 1.625`
Exponenciación	**	`echo $x ** $y;` `=> 815730721`
Módulo (resto de la división entera del primer operando por el segundo)	%	`echo $x % $y; => 5`
Contrario	-	`echo -$x; => -13`
Preincremento (incrementa la variable antes de devolver el valor de la variable)	++ antes del operando	`echo ++$x; => 14`
Postincremento (incrementa la variable después de haber devuelto el valor de la variable)	++ después del operando	`echo $x++; => 13` `echo $x; => 14`
Predecremento (decrementa la variable antes de devolver el valor de la variable)	-- antes del operando	`echo --$x; => 12`
Posdecremento (decrementa la variable después de haber devuelto el valor de la variable)	-- después del operando	`echo $x--; => 13` `echo $x; => 12`

5.5.4 El operador de cadena

El único operador de cadena es el operador de concatenación, igual que el punto (.).

Sintaxis

```
cadena1.cadena2;
```

Esta sintaxis devuelve una cadena igual a la primera cadena inmediatamente seguida de la segunda; no se coloca ningún separador entre las dos cadenas.

Ejemplo

```
<?php
// Utilización del operador de concatenación con
// variables y expresiones literales.
$nombre = 'Olivier';
$apellido = 'Heurtel';
echo $apellido.', '.$nombre.'<br />';
?>
```

Resultado

```
Heurtel, Olivier
```

5.5.5 Los operadores combinados

Los operadores suma (+), diferencia (-), multiplicación (*), división (/), exponenciación (**), módulo (%) y concatenación (.) se pueden combinar con el operador de asignación (=) siguiendo esta sintaxis:

Sintaxis	Equivalente a
`$variable += expresión`	`$variable = $variable + expresión`
`$variable -= expresión`	`$variable = $variable - expresión`
`$variable *= expresión`	`$variable = $variable * expresión`
`$variable /= expresión`	`$variable = $variable / expresión`
`$variable **= expresión`	`$variable = $variable ** expresión`
`$variable %= expresión`	`$variable = $variable % expresión`
`$variable .= expresión`	`$variable = $variable . expresión`

5.5.6 Los operadores de comparación

Los operadores de comparación son los siguientes:

Operación	Operador	Ejemplo ($x=13, $y=8, $z="8")
Igualdad	==	$x == $y => FALSE $y == $z => TRUE
Igualdad **y** tipos idénticos	===	$x === $y => FALSE $y === $z => FALSE
Diferente	!=	$x != $y => TRUE $y != $z => FALSE

Operación	Operador	Ejemplo ($x=13, $y=8, $z="8")
Diferente **o** tipos diferentes	!==	$x !== $y => TRUE $y !== $z => TRUE
Inferior	<	$x < $y => FALSE $y < $x => TRUE $y < $z => FALSE
Inferior o igual	<=	$x <= $y => FALSE $y <= $x => TRUE $y <= $z => TRUE
Superior	>	$x > $y => TRUE $y > $x => FALSE $y > $z => FALSE
Superior o igual	>=	$x >= $y => TRUE $y >= $x => FALSE $y >= $z => TRUE

Observación

No se debe confundir el operador de asignación (=) con el operador de comparación (==).

Estos operadores funcionan con todos los tipos de datos de PHP (véase la documentación para las reglas de comparación de los tipos de datos distintos a los nombres y las cadenas de caracteres).

Versión 8

En la **versión 8**, una comparación no estricta (que no tiene en cuenta el tipo de datos) entre un número y una cadena se efectúa transformando el número en cadena y, a continuación, comparando ambas cadenas. En las versiones anteriores, era la cadena la que se transformaba en número, con unas reglas de conversión más flexibles que en la versión 8, y la comparación se realiza entre los dos números. Esta diferencia de método puede provocar un resultado diferente entre la versión 8 y las versiones anteriores.

Así, en la versión 7, las expresiones `0 == ''`, `0 = 'abc'` o `123 == '123abc'` son ciertas (`TRUE`) porque, después de la conversión, una cadena vacía o una cadena que solo contiene letras es igual a cero y una cadena que empieza por un número es igual a ese número.

En la versión 8, esas tres expresiones son falsas (`FALSE`) porque las comparaciones que se efectúan realmente son equivalentes a `'0' == ''`, `'0' = 'abc'` y `'123' == '123abc'`.

5.5.7 Los operadores lógicos

Los operadores lógicos son los siguientes:

Operación	Operador(es)	Ejemplo
Y lógica	and &&	TRUE and TRUE => TRUE TRUE and FALSE => FALSE FALSE and FALSE => FALSE
O lógico	or ||	TRUE or TRUE => TRUE TRUE or FALSE => TRUE FALSE or FALSE => FALSE
O lógico exclusivo (`FALSE` si ambos operandos son `TRUE`)	xor	TRUE xor TRUE => FALSE TRUE xor FALSE => TRUE FALSE xor FALSE => FALSE
No lógico	!	! TRUE => FALSE ! FALSE => TRUE

Los operadores `and` y `&&`, así como `or` y `||`, son idénticos, pero no tienen la misma precedencia (véase la sección Precedencia de los operadores).

5.5.8 El operador ternario

El operador ternario `?` funciona como en el lenguaje C.

Sintaxis

```
expresión1?expresión2:expresión3
```

Esta instrucción devuelve el valor de `expresión2` si `expresión1` se evalúa como `TRUE`, y el valor de `expresión3` si `expresión1` se evalúa como `FALSE`. Si `expresión1` no es de tipo booleano, se realiza una conversión de acuerdo a las reglas descritas en este capítulo (véase la sección Las bases del lenguaje PHP - Tipos de datos).

Es posible omitir `expresión2`: `expresión1?:expresión3`. En este caso, la instrucción devuelve el valor de `expresión1` si `expresión1` se evalúa como `TRUE` y el valor de `expresión3` en caso contrario. Es el equivalente de `expresión1?expresión1:expresión3`.

Ejemplo

```
<?php
// Inicialización de una variable.
$nombre= '';
// Visualización de un mensaje que depende del valor de $nombre.
echo '¡Hola '.(($nombre=='')?'desconocido':$nombre).' ! <br />';
echo '¡Hola '.($nombre?:'desconocido').'!<br />';
// Asignación de un valor a la variable $nombre.
$nombre = 'Olivier';
// Nuevo intento
echo '¡Hola '.(($nombre=='')?'desconocido':$nombre).' ! <br />';
echo '¡Hola '.($nombre?:'desconocido').'!<br />';
?>
```

Resultado

```
¡Hola desconocido!
¡Hola desconocido!
¡Hola Olivier!
¡Hola Olivier!
```

● Versión 8

Es posible encadenar los operadores ternarios siempre y cuando se utilicen paréntesis para indicar el orden de las operaciones; en caso contrario, se devuelve un error fatal a partir de la **versión 8** (esta sintaxis ya se había declarado obsoleta a partir de la versión 7.4).

Ejemplo

```
<?php
$x = 50;
echo ($x < 10) ? 'Pequeño' : ($x < 100) ? 'Mediano' : 'Grande' ;
?>
```

Resultado

```
Fatal error: Unparenthesized `a ? b : c ? d : e` is not supported.
Use either `(a ? b : c) ? d : e` or `a ? b : (c ? d : e)`
in /app/scripts/index.php on line 3
```

Solución

```
<?php
$x = 50;
echo ($x < 10) ? 'Pequeño' : ( ($x < 100) ? 'Mediano' : 'Grande' ) ;
?>
```

Resultado

```
Mediano
```

5.5.9 El operador de fusión NULL

El operador de fusión NULL `??` devuelve el primer operando no `NULL` de la lista.

Sintaxis

```
expresión1 ?? expresión2
```

Esta instrucción devuelve el valor de `expresión1` si `expresión1` no es `NULL` o el valor de `expresión2` en caso contrario. Más en general, este operador funciona con una lista variable de operandos (`expresión1 ?? expresión2 ?? expresión3 ...`) y devuelve el primer operando no `NULL` de la lista.

Ejemplo

```
<?php
// Muestra un mensaje en función del valor de $nombre.
// Por el momento, la variable no se ha inicializado.
echo '¡Hola '.($nombre??'desconocido').'! <br />';
// Asignación de un valor a la variable $nombre.
$nombre = 'Olivier';
// Nuevo intento.
echo '¡Hola '.($nombre??'desconocido').'! <br />';
// Funciona con varios operandos.
// Aquí, la variable $apellido no se ha inicializado.
echo '¡Hola '.($apellido??$nombre??'desconocido').'! <br />';
?>
```

Resultado

```
¡Hola desconocido!
¡Hola Olivier!
¡Hola Olivier!
```

5.5.10 El operador de asignación de fusión NULL

El operador de asignación de fusión NULL `??=` es un caso particular de operador combinado que utiliza el operador de fusión NULL que hemos presentado anteriormente. Este operador es muy práctico para asignar un valor predefinido a una variable.

Sintaxis

```
$variable ??= expresión
```

Esta sintaxis es equivalente a la expresión siguiente:

```
$variable = $variable ?? expresión
```

Si la variable `$variable` no se ha inicializado (`NULL`), se le asigna el resultado de `expresión`; en caso contrario, no se produce ninguna modificación en `$variable`.

Ejemplo con un valor literal

```
<?php
// Asignación de un valor predefinido a la variable $nombre.
$nombre ??= 'desconocido';
echo '¡Hola, '.$nombre.'! <br />';
// Lo mismo, pero con una variable ya inicializada.
$nombre = 'Olivier';
$nombre ??= 'desconocido';
echo '¡Hola, '.$nombre.'! <br />';
?>
```

Resultado

```
¡Hola, desconocido!
¡Hola, Olivier!
```

Ejemplo con una expresión

```
<?php
// Asignación de un valor predefinido a la variable $x.
$x ??= log(exp(log(exp(log(exp(123))))));
echo $x;
?>
```

Resultado

```
123
```

5.5.11 El operador de comparación combinado

El operador de comparación combinado <=> devuelve un entero negativo, positivo o nulo según el resultado de la comparación de dos operandos.

Sintaxis

```
expresión1 <=> expresión2
```

Esta instrucción devuelve `-1` si `expresión1` es estrictamente inferior a `expresión2`, 0 si `expresión1` es igual a `expresión2` y `+1` si `expresión1` es estrictamente superior a `expresión2`.

Este operador funciona con todos los tipos de datos de PHP (véase la documentación para las reglas de comparación de los tipos de datos distintos a los nombres y las cadenas de caracteres).

Ejemplo

```
<?php
// Inicialización de tres variables.
$a = 1+2+3+4+5+6+7+8+9;
$b = 1+3+5+7+9;
```

```
$c = (9*10)/2;
echo "<b>\$a = $a - \$b = $b - \$c = $c </b><br />";
// Comparaciones.
echo '$a <=> $b : ',$a <=> $b,'<br />';
echo '$b <=> $a : ',$b <=> $a,'<br />';
echo '$a <=> $c : ',$a <=> $c,'<br />';
// También funciona con cadenas de caracteres.
$a = 'abc';
$b = 'xyz';
echo "<b>\$a = '$a' - \$b = '$b' </b><br />";
// Comparaciones.
echo '$a <=> $b : ',$a <=> $b,'<br />';
echo '$b <=> $a : ',$b <=> $a,'<br />';
?>
```

Resultado

```
$a = 45 - $b = 25 - $c = 45
$a <=> $b : 1
$b <=> $a : -1
$a <=> $c : 0
$a = 'abc' - $b = 'xyz'
$a <=> $b : -1
$b <=> $a : 1
```

5.5.12 Precedencia de los operadores

La precedencia de los operadores designa el orden en que se procesan los operadores en una expresión completa.

Al igual que en todos los lenguajes, se pueden utilizar los paréntesis para modificar el orden en el procesamiento de las operaciones. En la práctica, no dude en utilizar los paréntesis para evitar problemas y mejorar la legibilidad de las expresiones.

La precedencia de los operadores es la siguiente, desde el menos prioritario (se procesa el último) al más prioritario (se procesa el primero):

```
or
xor
and
= += -= *= /=**= %= .= ??=
?:
??
||
&&
```

```
== != === <=>
< <= > >=
+ -
* / %
! ++ -- (int) (float) (string) (array) (object) (bool) @
**
```

Versión 8

Debe tenerse en cuenta que, en la **versión 8**, el operador de concatenación es menos prioritario que la suma y la resta (en las versiones anteriores tenía la misma prioridad), lo cual puede conducir a distintos resultados.

Ejemplo

```
<?php
$x = '1';
$y = '5';
$z = 9;
echo 'Versión 8: ',$x . $y + $z,'<br />';
echo 'Versión 8: ',$x . ($y + $z),'<br />'; // equivalente versión 8
echo 'Versión 7: ',($x . $y) + $z,'<br />'; // equivalente versión 7
?>
```

Resultado

```
Versión 8: 114
Versión 8: 114
Versión 7: 24
```

Para evitar este tipo de problema y mejorar la legibilidad de la expresión, se recomienda encarecidamente la utilización de paréntesis para definir el orden de las operaciones.

5.6 Estructuras de control

5.6.1 La estructura if

La estructura de control `if` permite una ejecución condicional de instrucciones.
Esta estructura tiene dos sintaxis:

Primera sintaxis

```
if (condición_1) {
  instrucciones_1;
[ } elseif (condición_2) {
```

```
  instrucciones_2; ]
[ ... ]
[ } else {
  instrucciones_n; ]
}
```

El principio de funcionamiento de la estructura de control `if` es el siguiente:

- Si la `condición_1` es verdadera, las instrucciones `instrucciones_1` se ejecutan y, a continuación, el control se pasa a las instrucciones que siguen a la estructura de control. Por ejemplo, la ejecución del programa sigue a la instrucción que sigue directamente al final de la estructura de control.
- Si la `condición_1` no es verdadera, el proceso se repite para las posibles parejas `condición_i/instrucciones_i` siguientes, introducidas por la palabra clave `elseif`.
- Si ninguna condición es verdadera, las instrucciones `instrucciones_n`, introducidas por la palabra clave `else`, se ejecutan y luego se pasa el control a las instrucciones que siguen a la estructura de control.

Puede haber varias cláusulas `elseif`.

Si las expresiones que definen las condiciones no son de tipo booleano, se realiza una conversión de acuerdo a las reglas descritas en este capítulo (véase el apartado Las bases del lenguaje PHP - Tipos de datos).

Ejemplo

```
<?php
// Estructura if / elseif / else
$nombre = 'Olivier';
$edad = NULL;
if ($nombre == NULL) {
  echo "¡Hola desconocido!<br />";
} elseif ($edad == NULL) {
  echo "¡Hola $nombre! No sé tu edad.<br />";
} else {
  echo "¡Hola $nombre! Tienes $edad años.<br />";
}
?>
```

Resultado

```
¡Hola Olivier! No sé tu edad.
```

La segunda sintaxis se utiliza principalmente para escribir una estructura de control en varios bloques PHP entre los que se inserta código HTML.

Segunda sintaxis (con código HTML incrustado)

```
<?php if (condición_1): ?>
  código_HTML_1
[ <?php elseif (condición_2): ?>
  código_HTML_2 ]
[ ... ]
[ <?php else: ?>
  código_HTML_n ]
<?php endif; ?>
```

El principio de análisis de la estructura `if - elseif - else` es el mismo que con la primera estructura, pero, en lugar de la ejecución de instrucciones PHP, el motor incorpora en el resultado el código HTML asociado con la condición.

Ejemplo

```
<?php
// Un poco de aleatoriedad para definir las variables $nombre y $edad.
$nombre = rand(0,1)?'Olivier':NULL;
$edad = rand(0,1)?rand(7,77):NULL;
?>
<!DOCTYPE html>
<html xmlns="http://www.w3.org/1999/xhtml" lang="es">
  <head>
    <meta charset="utf-8" />
    <title>Ejemplo de página PHP</title>
    <style>
      .ko {font-weight: bold; color: red;}
      .ok {font-weight: bold; color: green;}
    </style>
  </head>
    <div>
    <?php if ($nombre == NULL) : // condición PHP ?>
       <!-- Código HTML -->
       ¡Hola desconocido!<br />
    <?php elseif ($edad == NULL) : // después de la condición ?>
       <!-- Código HTML -->
       Conozco tu <span class="ok">nombre</span>
       pero no tu <span class="ko">edad</span>.<br />
    <?php else : // después de la condición PHP ?>
       <!-- Código HTML -->
       Conozco tu <span class="ok">nombre</span>
       y tu <span class="ok">edad</span>,
       pero no se lo diré a nadie.<br />
    <?php endif; // fin de la condición PHP ?>
    </div>
  </body>
</html>
```

Resultado (depende de la asignación aleatoria de las variables)

```
Conozco tu nombre pero no tu edad.
```

Esta sintaxis es realmente muy práctica para realizar una construcción condicional de una página HTML, evitando el uso pesado de un solo bloque PHP que genera todo el código HTML con la instrucción echo.

5.6.2 La estructura switch

La estructura de control switch, equivalente a múltiples if - elseif, se utiliza para comparar el resultado de una expresión con varios resultados.

Esta estructura tiene dos sintaxis:

Primera sintaxis

```
switch (expresión) {
  case expresión_1:
    instrucciones_1;
    [break;]
  [ case expresión_2:
    instrucciones_2;
    [break;] ]
  [ ... ]
  [ default:
    instrucciones_n;
    [break;] ]
}
```

El principio de funcionamiento de la estructura de control switch es el siguiente:

- Si la expresión es igual a expresión_i, las instrucciones asociadas a instrucciones_i se ejecutan y se realizan las comparaciones si no hay una instrucción break.
- Si no se encuentra ninguna igualdad, se ejecutan todas las instrucciones instrucciones_n introducidas por la palabra clave default.

Puede haber varias cláusulas case.

Cuando se verifica una igualdad y se ejecutan las instrucciones correspondientes, la instrucción switch no se interrumpe y se evalúan las expresiones casos siguientes. Para interrumpir la ejecución de la instrucción switch y la evaluación de las cláusulas case, es necesario utilizar la instrucción break (fuerza la salida de la estructura de control).

Ejemplo

```
<?php
$nombre = rand(0,1)?'Olivier':NULL;
switch ($nombre) {
   case NULL :
      echo '¡Hola desconocido! ',
           'Voy a llamarte Olivier.<br />';
      $nombre = 'Olivier';
      break;
   case 'Olivier' :
      echo "¡Hola Maestro $nombre!<br />";
      break;
   default :
      echo "¡Hola alumno $nombre!<br />";
}
?>
```

Resultado (depende de la asignación aleatoria de las variables)

```
¡Hola desconocido! Voy a llamarte Olivier.
```

La lista de las instrucciones de una cláusula `case` puede estar vacía; en este caso, PHP ejecuta las instrucciones de la cláusula `case` siguiente.

Ejemplo

```
<?php
$i = rand(1,5);
switch ($i) {
   case 1 :
   case 3 :
   case 5 :
      echo "$i es impar.<br />";
      break ;
   default :
      echo "$i es par.<br />";
}
?>
```

Resultado (depende de la asignación aleatoria de la variable)

```
4 es par.
```

Segunda sintaxis (con código HTML incrustado)

```
<?php switch (expresión) :
  case (condición_1) : ?>
    código_HTML_1
  [ <?php case (condición_2) : ?>
    código_HTML_2 ]
  [ ... ]
```

```
  [ <?php default : ?>
    código_HTML_n ]
<?php endswitch; ?>
```

El primer `case` debe estar escrito en el bloque PHP `switch`.

Ejemplo

```
<?php
$idioma = 'es';
?>
<!DOCTYPE html>
<html xmlns="http://www.w3.org/1999/xhtml" lang="es">
  <head>
    <meta charset="utf-8"/>
    <title>Ejemplo de página PHP</title>
    <style type="text/css" media="all">
    .en {font-weight: bold; color: green;}
    .es {font-weight: bold; color: orange;}
    .fr {font-weight: bold; color: blue;}
    .desconocido {font-weight: bold; color: red;}
    </style>
  </head>
  <body>
    <div>
    <?php switch ($idioma) : // switch
            case 'en' :      // primer case
    ?>
       <!-- Código HTML -->
       Hello <span class="en">my friend</span>!<br />
    <?php   break;           // break primer case ?>
    <?php   case 'fr' :      // segundo case ?>
       <!-- Código HTML -->
       Salut <span class="sp">mon pote</span> !<br />
    <?php   break;           // break segundo case ?>
    <?php   case 'es' :      // tercer case ?>
       <!-- Código HTML -->
       ¡Hola <span class="es">amigo</span>!<br />
    <?php   break;           // break tercer case ?>
    <?php   default :        // predefinido ?>
       <!-- Código HTML -->
       <span class="desconocido">?????</span>
    <?php endswitch;         // fin del switch ?>
    </div>
  </body>
</html>
```

Resultado

```
¡Hola amigo!
```

5.6.3 La estructura while

La estructura de control `while` permite ejecutar en bucle una serie de instrucciones siempre que una condición es verdadera.

Como para las estructuras de control condicionales, hay dos sintaxis disponibles.

Primera sintaxis

```
while (condición) {
 instrucciones;
}
```

El principio de funcionamiento de la estructura de control `while` es el siguiente: mientras que la condición `condición` sea verdadera, las instrucciones `instrucciones` se ejecutan.

Si la expresión que define la condición no es de tipo booleano, se realiza una conversión de acuerdo a las reglas descritas en este capítulo (véase el apartado Las bases del lenguaje PHP - Tipos de datos).

Ejemplo

```
<?php
// Inicializar dos variables.
$nombre = 'OLIVIER';
$longitud = strlen($nombre);
// Inicializar un índice.
$índice = 0;
// Mientras el índice es inferior a la longitud de la cadena
while ($índice  $longitud) {
  // Mostrar el carácter correspondiente al índice seguido
  // de un punto.
  echo "$nombre[$índice].";
  // Incrementar el índice
  $índice++;
}
?>
```

Resultado

```
O.L.I.V.I.E.R.
```

Tradicionalmente, esta estructura adopta las siguientes conductas:

- Si la `condición` es falsa en la primera iteración, las instrucciones situadas dentro del bucle nunca se ejecutan.
- Si la `condición` no es nunca falsa, las instrucciones situadas dentro del bucle se ejecutan sin fin (no del todo, ya que el tiempo de ejecución de un script está limitado por la directiva de configuración `max_execution_time`).

Como para las estructuras condicionales, una segunda sintaxis permite incrustar código HTML en una estructura de control `while`.

Segunda sintaxis (con código HTML incrustado)

```
<?php while (condición) : ?>
    código_HTML
<?php endwhile; ?>
```

Ejemplo

```
<?php
// Inicializar dos variables.
$número = 0;
$núm = 5;
?>
<!DOCTYPE html>
<html xmlns="http://www.w3.org/1999/xhtml" lang="es">
  <head>
    <meta charset="utf-8" />
    <title>Ejemplo de página PHP</title>
  </head>
  <body>
    <form action="">
       <div>
       Indique sus cinco competencias principales:<br />
       <?php while($número++  $núm) : // bucle PHP ?>
          <!-- Código HTML -->
          <input type="text" /><br />
       <?php endwhile; // fin del bucle PHP ?>
       <input type="submit" value = "OK" /><br />
       </div>
    </form>
  </body>
</html>
```

Resultado

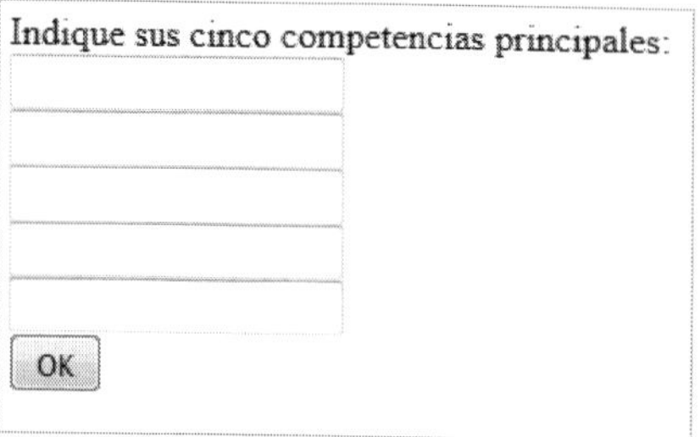

5.6.4 La estructura do ... while

La estructura de control `do ... while` permite ejecutar en bucle una serie de instrucciones siempre que una condición es verdadera.

A diferencia de otras estructuras de control, solo hay disponible una sintaxis.

Sintaxis

```
do {
  instrucciones;
} while (expresión);
```

El principio de funcionamiento de la estructura de control `do ... while` es el siguiente: mientras que la condición `condición` sea verdadera, las instrucciones `instrucciones` se ejecutan. A diferencia de la estructura `while`, la condición se prueba al final del bucle; por lo tanto, las instrucciones `instrucciones` se llevan a cabo necesariamente al menos una vez.

Si la expresión que define la condición no es de tipo booleano, se realiza una conversión de acuerdo a las reglas descritas en este capítulo (véase el apartado Las bases del lenguaje PHP - Tipos de datos).

Ejemplo

```
<?php
// Inicializar dos variables.
$nombre = 'OLIVIER';
$longitud = strlen($nombre);
// Inicializar un índice.
$índice = 0;
// Mientras el índice es inferior a la longitud de la cadena
do {
  // Mostrar el carácter correspondiente al índice seguido
  // de un punto.
  echo "$nombre[$índice].";
```

```
  // Incrementar el índice
  $índice++;
} while ($índice < $longitud);
?>
```

Resultado

```
O.L.I.V.I.E.R.
```

En este ejemplo, las instrucciones del bucle se ejecutan una vez, incluso si la cadena está vacía. Aquí, el uso de una estructura `while` sería sin duda más adecuado.

5.6.5 La estructura for

La estructura de control `for`, como en el lenguaje C, permite ejecutar instrucciones de manera iterativa, mediante el control de las iteraciones utilizando tres expresiones.

Hay disponibles dos sintaxis.

Primera sintaxis

```
for (expresión1; expresión2; expresión3) {
  instrucciones;
}
```

El principio de funcionamiento de esta estructura de control es el siguiente:

- `expresión1` se ejecuta una vez al inicio del bucle.
- `expresión2` se ejecuta y el resultado se evalúa como booleano, antes de cada iteración (por lo tanto, en primer lugar): si el resultado se evalúa como `TRUE`, las instrucciones `instrucciones` se ejecutan; si el resultado se evalúa como `FALSE`, el bucle se detiene y el control se pasa a la primera instrucción después de la construcción.
- `expresión3` se ejecuta al final de cada iteración.

En la gran mayoría de los casos, se utiliza la estructura `for` de la siguiente forma:

- `expresión1` inicializa un contador.
- `expresión2` prueba el valor del contador.
- `expresión3` incrementa el valor del contador.

Este uso permite ejecutar instrucciones un número determinado de veces.

Ejemplo

```
<?php
// Utilización de la estructura for para examinar una matriz
// con índices enteros consecutivos
// Inicialización de la matriz.
$colores = array('azul','blanco','rojo');
$número = 3;
```

```
// Bucle utilizando un índice $i que comienza en 0 ($i = 0)
// que se incrementa en una unidad en cada iteración ($i++) ;
// el bucle continúa mientras el índice sea inferior al
// número de elementos presentes en la matriz ($i < $número).
for ($i = 0; $i < $número; $i++) {
  echo "$colores[$i]<br />";
};
?>
```

Resultado

```
azul
blanco
rojo
```

Con un poco de práctica, es posible realizar procesamientos mucho más complejos (a veces en detrimento de la legibilidad del código) usando la instrucción `for` (incluso ella sola).

Ejemplo

```
<?php
// ¡Todo sucede en la instrucción for!
for
  (
  // Primera iteración: inicialización de un índice $i a 1
  // y de una variable $total a 0.
  $i = 1,$total = 0;
  // Condición de parada del bucle: $i = 5.
  $i <= 5;
  // En cada iteración: incremento de $total con el
  // valor actual de $i y luego almacenamiento en una matriz del
  // valor actual de $i justo antes de incrementarlo.
  $total += $i,$números[] = $i++
  );
  // A la salida del bucle, la matriz contiene la lista de los
  // cinco primeros enteros, y la variable $total, la suma de los
  // cinco primeros enteros
  // solo queda mostrarlo todo...
  echo implode("+",$números)."=$total";
  ?>
```

Resultado

```
1+2+3+4+5=15
```

De manera «clásica», una segunda sintaxis permite incrustar código HTML en una estructura de control `for`.

Segunda sintaxis (con código HTML incrustado)

```
<?php for (expresión1; expresión2; expresión3): ?>
    código_HTML
<?php endfor; ?>
```

Ejemplo

```
<?php
// Inicializar dos variables.
$número = 0;
$núm = 5;
?>
<!DOCTYPE html>
<html xmlns="http://www.w3.org/1999/xhtml" lang="es">
  <head>
    <meta charset="utf-8" />
    <title>Ejemplo de página PHP</title>
  </head>
  <body>
    <form action="">
      <div>
      Indique sus cinco competencias principales:<br />
      <?php // bucle PHP
      for($número = 1; $número <= $núm; $número++):
      ?>
         <!-- Código HTML -->
         <input type="text" /><br />
      <?php endfor; // fin del bucle PHP ?>
      <input type="submit" value = "OK" /><br />
      </div>
    </form>
  </body>
</html>
```

Resultado

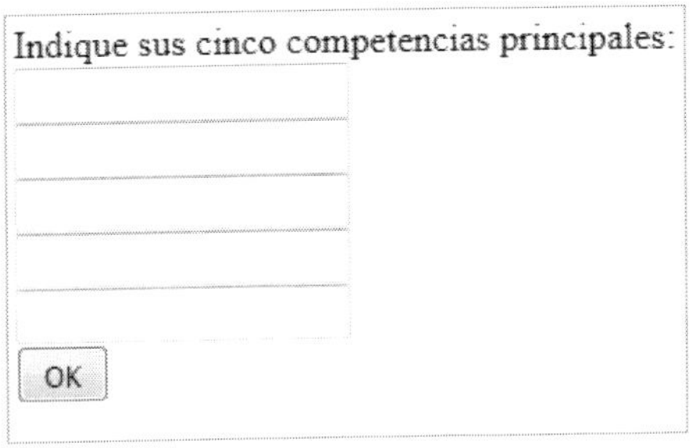

Indique sus cinco competencias principales:

OK

5.6.6 Las instrucciones continue y break

La instrucción `continue` se puede utilizar en todas las estructuras de control iterativas para interrumpir la iteración en curso y pasar a la siguiente iteración.

La instrucción `break` se puede utilizar en todas las estructuras de control iterativas para interrumpir el bucle en curso. La instrucción `break` puede también utilizarse en una estructura de control `switch`.

Sintaxis

```
continue[n];
continue[(n)];
break[n];
break[(n)];
```

Ambas instrucciones aceptan un parámetro que indica cuántos niveles se deben remontar si las estructuras de control iterativas están anidadas. De forma predeterminada, las instrucciones remontan un nivel.

Ejemplo

```
<?php
$colores = array('azul','invisible','blanco','rojo');
for ($i = 0; $i <= 3; $i++) {
  // Pasar a la iteración siguiente para
  // el color "invisible"
  if ($colores[$i] == 'invisible') {
    continue;
  }
  echo "$colores[$i] ";
}
echo '<br />';
for ($i = 0; $i <= 3; $i++) {
  // Interrumpir el bucle en el color "invisible"
  if ($colores[$i] == 'invisible') {
    break;
  }
  echo "$colores[$i] ";
}
?>
```

Resultado

```
azul blanco rojo
azul
```

5.6.7 La expresión match

La expresión `match` devuelve un valor basado en la comparación entre une expresión y varias expresiones. Es similar a la estructura de control `switch`, pero tiene la forma de una expresión y devuelve un valor. Esta expresión ha aparecido con la versión 8.

Sintaxis

```
match (sujeto) {
 comparación[, ...] => valor,
 [...]
 [default => valor]
}
```

En el caso más general, *sujeto*, *comparación* y *valor* son expresiones:

sujeto	Expresión cuyo resultado se compara en igualdad al resultado de otras expresiones.
comparación	Expresión cuyo resultado se compara al resultado de la expresión *sujeto*. Para un brazo, se pueden especificar varias expresiones separándolas mediante comas
valor	Expresión cuyo resultado se devuelve cuando el resultado de la expresión *sujeto* es igual a una de las expresiones de *comparación* de la rama.

El principio de funcionamiento de la expresión `match` es el siguiente:

- La expresión *sujeto* se evalúa y, luego, se compara con el resultado de la primera expresión *comparación*. Si ambas expresiones son iguales, se devuelve el resultado de la expresión `valor` asociada. Si ambas expresiones no son iguales, la comparación prosigue con las expresiones *comparación* siguientes.
- Si no se encuentra ninguna expresión igual, se devuelve el `valor` introducido con la palabra clave `default` (en caso de haberlo hecho). Si no hay brazo `default` y no se encuentra ninguna expresión igual en ninguna de los brazos, se genera una excepción `UnhandledMatchError`.

Nótese:

- La expresión `match` debe utilizarse en una instrucción, como toda otra expresión.
- La expresión `match` devuelve un valor, pero no es obligatorio utilizar este valor.
- La comparación es estricta y tiene en cuenta el tipo de datos (equivale a una comparación ===); los resultados de las expresiones deben ser iguales y del mismo tipo.

- A diferencia de la estructura de control `switch`, se deja de comparar en cuanto se encuentran dos expresiones iguales (por tanto, no es necesario utilizar una instrucción `break` para interrumpir las evaluaciones). Por consiguiente, las expresiones *`comparación`* y *`valor`* solo se evalúan cuando es necesario (si no se encuentra ninguna pareja de expresiones iguales).
- Solo se permite una solo rama `default` (si se especifican varios, aparece un error fatal), pero puede situarse en cualquier lugar (no necesariamente al final, aunque tradicionalmente se coloque ahí).
- La última rama puede terminar con una coma (se facilita añadir brazos copiando y pegando).

Ejemplo simple

```
<?php
$fruta = 'manzana';
$género = 'F';
echo
 match ($género) {
   'M' => 'el',
   'F' => 'la', // se puede terminar con una coma
 } . ' ' . $fruta;
?>
```

Resultado

```
la manzana
```

En este primer ejemplo, la expresión match se utiliza en una expresión.

Ejemplo con expresiones

```
<?php
$x = 2;
$resultado =
 match (rand(0,10)) {
   rand(0,1)     => 'cero o uno (primera oportunidad)',
   0,1           => 'cero o uno (segunda oportunidad)',
   2,3,5,7       => 'número primo',
   $x**2,$x**3 => 'potencia de ' . $x,
   default       => 'otro número'
 };
echo $resultado;
?>
```

Resultado (depende del resultado aleatorio de las llamadas a la función `rand`)

```
número primo
```

Este segundo ejemplo un poco rebuscado ilustra la utilización de expresiones en las diferentes partes de la expresión `match`, así como la presencia de una rama `default`.

En un principio, la expresión `match` solo hace comparaciones estrictas, pero es posible emplearla de forma más general comparando expresiones de tipo booleano utilizando el valor `true` como expresión `sujeto`.

Ejemplo

```
<?php
$x = rand(0,1000);
$resultado =
 match (true) {
   $x == 0    => 'cero',
   $x <= 100 => 'pequeño',
   $x >  500 => 'grande',
   default    => 'mediano' // ninguno de los casos anteriores
 };
echo $x,': ',$resultado;
?>
```

Resultado (de nuevo aleatorio)

```
751: grande
```

Con este truco, es posible utilizar expresiones complejas como expresiones de comparación.

5.7 Incluir un archivo

5.7.1 Funcionamiento

Las funciones `include`, `include_once`, `require` y `require_once` permiten incluir un archivo en un script PHP.

Sintaxis

```
entero include(archivo)
entero include_once(archivo)
require(archivo)
require_once(archivo)
```

`archivo`	Nombre del archivo que se va a incluir (se puede especificar con una ruta absoluta o relativa).

Observación

En un archivo `php.ini`, la directiva `include_path` permite definir las rutas de búsqueda para la inclusión de archivos.

Las funciones `include` e `include_once` devuelven 1 en caso de éxito y `FALSE` en caso de error. Las funciones `require` y `require_once` no tienen código de retorno.

En caso de error, las funciones `include` e `include_once` generan un simple error de nivel `E_WARNING` que no interrumpe la ejecución del script. Este no es el caso de las funciones `require` y `require_once`, que causan un error fatal e interrumpen la ejecución del script (nivel `E_COMPILE_ERROR`).

El archivo incluido puede contener código HTML, código PHP o ambos. Si contiene código PHP, este código debe estar escrito entre las etiquetas PHP habituales. El código HTML, presente en el archivo incluido, se integra tal cual en la página enviada al navegador, como si se encontrase en el script que realiza la llamada. El código PHP, presente en el archivo incluido, se ejecuta también, como si se encontrase en el script que realiza la llamada.

Cuando se incluye código PHP, variables y constantes, definidas en el archivo incluido, se pueden usar en el script de llamada y viceversa. Todo sucede como si hubiera un solo script tras la inclusión y, por lo tanto, un rango igual a este script para las variables y constantes.

Es posible incluir varios archivos en un script o integrar las inclusiones (incluir un archivo que, a su vez, incluye un archivo en otro).

Con las funciones `include` y `require`, el proceso de inclusión se repite varias veces si el mismo archivo se incluye en varias ocasiones.

En algunos casos este puede ser un comportamiento no deseado, especialmente cuando un archivo se incluye una primera vez directamente en un script y una segunda vez indirectamente a través de la inclusión de otro archivo.

Este comportamiento se puede evitar usando las funciones `include_once` y `require_once`, que garantizan que un archivo se incluye una sola vez, aunque se le llame varias veces.

Observación

La extensión del archivo que se va a incluir es totalmente libre. Por ejemplo, no es obligatorio el uso de la extensión .php para incluir código PHP: el archivo incluido no se ejecuta directamente por el motor PHP (es el script de llamada el que se ejecuta). Para los archivos incluidos que no pueden o no deben ejecutarse directamente, es posible utilizar una extensión diferente (.inc., por ejemplo).

Ejemplo: script principal

```
<?php
// Inclusión de un archivo
include('comun.inc');
// Declaración de una variable $x en el script principal.
$x = 1;
// Visualización de la variable $x.
echo "Valor de \$x en el script principal: $x<br />";
// Visualización de la variable $y (definida en el archivo
// incluido).
echo "Valor de \$y en el script principal: $y<br />";
?>
```

Archivo incluido común.inc

```
<!-- Inicio del archivo de inclusión en modo HTML (apertura
---- de una etiqueta<b> que se cierra al final del archivo -->
<b>Inicio del archivo comun.inc<br />
<?php // algo de código PHP
// Declaración de una variable $y en el script incluido.
$y = 2;
// Visualización de la variable $y.
echo "Valor de \$y en el archivo incluido: $y<br />";
?>
Fin del archivo comun.inc</b><br />
```

Resultado

```
Inicio del archivo comun.inc
Valor de $y en el archivo incluido: 2
Fin del archivo comun.inc
Valor de $x en el script principal: 1
Valor de $y en el script principal: 2
```

5.7.2 Utilización

La técnica de inclusión es práctica para dos tipos principales de uso:

- Incluir definiciones estáticas: constantes, definiciones de funciones. En este caso, es necesario sobre todo utilizar las funciones `include_once` y `require_once` para evitar una posible doble inclusión (lo que provocaría un error en la definición de las funciones).
- Incluir código PHP o HTML dinámico que se ejecuta efectivamente en el momento de la inclusión: sección HTML común a varias páginas (encabezado, pie de página) o código común a varias páginas (aunque, en este supuesto, es más adecuado definir una función). En este caso, es necesario sobre todo utilizar las funciones `include` o `require` para garantizar que la inclusión se produce en cada llamada.

Ejemplo

– Archivo de definición de constantes (`constantes.inc`)

```
<?php
// Definición de constantes
// por ejemplo, el nombre del sitio.
define(NOMBRE_SITIO,'miSitio.com');
?>
```

– Archivo que contiene el principio de cada página (`principio.inc`)

```
<?php
// Inclusión del archivo de constantes.
include_once('constantes.inc');
?>
<!DOCTYPE html>
<html xmlns="http://www.w3.org/1999/xhtml" lang="es">
<head>
  <meta charset=utf-8" />
  <title><?php echo NOMBRE_SITIO; ?></title>
</head>
<body>
```

– Archivo que contiene el final de cada página (`final.inc`)

```
</body>
</html>
```

– Script de una página

```
<?php
// Inclusión del principio de la página.
include('principio.inc');
?>
<p>Contenido de la página...</p>
<?php
// Inclusión del final de la página
include('final.inc');
?>
```

Resultado (código fuente de la página en el navegador)

```
<!DOCTYPE html>
<html xmlns="http://www.w3.org/1999/xhtml" lang="es">
<head>
  <meta charset=utf-8" />
  <title><?php echo NOMBRE_SITIO; ?></title>
</head>
<body>
<p>Contenido de la página...</p>
</body>
</html>
```

5.8 Interrumpir el script

Las instrucciones `exit` y `die` permiten interrumpir la ejecución del script (`die` es un alias de `exit`).

Sintaxis

```
exit[(cadena mensaje)];
exit[(entero estado)];
die[(cadena mensaje)];
die[(entero estado)];
```

`mensaje`	Mensaje que se va a mostrar antes de detener el script.
`estado`	Estado de retorno (entero entre 0 y 254, tradicionalmente, 0 indica que el script ha acabado de ejecutarse con éxito).

El script se detiene de repente y la visualización se queda «como está». Por lo tanto, la página HTML que se envía al navegador puede ser incoherente o estar vacía.

Si se llama a la instrucción o a la función dentro de un archivo incluido, el script principal se interrumpe.

Ejemplo (sin mensaje)

```
<?php
// Generar el principio de la página.
echo '¡Hola ';
// No se ha verificado una condición, se interrumpe el script.
if ($nombre??'' == '') {
  exit(1);  // sin mensaje...
}
// Continuar generando la página.
echo $nombre;
?>
```

Resultado

```
¡Hola
```

Ejemplo (con mensaje)

```
<?php
// Generar el principio de la página.
echo '¡Hola ';
// No se ha verificado una condición, se interrumpe el script.
if ($nombre??'' == '') {
  exit('<b>Usuario desconocido. No se puede continuar.</b>');
}
// Continuar la generación de la página.
echo $nombre;
?>
```

Resultado

```
¡Hola Usuario desconocido. No se puede continuar.
```

5.9 Ejercicio 2: variables y estructuras de control

En este ejercicio, vamos a aprender a utilizar las variables y las estructuras de control.

Etapa 1

Parta del script escrito en el ejercicio 1 y añada las siguientes modificaciones:

- Al inicio del script, incorpore una sección de código PHP que defina una constante `MI_SITIO` que contenga el valor "miSitio.com" y una variable `$nombre` conteniendo un nombre (por ejemplo «Olivier»).
- Utilice esta constante y esta variable en los mensajes mostrados en la página.

Resultado esperado

```
Hola Olivier.
Bienvenido a miSitio.com.
```

Solución

```
<?php
const MI_SITIO = 'miSitio.com';
$nombre = 'Olivier';
?>
<!DOCTYPE html>
<html xmlns="http://www.w3.org/1999/xhtml" lang="es">
 <head>
   <meta charset="utf-8" />
   <title>Inicio</title>
 </head>
 <body>
   <div>
   <?php
   echo "Hola $nombre.<br />";
   echo 'Bienvenido a ',MI_SITIO,'.<br />';
   ?>
   </div>
 </body>
</html>
```

Etapa 2

Ahora queremos contar el número de letras del nombre. Como todavía no hemos visto la función PHP que permite obtener esta información fácilmente, vamos a hacerlo usando un bucle que va a recorrer todas las letras del nombre y a incrementar un contador en cada pasada del bucle.

Indicaciones:

- Es posible acceder al enésimo carácter de una cadena gracias a la notación `$x[i]`, `$x` designa la variable de tipo cadena y `i` el número del carácter (el primer carácter tiene el número `0`). Cuando el índice sobrepasa el último carácter de la cadena, se devuelve una cadena vacía, valor equivalente a `FALSE` en una condición.
- Utilice un bucle `while`.
- Muestre un mensaje del tipo «Su nombre tiene *n* letras.»

Resultado esperado

```
Hola Olivier.
Bienvenido a miSitio.com.
Su nombre tiene 7 letras.
```

Solución (solo la nueva porción de código)

```
 $i = 0;
while ($nombre[$i]) {
  $i++;
}
echo "Su nombre tiene $i letras.<br />";
```

Si prueba esta solución, comprobará que aparece un error de nivel E_WARNING cuando el índice sobrepasa el último carácter de la cadena. Existe un truco que, con ayuda de un operador, permite evitar este error.

Solución (solo la nueva porción de código)

```
while ($nombre[$i]??false) {
```

La expresión `$nombre[$i]??false` tiene el valor false si `$nombre[$i]` es `NULL`, pero no genera un error cuando evalúa `$nombre[$i]`.

Etapa 3

También queremos indicar si el nombre empieza por una vocal o una consonante.

Indicaciones:

- Vamos a hacer la hipótesis de que el nombre empieza por una letra mayúscula.
- Con ayuda de una estructura de controle `if` o `switch`, compare la primera letra del nombre con las seis vocales y muestre un mensaje en consecuencia (del tipo "Su nombre empieza por una vocal /consonante.").

Resultado esperado

```
Hola Olivier.
Bienvenido sur miSitio.com.
Su nombre tiene 7 letras.
Su nombre empieza por una vocal.
```

Solución (solo la nueva porción de código)

```
    switch ($nombre[0]) {
     case 'A':
     case 'E':
     case 'I':
     case 'O':
     case 'U':
     case 'Y':
       echo 'Su nombre empieza por una vocal.<br />';
       break;
     default:
       echo 'Su nombre empieza por una consonante.<br />';
   }
```

Etapa 4

Ahora vamos a mostrar la lista de nuestros poetas favoritos.

Indicaciones:

- En la sección inicial del código PHP, defina una tabla llamada `$autor`, que contenga los siguientes escritores: Víctor Hugo, Charles Baudelaire, Arthur Rimbaud y Paul Verlaine.
- En la página, construya una tabla HTML (`<table>...</table>`) que tenga una línea para el título `<tr><th>Autores</th></tr>` y otra `<tr><td>...</td></tr>` para cada línea de la tabla `$autor`.
- No dude en definir algunos estilos CSS para mejorar la visualización de la tabla en la página.

Resultado esperado (solo le tabla)

Autores
Víctor Hugo
Charles Baudelaire
Arthur Rimbaud
Paul Verlaine

Solución (definición de la tabla)

```
$Autores = ['Víctor Hugo','Charles Baudelaire','Arthur Rimbaud',
'Paul Verlaine'];
```

Solución (solo la nueva porción de código)

```
<table>
<tr><th>Autores</th></tr>
<?php
foreach ($Autores as $autor) {
  echo "<tr><td>$autor</td></tr>";
}
?>
</table>
```

Este código se incorpora en la página HTML después del código PHP escrito en las etapas anteriores; es el código HTML el que incorpora de nuevo una sección de código PHP que genera cada línea `<tr><td>...</td></tr>`.

Para el formateo de la tabla, se define el siguiente código CSS en la sección `<head>` de la página HTML:

```
<style>
table { border-collapse: collapse; }
table, td, th { border: 1px solid black; }
td, th { padding: 4px; }
</style>
```

Etapa 5

Para terminar, vamos a almacenar las definiciones comunes en un archivo separado, que se incluirá en el script actual.

Indicaciones:

- Cree un archivo llamado `commun.inc.php` con una sección de código PHP en la que copiará la definición de la constante `MI_SITIO` y de la tabla `$Autores`.
- Elimine estas definiciones del script actual e incluya el archivo anterior en su lugar.

Solución (commun.inc.php)

```
<?php
const MI_SITIO = 'miSitio.com';
$Autores = ['Víctor Hugo','Charles Baudelaire','Arthur Rimbaud',
'Paul Verlaine'];
?>
```

Solución (script final Inicio.php)

```
<?php
include_once('commun.inc.php');
$nombre = 'Olivier';
?>
<!DOCTYPE html>
<html xmlns="http://www.w3.org/1999/xhtml" lang="es">
 <head>
   <meta charset="utf-8" />
   <title>Inicio</title>
   <style>
   table { border-collapse: collapse; }
   table, td, th { border: 1px solid black; }
   td, th { padding: 4px; }
   </style>
 </head>
 <body>
   <div>
   <?php
   // Mostrar los mensajes
   echo "Hola $nombre.<br />";
   echo 'Bienvenido a ',MI_SITIO,'.<br />';
   // Contar el número de letras del nombre.
   $i = 0;
   while ($nombre[$i]) {
     $i++;
   }
   echo "Su nombre tiene $i letras.<br />";
   // Determinar si el nombre empieza por una vocal o una consonante.
   switch ($nombre[0]) {
     case 'A':
     case 'E':
     case 'I':
     case 'O':
     case 'U':
     case 'Y':
       echo 'Su nombre empieza por una vocal.<br />';
       break;
     default:
       echo 'Su nombre empieza por una consonante.<br />';
   }
   ?>
   <!—Mostrar la tabla de Autores. -->
   <table>
   <tr><th>Autores</th></tr>
   <?php
   foreach ($Autores as $autor) {
```

```
      echo "<tr><td>$autor</td></tr>";
    }
    ?>
    </table>
    </div>
  </body>
</html>
```

Resultado

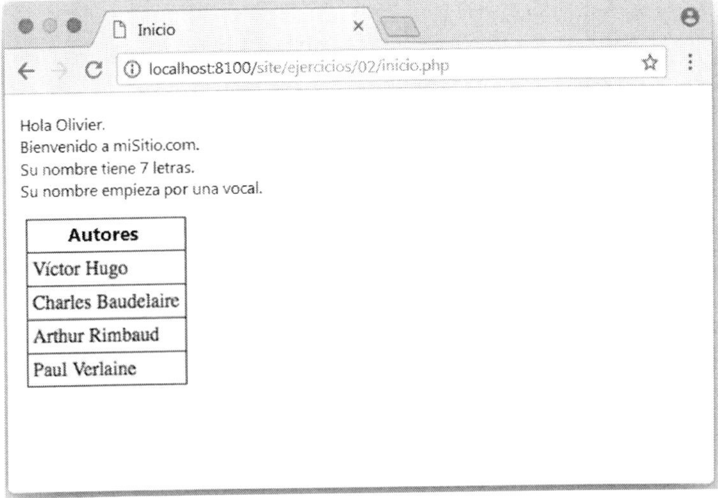

Capítulo 3
Utilizar las funciones PHP

1. Preámbulo

El objetivo de este capítulo es presentar las funciones más útiles para el desarrollo de un sitio web.

PHP ofrece numerosas funciones; la descripción de cada función está disponible en línea en el sitio www.php.net.

Versión 8

Desde la **versión 8**, es posible pasar parámetros a una función utilizando el nombre del parámetro en lugar de su posición. Esta funcionalidad se presenta en el capítulo Escribir funciones y clases PHP, pero puede utilizarse para las funciones propias del lenguaje PHP y, por tanto, para las funciones que se presentan en este capítulo. Sin embargo, en este capítulo, los nombres reales de los parámetros de las funciones no se presentan (están traducidos); para conocerlos, consulte la documentación en línea de las funciones...

Desde la **version 8.1**, pasar el valor `NULL` en un parámetro que no es explícitamente opcional es obsoleto, y por lo tanto, genera una alerta `E_DEPRECATED`.

Ejemplo

```
<?php
$x = null;
$n = strlen($x);
?>
```

Resultado

```
Deprecated: strlen(): Passing null to parameter #1 ($string) of type string
is deprecated in /app/scripts/index.php on line 3
```

2. Manipular las constantes, las variables y los tipos de datos

2.1 Constantes

PHP ofrece una serie de funciones útiles sobre las constantes:

Nombre	Función
`defined`	Indica si una constante está definida o no.
`constant`	Devuelve el valor de una constante.

defined

La función `defined` permite saber si una constante está definida o no.

Sintaxis

```
booleano defined(cadena nombre)
```

`nombre` Nombre de la constante.

La función `defined` devuelve `TRUE` si la constante está definida y `FALSE` en caso contrario.

Ejemplo

```
<?php
// Probar si la constante CONSTANTE está definida.
$ok = defined('CONSTANTE');
if ($ok) {
  echo 'CONSTANTE está definida.<br />';
} else {
  echo 'CONSTANTE no está definida.<br />';
};
// Definir la constante CONSTANTE
define('CONSTANTE','valor de la CONSTANTE');
// Probar si la constante CONSTANTE está definida.
$ok = defined('CONSTANTE');
if ($ok) {
  echo 'CONSTANTE está definida.<br />';
} else {
```

```
  echo 'CONSTANTE no está definida.<br />';
};
?>
```

Resultado

```
CONSTANTE no está definida.
CONSTANTE está definida.
```

constant

La función `constant` devuelve el valor de una constante cuyo nombre se pasa como parámetro.

Sintaxis

`*mixto* constant(*cadena* nombre)`

Donde

`nombre`	Nombre de la constante.

Esta función es útil para recuperar el valor de una constante cuyo nombre no se conoce a priori.

Ejemplo

```
<?php
// definir el nombre de la constante en una variable
$nombreConstante = 'OTRA CONSTANTE';
// definir el valor de la constante
define($nombreConstante,'valor de la OTRA CONSTANTE');
// mostrar el valor de la constante
echo $nombreConstante,' = ',constant($nombreConstante);
?>
```

Resultado

```
OTRA CONSTANTE = valor de la OTRA CONSTANTE
```

Otras funciones permiten conocer el tipo de una constante (véase la sección Manipular las constantes, las variables y los tipos de datos - Tipos de datos).

2.2 Variables

PHP ofrece una serie de funciones útiles en las variables:

Nombre	Función
`empty`	Indica si una variable está vacía o no.
`isset`	Indica si una o varias variables están definidas o no.

Nombre	Función
unset	Elimina una o varias variables.
var_dump	Muestra la información sobre una o varias variables (tipo y valor).

empty

La función `empty` permite probar si una variable está vacía o no.

Sintaxis

booleano `empty(`*mixto* `variable)`

`variable` Variable que se va a probar.

`empty` devuelve `TRUE` si la variable está definida y `FALSE` en caso contrario.

Una variable se considera vacía si no ha sido asignada o si contiene una cadena vacía (""), una cadena igual a 0 ("0"), un 0, `NULL`, `FALSE` o una tabla vacía.

La función `empty` también se puede utilizar para probar si una expresión está vacía o no.

Ejemplo

```
<?php
// Prueba de una variable no inicializada.
$está_vacía = empty($variable);
echo '$variable no inicializada<br />';
if ($está_vacía) {
  echo '=> $variable está vacía.<br />';
} else {
  echo '=> $variable no está vacía.<br />';
}
// Prueba de una variable que contiene una cadena vacía.
$variable = '';
$está_vacía = empty($variable);
echo '$variable = \'\'<br />';
if ($está_vacía) {
  echo '=> $variable está vacía.<br />';
} else {
  echo '=> $variable no está vacía.<br />';
}
// Prueba de una variable que contiene una cadena igual a 0.
$variable = '0';
$está_vacía = empty($variable);
echo '$variable = \'',$variable,'\'<br />';
```

```
if ($está_vacía) {
  echo '=> $variable está vacía.<br />';
} else {
  echo '=> $variable no está vacía.<br />';
}
// Prueba de una variable que contiene 0.
$variable = 0;
$está_vacía = empty($variable);
echo '$variable = ',$variable,'<br />';
if ($está_vacía) {
  echo '=> $variable está vacía.<br />';
} else {
  echo '=> $variable no está vacía.<br />';
}
// Prueba de una variable que contiene una cadena no vacía.
$variable = 'x';
$está_vacía = empty($variable);
echo '$variable = \'',$variable,'\'<br />';
if ($está_vacía) {
  echo '=> $variable está vacía.<br />';
} else {
  echo '=> $variable no está vacía.<br />';
}
?>
```

Resultado

```
$variable no inicializada
=> $variable está vacía.
$variable = ''
=> $variable está vacía.
$variable = '0'
=> $variable está vacía.
$variable = 0
=> $variable está vacía.
$variable = 'x'
=> $variable no está vacía.
```

isset

La función `isset` permite probar si una o varias variables están definidas o no.

Sintaxis

booleano `isset(`*mixto* `variable[,...])`

`variable` Variable que se va a probar; pueden ser varias, separadas por una coma.

`isset` devuelve `TRUE` si la variable está definida y `FALSE` en caso contrario.

Si se facilitan varios parámetros, la función devuelve `TRUE` únicamente si se definen todas las variables.

Una variable se considera como no definida si no se ha visto asignada o si contiene `NULL`. A diferencia de la función `empty`, una variable que contiene una cadena vacía (""), una cadena igual a 0 ("0"), un `0`, un `FALSE` o una tabla vacía, no se considera como no definida.

Ejemplo

```
<?php
// Prueba de una variable no inicializada.
$está_definida = isset($variable);
echo '$variable no inicializada<br />';
if ($está_definida) {
  echo '=> $variable está definida.<br />';
} else {
  echo '=> $variable no está definida.<br />';
}
// Prueba de una variable que contiene una cadena vacía.
$variable = '';
$está_definida= isset($variable);
echo '$variable = \'\'<br />';
if ($está_definida) {
  echo '=> $variable está definida.<br />';
} else {
  echo '=> $variable no está definida.<br />';
}
// Prueba de una variable que contiene una cadena igual a 0.
$variable = '0';
$está_definida = isset($variable);
echo '$variable = \'',$variable,'\'<br />';
if ($está_definida) {
  echo '=> $variable está definida.<br />';
} else {
  echo '=> $variable no está definida.<br />';
}
// Prueba de una variable que contiene 0.
$variable = 0;
$está_definida = isset($variable);
echo '$variable = ',$variable,'<br />';
if ($está_definida) {
  echo '=> $variable está definida.<br />';
} else {
  echo '=> $variable no está definida.<br />';
}
// Prueba de una variable que contiene una cadena no vacía.
$variable = 'x';
```

```
$está_definida = isset($variable);
echo '$variable = \'',$variable,'\'<br />';
if ($está_definida) {
  echo '=> $variable está definida.<br />';
} else {
  echo '=> $variable no está definida.<br />';
}
?>
```

Resultado

```
$variable no inicializada
=> $variable no está definida.
$variable = ''
=> $variable está definida.
$variable = '0'
=> $variable está definida.
$variable = 0
=> $variable está definida.
$variable = 'x'
=> $variable está definida.
```

unset

La función `unset` permite eliminar una o varias variables.

Sintaxis

`unset(mixto variable)`

`variable`	Variable que se va a eliminar (para eliminar varias, deben estar separadas por una coma).

Después de la eliminación, la variable se encuentra en el mismo estado que si no hubiera sido asignada. El uso de la función `isset` en una variable eliminada devuelve `FALSE`.

Ejemplo

```
<?php
// Definir una variable.
$variable = 1;
// Mostrar la variable y probar si está definida.
$está_definida = isset($variable);
echo '$variable = ',$variable,'<br />';
if ($está_definida) {
  echo '=> $variable está definida.<br />';
} else {
  echo '=> $variable no está definida.<br />';
}
```

```
// Eliminar la variable.
unset($variable);
// Mostrar la variable y probar si está definida.
$está_definida = isset($variable);
echo '$variable = ',$variable,'<br />';
if ($está_definida) {
  echo '=> $variable está definida.<br />';
} else {
  echo '=> $variable no está definida.<br />';
}
?>
```

Resultado

```
$variable = 1
=> $variable está definida.
$variable =
=> $variable no está definida.
```

Observación

Al asignar un 0 o una cadena vacía a una variable, no se borra.

var_dump

La función `var_dump` muestra información sobre una o varias variables (tipo y contenido).

Sintaxis

```
var_dump(mixto variable, [,...])
```

`variable` Variable que se va a mostrar (pueden ser varias, separadas por una coma).

La función `var_dump` es especialmente interesante en las fases de desarrollo.

Ejemplo

```
<?php
// mostrar la información sobre una variable no inicializada
$variable = NULL;
var_dump($variable);
// inicializar la variable con un número entero
$variable = 10;
// mostrar la información sobre una variable
echo '<br />';
var_dump($variable);
// modificar el valor (y el tipo) de la variable
$variable = 3.14; // número decimal
```

```
// mostrar la información sobre una variable
echo '<br />';
var_dump($variable);
// modificar el valor (y el tipo) de la variable
$variable = 'abc'; // cadena de caracteres
// mostrar la información sobre la variable
echo '<br />';
var_dump($variable);
?>
```

Resultado

```
NULL
int(10)
float(3.14)
string(3) "abc"
```

Para una variable no inicializada, `var_dump` devuelve `NULL`. Para un número, `var_dump` indica el tipo (`int` = entero, `float` = número decimal), seguido por el valor entre paréntesis. Para una cadena, `var_dump` indica el tipo (`string`), seguido de la longitud entre paréntesis, seguido por el valor entre comillas.

PHP también ofrece las funciones `print_r` y `var_export`, que son similares a la función `var_dump`. La función `print_r` muestra o devuelve el contenido de la variable en una forma más legible, sin mencionar el tipo de datos. La función `var_export` muestra o devuelve una cadena que ofrece un código PHP de definición de la variable.

Observación

En la sección Tipos de datos de este capítulo, estudiaremos otras funciones que permiten determinar el tipo de una variable y realizar conversiones de tipos (de número a cadena, de cadena a número...).

2.3 Tipos de datos

2.3.1 Conversiones

PHP es capaz de realizar las conversiones automáticas implícitas de tipo.

Cuando un valor/expresión se asigna a una variable, la variable pasa a ser el tipo de valor/expresión.

Para determinar el tipo de una expresión compuesta de operandos de tipos diferentes, PHP evalúa (pero no convierte) los operandos en función de los operadores procesados en el orden de precedencia (véase el capítulo Introducción a PHP - Operadores - Precedencia de los operadores). Por ejemplo, los dos operandos utilizados en una suma se evalúan en número, mientras que dos operandos utilizados con el operador de concatenación (véase el capítulo Introducción a PHP - Operadores - El operador de cadena) se evalúan en una cadena.

Ejemplo

```
<?php
$número = 123;
$cadena = '456';
echo '$número + $cadena= ';
var_dump($número + $cadena);
echo '<br />';
echo '$número . $cadena = ';
var_dump($número . $cadena);
echo '<br />';
echo '$número = ';
var_dump($número);
echo '<br />';
echo '$cadena = ';
var_dump($cadena);
?>
```

Resultado

```
$número + $cadena = int(579)
$número . $cadena = string(9) "123456"
$número = int(123)
$cadena = string(6) "456"
```

En el primer ejemplo, la variable `$cadena` se evalúa en número por ser del tipo esperado por el operador «+», mientras que, en el segundo ejemplo, es `$número` el que se evalúa en cadena por ser del tipo esperado por el operador «.» (concatenación). En contraposición, las últimas dos visualizaciones muestran que las variables en cuestión no se han convertido durante las operaciones: conservan su tipo respectivo original.

Durante la evaluación de una cadena como número, se aplican las reglas de conversión presentadas anteriormente y son susceptibles de generar errores de nivel `E_WARNING` o una excepción `TypeError` (véase capítulo Introducción a PHP - Las bases del lenguaje PHP - Tipos de datos).

Además, PHP ofrece una notación y una función para realizar una conversión manual explícita.

Notación

La notación consiste en indicar el nombre del tipo deseado entre paréntesis antes de la expresión que se desea convertir. Los valores permitidos son los siguientes:

Notación	Conversión en
`(int) o (integer)`	entero
`(bool) o (boolean)`	booleano
`(double) o (float)`	número de punto flotante
`(string)`	cadena
`(array)`	matriz
`(object)`	objeto

Versión 8

La notación `(real)`, equivalente a `(float)`, ya no puede utilizarse en la **versión 8** (genera un error de compilación del script). También existía una notación `(unset)` que permitía convertir una expresión en `NULL`. Esta notación ya no puede utilizarse en la versión 8 (ya estaba obsoleta desde la versión 7.2) y genera un error fatal si se emplea. Si es necesario, la expresión que utiliza la notación `(unset)`, simplemente se puede sustituir por el valor `NULL`.

Ejemplo

```
<?php
echo '(float)"1abc" = ',var_dump((float)"1abc"),'<br />';
echo '(float)"1.5abc" = ',var_dump((float)"1.5abc"),'<br />';
echo '(float)"abc1" = ',var_dump((float)"abc1"),'<br />';
echo '(int)1.7 = ',var_dump((int)1.7),'<br />';
echo '(int)"1.234e5" = ',var_dump((int)"1.234e5"),'<br />';
echo '(int)TRUE = ',var_dump((int)TRUE),'<br />';
echo '(int)FALSE = ',var_dump((int)FALSE),'<br />';
echo '(bool)-1 = ',var_dump((bool)-1),'<br />';
echo '(bool)0 = ',var_dump((bool)0),'<br />';
echo '(bool)1 = ',var_dump((bool)1),'<br />';
echo '(bool)"" = ',var_dump((bool)""),'<br />';
echo '(bool)"0" = ',var_dump((bool)"0"),'<br />';
echo '(bool)"1" = ',var_dump((bool)"1"),'<br />';
echo '(bool)"a" = ',var_dump((bool)"a"),'<br />';
?>
```

Resultado

```
(float)"1abc" = float(1)
(float)"1.5abc" = float(1.5)
(float)"abc1" = float(0)
(int)1.7 = int(1)
(int)"1.234e5" = int(123400)
(int)TRUE = int(1)
(int)FALSE = int(0)
(bool)-1 = bool(true)
(bool)0 = bool(false)
(bool)1 = bool(true)
(bool)"" = bool(false)
(bool)"0" = bool(false)
(bool)"1" = bool(true)
(bool)"a" = bool(true)
```

Estos ejemplos permiten encontrar las reglas de conversión mencionadas anteriormente (pero sin generación de error).

Función de conversión

La función `settype` permite convertir una variable de un tipo a otro.

Sintaxis

```
booleano settype (mixto variable, cadena tipo)
```

`variable` Variable que se va a convertir.

`tipo` Tipo deseado usando uno de los siguientes valores:
- `boolean` o `bool` (conversión en booleano)
- `integer` o `int` (conversión en entero)
- `double` o `float` (conversión en número de punto flotante)
- `string` (conversión en cadena de caracteres)
- `array` (conversión en matriz)
- `object` (conversión en objeto)
- `null` (conversión en `NULL`)

`settype` devuelve `TRUE` en caso de éxito y `FALSE` en caso de error.

Ejemplo

```
<?php
$x = '1abc';
settype($x,'integer');
echo '\'1abc\' convertido en entero = ',var_dump($x),'<br />';
$x = 1.7;
settype($x,'integer');
echo '1.7 convertido en entero = ',var_dump($x),'<br />';
$x = TRUE;
settype($x,'string');
echo 'TRUE convertido en cadena = ',var_dump($x),'<br />';
$x = '0';
settype($x,'boolean');
echo '\'0\' convertido en booleano = ',var_dump($x),'<br />';
$x = -1;
settype($x,'boolean');
echo '-1 convertido en booleano = ',var_dump($x),'<br />';
?>
```

Resultado

```
'1abc' convertido en entero = int(1)
1.7 convertido en entero = int(1)
TRUE convertido en cadena = string(1) "1"
'0' convertido en booleano = bool(false)
-1 convertido en booleano = bool(true)
```

Observación

En general, es recomendable elegir la conversión explícita: el código es más legible, más fácil de mantener y desarrollar.

2.3.2 Funciones útiles

Además, PHP tiene varias funciones útiles para el tipo de variables (o expresiones):

Nombre	Función

is_*	Indica si la variable es del tipo dado por *:
	array = matriz;
	bool = booleano;
	callable = función que puede llamarse
	countable = contable (una matriz, por ejemplo)
	float, double = número de punto flotante;
	int, integer, long = entero;
	iterable = pseudotipo iterable
	null = tipo NULL;
	numeric = entero o número de punto flotante o una cadena que contiene un número (entero o decimal);
	object = objeto;
	resource = recurso;
	scalar = tipo escalar;
	string = cadena.

strval	Convierte una variable en cadena.
floatval doubleval	Convierte una variable en número de punto flotante.
intval	Convierte una variable en entero.
boolval	Convierte una variable en booleano.

is_*

Cada función is_* permite probar si una variable (más generalmente una expresión) es de un tipo particular.

Sintaxis

```
booleano is_* (mixto variable)
```

variable   Variable (o expresión) que se va a probar.

Las declinaciones son las siguientes:

Función	Tipo probado
is_array	matriz
is_bool	booleano

Función	Tipo probado
`is_callable`	función que puede llamarse
`is_countable`	tipo contable (una matriz, por ejemplo)

`is_float`
`is_double`
`is_real`
	número de punto flotante (la funcione `is_double` es un alias de la función `is_float`)

`is_int`
`is_integer`
`is_long`
	entero (las funciones `is_integer` y `is_long` son los alias de la función `is_int`)

`is_null`	tipo NULL
`is_iterable`	pseudotipo `iterable`
`is_numeric`	entero o número de punto flotante o una cadena que contiene un número (entero o decimal)
`is_object`	objeto
`is_resource`	recurso
`is_scalar`	tipo escalar
`is_string`	cadena

Versión 8

Observación

*La función `is_real`, alias de la función `is_float`, ya no puede utilizarse en la **version 8**.*

Estas funciones devuelven `TRUE` si el valor es del tipo solicitado y `FALSE` en caso contrario.

Ejemplo

```
<?php
$x = NULL;
if (is_null($x)) {
  echo 'De momento, $x es del tipo NULL.<br />';
}
$x = (1 < 2);
if (is_bool($x)) {
  echo '$x = (1 < 2) es del tipo booleano.<br />';
}
$x = '123abc';
```

```
if (is_string($x)) {
  echo '$x = "123abc" es del tipo cadena...<br />';
}
if (! is_numeric($x)) {
  echo '... pero no del «tipo» <i>numeric</i>.<br />';
}
$x = '1.23e45';
if (is_numeric($x)) {
  echo 'Por el contrario, $x = "1.23e45" es del «tipo»
<i>numeric</i>.<br />';
}
?>
```

Resultado

```
De momento, $x es del tipo NULL.
$x = (1 < 2) es del tipo booleano.
$x = "123abc" es del tipo cadena...
... pero no del «tipo» numeric.
Por el contrario, $x = "1.23e45" es del «tipo» numeric.
```

En este ejemplo, la función `is_numeric` no aplica las mismas reglas que las utilizadas para la conversión para determinar si una cadena contiene un número. Con la función `is_numeric`, la cadena no debe contener caracteres no numéricos.

strval

La función `strval` devuelve el valor de una variable (generalmente, de una expresión) después de la conversión en cadena.

Sintaxis

```
cadena strval(mixto variable)
```

`variable` Variable (o expresión) que se va a procesar.

Esta función solo se aplica a los valores de tipo escalar (no es válida para las matrices u objetos que no implementan el método `toString()`). El tipo de la variable permanece sin cambios.

Ejemplo

```
<?php
$x = TRUE;
echo var_dump($x),' => ',var_dump(strval($x)),'<br />';
$x = 1.2345;
echo var_dump($x),' => ',var_dump(strval($x)),'<br />';
?>
```

Resultado

```
bool(true) => string(1) "1"
float(1.2345) => string(6) "1.2345"
```

floatval (o doubleval)

La función `floatval` devuelve el valor de una variable (más generalmente, de una expresión) después de la conversión en número de punto flotante. La función `doubleval` es un alias de la función `floatval`.

Sintaxis

número `floatval(`*mixto* `variable)`

`variable` Variable (o expresión) que se va a procesar.

Esta función solo se aplica a los valores de tipo escalar (no es válida para las matrices u objetos). El tipo de la variable permanece sin cambios.

Ejemplo

```
<?php
$x = TRUE;
echo var_dump($x),' => ',var_dump(floatval($x)),'<br />';
$x = 123;
echo var_dump($x),' => ',var_dump(floatval($x)),'<br />';
$x = "1.23e45";
echo var_dump($x),' => ',var_dump(floatval($x)),'<br />';
$x = "123abc";
echo var_dump($x),' => ',var_dump(floatval($x)),'<br />';
$x = " \n\t\r 123.45abc";
echo var_dump($x),' => ',var_dump(floatval($x)),'<br />';
?>*
```

Resultado

```
bool(true) => float(1)
int(123) => float(123)
string(7) "1.23e45" => float(1.23E+45)
string(6) "123abc" => float(123)
string(14) " 123.45abc" => float(123.45)
```

Se han respetado las reglas de conversión evocadas (sin generación de error).

intval

La función `intval` devuelve el valor de una variable (más generalmente, de una expresión) después de la conversión en entero.

Sintaxis

número `intval(`*mixto* `variable)`

`Variable` Variable (o expresión) que se va a procesar.

Esta función solo se aplica a los valores de tipo escalar (no es válida para las matrices u objetos).

El tipo de la variable permanece sin cambios.

Ejemplo

```
<?php
$x = TRUE;
echo var_dump($x),' => ',var_dump(intval($x)),'<br />';
$x = 123.9;
echo var_dump($x),' => ',var_dump(intval($x)),'<br />';
$x = "1.234e5";
echo var_dump($x),' => ',var_dump(intval($x)),'<br />';
$x = "123abc";
echo var_dump($x),' => ',var_dump(intval($x)),'<br />';
$x = " \n\t\r 123.45abc";
echo var_dump($x),' => ',var_dump(intval($x)),'<br />';
?>
```

Resultado

```
bool(true) => int(1)
float(123.9) => int(123)
string(7) "1.234e5" => int(123400)
string(6) "123abc" => int(123)
string(14) " 123.45abc" => int(123)
```

Se han respetado las reglas de conversión evocadas anteriormente (sin generación de error). Una vez más, debemos recordar que un número de punto flotante convertido a un entero se trunca y no se redondea: en nuestro ejemplo, 123.9 da 123 y no 124. Para convertir un número de punto flotante en entero, con redondeo, es necesario utilizar la función `round()`.

Ejemplo

```
<?php
$x = 123.9;
echo "round($x) => ",var_dump(round($x)),'<br />';
echo "intval(round($x)) => ",
  var_dump(intval(round($x))),'<br />';
echo "(int) round($x) => ",
  var_dump((int) round($x)),'<br />';
?>
```

Resultado

```
round(123.9) => float(124)
intval(round(123.9)) => int(124)
(int) round(123.9) => int(124)
```

La función `round` devuelve un número entero redondeado, pero con un tipo de número de punto flotante. Si se desea conseguir un «verdadero» tipo entero en la llegada, solo tiene que convertir el resultado de `round` en entero con el método de su elección. La función `round` se presenta más detalladamente a continuación en este capítulo (sección Manipular los números).

boolval

La función `boolval` devuelve el valor de una variable (más generalmente, de una expresión) después de convertirla en booleano.

Sintaxis

```
booleano boolval(mixto variable)
```

`variable` Variable (o expresión) que se va a tratar.

Esta función se aplica a todos los tipos de variables (escalares, tablas, objetos, etc.). El tipo de la variable permanece inalterado.

Ejemplo

```
<?php
$x = -1;
echo var_dump($x),' => ',var_dump(boolval($x)),'<br />';
$x = 0;
echo var_dump($x),' => ',var_dump(boolval($x)),'<br />';
$x = 1;
echo var_dump($x),' => ',var_dump(boolval($x)),'<br />';
$x = "";
echo var_dump($x)," => ",var_dump(boolval($x)),'<br />';
$x = "0";
echo var_dump($x)," => ",var_dump(boolval($x)),'<br />';
$x = "1";
echo var_dump($x)," => ",var_dump(boolval($x)),'<br />';
$x = "a";
echo var_dump($x)," => ",var_dump(boolval($x)),'<br />';
?>
```

Resultado

```
int(-1) => bool(true)
int(0) => bool(false)
int(1) => bool(true)
```

```
string(0) "" => bool(false)
string(1) "0" => bool(false)
string(1) "1" => bool(true)
string(1) "a" => bool(true)
```

Las reglas de conversión mencionadas anteriormente se respetan.

3. Manipular las matrices

PHP ofrece un gran número de funciones que permiten manipular las matrices. Las funciones utilizadas con mayor frecuencia son:

Nombre	Función
`count`	Cuenta el número de elementos de una matriz.
`in_array`	Comprueba si un valor está presente en una matriz.
`array_search`	Busca un valor en una matriz.
`array_replace`	Reemplaza valores de una matriz.
`[a|k][r]sort`	Ordena una matriz (diversas variantes posibles).
`explode`	Divide una cadena según un separador y almacena los elementos en una matriz.
`implode`	Reagrupa los elementos de una matriz en una cadena mediante un separador.
`max`	Devuelve el valor más alto almacenado en una matriz.
`min`	Devuelve el valor más bajo almacenado en una matriz.
`str_split`	Divide una cadena en fragmentos de longitud fija y almacena los elementos en una matriz.
`array_column`	Devuelve los valores de una columna de una matriz multidimensional.
`array_key_first`	Devuelve la primera clave de un array.
`array_key_last`	Devuelve la última clave de un array.

Algunas funciones modifican el contenido de la matriz que se pasa como parámetro y, por lo tanto, no se pueden aplicar a una matriz constante, ya que se obtendría un error fatal:

```
Fatal error: Only variables can be passed by reference in...
```

La función `is_array` (véase la sección Manipular las constantes, las variables y los tipos de datos - Tipos de datos) permite conocer si una variable es de tipo matriz. Recuérdelo.

Existen muchas otras funciones y puede consultar la descripción de cada función en línea en www.php.net. Ahí encontrará, especialmente, funciones para:

- realizar cálculos (suma...),
- extraer una submatriz de una matriz,
- fusionar matrices,
- desduplicar una matriz...

count

La función `count` permite conocer el número de elementos en una matriz.

Sintaxis

```
entero count (matriz variable)
```

`variable`	Variable en cuestión.

Si la variable es una matriz, la función `count` devuelve el número de elementos presentes en la matriz (0 si la matriz está vacía).

Versión 8

Desde la versión 8, si la función se aplica a una variable que no es una matriz, se produce una excepción `TypeError` (simple error de nivel `E_WARNING` en la versión 7); este error interrumpe el script si no se administra.

Ejemplo

```
<?php
$x = array();
echo '$x matriz vacía => ',count($x),'<br />';
$x = array(1,2);
echo '$x matriz de 2 elementos => ',count($x),'<br />';
?>
```

Resultado

```
$x matriz vacía => 0
$x matriz de 2 elementos => 2
```

Observación

Esta función ofrece un segundo parámetro que permite contar de forma recursiva el número de elementos en una matriz multidimensional (véase la documentación de PHP a este respecto).

in_array

La función `in_array` permite probar si un valor está presente en una matriz.

Sintaxis

```
booleano in_array(mixto valor_buscado, matriz matriz[, booleano mismo_tipo])
```

`valor_buscado`	Valor buscado en la matriz.
`matriz`	Matriz en la que se efectúa la búsqueda.
`mismo_tipo`	Indica si la comparación debe verificar que los elementos son del mismo tipo (por defecto, `FALSE`).

`in_array` devuelve `TRUE` si el elemento buscado está en la matriz y `FALSE` en caso contrario.

Observación

PHP también ofrece la función `array_key_exists`, que permite probar si un valor está presente en las claves de una matriz.

Ejemplo

```
<?php
$números = array('cero','uno','dos',
                 'cero' => 0,'uno' => 1,'dos' => 2);
echo '1 tipo indiferente => ',
     var_dump(in_array(1,$números)),'<br />';
echo '3 tipo indiferente => ',
     var_dump(in_array(3,$números)),'<br />';
echo '\'1\' mismo tipo => ',
     var_dump(in_array('1',$números,TRUE)),'<br />';
echo '\'uno\' tipo indiferente => ',
     var_dump(in_array('uno',$números)),'<br />';
echo '\'tres\' tipo indiferente => <b>',
     var_dump(in_array('tres',$números)),'</b><br />';
echo '\'tres\' mismo tipo => ',
     var_dump(in_array('tres',$números,TRUE)),'<br />';
?>
```

Resultado

```
1 tipo indiferente => bool(true)
3 tipo indiferente => bool(false)
'1' mismo tipo => bool(false)
'uno' tipo indiferente => bool(true)
'tres' tipo indiferente => bool(false)
'tres' mismo tipo => bool(false)
```

Versión 8

Antes de la **versión 8**, la función `in_array` debía utilizarse con gran cautela cuando la matriz contenía elementos de diferentes tipos. De hecho, la llamada `in_array('tres',$números)` con el tipo indiferente devolvía `TRUE` en lugar de `FALSE`. Todo ocurría como si la cadena se convirtiera en entero («`tres`» convertido en entero daba 0) y la búsqueda se efectuase sobre el resultado de esta conversión (0 está presente en la matriz). Esta anomalía ya no se produce en la versión 8.

array_search

La función `array_search` permite buscar un elemento en una matriz y recuperar la clave de este elemento, si está presente.

Sintaxis

mixto `array_search(`*mixto* `valor_buscado,` *matriz* `matriz[,` *booleano* `mismo_tipo])`

`valor_buscado`	Valor buscado en la matriz.
`matriz`	Matriz en la que se efectúa la búsqueda.
`mismo_tipo`	Indica si la comparación debe verificar que los elementos son del mismo tipo (por defecto, `FALSE`).

`array_search` devuelve la clave asociada al elemento si este último está presente en la matriz, y `FALSE` en caso contrario.

Ejemplo

```
<?php
$números = array('cero','uno','dos',
                 'cero' => 0,'uno' => 1,'dos' => 2);
echo '1 tipo indiferente => ',
     var_dump(array_search(1,$números)),'<br />';
echo '3 tipo indiferente => ',
     var_dump(array_search(3,$números)),'<br />';
echo '\'1\' mismo tipo => ',
     var_dump(array_search('1',$números,TRUE)),'<br />';
echo '\'uno\' tipo indiferente => ',
     var_dump(array_search('uno',$números)),'<br />';
echo '\'tres\' tipo indiferente => <b>',
     var_dump(array_search('tres',$números)),'<br />';
echo '\'tres\' mismo tipo => ',
     var_dump(array_search('tres',$números,TRUE)),'<br />';
?>
```

Resultado

```
1 tipo indiferente => string(2) "uno"
3 tipo indiferente => bool(false)
'1' mismo tipo => bool(false)
'uno' tipo indiferente => int(1)
'tres' tipo indiferente => bool (false)
'tres' mismo tipo => bool(false)
```

Versión 8

Antes de la **versión 8**, teníamos el mismo problema que planteamos con la función `in_array`: la búsqueda sobre «`tres`», en tipo indiferente, daba la clave «`cero`», que corresponde al valor 0 en la matriz. En esta caso, esta «anomalía» también se ha eliminado en la versión 8.

Esta función puede devolver `FALSE` pero también un valor que puede evaluarse como `FALSE` en una prueba (0 o «0»). Por tanto, es fácil confundir el caso en el que el elemento no se ha encontrado y el caso en el que se ha encontrado con una clave que tiene uno de estos valores. La técnica consiste en utilizar el operador de comparación === (tres signos de igual) que permite comparar el valor y el tipo de dos expresiones (para obtener más información, consulte el capítulo Introducción a PHP - Las bases del lenguaje PHP - Operadores).

array_replace

La función `array_replace` permite reemplazar los elementos de una matriz.

Sintaxis

```
matriz array_replace(matriz matriz, matriz matriz_reemplaza[, ...])
```

`matriz`	Matriz en la que se efectúan los reemplazos.
`matriz_reemplaza`	Matriz que contiene los valores de reemplazo.

La función `array_replace` reemplaza los valores de la primera matriz con el valor correspondiente de la segunda matriz, basándose en la clave. Si existe una clave en la segunda matriz, pero no en la primera, esta se crea en la primera matriz. Una clave que existe en la primera matriz, pero no en la segunda, queda sin cambios (no se elimina). Es posible proporcionar varias matrices para el reemplazo: en este caso, se procesan en orden. La función devuelve `NULL` en caso de error.

Ejemplo

```
<?php
$matriz = array('c1' => 'verde','c2' => 'blanco');
$matriz_reemplaza = array('c1' => 'azul','c3' => 'rojo');
// Visualización de control.
echo '<b>Matriz de salida:</b><br />';
foreach($matriz as $clave => $valor)
  { echo "$clave => $valor<br />"; }
echo '<b>Matriz de reemplazo:</b><br />';
foreach($matriz_reemplaza as $clave => $valor)
  { echo "$clave => $valor<br />"; }
// Reemplazo.
$matriz_resultado = array_replace($matriz,$matriz_reemplaza);
// Visualización del resultado.
echo '<b>Resultado:</b><br />';
foreach($matriz_resultado as $clave => $valor)
  { echo "$clave => $valor<br />"; }
?>
```

Resultado

```
Matriz de salida:
c1 => verde
c2 => blanco
Matriz de reemplazo:
c1 => azul
c3 => rojo
Resultado:
c1 => azul
c2 => blanco
c3 => rojo
```

[a | k][r]sort

Las funciones `sort`, `rsort`, `asort`, `arsort`, `ksort` y `krsort` permiten ordenar una matriz según diferentes variantes.

Sintaxis

```
booleano [a|k][r]sort(matriz matriz[, entero indicador])
```

Donde

`matriz` Matriz que se va a ordenar.

`indicador` Parámetro opcional que permite cambiar el comportamiento de la ordenación:

- `SORT_REGULAR` (valor predeterminado): compara los elementos de forma normal (no cambia los tipos).
- `SORT_NUMERIC`: compara los elementos numéricamente.
- `SORT_STRING`: compara los elementos como cadenas de caracteres.
- `SORT_LOCALE_STRING`: compara los elementos utilizando la configuración regional establecida por la función `setlocale`.
- `SORT_NATURAL`: compara los elementos según un orden «natural».
- `SORT_FLAG_CASE`: se añade al valor anterior o a `SORT_STRING` para no tener en cuenta las mayúsculas y las minúsculas.

Observación

Ordenar una matriz con valores de diferentes tipos da resultados impredecibles.

Las variantes de funcionamiento son las siguientes:

Función	**Naturaleza de la ordenación**
`sort`	Orden ascendente sobre el valor, sin conservación de los pares clave/valor. Sea cual sea la situación inicial, después de su ordenación, los índices de la matriz son números enteros consecutivos a partir de 0.
`rsort`	Orden descendente sobre el valor, sin conservación de los pares clave/valor. Sea cual sea la situación inicial, después de su ordenación, los índices de la matriz son números enteros consecutivos a partir de 0.
`asort`	Orden ascendente sobre el valor, con conservación de los pares clave/valor.
`arsort`	Orden descendente sobre el valor, con conservación de los pares clave/valor.
`ksort`	Orden ascendente sobre la clave, con conservación de los pares clave/valor.
`krsort`	Orden descendente sobre la clave, con conservación de los pares clave/valor.

Estas funciones devuelven siempre `TRUE` a partir de la **versión 8.2**.

Ejemplo

```
<?php
$matriz= array('c3' => 'rojo','c1' => 'verde',
               'c2' => 'azul');
// Visualización de control.
echo '<b>Matriz de salida:</b><br />';
foreach($matriz as $clave => $valor)
  { echo "$clave => $valor<br />"; }
// sort
echo '<b>sort: ordenación sobre valor, no se conservan las claves</b><br />';
$matriz_bis = $matriz;
sort($matriz_bis);
foreach($matriz_bis as $clave => $valor)
  { echo "$clave => $valor<br />"; }
// asort
echo '<b>asort: ordenación sobre valor, se conservan los pares clave/valor</b><br />';
$matriz_bis = $matriz;
asort($matriz_bis);
foreach($matriz_bis as $clave => $valor)
  { echo "$clave => $valor<br />"; }
// ksort
echo '<b>ksort: ordenación sobre clave, se conservan los pares clave/valor</b><br />';
$matriz_bis = $matriz;
ksort($matriz_bis);
foreach($matriz_bis as $clave => $valor)
  { echo "$clave => $valor<br />"; }
?>
```

Resultado

Matriz de salida:
c3 => rojo
c1 => verde
c2 => azul
sort: ordenación sobre valor, no se conservan las claves
0 => azul
1 => rojo
2 => verde
asort: ordenación sobre valor, se conservan los pares clave/valor
c2 => azul
c3 => rojo
c1 => verde
ksort: ordenación sobre clave, se conservan los pares clave/valor
c1 => verde
c2 => azul
c3 => rojo

La clasificación natural permite clasificar las cadenas que contienen números teniendo en cuenta el orden de los números y no el orden alfabético (que coloca el «10» antes que el «2», por ejemplo).

Ejemplo

```
<?php
$matriz =
  ['faq1.txt','faq30.txt','faq100.txt','faq2000.txt'];
// Visualización de control.
echo '<b>Matriz de partida:</b><br />';
foreach($matriz as $valor)
  { echo "$valor<br />"; }
// Clasificación predeterminada
echo '<b>Clasificación predeterminada (alfabética):</b><br />';
$matriz_bis = $matriz;
sort($matriz_bis);
foreach($matriz_bis as $valor)
  { echo "$valor<br />"; }
// Clasificación natural
echo '<b>Clasificación natural:</b><br />';
$matriz_bis = $matriz;
sort($matriz_bis,SORT_NATURAL);
foreach($matriz_bis as $valor)
  { echo "$valor<br />"; }
?>
```

Resultado

```
Matriz de partida:
faq1.txt
faq30.txt
faq100.txt
faq2000.txt
Clasificación predeterminada (alfabética):
faq1.txt
faq100.txt
faq2000.txt
faq30.txt
Clasificación natural:
faq1.txt
faq30.txt
faq100.txt
faq2000.txt
```

explode

La función `explode` permite cortar una cadena según un separador y almacenar los elementos en una matriz.

Sintaxis

```
matriz explode(cadena separador, cadena a_cortar[, entero límite])
```

`separador`	Separador buscado.
`a_cortar`	Cadena que se va a cortar.
`límite`	Si se especifica, y es positivo, el número máximo de elementos en la matriz resultante, el último elemento que contiene el resto de la cadena. Si es negativo, se devuelven todos los elementos excepto los *n* últimos (*n* es igual al valor absoluto de `límite`). 0 se trata como el valor 1.

Ejemplo

```
<?php
$lista = 'azul, blanco, rojo';
$colores = explode(', ',$lista);
    // separador = coma+espacio
foreach($colores as $clave => $valor)
  { echo "$clave => $valor<br />"; }
echo '<b>Con el parámetro "límite"</b><br />';
$lista = '1,2,3,4,5,6,7,8,9,0';
echo '<b>= +4</b><br />';
$cifras = explode(',',$lista,4);
foreach($cifras as $valor)
  { echo "$valor<br />"; }
echo '<b>= -4</b><br />';
$cifras = explode(',',$lista,-4);
foreach($cifras as $valor)
  { echo "$valor<br />"; }
echo '<b>= 0 (equivalente a 1)</b><br />';
$cifras = explode(',',$lista,0);
foreach($cifras as $valor)
  { echo "$valor<br />"; }
?>
```

Resultado

```
0 => azul
1 => blanco
2 => rojo
Con el parámetro "límite"
= +4
1
2
3
4,5,6,7,8,9,0
= -4
1
```

```
2
3
4
5
6
= 0 (equivalente a 1)
1,2,3,4,5,6,7,8,9,0
```

implode

La función `implode` permite agrupar los elementos de una tabla en una cadena mediante un separador.

Sintaxis

```
cadena implode(cadena separador, matriz elementos)
```

`separador`	Separador utilizado (por defecto, una cadena vacía).
`elementos`	Matriz que contiene los elementos que se van a agrupar.

Ejemplo

```
<?php
$colores= array('azul','blanco','rojo');
$lista = implode(', ',$colores);
    // separador = coma+espacio
echo $lista;
?>
```

Resultado

```
azul, blanco, rojo
```

● Versión 8

Antes de la **versión 8**, los parámetros podían invertirse en la función. Desde la versión 8, se produce una excepción `TypeError` si esto sucede (interrumpiendo el script).

max - min

Las funciones `max` y `min` devuelven respectivamente el valor más grande y el más pequeño almacenado en una matriz.

Sintaxis

```
mixto max(matriz matriz)
mixto min(matriz matriz)
```

`matriz`	Matriz que se va a procesar.

Si los valores almacenados en la matriz son de tipos diferentes (números y cadenas de caracteres), se efectúan conversiones para realizar las comparaciones y el tipo de datos devuelto por la función corresponde al del valor más grande (véase la documentación de PHP a este respecto).

Ejemplo

```
<?php
echo max(['azul','blanco','rojo']),'<br />';
echo max([2**3,3**2,2*3,2+3]);
echo min(['azul','blanco','rojo']),'<br />';
echo min([2**3,3**2,2*3,2+3]);
?>
```

Resultado

```
rojo
9
blanco
5
```

str_split

La función `str_split` divide una cadena en fragmentos de longitud fija y almacena los elementos en una matriz.

Sintaxis

```
matriz str_split(cadena cadena[,entero longitud])
```

`cadena`	Cadena que se va a cortar.
`longitud`	Longitud de los fragmentos (por defecto, 1).

Ejemplo

```
<?php
$cadena = 'A1B2C3';
$matriz = str_split($cadena,2);
foreach($matriz as $clave => $valor) {
echo "\$matriz[$clave] = $valor<br />";
}
?>
```

Resultado

```
$matriz[0] = A1
$matriz[1] = B2
$matriz[2] = C3
```

Versión 8

A partir de la **versión 8.2**, la función `str_split` devuelve una matriz vacía si la cadena está vacía en lugar de una matriz con una línea vacía.

array_column

La función `array_column` devuelve los valores de una columna de una matriz multidimensional.

Sintaxis

```
matriz array_column(matriz matriz, mixta columna[, mixta clave])
```

`matriz` Matriz multidimensional que se va a tratar.

`columna` Identificador de la columna que se va a devolver, ya sea en forma de un número de columna (en caso de una matriz numérica) o bien en forma de una clave alfanumérica (en caso de una matriz asociativa).

`clave` Identificador de la columna que se va a utilizar como índice o clave en la matriz devuelta, ya sea en forma de un número de columna (en caso de una matriz numérica) o bien en forma de una clave alfanumérica (en caso de una matriz asociativa).

Si no se suministra el tercer parámetro, la matriz devuelta es una matriz numérica cuyo índice comienza en 0. En caso contrario, el valor de la columna designada por este tercer parámetro se utiliza como índice o clave.

Esta función puede ser útil para extraer fácilmente una columna de una serie de registros recuperados en una base de datos.

Ejemplo

```
<?php
$artículos = [
  ['identificador' => 10, 'etiqueta' => 'Albaricoques', 'precio' => 35],
  ['identificador' => 20, 'etiqueta' => 'Cerezas',  'precio' => 48],
  ['identificador' => 30, 'etiqueta' => 'Fresas',  'precio' => 29],
  ['identificador' => 40, 'etiqueta' => 'Melocotones',   'precio' => 37]];
echo '<b>Columna de las etiquetas:</b><br />';
$etiquetas = array_column($artículos,'etiqueta');
foreach($etiquetas as $clave => $valor) {
  echo "[$clave] = $valor<br>";
}
echo '<b>Columna de los precios utilizando la etiqueta como índice:</b><br />';
$precio = array_column($artículos,'precio','etiqueta');
foreach($precio as $clave => $valor) {
  echo "[$clave] = $valor<br>";
}
?>
```

Resultado

```
Columna de las etiquetas:
[0] = Albaricoques
[1] = Cerezas
[2] = Fresas
[3] = Melocotones
Columna de los precios utilizando la etiqueta como índice:
[Albaricoques] = 35
[Cerezas] = 48
[Fresas] = 29
[Melocotones] = 37
```

array_key_first - array_key_last

Las funciones `array_key_first` y `array_key_last` devuelven respectivamente la primera y la última clave de una matriz.

Sintaxis

```
mixta array_key_first(matriz matriz)
mixta array_key_last(matriz matriz)
```

`matriz` Matriz que se va a tratar.

Estas funciones devuelven un entero o una cadena en función del tipo de datos de la clave que haya encontrado. Si la matriz está vacía, devuelven `NULL`.

Ejemplo

```
<?php
$matriz = ['C' => 1, 'B' => 2, 'A' => 3, 0 => 'cero'];
echo 'array_key_first = ',array_key_first($matriz),'<br />';
echo 'array_key_last  = ',array_key_last($matriz),'<br />';
?>
```

Resultado

```
array_key_first = C
array_key_last = 0
```

4. Manipular los números

Las funciones más útiles para manipular los números son las siguientes:

Nombre	Función
`abs`	Valor absoluto de un número.
`ceil`	Redondeo de un número al entero superior.
`floor`	Redondeo de un número al entero inferior.
`intdiv`	Cociente de la división entera de dos enteros.
`max`	El valor más grande de una lista de números.
`min`	El valor más pequeño de una lista de números.
`rand`	Generación de números aleatorios.
`round`	Redondeo de un número con punto flotante.

abs

La función `abs` devuelve el valor absoluto de un número.

Sintaxis

```
número abs(número valor)
```

`valor` Número que se va a procesar.

La función `abs` devuelve un número del mismo tipo que el número que se pasa como parámetro (entero o número con punto flotante).

Ejemplo

```
<?php
echo 'abs(123) = ',abs(123),'<br />';
echo 'abs(-321) = ',abs(-321);
?>
```

Resultado

```
abs(123) = 123
abs(-321) = 321
```

ceil

La función `ceil` («techo») redondea un número al entero superior.

Sintaxis

```
número ceil(número valor)
```

`valor` Número que se va a procesar.

La función `ceil` devuelve un número entero, pero cuyo tipo de datos es un número con punto flotante (`float`).

Ejemplo

```
<?php
echo 'ceil(123.45) = ',ceil(123.45),'<br />';
echo 'ceil(-123.45) = ',ceil (-123.45);
?>
```

Resultado

```
ceil(123.45) = 124
ceil(-123.45) = -123
```

floor

La función `floor` («suelo») redondea un número al entero inferior.

Sintaxis

```
número floor(número valor)
```

`valor` Número que se va a procesar.

La función `floor` devuelve un número entero, pero cuyo tipo de datos es un número con punto flotante (`float`).

Ejemplo

```
<?php
echo 'floor(1234.56) = ',floor(1234.56),'<br />';
echo 'floor(-1234.56) = ',floor (-1234.56);
?>
```

Resultado

```
floor(1234.56) = 1234
floor(-1234.56) = -1235
```

intdiv

La función `intdiv` devuelve el cociente de la división entera de dos enteros.

Sintaxis

```
entero intdiv(entero dividendo, entero divisor)
```

`dividendo`	Dividendo.
`divisor`	Divisor.

Si los dos parámetros no son de tipo entero, se convierten en enteros antes del cálculo, utilizando las reglas presentadas en el capítulo Introducción a PHP - Las bases del lenguaje PHP - Tipos de datos. Recuerde que, en este caso, un número con punto flotante siempre se redondea al entero inferior, no al entero más cercano (véase el ejemplo siguiente con el dividendo 8.8). Como se menciona en el capítulo Introducción a PHP - Las bases del lenguaje PHP - Tipos de datos, desde la **versión 8.1**, esta conversión implícita, que provoca una pérdida de precisión, ha quedado obsoleta y genera una alerta `E_DEPRECATED` (véase el ejemplo siguiente). Para evitarlo, simplemente realice una conversión explícita del número a punto flotante.

Ejemplo

```
<?php
echo 'intdiv(8,3) = ',intdiv(8,3),'<br />';
echo 'intdiv(8.8,3) = ',intdiv(8.8,3)),'<br />';
echo 'intdiv((int)8.8,3) = ',intdiv((int)8.8,3); // para evitar la alerta ?>
```

Resultado

```
intdiv(8,3) = 2
intdiv(8.8,3) = 2
Deprecated: Implicit conversion from float 8.8 to int
loses precision in /app/scripts/erreur.php on line 3
2
intdiv((int)8.8,3) = 2
```

max - min

Las funciones `max` y `min` devuelven respectivamente los valores más grande y más pequeño pasados como parámetro.

Sintaxis

```
mixto max(mixto valor1, mixto valor2[,...])
mixto min(mixto valor1, mixto valor2[,...])
```

`valorN`	Lista de valores que se han de comparar (al menos dos).

Estas dos funciones funcionan tanto con números como con cadenas de caracteres. Si los valores parametrados son de tipos diferentes (números y cadenas), se llevan a cabo conversiones para realizar las comparaciones y el tipo de datos que devuelve la función corresponde al del valor encontrado (véase la documentación de PHP a este respecto).

Ejemplo

```
<?php
echo 'max(2**3,3**2,2*3,2+3) = ',max(2**3,3**2,2*3,2+3),'<br />';
echo "max('azul','blanco','rojo') = ",max('azul','blanco','rojo');
echo 'min(2**3,3**2,2*3,2+3) = ',min(2**3,3**2,2*3,2+3),'<br />';
echo "min('azul','blanco','rojo') = ",min('azul','blanco','rojo');
?>
```

Resultado

```
max(2**3,3**2,2*3,2+3) = 9
max('azul','blanco','rojo') = rojo
min(2**3,3**2,2*3,2+3) = 5
min('azul','blanco','rojo') = blanco
```

Observación

Si solo se pasa un parámetro a estas funciones, este debe ser de tipo matriz y la función se aplica a la lista de valores de la matriz (véase la sección Manipular las matrices).

rand

La función `rand` permite generar números aleatorios.

Sintaxis

```
entero rand([entero min[, entero max]])
```

`min` y `max` — Límites de los números aleatorios que se van a generar.
Valor predefinido de `min` = 0.
Valor predefinido de `max` = un valor proporcionado por la función `getrandmax`.

La función `rand` devuelve un número aleatorio entero entre el límite mínimo y el límite máximo, ambos incluidos.

Ejemplo

```
<?php
echo rand(),'<br />';
echo rand(),'<br />';
echo rand(1,100),'<br />';
echo rand(1,100),'<br />';
?>
```

Resultado

```
304471505
1046625955
91
16
```

round

La función `round` redondea un número.

Sintaxis

```
número round(número valor[, entero precisión[, entero modo]])
```

`valor`	Número que se va a redondear.
`precisión`	Precisión del redondeado. Si la precisión es positiva, indica el número de dígitos después de la coma (1 = redondea a la decena, 2 = redondea a la centena, etc.). Si la precisión es negativa, indica el número de dígitos antes de la coma (-1 = redondea a la decena, -2 = redondea a la centena, etc.). Si la precisión es igual a cero (valor predeterminado), el redondeado se efectúa al entero.
`modo`	Modo del redondeado cuando el valor está a medio camino con respecto a la precisión solicitada; se define utilizando las siguientes constantes: `PHP_ROUND_HALF_UP` (valor predefinido): redondeado superior (2.5 da 3 en un redondeado al entero). `PHP_ROUND_HALF_DOWN`: redondeo inferior (2.5 da 2 en un redondeado al entero). `PHP_ROUND_HALF_EVEN`: redondeo al número por más próximo (2.5 da 2 en un redondeado al entero). `PHP_ROUND_HALF_ODD`: redondeo al número impar más próximo (2.5 da 3 en un redondeado al entero).

La función `round` devuelve siempre un valor del tipo número con punto flotante (`float`). Si lo desea, luego puede convertir el resultado en un número entero (`(int)round()` o `intval(round())`).

Ejemplo

```
<?php
echo 'round(1.2) = ',round(1.2),'<br />';
echo 'round(1.5) = ',round(1.5),'<br />';
echo 'round(1.9) = ',round(1.9),'<br />';
echo 'round(123.456,2) = ',round(123.456,2),'<br />';
echo 'round(123.456,-2) = ',round(123.456,-2),'<br />';
```

```
echo 'round(2.5,0,PHP_ROUND_HALF_UP) = ',
        round(2.5,0,PHP_ROUND_HALF_UP),'<br />';
echo 'round(2.5,0,PHP_ROUND_HALF_DOWN) = ',
        round(2.5,0,PHP_ROUND_HALF_DOWN),'<br />';
echo 'round(2.5,0,PHP_ROUND_HALF_EVEN) = ',
        round(2.5,0,PHP_ROUND_HALF_EVEN),'<br />';
echo 'round(2.5,0,PHP_ROUND_HALF_ODD) = ',
        round(2.5,0,PHP_ROUND_HALF_ODD),'<br />';
?>
```

Resultado

```
round(1.2) = 1
round(1.5) = 2
round(1.9) = 2
round(123.456,2) = 123.46
round(123.456,-2) = 100
round(2.5,0,PHP_ROUND_HALF_UP) = 3
round(2.5,0,PHP_ROUND_HALF_DOWN) = 2
round(2.5,0,PHP_ROUND_HALF_EVEN) = 2
round(2.5,0,PHP_ROUND_HALF_ODD) = 3
```

5. Manipular las cadenas de caracteres

Las funciones más útiles para la manipulación de cadenas de caracteres son las siguientes:

Nombre	Función
`strlen`	Devuelve el número de caracteres de una cadena.

`strtolower`
`strtoupper`
`ucfirst`
`ucwords`
`lcfirst`
	Las conversiones de minúsculas/mayúsculas pueden limitarse a la(s) primera(s) palabra(s).

`strcmp` `strcasecmp`	Comparación de cadenas (diferencia las mayúsculas de las minúsculas o no).
`[s]printf` `v[s]printf`	Formato de una cadena (idéntica a las funciones de C equivalentes).
`number_format`	Formato de un número.
`[l|r]trim`	Eliminación de caracteres «blancos».
`substr`	Extracción de una subcadena de una cadena.

Nombre	Función
`str_repeat`	Construcción de una cadena por repetición de caracteres.
`str[r][i]pos`	Búsqueda de la posición de una ocurrencia (carácter o cadena) dentro de una cadena.
`str[i]str` `strrchr`	Extracción de la subcadena dentro de una cadena a partir de una ocurrencia determinada de un carácter o una cadena.
`str_[i]replace`	Sustitución de las ocurrencias de una cadena por otra cadena.
`strtr`	Sustitución de las ocurrencias de un carácter por otro carácter o de una cadena por otra cadena.
`str_contains`	Determina si una cadena contiene otra cadena (novedad de la versión 8).
`str_starts_with`	Determina si una cadena empieza por otra cadena (novedad de la versión 8).
`str_ends_with`	Determina si una cadena termina por otra cadena (novedad de la versión 8).

Observación

Recuerde las funciones `explode`, `implode` y `str_split` anteriormente presentadas (véase la sección Manipular las matrices). Otras funciones más específicamente relacionadas con la gestión de formularios se estudian en el capítulo Gestionar formularios y enlaces.

● Versión 8

Desde la **versión 8.2**, las funciones que realizan conversiones entre mayúsculas y minúsculas (`strtolower`, `strtoupper`, `lcfirst`, `ucfirst`, `ucwords`) o búsquedas/comparaciones que no tienen en cuenta mayúsculas y minúsculas (`stristr`, `stripos`, `strripos`, `str_ireplace`) ya no toman en cuenta las características lingüísticas locales definidas mediante la función `setlocale` (presentada más adelante en este capítulo) y solo trabajan en el rango de caracteres ASCII, lo que puede provocar diferencias en los resultados. Para realizar conversiones o búsquedas que tengan en cuenta las características lingüísticas locales, deberá instalar, habilitar y usar la extensión de PHP Multibyte String (consulte la documentación).

strlen

La función `strlen` devuelve el número de caracteres de una cadena.

Sintaxis

```
entero strlen(cadena cadena)
```

`cadena` Cadena en cuestión.

Ejemplo

```
<?php
$x = 'Olivier Heurtel';
echo "strlen('$x') = ",strlen($x);?>
```

Resultado

```
strlen('Olivier Heurtel') = 15
```

strtolower - strtoupper - ucfirst - lcfirst - ucwords

Estas funciones permiten realizar conversiones de minúsculas/mayúsculas, posiblemente limitadas a la(s) primera(s) palabra(s) de la cadena.

Sintaxis

```
cadena strtolower(cadena cadena)
cadena strtoupper(cadena cadena)
cadena ucfirst(cadena cadena)
cadena lcfirst(cadena cadena)
cadena ucwords(cadena cadena)
```

`cadena` Cadena que se va a procesar.

La función `strtolower` convierte todos los caracteres de una cadena en minúsculas.

La función `strtoupper` convierte todos los caracteres de una cadena en mayúsculas.

La función `ucfirst` convierte el primer carácter de una cadena en mayúsculas.

La función `lcfirst` convierte el primer carácter de una cadena en minúscula.

La función `ucwords` convierte el primer carácter de cada palabra de una cadena en mayúsculas.

Ejemplo

```
<?php
$x = 'OLIVIER HEURTEL';
$y = 'olivier heurtel';
echo "strtolower('$x') = ",strtolower($x),'<br />';
echo "strtoupper('$y') = ",strtoupper($y),'<br />';
echo "ucfirst('$y') = ",ucfirst($y),'<br />';
```

```
echo "lcfirst('$x') = ",lcfirst($x),'<br />';
echo "ucwords('$y') = ",ucwords($y),'<br />';
?>
```

Resultado

```
strtolower('OLIVIER HEURTEL') = olivier heurtel
strtoupper('olivier heurtel') = OLIVIER HEURTEL
ucfirst('olivier heurtel') = Olivier heurtel
lcfirst('OLIVIER HEURTEL') = oLIVIER HEURTEL
ucwords('olivier heurtel') = Olivier Heurtel
```

strcmp - strcasecmp

Estas funciones permiten comparar dos cadenas teniendo en cuenta o no las mayúsculas y minúsculas.

Sintaxis

```
entero strcmp(cadena cadena1,cadena cadena2)
entero strcasecmp(cadena cadena1,cadena cadena2)
```

`cadena1` y `cadena2` Cadenas que se van a comparar.

Ambas funciones devuelven un número negativo si `cadena1` es menor que `cadena2`, un número igual a 0 si son iguales y un número positivo si `cadena1` es mayor que `cadena2`.

`strcmp` toma en cuenta mayúsculas y minúsculas, mientras que `strcasecmp` no lo hace. Sin embargo, la función `strcasecmp` no tiene en cuenta las características lingüísticas locales (por ejemplo, la letra mayúscula É no se considerará igual a la letra minúscula é).

Ejemplo

```
<?php
$x = 'Olivier';
$y = 'olivier';
echo "strcmp('$x','$y') = ",strcmp($x,$y),'<br />';
echo "strcasecmp('$x','$y') = ",strcasecmp($x,$y),'<br />';
?>
```

Resultado

```
strcmp('Olivier','olivier') = -32
strcasecmp('Olivier','olivier') = 0
```

[s]printf

Las funciones `printf` y `sprintf` permiten dar formato a una cadena (idénticas a las funciones de C equivalentes).

Sintaxis

```
cadena sprintf(cadena formato[, mixto valor[, ...]])
entero printf(cadena formato[, mixto valor[, ...]])
```

`formato`	Cadena de formato que presenta varias directivas según las especificaciones que figuran a continuación.
`valor`	Valor que se integrará en la cadena.

`sprintf` devuelve el resultado en forma, mientras que `printf` muestra directamente el resultado (como la instrucción `echo`) y devuelve la longitud de la cadena con formato.

La cadena `format` debe contener una directiva de formato para cada argumento `valor`; esta directiva de formato especifica la ubicación y el formato del valor correspondiente. La correspondencia entre una directiva de formato y un valor es de posicionamiento (primera directiva para el primer valor...) excepto si se especifica una numeración de valores.

Las instrucciones de formato comienzan con el carácter % seguido de una a cinco informaciones, siendo la última la única obligatoria:

```
%[ n$][relleno][alineación][longitud][precisión]tipo
```

Las informaciones son las siguientes:

n$	Especifica una numeración de valores, *n* proporciona el número del argumento `valor` que se va a utilizar. Si esta función se utiliza para un argumento, también debe hacerse para los otros. Con esta sintaxis, un argumento se puede utilizar en varios lugares sin tener que repetirlo.
`relleno`	Especifica el carácter utilizado para el relleno. El carácter predefinido es el espacio. Se puede utilizar cualquier otro carácter si se menciona precedido de un apóstrofo (únicamente el carácter cero se puede indicar directamente): 'x indica que el carácter de relleno es la «x».
`alineación`	Especifica la alineación. De forma predeterminada, la alineación es a la derecha. El carácter menos («-») permite obtener una alineación a la izquierda.

`longitud` Especifica el número mínimo de caracteres del elemento formateado.

`precisión` Indica el número de dígitos usados para el formato de un número de punto flotante (válido solo si el elemento asociado es un número).

`tipo` Da el tipo del valor que se va a insertar, los más útiles son:

`c`: entero que se sustituye por el carácter cuyo código ASCII tiene este valor;

`d`: entero que se representará como tal;

`f`: número de punto flotante que se representará como tal (teniendo en cuenta la configuración regional);

`F`: número de punto flotante que se representará como tal (sin tener en cuenta la configuración regional);

`s`: ninguno, se representará como una cadena.

Para obtener un carácter «%» en el resultado final, debe duplicarlo en el formato.

Algunos ejemplos:

Directiva	Valor	Resultado	Explicación
%d	1	1	Número entero sin un formato especial.
%02d	1	01	`02` = completar con el carácter cero, en una longitud mínima de dos.
%f	1/3	0.333333	Número de punto flotante sin un formato especial.
%.2f	1/3	0.33	`.2` = dos dígitos después del separador decimal.
%02.3f	1/3	00.333	`.3` = tres dígitos después del separador decimal. `02` = completar con el carácter cero, con el separador decimal, en una longitud mínima de dos.
%s	Olivier!	Olivier!	Cadena sin un formato especial.
%'.10s	Olivier	...Olivier	`'.10` = completar con un punto para llegar a una longitud mínima de diez caracteres (alineación predeterminada).

Directiva	Valor	Resultado	Explicación
%'.-10s	Olivier	Olivier...	`'.-10` = completar con un punto para llegar a una longitud mínima de diez caracteres (signo `-` = alineación a la izquierda).
%'.5.2f	9.9	....9.90	`.2` = dos dígitos después del separador decimal. `'.5` = completar con un punto para llegar a una longitud mínima de cinco caracteres antes del punto decimal (alineación predeterminada).

Ejemplo

```
<?php
echo 'Formato de una fecha: ',
     sprintf('%02d/%02d/%04d',1,1,2001),'<br />';
echo 'Formato de números: ',
     sprintf('%01.2f - %01.2f',1/3,12345678.9),'<br />';
echo 'Porcentaje: ',
     sprintf('%01.2f %%',12.3),'<br />';
echo 'Utilización de las opciones de relleno:<br />';
echo '<code>'; // fuente no proporcional
printf("%'.-10s%'.5.2f<br />",'Libros',9.35); // printf direct
printf("%'.-10s%'.5.2f<br />",'Discos',99.9); // printf direct
echo '<code>';
echo 'Numeración de los argumentos: ',
     sprintf('My name is %2$s, %1$s %2$s.','Olivier','Heurtel'),'<br />';
?>
```

Resultado

```
Formato de una fecha: 01/01/2001
Formato de números: 0.33 - 12345678.90
Porcentaje: 12.30 %
Utilización de las opciones de relleno:
Libros.....9.35
Discos...99.90
Numeración de los argumentos: My name is Heurtel, Olivier Heurtel.
```

El último ejemplo ilustra el uso de la numeración de los argumentos y uno de los argumentos se está utilizando en dos lugares.

Versión 8

A partir de la **versión 8**, la longitud o la precisión se pueden especificar con el carácter * y pasarse como parámetro a la función (en la posición correcta, con la posibilidad de utilizar la numeración de los argumentos).

Ejemplo

```
<?php
echo 'Formateo de un número (utilización de *): ',
     sprintf('%0*.*f',1,3,1/3),'<br />';
echo 'Opciones de relleno (utilización de *):<br />';
echo '<code>'; // fuente no proporcional
printf("%'.-*s<br />",10,'Total'); // printf directamente
echo '</ code >';
?>
```

Resultado

```
Formateo de un número (utilización de *): 0.333
Opciones de relleno (utilización de *):
Total.....
```

v[s]printf

Las funciones `vprintf` y `vsprintf` son idénticas a las funciones `printf` y `sprintf`, pero aceptan como segundo parámetro una matriz que contiene los distintos valores que se van a utilizar (en lugar de varios parámetros).

Sintaxis

```
cadena vsprintf(cadena formato[, matriz valores])
entero vprintf(cadena formato[, matriz valores])
```

Donde

`formato`	Cadena de formato que presenta varias directivas según las especificaciones dadas anteriormente.
`valores`	Matriz que da los valores que se van a integrar en la cadena.

Ejemplo

```
<?php
$datos = array(array('Libros',9.35),array('Discos',99.9));
echo '<tt>'; // fuente no proporcional
foreach($datos as $línea) {
vprintf("%'.-10s%'.5.2f<br />",$línea); // printf direct
}
echo '</tt>';
?>
```

Resultado

```
Libros........9.35
Discos.......99.90
```

number_format

La función `number_format` permite dar formato a un número.

Sintaxis

```
cadena number_format(número valor[, entero decimales[,
cadena separador_decimal, cadena separador_millares]])
```

`valor`	Número que se va a formatear.
`decimales`	Número de decimales (ninguna parte decimal predefinida).
`separador_decimal`	Separador decimal (punto predefinido).
`separador_millares`	Separador de millares (coma predefinido).

Versión 8

Antes de la **versión 8**, la función no podía llamarse solamente con tres argumentos: si se daba un tercero, el cuarto era obligatorio.

Si el número tiene una precisión superior a la solicitada (parámetro decimal), el número se redondea a la precisión solicitada.

Ejemplo

```
<?php
$x = 1234.567;
echo "number_format($x) = ",number_format($x),'<br />';
echo "number_format($x,1) = ",number_format($x,1),'<br />';
echo "number_format($x,2,',',' ') = ",
      number_format($x,2,',',' '),'<br />';
?>
```

Resultado

```
number_format(1234.567) = 1,235
number_format(1234.567,1) = 1,234.6
number_format(1234.567,2,',',' ') = 1 234,57
```

Observe, en estos ejemplos, los redondeos automáticos cuando la precisión solicitada es inferior a la precisión del número.

ltrim - rtrim - trim

Estas funciones permiten eliminar los caracteres «blancos» u otros caracteres al principio de la cadena, al final de la cadena o en ambos lados.

Sintaxis

```
cadena ltrim(cadena cadena[, cadena caracteres])
cadena rtrim(cadena cadena[, cadena caracteres])
cadena trim(cadena cadena[, cadena caracteres])
```

Donde

`cadena`	Cadena que se va a procesar.
`caracteres`	Cadena que indica la lista de caracteres que se van a eliminar. Si este parámetro está ausente, los caracteres «blancos» se eliminan.

Las tres funciones devuelven una cadena igual a la cadena inicial en la que los caracteres «blancos» o los caracteres especificados se han eliminado al principio (`ltrim` con `l` = *`left`* = a la izquierda) al final (`rtrim` con `r` = *`right`* = a la derecha) o en ambos lados (`trim`).

Los caracteres «blancos» son el salto de línea (\n = código ASCII 10), el retorno de carro (\r = código ASCII 13), la tabulación (\t = código ASCII 9), la tabulación vertical (\v = código ASCII 11), el carácter NULL (\0 = código ASCII 0) y el espacio.

Ejemplo

```
<?php
$x = "\t\t\t x \n\r";
echo 'strlen($x) = ',strlen($x),'<br />';
echo 'strlen(ltrim($x)) = ',strlen(ltrim($x)),'<br />';
echo 'strlen(rtrim($x)) = ',strlen(rtrim($x)),'<br />';
echo 'strlen(trim($x)) = ',strlen(trim($x)),'<br />';
$x = '***+-Olivier-+***';
echo "trim('$x','*+-') = ",trim($x,'*+-'), '<br />';
?>
```

Resultado

```
strlen($x) = 8
strlen(ltrim($x)) = 4
strlen(rtrim($x)) = 5
strlen(trim($x)) = 1
trim('***+-Olivier-+***','*+-') = Olivier
```

substr

La función `substr` permite extraer una subcadena de una cadena.

Sintaxis

```
cadena substr(cadena cadena, entero inicio[, entero longitud])
```

`cadena` Cadena que se va a procesar.

`inicio` Posición del primer carácter de la subcadena que se va a extraer (atención: 0 = 1.er carácter).

`longitud` Número de caracteres que se van a extraer (por defecto, hasta el final de la cadena).

Versión 8

A partir de la versión 8, se permite el valor `NULL`, lo que equivale a omitir un parámetro.

- Si el argumento `inicio` es positivo, la subcadena extraída comienza en el carácter `inicio` (0 = 1.er carácter).
- Si el argumento `inicio` es negativo, la subcadena extraída comienza en el carácter `inicio` partiendo desde el final (-1 = último carácter).
- Si no se especifica el argumento `longitud` (o es igual a `NULL`, desde la versión 8), la subcadena extraída termina al final de la cadena.
- Si el argumento `longitud` se especifica y es positivo, `substr` extrae el número de caracteres indicado por el argumento `longitud`.
- Si el argumento `longitud` se especifica y es negativo, la subcadena extraída termina al final de la cadena, menos el número de caracteres indicado por el valor absoluto del argumento `longitud`.
- La función devuelve una cadena vacía si no se encuentra nada o `FALSE` en caso de error.

Ejemplo

```
<?php
//    0123456 => para el control
$x = 'Olivier';
echo "substr('$x',3) = ",substr($x,3),'<br />';
echo "substr('$x',3,2) = ",substr($x,3,2),'<br />';
echo "substr('$x',-4) = ",substr($x,-4),'<br />';
echo "substr('$x',-4,3) = ",substr($x,-4,3),'<br />';
?>
```

Resultado

```
substr('Olivier',3) = vier
substr('Olivier',3,2) = vi
substr('Olivier',-4) = vier
substr('Olivier',-4,3) = vie
```

str_repeat

La función `str_repeat` permite construir una cadena por repetición de caracteres.

Sintaxis

```
cadena str_repeat(cadena secuencia, entero repeticiones)
```

`secuencia`	Secuencia de caracteres que se han de repetir.
`repeticiones`	Número de repeticiones deseadas.

Ejemplo

```
<?php
echo str_repeat('abc',3);
?>
```

Resultado

```
abcabcabc
```

strpos - strrpos - stripos - strripos

Estas funciones permiten buscar la posición de una ocurrencia (carácter o cadena) dentro de una cadena.

Sintaxis

```
entero strpos(cadena a_procesar, cadena buscar[, entero inicio])
entero strrpos(cadena a_procesar, cadena buscar[, entero inicio])
entero stripos(cadena a_procesar, cadena buscar[, entero inicio])
entero strripos(cadena a_procesar, cadena buscar[, entero inicio])
```

Donde

`a_procesar`	Cadena que se va a procesar.
`buscar`	Elemento buscado.
`inicio`	Número del carácter (0 = primer carácter) a partir del cual se debe llevar a cabo la búsqueda (por defecto, el inicio de la cadena).

`strpos` busca, en la cadena `a_procesar`, la primera ocurrencia de la cadena de `buscar`, comenzando a partir del carácter número `inicio` (0 = primer carácter). Si inicio es negativo (`-n`), la búsqueda empieza en el carácter n partiendo del final (-1 = último carácter).

strrpos busca, en la cadena a_procesar, la última ocurrencia de la cadena de buscar, comenzando a partir del carácter número inicio (0 = primer carácter). Si el inicio es negativo (-n), los n últimos caracteres de la cadena a_procesar se ignoran.

Las dos funciones toman en cuenta las mayúsculas y minúsculas (en mayúsculas no es igual que en minúsculas). Las funciones stripos y strripos son idénticas respectivamente a las funciones strpos y strrpos, pero no tienen en cuenta ni las mayúsculas ni las minúsculas.

Estas cuatro funciones devuelven la posición de la ocurrencia encontrada (0 = primer carácter) o FALSE si el elemento de búsqueda no se encuentra.

FALSE es equivalente a 0; por lo tanto, es fácil confundir el caso en el que el elemento no se ha encontrado y aquel en el que se encontró al principio de la cadena. La técnica consiste en utilizar el operador de comparación «===» (tres signos igual), que permite comparar el valor y el tipo de dos expresiones (para más detalles, véase Introducción a PHP - Las bases del lenguaje PHP - Operadores).

Ejemplo

```
<?php
//        0123456789 ... => para el control
$correo = 'contacto@olivier-heurtel.es';
// strrpos
$posición = strrpos($mail,'@');
echo "@ está en la posición $posición en $correo<br />";
// strpos
$posición = strpos($correo,'olivier');
echo "'olivier' está en la posición $posición en $correo<br />";
// Ocurrencia al principio de la cadena
$posición = strpos($correo,'contacto');
if (! $posición) { // prueba no superada
  echo "'contacto' no se puede encontrar en $correo ((¡Falso!)<br />";
} else {
  echo "'contacto' está en la posición $posición
    en $correo<br />";
}
if ($posición === FALSE) { // prueba superada: ===
  echo "'contacto' no se puede encontrar en $correo<br />";
} else {
  echo "'contacto' está en la posición $posición
    en $correo<br />";
}
// Ocurrencia no encontrada
$posición = strpos($correo,'información');
if ($posición === FALSE) { // prueba superada: ===
  echo "'información' no se puede encontrar en $correo<br />";
} else {
```

```
    echo "'información' está en la posición $posición
      en $correo<br />";
}
?>
```

Resultado

```
@ está en la posición 7 en contacto@olivier-heurtel.es
'olivier' está en la posición 8 en contacto@olivier-heurtel.es
'contacto' no se puede encontrar en contacto@olivier-heurtel.es (¡Falso!)
'contacto' está en la posición 0 en contacto@olivier-heurtel.es
'información' no se puede encontrar en contacto@olivier-heurtel.es
```

● Versión 8

Antes de la **versión 8**, si buscar no era del tipo cadena, se convertía en entero y se interpretaba como un código ASCII, y se buscaba el carácter correspondiente (este funcionamiento quedó obsoleto a partir de la versión 7.3). Así, una llamada `strpos($x, 65)` efectuaba la búsqueda de la letra A (código ASCII 65). A partir de la versión 8, `buscar` siempre se interpreta como una cadena de caracteres, por lo que se obtendrá un resultado diferente para la llamada anterior. En la versión 8, para conseguir el mismo comportamiento, hay que utilizar explícitamente la función `chr` que devuelve el carácter correspondiente a un código ASCII (`strpos($x,chr(65))`, por ejemplo.

strstr - stristr - strrchr

Estas funciones permiten extraer la subcadena comenzando a partir de una ocurrencia determinada de un carácter o de una cadena.

Sintaxis

```
cadena strstr(cadena a_procesar, cadena buscar, booleano antes)
cadena stristr(cadena a_procesar, cadena buscar, booleano antes)
cadena strrchr(cadena a_procesar, carácter buscar)
```

`a_procesar`	Cadena que se va a procesar.
`buscar`	Elemento buscado.
`antes`	Indica si la función devuelve la cadena situada antes (valor `TRUE`) o después (por defecto, el valor `FALSE`) de la cadena buscada.

Las funciones `strstr` y `stristr` buscan, en la cadena `a_procesar`, la primera ocurrencia de la cadena `buscar` y devuelven la porción final o inicial de la cadena comenzando desde esta ocurrencia (incluida). La función `strstr` toma en cuenta mayúsculas y minúsculas (una mayúscula es diferente de una minúscula), mientras que `stristr` no lo hace.

`strrchr` busca, en la cadena `a_procesar`, la <u>última</u> ocurrencia del <u>carácter</u> `buscar` y devuelve la porción final o inicial de la cadena comenzando desde esta ocurrencia (incluida). Si `buscar` es una cadena de varios caracteres, solo el primero se tiene en cuenta. `strrchr` toman en cuenta mayúsculas y minúsculas.

Estas tres funciones devuelven `FALSE` si no se encuentra el elemento buscado.

<u>Ejemplo</u>

```
<?php
$correo = 'Olivier-Heurtel@olivier-heurtel.es';
echo "Resto del $correo comenzando por:<br />";
// strrchr
$resto = strrchr($correo,'-');
echo "- la última ocurrencia de '-'<br />----> $resto <br />";
// strstr
$resto = strstr($correo,'olivier');
echo "- la primera ocurrencia de 'olivier'
      (toma en cuenta mayúsculas y minúsculas)<br />----> $resto <br />";
// stristr
$resto = stristr($correo,'olivier');
echo "- la primera ocurrencia de 'olivier'
      (no toma en cuenta mayúsculas ni minúsculas)<br />----> $resto <br />";
echo "Inicio de $correo terminando por:<br />";
// strstr
$resto = strstr($correo,'@',TRUE);
echo "- la primera ocurrencia de '@'<br />----> $resto <br />";
?>
```

<u>Resultado</u>

```
Resto de Olivier-Heurtel@olivier-heurtel.es comenzando por:
- la última ocurrencia de '-'
----> -heurtel.es
- la primera ocurrencia de 'olivier' (toma en cuenta mayúsculas y minúsculas)
----> olivier-heurtel.es
- la primera ocurrencia de 'olivier' (no toma en cuenta mayúsculas ni minúsculas)
----> Olivier-Heurtel@olivier-heurtel.es
Inicio de Olivier-Heurtel@olivier-heurtel.es terminando por:
- la primera ocurrencia de '@'
----> Olivier-Heurtel
```

A partir de la **versión 8**, si `buscar` no es del tipo cadena, se produce la misma diferencia de comportamiento que con las funciones `strpos` y compañía que se han presentado anteriormente.

str_replace - str_ireplace

La función `str_replace` permite reemplazar las ocurrencias de una cadena con otra cadena. La búsqueda toma en cuenta mayúsculas y minúsculas.

La función `str_ireplace` permite la misma acción, pero no tiene en cuenta mayúsculas ni minúsculas.

Sintaxis

```
mixto str_replace(mixto buscar, mixto reemplazar,
mixto a_procesar[,entero número])
mixto str_ireplace(mixto buscar, mixed reemplazar,
mixed a_procesar [,entero número])
```

`a_procesar`	Cadena que se va a procesar o matriz de cadenas que se van a procesar.
`buscar`	Cadena que se va a buscar o matriz de cadenas que se van a buscar.
`reemplazar`	Cadena de reemplazo o matriz que da una lista de cadenas de reemplazo.
`número`	Variable que permite recuperar el número de reemplazos.

Si `buscar` y `reemplazar` son cadenas, `str_replace` busca todas las ocurrencias de `buscar` y las reemplaza por `reemplazar`.

Si `buscar` y `reemplazar` son matrices, `str_replace` busca todas las ocurrencias de cada elemento de `buscar` y las reemplaza por el elemento correspondiente de `reemplazar`.

En ambos casos, el procesamiento se realiza en la cadena `a_procesar` o en cada elemento de `a_procesar` si esta última es una matriz.

Ejemplo

```
<?php
// Primera sintaxis
$x = 'este verano, a la playa';
$buscar= 'verano';
$reemplazar = 'invierno';
echo '<b>Primera sintaxis:</b><br />';
echo "$buscar => $reemplazar<br />";
echo "$x => ",str_replace($buscar,$reemplazar,$x),'<br />';
```

```
// Segunda sintaxis
$x = array('este verano, a la playa','la barca azul y verde');
$buscar= array('verano','playa','azul','verde');
$reemplazar = array('invierno','montaña','roja','amarilla');
echo "<b>Segunda sintaxis:</b><br />";
foreach($buscar as $índice => $antes)
  { echo "$antes => $reemplazar[$índice]<br />"; }
// Utilización de la variable $número para recuperar
// el número de reemplazos.
$y = str_replace($buscar,$reemplazar,$x,$número);
echo "$x[0] => $y[0]<br />";
echo "$x[1] => $y[1]<br />";
echo "$número reemplazos<br />";
?>
```

Resultado

```
Primera sintaxis:
verano => invierno
este verano, a la playa => este invierno, a la playa
Segunda sintaxis:
verano => invierno
playa => montaña
azul => rojo
verde => amarillo
este verano, a la playa => este invierno, a la montaña
la barca azul y verde => la barca roja y amarilla
4 reemplazos
```

strtr

La función `strtr` permite reemplazar las ocurrencias de un carácter por otro carácter o de una cadena por otra cadena.

Sintaxis

```
cadena strtr(cadena a_procesar, cadena buscar, cadena reemplazar)
```

o

```
cadena strtr(cadena a_procesar, matriz correspondencia)
```

`a_procesar`	Cadena que se va a procesar.
`buscar`	Cadena que indica la lista de caracteres que se van a reemplazar.
`reemplazar`	Cadena que indica la lista de caracteres de reemplazo.
`correspondencia`	Matriz asociativa que da una correspondencia cadena por reemplazar/cadena de reemplazo.

`strtr` acepta dos sintaxis, la primera permite reemplazar caracteres por otros y la segunda, reemplazar cadenas por otras.

Con la primera sintaxis, la correspondencia entre los caracteres que se van a reemplazar y los caracteres de reemplazo está dada por dos cadenas (el carácter n de la primera se reemplazará por el carácter n de la segunda).

Con la segunda sintaxis, la correspondencia entre las cadenas que se van a reemplazar y las cadenas de reemplazo está dada por una matriz asociativa (la clave es la cadena que se ha de buscar y el valor la cadena de reemplazo). En este caso, la función efectúa las búsquedas y los reemplazos empezando por las claves más largas.

Ejemplo

```
<?php
// Primera sintaxis
$x = 'éstè verano, à la playa';
$antes = 'éèà';
$después = 'eea';
echo '<b>Primera sintaxis:</b><br />';
echo "$antes => $después<br />";
echo "$x => ",strtr($x,$antes,$después),'<br />';
// Segunda sintaxis
$x = 'la barca es azul y verde';
$correspondencia = array('azul'=>'roja','verde'=>'amarilla');
echo '<b>Segunda sintaxis:</b><br />';
foreach($correspondencia as $antes => $después)
  { echo "$antes => $después<br />"; }
echo "$x => ",strtr($x,$correspondencia),'<br />';
?>
```

Resultado

```
Primera sintaxis:
éèà => eea
éstè verano, à la playa => este verano, a la playa
Segunda sintaxis:
azul => roja
verde => amarilla
la barca es azul y verde => la barca es roja y amarilla
```

En la primera sintaxis, la función `strtr` trabaja byte por byte, lo cual supone la utilización de un juego de caracteres de un solo byte. En caso de utilizarse un juego de caracteres de varios bytes (como UTF-8, por ejemplo), esto puede plantear problemas.

Ejemplo (en UTF-8)

```
<?php
$x = 'éstè verano, à la playa';
$antes = 'éèà';
$después = 'eea';
echo "$x => ",strtr($x,$antes,$después),'<br />';
?>
```

Resultado

```
éstè verano, à la playa => aestae verano, a la playa
```

Una primera solución a este problema consiste en utilizar la segunda sintaxis de la función.

Ejemplo

```
<?php
$x = 'éstè verano, à la playa';
$antes  = 'éèà';
$después = 'eea';
$correspondencia = array('é'=>'e','è'=>'e','à'=>'a');
echo "$x => ",strtr($x,$correspondencia),'<br />';
?>
```

Resultado

```
éstè verano, à la playa => este verano, a la playa
```

Una segunda solución a este problema consiste en convertir previamente las cadenas de caracteres a un juego de caracteres de un solo byte, y después efectuar la conversión inversa del resultado. Esta conversión se puede realizar, por ejemplo, con la ayuda de la función `iconv`.

Ejemplo

```
<?php
// Funciones de conversión UTF-8 <=> ISO-8859-15
function conv($texto) {
  return iconv('UTF-8','ISO-8859-15',$texto);
}
function rconv($texto) {
  return iconv('ISO-8859-15','UTF-8',$texto);
}
// Ejemplo de uso de estas funciones
// con la función strtr.
$x = 'éstè verano, à la playa';
$antes = 'éèà';
$después = 'eea';
echo "$x => ",
     rconv(strtr(conv($x),conv($antes),conv($después))),
```

```
    '<br />';
?>
```

Resultado

```
éstè verano, à la playa => este verano, a la playa
```

Esta solución está lejos de ser la ideal, ya que un juego de caracteres de varios bytes codifica más caracteres que un juego de caracteres de un solo byte, lo cual puede plantear problemas a la hora de la conversión. Por tanto, no entraremos a detallar más en profundidad esta solución (será mejor evitar utilizarla).

str_contains - str_starts_with - str_ends_with

Versión 8

Las funciones `str_contains`, `str_starts_with` y `str_ends_with` indican respectivamente si una cadena contiene otra cadena, empieza por otra cadena o termina por otra cadena. Estas funciones han aparecido en la versión 8.

Sintaxis

```
booleano str_contains(cadena a_procesar, cadena buscar)
booleano str_starts_with(cadena a_procesar, cadena buscar)
booleano str_ends_with(cadena a_procesar, cadena buscar)
```

`a_procesar`	Cadena que se va a procesar.
`buscar`	Cadena que se va a buscar.

Las tres funciones devuelven `TRUE` si se cumple la condición y `FALSE` si no se cumple. La búsqueda distingue entre mayúsculas y minúsculas. Si la cadena `buscar` está vacía, el resultado siempre es `TRUE`.

Ejemplo

```
<?php
$correo = 'contacto@olivier-heurtel.es';
$x = 'olivier';
echo "$correo contiene '$x': ",str_contains($correo,$x)?'Sí':'No','<br />';
$x = 'Olivier';
echo "$correo contiene '$x': ",str_contains($correo,$x)?'Sí':'No
(mayúsculas-minúsculas)','<br />';
$x = 'contacto';
echo "$correo empieza por '$x': ",str_starts_with($correo,$x)?'Sí':'No','<br />';
$x = '.com';
echo "$correo termina por '$x': ",str_ends_with($correo,$x)?'Sí':'No','<br />';
?>
```

Resultado

```
contacto@olivier-heurtel.es contiene 'olivier': Sí
contacto@olivier-heurtel.es contiene 'Olivier': No (mayúsculas/minúsculas)
contacto@olivier-heurtel.es empieza por 'contacto': Sí
contacto@olivier-heurtel.es termina por '.com': No
```

6. Utilizar expresiones regulares

6.1 Introducción

Una expresión regular es una cadena de caracteres que describe el modelo (también llamado patrón) que se busca en otra cadena de caracteres. Las expresiones regulares son muy útiles y eficaces para llevar a cabo verificaciones o manipulaciones complejas en cadenas de caracteres.

Observación

El término inglés «regular expresión» a menudo se traduce también como «expresión racional».

PHP ofrece una extensión para utilizar expresiones regulares: PCRE (*Perl Compatible Regular Expression*).

Esta extensión (funciones `preg_*`) utiliza prácticamente la misma sintaxis que el lenguaje Perl para escribir la expresión regular.

6.2 Estructura de una expresión regular

Una expresión regular de Perl debe estar delimitada por un carácter delimitador. Este delimitador puede ser cualquier carácter excepto la barra invertida (\); muy a menudo se utiliza la barra (/). También es posible utilizar los delimitadores `()`, `{}`, `[]` y <>.

Ejemplo (delimitador en negrita)

```
/http:\/\/(.*)/
{http://(.*)}
```

Como se muestra en el primer ejemplo anterior, si el carácter delimitador está presente en el patrón deseado, debe escaparse con una barra invertida (\). En este caso, utilizar un delimitador diferente a / (#, por ejemplo) permite obtener una expresión más fácil de leer.

Después del delimitador de cierre, es posible especificar las opciones que modifican el comportamiento de la búsqueda.

Ejemplo (opciones en negrita y utilización del carácter # como delimitador)

`#http://(.*)#`**`is`**

Las principales opciones se presentan a continuación.

En una expresión regular, la mayoría de los caracteres se representan ellos mismos. Así, la expresión `/http/` permite buscar la cadena `http`.

Pero el poder de las expresiones regulares reside en la existencia de caracteres especiales (comodines), que se interpretan para describir el patrón buscado.

Barra invertida

El carácter de barra invertida tiene varios usos.

En primer lugar, permite escapar los caracteres especiales (`^.[$()|*+?{\`) o el delimitador de la expresión cuando se buscan como tales. Por ejemplo, el patrón `#a`**`*`**`{2,4}b#` permite buscar las secuencias que comienzan por una `a` seguida de 2 a 4 asteriscos seguidos de una `b` (observe el `*`).

Observación

Para buscar una barra invertida, debe ser doble (`\\`). Pero como en una cadena de caracteres la secuencia `\\` se interpreta por PHP como una simple `\`, es necesario escribir `\\\\` en el patrón para buscar una barra invertida.

La barra invertida seguida de una letra también permite especificar ciertos caracteres especiales o ciertas clases de caracteres. Ejemplos (lista no exhaustiva):

- `\n` Nueva línea.
- `\r` Retorno de carro.
- `\t` Tabulación.
- `\d` Cualquier carácter decimal.
- `\D` Cualquier carácter no decimal.
- `\s` Cualquier carácter «blanco».
- `\S` Cualquier carácter que no sea un carácter «blanco».
- `\w` Cualquier carácter de una «palabra» (letra, dígito, carácter barra subyacente).
- `\W` Cualquier carácter que no sea un carácter de «palabra».

Estos comodines pueden aparecer dentro o fuera de una clase de caracteres (este concepto se presenta más adelante).

La barra invertida también permite definir una afirmación simple que no consume ningún carácter; es una especie de indicador de posición en la cadena que apunta entre dos caracteres. Ejemplos (lista no exhaustiva):

`\b` Límite de palabra (espacio, punto, coma, etc.).

`\B` Sin límite de palabra.

`\A` Inicio de la cadena (independiente del modo multilínea).

`\Z` Final de la cadena o nueva línea al final de la cadena (independiente del modo multilínea).

`\z` Fin de la cadena (independiente del modo multilínea).

Estos comodines no pueden aparecer dentro de una clase de caracteres.

Por ejemplo, supongamos que queremos encontrar la palabra «uno» en el texto «uno o ninguno.. uno.». Si utilizamos el patrón #uno#, también se encontrará el «uno» de «ninguno», lo cual no es deseable. Para buscar solo las palabras «uno», se puede utilizar el patrón `#\buno\b#`.

Acento circunflejo y símbolo del dólar

Fuera de una clase de caracteres, `^` indica el comienzo de la cadena. Dentro de una clase de caracteres, `^` indica una negación (véase más adelante).

Cuando se utiliza la opción multilínea (véase más adelante), `^` indica el comienzo de cada línea dentro de la cadena.

`$` indica el final de la cadena.

Un patrón que no tiene ni `^` ni `$` se busca en cualquier lugar dentro de la cadena.

Ejemplo

- `^abc`: debe comenzar por `abc`.
- `xyz$`: debe terminar por `xyz`.
- `^abcxyz$`: debe comenzar por `abcxyz` y terminar por `abcxyz` (en resumen, debe ser igual a `abcxyz`).
- `abc`: contiene `abc`.

Punto

Fuera de una clase de caracteres, un punto reemplaza a cualquier carácter excepto el carácter de nueva línea, a menos que la opción de búsqueda `s` se haya especificado (véase más adelante).

Por ejemplo, el patrón `a.b` acepta cualquier secuencia con una `a` seguida de exactamente un carácter cualquiera seguido de una `b`: `axb`, `ayb`, pero no `ab` ni `axyb`.

Corchetes

Los corchetes [] permiten definir una clase de caracteres, es decir, una lista de caracteres posibles para un carácter buscado en la cadena.

La lista se puede especificar bien en la forma c1c2...cn para una lista exhaustiva precisa, bien en la forma c1-c2 para un intervalo de caracteres, bien en la forma [::] para una clase predefinida (véase más adelante) o bien mediante una mezcla de las tres.

Ejemplos

- [abcd] acepta un carácter de abcd.
- [a-z] acepta un carácter comprendido entre a y z.
- [123a-zA-z] acepta un carácter igual a 1 o 2 o 3, o comprendido entre a y z, o entre A y Z.
- [a-zA-Z0-9] acepta un carácter comprendido entre a y z, o entre A y Z, o entre 0 y 9.
- [[:alpha:]] acepta cualquier carácter alfabético.

Se puede especificar una exclusión colocando un ^ como primer carácter dentro de los corchetes.

Ejemplos

- [^0-9] rechaza cualquier carácter comprendido entre 0-9.
- [^abc] rechaza los caracteres a, b y c.

Teniendo en cuenta su significado particular, el signo -, si se busca como tal, debe figurar el primero o el último entre los corchetes, o escaparse mediante una barra invertida.

Las clases de caracteres predefinidas utilizables entre corchetes ([]) más útiles son las siguientes:

[:digit:]	Cifras.
[:alnum:]	Caracteres alfanuméricos.
[:word:]	Caracteres de palabra (caracteres alfanuméricos y el carácter barra subyacente _).
[:alpha:]	Caracteres alfabéticos.
[:lower:]	Caracteres alfabéticos en minúsculas.
[:upper:]	Caracteres alfabéticos en mayúsculas.
[:print:]	Caracteres gráficos o blancos.

`[:blank:]`	Caracteres «blancos» (espacio y tabulador).
`[:space:]`	Espacio, tabulador, nueva línea, retorno de carro.
`[:punct:]`	Caracteres de puntuación.

Barra vertical

La barra vertical | permite definir alternativas.

Por ejemplo, el patrón `/david|tomás/` permite buscar «david» o «tomás».

El número de alternativas es ilimitado y la búsqueda se realiza de izquierda a derecha: se utiliza la primera alternativa que se acepte.

Subpatrón (o submáscara)

Los subpatrones están delimitados por paréntesis y contienen expresiones regulares: los subpatrones se pueden anidar.

Un subpatrón se puede utilizar para delimitar alternativas.

Por ejemplo, el patrón `/cal(do|efacción|)/` acepta las palabras «cal», «caldo» y «calefacción». Como lo muestra este ejemplo, una alternativa puede estar vacía.

Además, por defecto, el subpatrón «captura»: el texto correspondiente al subpatrón se almacena en la memoria, se asocia a un número y puede referenciarse más adelante. Los paréntesis se cuentan de izquierda a derecha, empezando por 1.

Por ejemplo, en el texto «El gran azul», una búsqueda con la expresión regular `/El((pequeño|gran)(azul|príncipe))/` captura tres subpatrones de «gran azul», «gran» y «azul».

Si no desea que se capture el subpatrón, puede escribir después del paréntesis de apertura los caracteres `?:`.

De este modo, con el patrón `/cal(?:do|efacción|)/`, el texto correspondiente a la alternativa no se captura.

A veces, es necesario capturar varios subpatrones en una alternativa. En este caso, cada subpatrón recibe su propio número de referencia posterior, aunque solo uno de ellos pueda coincidir (debido a la alternativa). Por ejemplo, supongamos que una cadena puede contener las palabras «lunes» o «viernes» y queremos capturar las tres primeras letras de la palabra. Para realizar esta búsqueda, se utiliza el patrón `/(?:(vie)rn|(lun))es|/`. El subpatrón correspondiente a la parte de la palabra anterior a la cadena no se captura; solo se capturan los subpatrones correspondientes a las tres primeras letras de la palabra. Sin embargo, para la palabra «viernes», las tres primeras letras se capturarán en el índice 1, mientras que las correspondientes a la palabra «lunes» se capturarán en el índice 2.

Para la lógica de la aplicación, nos gustaría que estas tres primeras letras se capturaran en el mismo índice, ya que solo habrá un caso cada vez. Para conseguirlo, podemos utilizar la sintaxis ?| tras el paréntesis de apertura en lugar de ?: /(?|(vie)rn|(lun))es|/. Con este patrón, las tres primeras letras de la palabra se capturarán en el índice 1 en ambos casos.

Es posible nombrar un subpatrón utilizando la sintaxis ?P<nombre> colocada justo después del paréntesis de apertura (nombre es el nombre dado al subpatrón), por ejemplo /(?P<nombre>david|thomas)/. En este caso, el subpatrón capturado se indexa por su nombre además de por su posición. Las sintaxis ?<nombre> (sin la letra P) y ?'nombre' también están permitidas para nombrar un subpatrón.

Repeticiones

Varios caracteres especiales, llamados cuantificadores, se pueden utilizar para indicar que el anterior (carácter, comodín, clase de caracteres, subpatrón) se puede repetir un número determinado de veces:

Carácter especial	Significado
{X} {x,} {x,y}	Indica que lo anterior debe estar presente exactamente x veces ({x}) o por lo menos x veces ({x,}) o entre x e y veces ({x,y}): ab{2}c solo acepta abbc. ab{2,4}c acepta abbc, abbbc y abbbbc pero rechaza abc (falta una b) o abbbbbc (una b de más). ab{2,}c acepta abbc, abbbc, abbbbc... pero rechaza abc (falta una b).
*	Indica que lo anterior puede estar presente cero, una o varias veces (equivalente a {0, }): ab*c acepta ac, abc, abbc...
+	Indica que lo anterior debe estar presente al menos una vez (equivalente a {1, }): ab+c acepta abc, abbc..., pero rechaza ac.
?	Indica que lo anterior puede estar presente cero o una vez (equivalente a {0,1}): ab?c acepta ac y abc, pero rechaza abbc, abbbc...

Los cuantificadores predefinidos son «codiciosos», es decir, tratan de utilizar la máxima cantidad de repeticiones que permitan el éxito de la búsqueda.

El ejemplo clásico de este comportamiento es la búsqueda de una URL dentro de una etiqueta de enlace.

Para recuperar la URL "http://www.olivier-heurtel.es/" en el texto <a href="http://www.olivier-heurtel.es/">Autor</a>, es posible utilizar el patrón #<a href=(.*)>#.

Desafortunadamente, debido a la «codicia» de los cuantificadores, la búsqueda no se detiene en el primer carácter > que se encuentra, sino que continúa hasta el último; el texto capturado es "http://www.olivier-heurtel.es/">Autor</a.

Para hacer que un cuantificador no sea codicioso, debe ir seguido por el comodín ?. En este caso, el cuantificador intenta utilizar el mínimo de repeticiones que permitan el éxito de la búsqueda.

En el ejemplo anterior, con el patrón #<a href=(.*?)>#, el cuantificador se detiene en el primer carácter > que se encuentra y solo se captura la dirección URL.

Veremos más adelante que la opción de búsqueda U permite hacer que todos los cuantificadores de la expresión regular sean no «codiciosos» (equivalente a usar el comodín ? para todos los cuantificadores).

Referencias inversas

Fuera de una clase de caracteres, la notación \n, (n mayor o igual a 1) es una referencia inversa hacia el enésimo subpatrón capturado. La referencia inversa se reemplaza en el patrón por el valor capturado anteriormente.

Por ejemplo, supongamos que queremos extraer el nombre y el apellido en el siguiente fragmento XML:

```
<persona>
<nombre>Olivier</nombre>
<apellido>Heurtel</apellido>
</persona>
```

El patrón #<(nombre|apellido)>(.*?)</\1># lo hace posible.

El primer subpatrón permite encontrar y capturar el valor de la primera etiqueta de apertura nombre o apellido y la referencia inversa \1 utilizada en </\1> permite encontrar la etiqueta de cierre asociada.

Con este patrón, el orden de las etiquetas en el documento XML no tiene importancia.

Aserciones

Una aserción permite probar los caracteres siguientes o anteriores sin consumir ningún carácter. Anteriormente, hemos visto la existencia de aserciones simples como \b, \B, \a, \A, \z o \Z.

Es posible definir aserciones más complejas en forma de subpatrón; una afirmación puede ser positiva o negativa y funcionar antes o después de la posición actual.

Patrón	Significado
`(?<=patrón)`	Aserción anterior positiva: éxito si el patrón en la aserción encuentra una concordancia a la izquierda.
`(?<!patrón)`	Aserción anterior negativa: éxito si el patrón en la aserción no encuentra ninguna concordancia a la izquierda.
`(?=patrón)`	Aserción posterior positiva: éxito si el patrón en la aserción encuentra una concordancia a la derecha.
`(?!patrón)`	Aserción posterior negativa: éxito si el patrón en la aserción no encuentra ninguna concordancia a la derecha.

Por ejemplo, supongamos que queremos encontrar las URL absolutas utilizadas como fuente de una etiqueta de imagen en un documento HTML:

```
<img src="imagenes/logo.png" alt="Logo" />
...
<img src="http://misitio.com/imagenes/logo.png" alt="Logo" />
...
```

Si utilizamos el patrón `#<img(?:.+?)src="(.+?)"#`, encontraremos todas las fuentes de las etiquetas de imágenes, no solo aquellas que utilizan una dirección URL absoluta.

La solución consiste en utilizar una aserción posterior positiva (`?=http`) en el patrón: `#<img(?:.+?)src="(?=http)(.+?)"#`. La aserción tiene éxito solo si el texto `src="` va seguido de `http`, lo cual permite buscar la información esperada.

Subpatrón condicional

Un subpatrón condicional permite elegir entre dos subpatrones en función del resultado de una condición.

Sintaxis

```
(?(condición) patron_si_verdadero | patrón_si_falso)
```

El segundo subpatrón (`patrón_si_falso`) es opcional.

Si la condición es verdadera, se utiliza el primer patrón (`patrón_si_verdadero`); de lo contrario, se utiliza el segundo patrón (`patrón_si_falso`) si está presente.

La condición puede ser una aserción o un simple número correspondiente a una referencia inversa; en este caso, la condición es verdadera si el subpatrón que corresponde a ese número tiene éxito.

Por ejemplo, supongamos que queremos comprobar si una cadena contiene una fecha, bien en formato `DD-MM-AAAA` (`26/08/1966`) o en formato `MMM-DD-AAAA` (`ago-26-1966`).

Para ello, podemos utilizar el siguiente patrón condicional:

```
#(?(?=^[a-zA-Z])[a-zA-Z]{3}-\d{2}-\d{4}|\d{2}-\d{2}-\d{4})#
```

La condición `(?=^[ a-zA-Z])` utiliza una aserción posterior positiva `(?=)` para probar si la cadena comienza con una letra (`^[a-zA-Z]`). Si este es el caso, se utiliza el subpatrón `[a-zA-Z]{3}-\d{2}-\d{4}`; en caso contrario, se utiliza el subpatrón `\d{2}-\d{2}-\d{4}`.

Para ilustrar el caso de una condición con una referencia inversa, vamos a suponer que la cadena de prueba tiene el prefijo de un código de país (`ES` o `US`), seguido por dos puntos (`:`): **`ES:`**`26-08-1966` o **`US:`**`Aug-26-1966`.

Para verificar esta cadena, podemos utilizar el siguiente patrón condicional:

```
#^((ES)|(US)):((?(2)\d{2}-\d{2}-\d{4}|[a-zA-Z]{3}-\d{2}-\d{4}))#
```

El código de país se busca al principio de la cadena por el subpatrón `^((ES)|(US))` y se captura en `\2` para el código `ES` (segundo paréntesis) o `\3` para el código `US` (tercer paréntesis). A continuación, la condición `(2)` prueba la referencia inversa al segundo subpatrón capturado y utiliza el subpatrón `\d{2}-\d{2}-\d{4}` si esta captura se ha realizado correctamente; si este no es el caso, se utiliza el subpatrón `[a-zA-Z]{3}-\d{2}-\d{4}` en su lugar.

Opciones de búsqueda

Como se ha indicado anteriormente, después del delimitador de cierre, es posible especificar las opciones que modifican el comportamiento de la búsqueda. Las principales opciones son las siguientes:

- `i` Búsqueda que no toma en cuenta mayúsculas ni minúsculas.
- `s` El símbolo «punto» (`.`) incluye el salto de línea.
- `m` Búsqueda en varias líneas.
- `x` Permite ignorar los caracteres de espacio.
- `U` Permite hacer que todos los cuantificadores de expresión regular sean no codiciosos.
- `u` Permite tratar la cadena de entrada y el patrón como cadenas UTF-8.
- `n` Permite no capturar los subpatrones simples (no nombrados). Aparece en la versión 8.2.

La opción `i` permite hacer que la búsqueda no tome en cuenta mayúsculas ni minúsculas. Por ejemplo, el patrón `#olivier#i` permite encontrar todas las entradas de la palabra «Olivier», independientemente de si están en mayúscula o minúscula («Olivier», «OLIVIER», etc.).

La opción s permite que el símbolo «punto» (.) reemplace a cualquier carácter, incluyendo el carácter de salto de línea (de lo contrario, esto no sucede).

Por ejemplo, supongamos que queremos extraer el nombre en el siguiente fragmento XML:

```
<persona>
<nombre>Olivier
</nombre>
<apellido>Heurtel</apellido>
</persona>
```

El patrón #<nombre>(.*?)</nombre># no encuentra nada porque hay un salto de línea antes de la etiqueta </nombre>. Para superar este problema, basta con utilizar la opción s: #<nombre)>(.*?)</nombre>#**s**.

De forma predeterminada, los comodines «inicio de línea» (^) y «fin de línea» ($) son válidos solo una vez en la cadena de búsqueda (al principio de la cadena y al final de la cadena), aunque esta última contenga varias líneas. Si se utiliza la opción m, los comodines ^ y $ se aplican a cada línea presente en la cadena manipulada.

Por ejemplo, supongamos que queremos extraer el nombre de las personas que viven en Madrid en el texto siguiente:

```
Olivier;Madrid
Ana;Albacete
Sandra;Madrid
Xavier;Barcelona
```

El patrón #^(\w+);Madrid#**m** permite hacerlo: la cadena comienza con una palabra (que se captura), seguida por un punto y coma y la palabra «Madrid». En este caso, la opción m es primordial para que el comodín «inicio de línea» (^) se aplique a cada línea del texto.

La opción x permite ignorar los caracteres de espaciado a menos que se escapen o se encuentren dentro de una clase de caracteres, así como todos los caracteres entre un carácter # no escapado (fuera de una clase de caracteres) y el final de la línea. Esta opción es útil para presentar una expresión regular compleja con sangría incluyendo los comentarios necesarios.

Ejemplo (comentarios en negrita)

```
/
^              # anclaje al principio de la cadena
((ES)|(US)):   # ES (capturado en \2) o US (capturado en \3), seguido por:
(              # paréntesis de captura (\4)
  (?(2)        # si ES (referencia inversa a la captura 2)
    \d{2}-\d{2}-\d{4}          # oculta si es verdadero
    |                          # en caso contrario
    [a-zA-Z]{3}-\d{2}-\d{4}    # oculta si es falso
```

```
  )            # fin de la condición
)              # fin del paréntesis de captura (\4)
/x
```

La opción U permite hacer que todos los cuantificadores de la expresión regular sean no «codiciosos»; esto equivale a usar el comodín ? para todos los cuantificadores. Si se utiliza la opción U, la función del comodín ? se invierte y permite hacer que el cuantificador sea «codicioso».

Por ejemplo, los patrones #<a href="(.*?)">(.*?)</a># y #<a href="(.*)">(.*)</a>#**U** son equivalentes.

La opción u permite tratar la cadena de entrada y el patrón como cadenas UTF-8. De esta manera, el patrón /^[[:alpha:]]+$/**u** permite comprobar que una cadena de caracteres UTF-8 contiene únicamente letras, aceptando los caracteres acentuados. Sin la opción u, el patrón rechazará una cadena de caracteres UTF-8 que contenga caracteres acentuados.

Hay otras opciones y se pueden modificar algunas opciones dentro de un patrón con una sintaxis (?...) ((?im) por ejemplo). Para saber más, diríjase a la documentación.

La opción n permite no capturar subpatrones simples (no nombrados). Esto equivale a utilizar la sintaxis (:? para cada subpatrón. Esta opción afecta únicamente a la captura y sigue siendo posible utilizar una referencia posterior numerada para el subpatrón. Esta opción se introdujo en la **versión 8.2**.

6.3 Funciones

El módulo PCRE proporciona varias funciones:

preg_filter	Buscar y reemplazar con una expresión regular.
preg_grep	Devolver una matriz con los resultados de la búsqueda.
preg_last_error	Devolver el código de error de la última expresión regular ejecutada.
preg_last_error_msg	Devolver el mensaje de error de la última expresión regular ejecutada. Introducida en la **versión 8**.
preg_match_all	Buscar todas las ocurrencias de un patrón en una cadena.
preg_match	Buscar la primera ocurrencia de un patrón en una cadena.

`preg_quote`	Proteger todos los caracteres especiales en una expresión regular.
`preg_replace_callback_array`	Buscar y reemplazar con una expresión regular utilizando funciones de llamada.
`preg_replace_callback`	Buscar y reemplazar con una expresión regular usando una función de llamada.
`preg_replace`	Buscar y reemplazar con una expresión regular.
`preg_split`	Dividir una cadena con una expresión regular.

En este libro, presentamos solo las funciones `preg_match`, `preg_match_all` y `preg_replace`.

Funciones preg_match y preg_match_all

Sintaxis simplificada

```
entero preg_match(cadena patrón, cadena texto[, matriz resultado])
entero preg_match_all(cadena patrón, cadena texto[, matriz resultado])
```

`patrón`	Cadena que indica el patrón (la expresión regular) del elemento buscado.
`texto`	Cadena que se va a procesar.
`resultado`	Matriz que da la lista de partes de la cadena `texto` que coinciden con el patrón de búsqueda.

Las funciones `preg_match` y `preg_match_all` permiten realizar búsquedas utilizando una expresión regular.

Las funciones `preg_match` y `preg_match_all` buscan en la cadena `texto` si existe una cadena que coincida con el patrón especificado por `patrón`. Estas funciones devuelven el número de veces que se ha encontrado el patrón en el texto o `FALSE` en caso de error. La función `preg_match` se detiene cuando ha encontrado una primera solución (y, por lo tanto, devuelve 1 en este caso); por el contrario, la función `preg_match_all` busca todas las soluciones.

Si el parámetro `resultado` está presente, los resultados de la búsqueda se almacenan en forma de una matriz. Por defecto, el texto que cumple con el patrón completo se almacena en el índice 0; el que cumple con el primer paréntesis de captura, en el índice 1, y así sucesivamente. Si es necesario, las dos funciones tienen un cuarto parámetro que permite cambiar el orden de presentación de los resultados en la matriz (consulte la documentación para obtener más detalles sobre esta opción).

Además de los ejemplos que se presentan a continuación, el capítulo Gestionar formularios y enlaces explica el uso de expresiones regulares para validar la entrada de un usuario.

Ejemplo 1

```
<?php
// Verificar que una cadena comience por una letra y
// vaya seguida de al menos 3 letras o dígitos o caracteres
// especiales _(#*$).
$patrón = '/^[a-z][a-z0-9_#*$]{3,}/i';
// Matriz que contiene las cadenas que se van a probar.
$cadenas[] = 'A0_#b*1$2'; // OK;
$cadenas[] = '0_#b*1$2';  // no comienza por una letra;
$cadenas[] = 'A0_';       // longitud insuficiente;
$cadenas[] = 'A0_€#';     // carácter no válido;
// Utilización de preg_match.
foreach ($cadenas as $cadena) {
  if (preg_match($patrón,$cadena) == 0) {
    echo "$cadena => no OK<br />";
  } else {
    echo "$cadena => OK<br />";
  }
}?>
```

Resultado

```
A0_#b*1$2 => OK
0_#b*1$2 => no OK
A0_ => no OK
A0_€# => no OK
```

Algunas explicaciones sobre la expresión regular utilizada (`/^[a-z][a-z0-9_#*$]{3,}/i`):

- Carácter delimitador =/
- Opción `i` utilizada para no hacer diferenciación entre mayúsculas y minúsculas.
- `^` = comienza por...
- `[a-z]` = una letra entre `a` y `z` (o `A` y `Z` con la opción `i`)...
- `[a-z0-9_#*$]{3,}` = seguido de al menos tres (`{3,}`) caracteres, entre los que figuran: `a` a `z` (y por tanto `A` a `Z`), `0` a `9` y los caracteres `_#*$`.

Ejemplo 2

```
<?php
// Verificar que una cadena tenga una estructura conforme a la
// de una fecha con formato [D]D/[M]M/AAAA y recuperar los
// 3 componentes día, mes y año.
$patrón = '#^([0-9]{1,2})/([0-9]{1,2})/([0-9]{4})$#';
```

```
// Matriz que contiene las cadenas que se van a probar.
$fechas[] = '21/09/2001'; // OK
$fechas[] = '1/2/2001';   // OK
$fechas[]  = '21/09/01';   // año incompleto
// Utilización de preg_match.
foreach ($fechas as $fecha) {
  $ok = (preg_match($patrón,$fecha,$resultado) > 0);
  if ($ok) {
    echo "$fecha válida.<br />";
    echo "- día = $resultado[1]<br />";
    echo "- mes = $resultado[2]<br />";
    echo "- año = $resultado[3]<br />";
  } else {
    echo "$fecha no válida.<br />";
  }
}
?>
```

Resultado

```
21/09/2001 válida.
- día = 21
- mes = 09
- año = 2001
1/2/2001 válida.
- día = 1
- mes = 2
- año = 2001
21/09/01 no válida.
```

Algunas explicaciones sobre la expresión regular utilizada (`#^([0-9]{1,2})/([0-9] {1,2})/([0-9]{4})$#`):

- Carácter delimitador = `#`
- `^` = comienza por...
- `([0-9]{1,2})` = uno o dos dígitos (subpatrón de captura)...
- `/` = seguido por el carácter "/" ...
- `([0-9]{1,2})` = seguido de uno o dos dígitos (subpatrón de captura)...
- `/` = seguido por el carácter "/" ...
- `([0-9]{4})` = seguido de cuatro dígitos (subpatrón de captura)...
- `$` = seguido de... ¡nada! La cadena debe terminar inmediatamente.

Observación

Esta prueba permite verificar que una cadena que debe contener una fecha está bien formada. A continuación, se debe verificar, con la función `checkdate`, por ejemplo, que los tres componentes correspondan a una fecha válida.

Función preg_replace

Sintaxis

```
mixto preg_replace(mixto patrón, mixto reemplazo, cadena
texto[,entero límite[,entero número]])
```

`patrón`	Cadena que indica el patrón (la expresión regular) del elemento buscado. Puede ser una matriz de patrones para efectuar varias búsquedas.
`reemplazo`	Cadena de reemplazo o matriz de cadenas de reemplazo.
`texto`	Cadena que se ha de procesar o matriz de cadenas que se han de procesar.
`límite`	Número máximo de reemplazos para cada patrón buscado en cada cadena de texto. Por defecto, -1 (sin límite).
`número`	Variable que contendrá el número de reemplazos realizados.

Si el parámetro `reemplazo` es una cadena y el parámetro `patrón` es una matriz, todos los patrones se reemplazarán por la cadena. Si los parámetros `reemplazo` y `patrón` son matrices, cada elemento de `patrón` se reemplazará por el elemento correspondiente de `reemplazo`; si la matriz `reemplazo` tiene menos elementos que la matriz `patrón`, se utiliza una cadena vacía como cadena de reemplazo para los elementos que faltan.

El texto de reemplazo puede contener secuencias `\\n` o `$n` (sintaxis recomendada) para hacer referencia al texto capturado por el enésimo paréntesis de captura del patrón; `n` está entre 0 y 99. `\\0` o `$0` corresponden al texto que coincide con el patrón completo. Si la referencia va seguida de un número, puede utilizar la sintaxis `${n}` para eliminar cualquier ambigüedad.

Si el parámetro `texto` es una matriz, la operación de reemplazo se realiza para cada elemento de la matriz.

La función devuelve una matriz si el parámetro `texto` es una matriz, o una cadena en caso contrario; en ambos casos, la función devuelve el texto después del reemplazo (o el texto original si no se ha reemplazado nada). En caso de error, la función devuelve `NULL`.

Ejemplo

```
<?php
// Utilizar preg_replace para reorganizar una cadena.
// En la ocurrencia, se trata de transformar una fecha
// en formato DD/MM/AAAA en una fecha en formato AAAA-MM-DD
$antes = '17/11/1969';
$después = preg_replace(
             '#^([0-9]{2})/([0-9]{2})/([0-9]{4})$#',
             '$3-$2-$1',
             $antes);
echo "$antes => $después";
?>
```

Resultado

```
17/11/1969 => 1969-11-17
```

En la cadena de reemplazo, las secuencias `$n` designan las tres porciones capturadas por los paréntesis:

- `$1` = primera `([0-9]{2})` = 17
- `$2` = segunda `([0-9]{2})` = 11
- `$3` = `([0-9]{4})` = 1969

El resultado de la búsqueda, que es igual a la cadena completa en este caso, se sustituye entonces por la cadena '`$3-$2-$1`', es decir, `1969.11.17`.

Observación

La función `preg_filter`, es idéntica a `preg_replace`, pero solo devuelve las ocurrencias encontradas (y, por lo tanto, reemplazadas).

7. Manipular las fechas

PHP no gestiona las fechas con un tipo de datos específico. Sin embargo, es posible manipular las fechas, ya sea en forma de una cadena de caracteres o bien en forma de un timestamp Unix (que corresponde al número de segundos transcurridos desde el 1.° de enero de 1970 01:00:00).

Hay varias clases que ofrecen funcionalidades avanzadas para la manipulación de fechas (clase `DateTime`) e intervalos (clase `DateInterval`) en una forma orientada a objetos (ver la documentación).

Varias funciones permiten manipular las fechas en una u otra de estas formas:

Nombre	Función
`checkdate`	Comprueba que tres números enteros que representan el día, el mes y el año correspondan a una fecha válida.
`date`	Convierte en cadena una fecha determinada en forma de un timestamp Unix.
`strftime`	Convierte en cadena una fecha determinada en forma de un timestamp Unix, usando las características locales.
`datefmt_create`	Define un formato que puede utilizarse para convertir una fecha en una cadena utilizando la función `datefmt_format`.
`datefmt_format`	Formatea una fecha/hora como cadena utilizando un formato creado previamente con la función `datefmt_create`.
`getdate`	Almacena en una matriz los diferentes componentes de una fecha determinada en forma de un timestamp Unix.
`date_parse_from_format`	Almacena en una matriz los diferentes componentes de una fecha determinada en forma de una cadena de caracteres.
`time`	Proporciona el timestamp Unix actual.
`mktime`	Crea un timestamp Unix a partir de los distintos componentes de una fecha.
`microtime`	Proporciona el timestamp Unix actual acompañado del número de microsegundos transcurridos desde el último segundo.
`hrtime`	Devuelve un tiempo transcurrido a partir de un instante arbitrario con una gran precisión.
`idate`	Proporciona los componentes de una fecha dada en forma de un timestamp Unix.

Observación

La llamada a algunas funciones puede generar una alerta de nivel `E_NOTICE` si el huso horario no se define correctamente (ver la directiva de configuración `date.timezone` del archivo de configuración de PHP). En este libro, suponemos que el valor de esta directiva es `Europe/Paris`.

checkdate

La función `checkdate` comprueba que los tres números enteros que representan el día, el mes y el año correspondan a una fecha válida.

Sintaxis

```
booleano checkdate(entero mes, entero día, entero año)
```

`mes`	Número del mes (1 a 12).
`día`	Número del día (1 a 31).
`año`	Año (1 a 32767).

`checkdate` devuelve `TRUE` si la fecha construida con los tres componentes es válida y `FALSE` en caso contrario. Esta función tiene en cuenta los años bisiestos.

Ejemplo

```
<?php
$día = 26; $mes = 8 ; $año = 1966;
echo "$día/$mes/$año => ",
      var_dump(checkdate($mes,$día,$año)),'<br />';
$día = 29; $mes = 2 ; $año = 2000;
echo "$día/$mes/$año => ",
      var_dump(checkdate($mes,$día,$año)),'<br />';
$día = 29; $mes = 2 ; $año = 2001;
echo "$día/$mes/$año => ",
      var_dump(checkdate($mes,$día,$año)),'<br />';
?>
```

Resultado

```
26/8/1966 => bool(true)
29/2/2000 => bool(true)
29/2/2001 => bool(false)
```

date

La función convierte en cadena una fecha determinada en forma de un timestamp Unix.

Sintaxis

```
cadena date(cadena formato[, entero timestamp])
```

`formato` Formato de conversión.

`timestamp` Timestamp que se va a convertir (por defecto, el timestamp actual).

El formato se puede especificar usando los siguientes caracteres:

Carácter	Significado
`d`	Día del mes en dos dígitos (01 a 31)
`j`	Día del mes en uno o dos dígitos (1 a 31)
`D`	Tres primeras letras del día de la semana (en inglés)
`l` («L» minúscula)	Nombre del día de la semana (en inglés)
`w`	Número del día de la semana (0 = domingo a 6 = sábado)
`N`	Representación numérica ISO 8601 del día de la semana (1 = lunes a 7 = domingo). Apareció con la versión 5.1.0
`z`	Día del año (0 a 365)
`S`	Sufijo (en inglés) para el número del día («st» o «nd», por ejemplo)
`W`	Número de la semana del año, de acuerdo con la norma ISO 8601
`m`	Número del mes en dos dígitos (01 a 12)
`n`	Número del mes en uno o dos dígitos (1 a 12)
`t`	Número de días del mes (entre 28 y 31)
`M`	Tres primeras letras del nombre del mes (en inglés)
`F`	Nombre del mes (en inglés)
`Y`	Año en cuatro dígitos (por ejemplo, 2001)
`y`	Año en dos dígitos (por ejemplo, 01)
`o`	Año ISO 8601. Idéntico a Y excepto si la semana ISO (W) pertenece al año anterior, en cuyo caso se utiliza este año

Carácter	Significado
`L`	1 si el año es bisiesto, 0 en caso contrario
`h`	Horas, en formato de 12 horas, en dos dígitos (01 a 12)
`g`	Horas, en formato de 12 horas, en uno o dos dígitos (1 a 12)
`H`	Horas, en formato de 24 horas, en dos dígitos (00 a 23)
`G`	Horas, en formato de 24 horas, en uno o dos dígitos (0 a 23)
`i`	Minutos en dos dígitos (00 a 59)
`s`	Segundos en dos dígitos (00 a 59)
`u`	Microsegundos.
`v`	Milisegundos
`a`	Símbolo «am»/«pm» (en minúsculas)
`A`	Símbolo «AM»/«PM» (en mayúsculas)
`B`	Hora de Internet Swatch (000 a 999)
`e`	Nombre de zona horaria (por ejemplo, «Europa/Madrid»).
`T`	Abreviatura de la zona horaria del equipo (por ejemplo: «CEST»)
`I` («i» mayúscula)	1 si el horario de verano está activado, 0 en caso contrario
`O`	Diferencia horaria en horas (por ejemplo, «+0100»)
`P`	Diferencia horaria en horas, con un carácter de dos puntos (:) entre las horas y los minutos (por ejemplo, «+01:00»)
`Z`	Diferencia horaria en segundos (entre -43200 y 43200)
`c`	Fecha en formato ISO 8601 (por ejemplo, «2004-03-09T17:39:12+01:00»)
`r`	Formato de fecha de la RFC 822 (por ejemplo, «Thu, 20 Sep 2001 15:47:00 +0200»)
`U`	Timestamp (!)

Es posible especificar los formatos estándar mediante constantes, por ejemplo:

`DATE_ISO8601`	ISO-8601 (por ejemplo: 2007-07-13T17:53:10+0200).
`DATE_RFC822`	RFC 822 (por ejemplo: Fri, 13 Jul 07 17:53:10 +0200).
`DATE_RSS`	RSS (por ejemplo: Fri, 13 Jul 2007 17:53:10 +0200).

Si es necesario, estos diferentes caracteres se pueden escapar con una barra invertida (\).

Ejemplo

```
<?php
// sin segundo parámetro = utilización del timestamp actual
echo 'Fecha en formato DD/MM/AAAA: ', date('d/m/Y'),'<br />';
echo 'Hora: ', date('H:i:s'),'<br />';
echo 'Unix celebró su millonésimo segundo el ',
     date('d/m/Y a las H:i:s',1000000000),'<br />';
?>
```

Resultado

```
Fecha en formato DD/MM/AAAA: 16/02/2024
Hora: 07:57:48
Unix celebró su millonésimo segundo el 09/09/2001 a las 03:46:40
```

Versión 8

Pasar el valor `NULL` para el timestamp da un resultado diferente en la **versión 8** con respecto a la versión 7. En la versión 8, pasar `NULL` equivale a omitir el parámetro y, por tanto, a utilizar el timestamp actual. En la versión 7, el valor se convertía en entero y se utilizaba el timestamp 0. Por ejemplo, `date('Y',NULL)` da 2024 en la versión 8 (en el momento en que se redacta el libro) y 1969 en la versión 7.

strftime

La función `strftime` convierte en cadena una fecha determinada en forma de un timestamp Unix, utilizando las características del lenguaje local (las del servidor).

Sintaxis

cadena `strftime(`*cadena* `formato[,` *entero* `timestamp])`

`formato`	Formato de conversión.
`timestamp`	Timestamp que se va a convertir (por defecto, la marca de tiempo actual).

A diferencia de la función `date`, `strftime` utiliza las características del lenguaje local (el del servidor).

El formato se puede especificar usando los siguientes caracteres:

Carácter	Significado
`%d`	Número del día del mes, en dos posiciones, completado por un cero (01 a 31)
`%e`	Número del día del mes, en dos posiciones, completado por un espacio
`%u`	Número del día de la semana (1 = lunes)
`%w`	Número del día de la semana (0 = domingo a 6 = sábado)
`%j`	Día del año en tres dígitos (001 a 366)
`%a`	Nombre abreviado del día de la semana
`%A`	Nombre completo del día de la semana
`%U`	Número de la semana del año; considerando el primer domingo del año como el primer día de la primera semana
`%W`	Número de la semana del año; considerando el primer lunes del año como el primer día de la primera semana
`%V`	Número de la semana del año, de acuerdo con la norma ISO 8601
`%m`	Número del mes en dos dígitos (01 a 12)
`%b`, `%h`	Nombre abreviado del mes
`%B`	Nombre completo del mes
`%y`	Año en dos dígitos (por ejemplo, 01)
`%Y`	Año en cuatro dígitos (por ejemplo, 2001)
`%G`	Año de 4 dígitos correspondiente al número de la semana de acuerdo con la norma ISO 8601 (ver %V)
`%g`	Año de 2 dígitos correspondiente al número de la semana de acuerdo con la norma ISO 8601 (ver %V)
`%C`	Número del siglo en dos dígitos
`%H`	Horas, en formato de 24 horas
`%k`	Horas, en formato de 24 horas, con un espacio en lugar del cero si la hora solo tiene una cifra
`%I` («i» mayúscula)	Horas, en formato de 12 horas, en dos dígitos (01 a 12)

Carácter	Significado
`%l` («L» minúscula)	Hora», en formato de 12 horas, con dos cifras, con un espacio en lugar del cero si la hora solo tiene una cifra
`%M`	Minutos en dos dígitos (00 a 59)
`%S`	Segundos en dos dígitos (00 a 59)
`%r`	Hora con la notación AM/PM (idéntico a %I:%M:%S %p)
`%R`	Hora con la notación de 24 horas sin los segundos (idéntico a %H:%M)
`%T`	Hora con la notación de 24 horas con los segundos (idéntico a %H:%M:%S
`%X`	Formato predeterminado solo de hora, basado en las características lingüísticas locales
`%p`, `%P`	Símbolo «AM»/«PM» (en mayúsculas o minúsculas)
`%Z`, `%z`	Zona horaria, o nombre o abreviatura
`%D`	Idéntico a %m/%d/%y
`%F`	Idéntico a %Y - %m - %d
`%c`	Formato predeterminado de fecha y hora, basado en las características lingüísticas locales
`%x`	Formato predeterminado solo de fecha, basado en las características lingüísticas locales
`%s`	Timestamp Unix
`%%`	Un carácter % literal
`%n`	Retorno de línea
`%t`	Tabulación

Observación

No todos los símbolos son necesariamente compatibles con todas las plataformas.

Las características lingüísticas locales se pueden leer y modificar por medio de la función `setlocale`.

Sintaxis

```
cadena setlocale(mixto categoría, cadena idioma[,...])
cadena setlocale(mixto categoría, matriz idiomas)
```

`categoría` Funcionalidad relativa a las características lingüísticas locales y definida utilizando una de las siguientes constantes:
`LC_COLLATE`: comparación de cadena con la función `strcoll`;
`LC_CTYPE`: clasificación y conversiones (por ejemplo, función `stroupper`);
`LC_NUMERIC`: separadores decimales;
`LC_MONETARY`: símbolo de moneda (función `localeconv`);
`LC_TIME`: formatos de fecha (función `strftime`);
`LC_ALL`: todas las anteriores.

`idioma` Código de idioma que debe gobernar la función asociada. Se puede pasar este parámetro varias veces para probar los diferentes valores posibles hasta encontrar uno que funcione.

`idiomas` Matriz que contiene códigos de lenguas que deben procesarse sucesivamente hasta encontrar uno que funcione.

`setlocale` devuelve el nuevo valor o `FALSE` en caso de error. Si el segundo parámetro es igual a "0", `setlocale` devuelve simplemente el valor actual. Si es igual a `NULL` o "", `setlocale` toma el valor correspondiente al entorno del sistema operativo.

Ejemplos de valores posibles:

`es_ES`: España

`en_GB`: Reino Unido

`us_US`: Estados Unidos

`C`: C (POSIX)

Observación

Cada plataforma tiene convenciones de nombres diferentes, por eso es interesante poder probar varias durante la llamada.

Versión 8

Antes de la **versión 8**, LC_CTYPE se heredaba del entorno del sistema operativo y las demás categorías se inicializaban con la localización C. A partir de la versión 8, todas las categorías se inicializan con la localización C.

Pasar el valor de timestamp NULL da un resultado diferente en la **versión 8** con respecto a la versión 7. En la versión 8, pasar NULL equivale a omitir el parámetro y, por lo tanto, a utilizar el timestamp actual. En la versión 7, el valor se convertía en entero y, por lo tanto, se utilizaba el timestamp 0. Por ejemplo, `strftime('%Y',NULL)` da `2024` en la versión 8 (en el momento de la redacción del libro) y 1969 en la versión 7.

Desde la **versión 8.1**, esta función está obsoleta y genera una alerta `E_DEPRECATED` si se utiliza. En su lugar, utilice la función `date` para un formateo independiente de las características locales o las funciones `datefmt_create` y `datefmt_format` para un formateo dependiente de las características locales (estas funciones se describen más adelante).

Ejemplo

```
<?php
// @strftime para no mostrar errores
// (incluidos los errores de nivel E_DEPRECATED)
echo 'Fecha/Hora: ',
     @strftime('%d/%m/%Y - %H:%M:%S '),'<br />';
setlocale(LC_ALL,'es_ES.UTF8');
echo 'Format long (español) : ',
echo 'Fecha/Hora: ',
     @strftime('%A %d %B %Y'),'<br />';
setlocale(LC_ALL,'en_US');
echo 'Format long (inglés): ',
echo 'Fecha/Hora: ',
     @strftime('%A %d %B %Y'),'<br />';
?>
```

Resultado (si no se muestran errores de nivel `E_DEPRECATED`)

```
Fecha/Hora: 08/02/2024 - 10:12:03
Formato largo (español): jueves 8 de febrero de 2024
Formato largo (inglés) : Thursday 8 February 2024
```

datefmt_create – datefmt_format

Las funciones `datefmt_create` y `datefmt_format` son versiones procedurales de métodos definidos en la clase `IntlDateFormatter`. Esta clase permite formatear o analizar fechas según las características lingüísticas locales utilizando plantillas. En este libro solo presentaremos la sintaxis básica de las funciones `datefmt_create` y `datefmt_format`, que sustituyen a la función `strftime`, ya obsoleta. La clase ofrece otros métodos (o funciones en forma de procedimiento), en particular para convertir una cadena que contenga una fecha en un formato determinado en una marca de tiempo (para más información, consulte la documentación).

La función datefmt_create crea un formato de fecha que puede utilizarse para realizar conversiones.

Sintaxis

```
objeto datefmt_create(cadena idioma, entero tipo_fecha, entero tipo_hora, mixta zona_horaria, mixta calendario, cadena formato)
```

idioma	Código del idioma utilizado en el formato. Ejemplos de valores posibles: fr_FR (Francia), en_GB (Reino Unido), en_US (EE. UU.), etc. El valor predefinido es aquel de la directiva de configuración intl.default_locale, que es a su vez el idioma predefinido del servidor.
tipo_fecha	Tipo de fecha definido mediante una de las constantes de la clase IntlDateFormatter. Por defecto, es igual a la constante IntlDateFormatter::FULL.
tipo_hora	Tipo de hora definido mediante una de las constantes de la clase IntlDateFormatter. Por defecto, es igual a la constante IntlDateFormatter::FULL.
Zona_horaria	Zona horaria. Por defecto, NULL, que corresponde a la definida en PHP usando la directiva de configuración date.timezone, salvo si se define otra usando la función date_default_timezone_set (véase la documentación de esta función).
Calendario	Calendario utilizado. Por defecto, NULL, que corresponde a la constante IntlDateFormatter::GREGORIAN, es decir, el calendario gregoriano.
Formato	Formato de conversión (Por defecto, NULL).

Todos los parámetros son opcionales.

Si no se especifica el parámetro format, el formato utilizado depende del valor de los parámetros type_date y type_time, que se definen mediante constantes declaradas en la clase IntlDateFormatter(IntlDateFormatter::FULL, IntlDateFormatter::LONG, IntlDateFormatter::MEDIUM, IntlDateFormatter::SHORT, IntlDateFormatter::NONE). Dependiendo del valor de la constante, el formato contiene más o menos información (nombre completo del día y del mes, abreviatura del mes, sin nombre del día ni del mes, etc.).). Si se especifica el parámetro format, el valor de los parámetros type_date y type_time es irrelevante.

El formato se puede especificar utilizando los siguientes caracteres (no exhaustivos):

Carácter	Significado
dd	Número del día del mes (01 a 31)
d	Número del día del mes (1 a 31)
ee	Número del día de la semana (01 a 07)
e	Número del día de la semana (1 a 7)
D	Día del año
eee	Nombre corto del día de la semana
eeee	Nombre completo del día de la semana
ww	Número de la semana en el año (01 a 53)
w	Número de la semana en el año (1 a 53)
MM	Número del mes (01 a 12)
M	Número del mes (1 a 12)
MMM	Nombre corto del mes
MMMM	Nombre completo del mes
yy	Año en dos cifras (por ejemplo, 01)
yyyy	Año en cuatro dígitos (p. ej. 2001)
HH	Horas en formato de 24 h (00 a 23)
H	Horas en formato de 24 h (0 a 23)
hh	Horas en formato de 12 h (01 a 12)
h	Horas en formato de 12 h (1 a 12)
mm	Minutos (00 a 59)
m	Minutos (0 a 59)
ss	Segundos (00 a 59)
s	Segundos (0 a 59)
a	Símbolo «AM»/«PM»
zzzz	Zona horaria UTC (UTC+02:00 por ejemplo)
v, vvvv	Zona horaria abreviada o larga (por ejemplo, PDT u hora de Los Ángeles)
' (apóstrofe)	Carácter de escape para texto

Carácter	Significado
'' (dos apóstrofos)	Da un apóstrofo

El formato tiene siempre en cuenta las características locales para los nombres, abreviaturas, reglas para el primer día de la semana, etc. Para la zona horaria, existen muchas otras posibilidades (consulte la documentación ICU - *International Components for Unicode* – en el sitio https://unicode-org.github.io/icu/).

La función `datefmt_format` formatea una fecha/hora como cadena utilizando un formato creado previamente con la función `datefmt_create`.

Sintaxis

```
mixto datefmt_format(objeto formato, mixto fecha_hora)
```

`formato` Formato creado previamente con la función `datefmt_create`.

`Fecha_hora` Fecha/hora que se va a formatear. Puede ser un timestamp Unix (que es el único caso presentado en este capítulo) o de un objeto de la clase `DateTime` o de la clase `IntlCalendar`.

La función devuelve la fecha formateada o `FALSE` en caso de error.

Ejemplo 1

```
<?php
$format = datefmt_create('es_ES',IntlDateFormatter::FULL, IntlDateFormatter::FULL,
                         'Europe/Madrid', IntlDateFormatter::GREGORIAN  );
echo '<b>FULL/FULL :</b><br/>',datefmt_format($format,time()),'<br/>';
$format = datefmt_create('es_ES,IntlDateFormatter::FULL,IntlDateFormatter::LONG);
echo '<b>FULL/LONG :</b><br/>',datefmt_format($format,time()),'<br/>';
$format = datefmt_create('es_ES',IntlDateFormatter::LONG,IntlDateFormatter::NONE);
echo '<b>LONG/NONE :</b><br/>',datefmt_format($format,time()),'<br/>';
$format = datefmt_create('es_ES',IntlDateFormatter::SHORT,
IntlDateFormatter::NONE);
echo '<b>SHORT/NONE :</b><br/>',datefmt_format($format,time()),'<br/>';
?>
```

Resultado

```
FULL/FULL:
jueves 08 febrero 2024 09:34:04 hora avanzada de Europa central
FULL/LONG:
jueves 08 febrero 2024 09:34:04 UTC+02:00
LONG/NONE:
08 febrero 2024
SHORT/NONE:
08/03/24
```

Este ejemplo muestra los formatos predeterminados utilizados según el tipo de fecha y el tipo de hora cuando no se solicita un formato específico. En las tres últimas llamadas, los parámetros `zona_horaria` y `calendario` no se establecen y toman sus valores predeterminados.

Ejemplo 2

```
<?php
$format = datefmt_create(locale:'es_ES',pattern:'dd/MM/yyyy - HH:mm:ss');
echo 'Fecha/Hora: ',datefmt_format($format,time()),'<br/>';
$format = datefmt_create(locale:'es_ES',pattern:'EEEE dd LLLL yyyy');
echo 'Format long (español) : ',datefmt_format($format,time()),'<br/>';
$format = datefmt_create(locale:'en_GB',pattern:'EEEE dd LLLL yyyy');
echo 'Format long (inglés) : ',datefmt_format($format,time()),'<br/>';
?>
```

Resultado

```
Fecha/Hora: 08/02/2024 - 09:34:04
Format long (español): jueves 08 febrero 2024
Format long (inglés): Thursday 08 February 2024
```

Este ejemplo muestra el uso de formatos personalizados (similar al ejemplo dado para la función `strftime`). Los parámetros se pasan por nombre en las llamadas a la función `datefmt_create`, lo que facilita el suministro de valores solo para los parámetros deseados.

getdate

La función `getdate` almacena en una matriz los diferentes componentes de una fecha determinada en forma de un timestamp Unix.

Sintaxis

```
matriz getdate([entero timestamp])
```

`timestamp` timestamp que se va a utilizar (predefinido al timestamp actual).

La función `getdate` devuelve una matriz asociativa con las siguientes claves:

Clave	Valor
`seconds`	Segundos (0 a 59)
`minutes`	Minutos (0 a 59)
`hours`	Horas (0 a 24)
`mday`	Número del día del mes (1 a 31)
`wday`	Número del día de la semana (0 = domingo a 6 = sábado)
`mon`	Número de mes (1 a 12)

Clave	Valor
`year`	Año
`yday`	Número del día en el año (0 a 365)
`weekday`	Nombre del día de la semana
`month`	Nombre del mes
`0`	Timestamp

Ejemplo

```
<?php
$fecha = getdate(); // ahora
foreach($fecha as $clave => $valor) {
  echo "$clave => $valor<br />";
}
?>
```

Resultado

```
seconds => 7
minutes => 1
hours => 14
mday => 8
wday => 4
mon => 2
year => 2024
yday => 38
weekday => Thursday
month => February
0 => 1707397267
```

● Versión 8

Pasar el valor de timestamp `NULL` da un resultado diferente en la **versión 8** con respecto a la versión 7. En la versión 8, pasar `NULL` equivale a omitir el parámetro y, por lo tanto, a utilizar el timestamp actual. En la versión 7, el valor se convertía en entero y, por lo tanto, se utilizaba el timestamp 0. Por ejemplo, `getdate(NULL)` da `2024` como año en la versión 8 (en el momento de la redacción del libro) y `1969` en la versión 7.

date_parse_from_format

La función `date_parse_from_format` almacena en una matriz los diferentes componentes de una fecha determinada en forma de una cadena de caracteres.

Sintaxis

`matriz date_parse_from_format(cadena formato, cadena fecha)`

`formato`	Formato de la fecha (véase la función `fecha`).
`fecha`	Cadena que representa la fecha.

La función `date_parse_from_format` devuelve una matriz asociativa con las siguientes claves:

Clave	Valor
`year`	Año
`month`	Número de mes (1 a 12)
`day`	Número del día del mes (1 a 31)
`hour`	Horas (0 a 24)
`minute`	Minutos (0 a 59)
`second`	Segundos (0 a 59)
`fraction`	Fracción de segundo
`warning_count`	Número de alertas
`warnings`	Matrices de alertas
`error_count`	Número de errores
`errors`	Matriz de errores
`is_localtime`	Indica si se ha establecido una zona horaria (en este caso, las claves adicionales están presentes en la matriz)

Ejemplo

```
<?php
$fecha = date_parse_from_format('d/m/Y','26/08/1966');
foreach($fecha as $clave => $valor) {
  echo "$clave => ",is_array($valor)?"Array":$valor,"<br />";
}
?>
```

Resultado

```
year => 1966
month => 8
day => 26
hour =>
minute =>
second =>
fraction =>
warning_count => 0
warnings => Array
error_count => 0
errors => Array
is_localtime =>
```

time

La función `time` da el timestamp Unix actual.

Sintaxis

```
entero time()
```

Ejemplo

```
<?php
$ts = time();
echo "timestamp Unix actual = $ts";
?>
```

Resultado

```
timestamp Unix actual = 1707397267
```

mktime

La función `mktime` crea un timestamp Unix a partir de los distintos componentes de una fecha.

Sintaxis

```
entero mktime([entero horas[, entero minutos[, entero segundos[,
entero mes[, entero día[, entero año]]]]]])
```

`horas`	Horas (0 a 23)
`minutos`	Minutos (0 a 59)
`segundos`	Segundos (0 a 59)
`mes`	Mes (1 a 12)
`día`	Día (1 a 31)

`año` Año de 2 a 4 dígitos. Si el año se proporciona con 2 cifras, el rango 0-69 corresponde a 2000-2069 y el rango 70-100 a 1970-2000. En la medida de lo posible, se aconseja especificar siempre el año con 4 dígitos.

Los parámetros omitidos toman su valor actual.

A partir de la **versión 8**, esta función emite una excepción `ArgumentCountError` cuando se utiliza sin parámetro para devolver el timestamp Unix actual (esta posibilidad estaba obsoleta en la versión 7); en lugar de ello, conviene utilizar la función `time`.

La función `mktime` tiene la característica interesante de corregir los valores incorrectos efectuando un cálculo de fecha inteligente. Ejemplos:

- El 35/12/2001 se corregirá a 31/12/2001 + 4 días = 04/01/2002.
- El 30/14/2001 se corregirá a 30/12/2001 + 2 meses = 30/02/2002 que, a su vez, se corregirá a 28/02/2002 + 2 días = 02/03/2002.

En este caso, un valor 0 para el mes da el mes de diciembre de año anterior (15/0/2021 = 15/12/2020) y un valor 0 para el día da el último día del mes anterior (0/03/2021 =28/02/2021). Esta operación es muy práctica para realizar cálculos de fechas.

Ejemplo

```
<?php
$ts = mktime(0,0,0,8,26,1966);
echo 'mktime(0,0,0,8,26,1966) = ',
      date('d/m/Y - H:i:s',$ts),'<br />';
$ts = mktime(0,0,0,8,26+20000,1966);
echo '20000 días después del 26/08/1966 = ',
      date('d/m/Y,'ts),'br#';
?>
```

Resultado

```
mktime(0,0,0,8,26,1966) = 26/08/1966 - 00:00:00
20000 días después del 26/08/1966 = 29/05/2021
```

microtime

La función `microtime` da el timestamp Unix actual con la fracción de segundos en microsegundos.

Sintaxis

```
mixto microtime([booleano tipo_real])
```

`tipo_real` Booleano indicando si la función debe devolver un número real.

Si no hay parámetros (o si el parámetro se evalúa como FALSE), la función devuelve una cadena que indica los microsegundos seguidos de un espacio y del timestamp Unix actual. Si el parámetro se evalúa como TRUE, la función devuelve un número real.

Ejemplo

```
<?php
// Muestra el microtime en forma de una cadena.
echo microtime(),'<br />';
// Muestra el microtime en forma de tiempo real.
echo microtime(TRUE),'<br />';
// Para conservar únicamente los microsegundos, lo más
// fácil es transformar la cadena en tiempo real.
echo (float) microtime(),'<br />';
?>
```

Resultado

```
0.57617900 1707397620
1707397620.5762
0.576197
```

hrtime

La función `hrtime` devuelve un tiempo transcurrido a partir de un instante arbitrario con una gran precisión.

Sintaxis

```
mixto hrtime([booleano tipo_número])
```

`tipo_número` Booleano que indica si la función debe devolver un número.

Sin parámetro (o si el parámetro se evalúa como FALSE), la función devuelve una matriz con dos valores: un número de segundos y un número de nanosegundos. Si el parámetro es igual a TRUE, la función devuelve un número de nanosegundos. Esta función es interesante para medir rendimientos.

Ejemplo

```
<?php
// Visualización de hrtime en forma de matriz.
[$segundos,$nanosegundos] = hrtime();
echo "[$segundos,$nanosegundos]",'<br />';
// Visualización de hrtime en forma de número.
echo hrtime(TRUE),'<br />';
// Calcular la duración de un tratamiento.
$t = hrtime(TRUE);
for ($i = 1,$total = 0 ; $i <= 1e7 ; $total += $i++);
```

```
$duración = hrtime(TRUE) - $t;
echo 'Duración: ',round($duración/100000),' ms <br />';
?>
```

Resultado

```
[888,876633862]
888876648130
Duración: 548 ms
```

idate

La función `idate` devuelve los diferentes componentes (año, mes, etc.) de un timestamp Unix.

Sintaxis

```
entero idate(carácter componente [,entero timestamp])
```

`componente`	Carácter que indica el componente deseado (véase más abajo).
`timestamp`	Timestamp que se va a utilizar (por defecto, el timestamp actual).

La función devuelve un número entero que corresponde al componente solicitado.

El componente se puede especificar usando uno de los siguientes caracteres:

Carácter	Significado
U	El timestamp
Y	Año de 4 dígitos
y	Año de 2 dígitos
m	Número del mes
d	Número del día del mes
z	Día del año
w	Día de la semana (0 para domingo)
t	Número de días en el mes
W	Número de la semana del año
H	Hora en formato de 24 horas
h	Hora en formato de 12 horas
i	Minutos

Carácter	Significado
s	Segundos
B	Hora del Internet Swatch
L	Año bisiesto (1=sí, 0=no)
Z	Diferencia horaria en segundos
I ("i" mayúscula)	Horario de verano (1)/Hora estándar (0)

Ejemplo

```
<?php
// Muestra la fecha/hora actual para su control
echo date('d/m/Y - H:i:s'),'<br />';
// Extracción de diferentes componentes
$componentes = str_split('YmdHistwW');
foreach($componentes as $componente) {
  echo "$componente = ",idate($componente),'<br />';
}
?>
```

Resultado

```
08/02/2024 - 14:19:07
Y = 2024
m = 2
d = 8
H = 14
i = 19
s = 7
t = 29
w = 4
W = 6
```

Versión 8

Pasar el valor de timestamp `NULL` da un resultado diferente en la **versión 8** con respecto a la versión 7. En la versión 8, pasar `NULL` equivale a omitir el parámetro y, por lo tanto, a utilizar el timestamp actual. En la versión 7, el valor se convertía en entero y, por lo tanto, se utilizaba el timestamp 0. Por ejemplo, `idate('Y',NULL)` da `2024` en la versión 8 (en el momento de la redacción del libro) y `1969` en la versión 7.

8. Generar un identificador único

En algunas situaciones, puede ser necesario generar identificadores únicos.

PHP ofrece la función `uniqid` para generar estos identificadores únicos.

Sintaxis

`cadena uniqid()([cadena prefijo [, booleano más_único]])`

`prefijo`	Prefijo que se va a añadir al identificador. Añada una cadena vacía o nada si no desea ningún prefijo.
`más_único`	Si este parámetro se coloca en `TRUE`, se añaden datos adicionales al final del valor devuelto para obtener un identificador más largo y más difícilmente identificable.

La función `uniqid` devuelve una cadena de trece caracteres, o veintitrés si el parámetro `más_único` es `TRUE` (sin contar el prefijo), calculado a partir de la hora actual en milisegundos.

Ejemplo

```
<?php
echo uniqid(),'<br />';
echo uniqid (),'<br />';
echo uniqid('abc'),'<br />';
echo uniqid('',TRUE) ,'<br />';
?>
```

Resultado

```
603e17c1be84f
603e17c1be861
abc603e17c1be862
603e17c1be8635.27083137
```

Este ejemplo muestra que el identificador generado es único, incluso si la diferencia entre dos llamadas sucesivas es baja. De pronto, el identificador generado puede considerarse insuficientemente aleatorio y un poco demasiado determinista.

Una técnica clásica consiste en picar (hash) el ID generado. La función `md5` permite hacerlo más fácilmente, utilizando un método MD5.

Sintaxis

`cadena md5(cadena valor)`

`valor`	Cadena para picar (hash).

La función `md5` devuelve la cadena picada (hash).

Ejemplo

```
<?php
echo md5('olivier'),'<br />';
echo md5(uniqid()),'<br />';
echo md5(uniqid());
?>
```

Resultado

```
d3ca5dde60f88db606021eeba2499c02
257f402f65346288bfc95ffd0bf2079d
65fc34c452aecdae33c22f36ed29aded
```

Como se muestra en el ejemplo anterior, la combinación de las funciones `uniqid` y `md5` da un identificador de 32 caracteres. Este nuevo identificador ahora es más aleatorio y menos fácil de determinar.

Para los más exigentes en temas de seguridad, es posible ir más lejos utilizando, además, un prefijo aleatorio.

Ejemplo

```
<?php
echo md5(uniqid(rand())),'<br />';
echo md5(uniqid(rand())),'<br />';
?>
```

Resultado

```
5d9d2cefb59a7fd1e33e7033668371e3
874abbe7e407b2f74849487942752cf5
```

9. Manipular los archivos en el servidor

9.1 Funciones útiles

PHP ofrece un gran número de funciones que permiten manipular los archivos en el servidor.

Las funciones utilizadas con mayor frecuencia son las siguientes:

Nombre	Función
`fopen`	Abrir un archivo
`fclose`	Cerrar un archivo
`fread`	Leer el contenido de un archivo (en una cadena)
`file`	Leer el contenido de un archivo (en una matriz)

Nombre	Función
readfile	Leer el contenido de un archivo y enviarlo directamente a la salida
fwrite	Escribir en un archivo
file_get_contents	Abrir, leer y cerrar un archivo
file_put_contents	Abrir, escribir y cerrar en un archivo
copy	Copiar un archivo
unlink	Eliminar un archivo
rename	Cambiar el nombre de un archivo
file_exists	Probar la existencia de un archivo
filesize	Obtener el tamaño de un archivo
chdir	Cambiar el directorio actual
opendir	Abrir un directorio
closedir	Cerrar un directorio
readdir	Leer el contenido de un directorio
scandir	Listar el contenido de un directorio (en una matriz)

Algunas de estas funciones tomarán como parámetro un nombre de archivo o de directorio. En una plataforma de Windows, para especificar una ruta de acceso en una cadena de caracteres delimitada por comillas, debe escapar la barra invertida (con una barra invertida = \\) o puede usar una notación tipo «Unix», con barras (/). Por ejemplo, la ruta c:\temp\info.txt se puede escribir «c:\\temp\\info.txt» o «c:/temp/info.txt». Si no se ha especificado ninguna ruta, se utiliza el directorio actual. Se pueden especificar nombres relativos utilizando el carácter . (punto) para designar el directorio actual, y .. (dos puntos) para designar el directorio superior.

La constante predefinida DIRECTORY_SEPARATOR da el carácter separador utilizado en los nombres de directorio para la plataforma en la que está instalado PHP. La constante predefinida PHP_EOL da la secuencia de caracteres utilizada por la plataforma para representar una nueva línea.

Además, varias funciones tienen un parámetro (llamado utilizar_inclusión en las sintaxis de este libro) que permite buscar el archivo en los directorios especificados por la directiva de configuración include_path.

Observación

La mayoría de las funciones de manipulación de archivos permiten acceder de manera más general a los flujos de datos (HTTP, FTP, etc.). En este sentido, las funciones aceptan un argumento adicional de contexto que permite especificar parámetros específicos del flujo de datos. Esta característica no aparece en este libro. Para obtener más información, consulte la documentación de PHP (extensión «Flujos» o «Streams» en inglés).

fopen

La función `fopen` permite abrir un archivo.

Sintaxis

```
recurso fopen(cadena nombre_archivo, cadena modo [, entero
utilizar_inclusión])
```

`nombre_archivo` Ruta de acceso del archivo que se ha de abrir.

`modo` Modo de apertura del archivo

`r`: solo lectura

`r+`: lectura y escritura

`w`: solo escritura (vacía el archivo si existe, lo crea si no existe)

`w+`: lectura y escritura (vacía el archivo si existe, lo crea si no existe)

`a`: solo escritura (además - crea el archivo si no existe)

`a+`: lectura y escritura (además - crea el archivo si no existe)

`x`: solo escritura con la creación previa del archivo (genera un error si el archivo ya existe)

`x+`: lectura y escritura con la creación previa del archivo (genera un error si el archivo ya existe)

`c`: solo escritura (si el archivo existe, coloca el puntero al principio del archivo sin vaciarlo ni generar un error; crea el archivo si no existe).

`c+`: lectura/escritura (si el archivo existe, coloca el puntero al principio del archivo sin vaciarlo ni generar un error; crea el archivo si no existe).

En Windows, añada una `b` para manipular los archivos binarios (esta opción, si está presente, se ignora en Unix); utilizar una `t` en lugar de `b` especifica un modo de texto (las secuencias `\n` se reemplazarán automáticamente por `\r\n`).

`utilizar_inclusión`	Ponga `1` (o `TRUE`) para buscar el archivo en los directorios especificados por la directiva de configuración `include_path`.

La función `fopen` devuelve un puntero de archivo en caso de éxito y `FALSE` en caso de error.

Observación

Por razones de portabilidad, se recomienda utilizar siempre la opción `b` cuando abra archivos con `fopen`.

fclose

La función `fclose` permite cerrar un archivo.

Sintaxis

```
booleano fclose(recurso archivo)
```

`archivo`	Puntero de archivo previamente abierto.

La función `fclose` devuelve `TRUE` en caso de éxito y `FALSE` en caso de error.

fread

La función `fread` permite leer el contenido de un archivo (en una cadena).

Sintaxis

```
cadena fread(recurso archivo, entero longitud)
```

`archivo`	Puntero de archivo previamente abierto.
`longitud`	Número de bytes que se han de leer en el archivo.

La función `fread` devuelve los datos leídos o `FALSE` en caso de error.

file

La función `file` permite leer el contenido de un archivo (en una matriz).

Sintaxis

```
matriz file(cadena nombre_archivo [, entero indicador])
```

`nombre_archivo`	Ruta de acceso del archivo que se va a leer.

`indicador`	Uno o varios agregándolos a las constantes siguientes: `FILE_USE_INCLUDE_PATH`: buscar el archivo en los directorios especificados por la directiva de configuración `include_path`. `FILE_IGNORE_NEW_LINES`: no agregar la secuencia de nueva línea al final de cada línea de la matriz. `FILE_SKIP_EMPTY_LINES`: ignorar las líneas vacías.

La función `file` devuelve los datos leídos o `FALSE` en caso de error.

readfile

La función `readfile` lee un archivo y lo envía directamente a la salida.

Sintaxis

```
entero readfile(cadena nombre_archivo [, entero utilizar_inclusion])
```

`nombre_archivo`	Ruta de acceso del archivo que se va a leer.
`utilizar_inclusion`	Poner `1` (o `TRUE`) para buscar el archivo en los directorios especificados por la directiva de configuración `include_path`.

La función `readfile` devuelve el número de bytes leídos o `FALSE` en caso de error.

fwrite

La función `fwrite` permite escribir en un archivo.

Sintaxis

```
entero fwrite(recurso archivo, cadena datos[, entero longitud])
```

`archivo`	Puntero de archivo previamente abierto.
`datos`	Datos que se han de escribir en el archivo.
`longitud`	Si se especifica, indica el número de bytes que se ha de escribir (por defecto, toda la cadena de datos).

La función `fwrite` devuelve el número de bytes escritos o `FALSE` en caso de error.

file_get_contents

La función file_get_contents permite leer el contenido de un archivo (en una cadena).

Sintaxis simplificada

```
cadena file_get_contents(cadena nombre_archivo [, entero
utilizar_inclusión])
```

nombre_archivo	Ruta de acceso del archivo que se va a leer.
utilizar_inclusión	Ponga 1 (o TRUE) para buscar el archivo en los directorios especificados por la directiva de configuración include_path.

La función file_get_contents abre el archivo cuyo nombre se pasa como parámetro y devuelve su contenido en una cadena. La función devuelve FALSE en caso de error.

Utilizar esta función es más eficiente que abrir el archivo (fopen), leerlo (fread) y volverlo a cerrar (fclose). Esta función ofrece argumentos adicionales (desplazamiento y longitud) que permiten leer una porción del archivo (véase la documentación).

file_put_contents

La función file_put_contents permite escribir el contenido de una cadena dentro de un archivo.

Sintaxis

```
entero file_put_contents(cadena nombre_archivo, cadena datos [, entero mode])
```

nombre_archivo	Ruta de acceso del archivo que se va a leer.
datos	Datos que se han de escribir en el archivo.
modo	Constante FILE_USE_INCLUDE_PATH para escribir en el primer directorio especificado en la directiva de configuración include_path. Constante FILE_APPEND para agregar los datos al final del archivo, si este ya existe. Constante LOCK_EX para obtener un bloqueo exclusivo en el archivo durante la escritura. Especificar la suma de las constantes para combinar varias opciones.

La función file_put_contents abre el archivo cuyo nombre se pasa como parámetro, escribe el contenido de la cadena que se pasa como parámetro y luego cierra el archivo.

Si el archivo no existe, lo crea. Si el archivo existe, sustituye su contenido, a menos que la constante FILE_APPEND se haya especificado en el tercer parámetro, en cuyo caso los datos se agregan al final del archivo.

La función devuelve el número de bytes escritos en el archivo o FALSE en caso de error.

copy

La función copy permite copiar un archivo.

Sintaxis

booleano copy(*cadena* origen, *cadena* destino)

origen	Ubicación del archivo de origen.
destino	Ubicación del archivo de destino.

La función copy efectúa la copia y devuelve TRUE en caso de éxito y FALSE en caso de error.

unlink

La función unlink permite eliminar un archivo.

Sintaxis

booleano unlink(*cadena* nombre_archivo)

nombre_archivo	Ubicación del archivo que desea eliminar.

La función unlink elimina el archivo, devuelve TRUE en caso de éxito y FALSE en caso de error.

rename

La función rename permite cambiar el nombre de un archivo.

Sintaxis

booleano rename(*cadena* anterior_nombre, *cadena* nuevo_nombre)

anterior_nombre	Ubicación del archivo cuyo nombre se desea cambiar.
nuevo_nombre	Nuevo nombre del archivo.

La función rename cambia el nombre del archivo y devuelve TRUE en caso de éxito y FALSE en caso de error.

file_exists

La función `file_exists` permite probar la existencia de un archivo.

Sintaxis

```
booleano file_exists(cadena nombre_archivo)
```

`nombre_archivo` Ubicación del archivo que se desea probar.

La función `file_exists` devuelve `TRUE` si el archivo existe y `FALSE` en caso contrario.

filesize

La función `filesize` permite leer el tamaño de un archivo.

Sintaxis

```
entero filesize(cadena nombre_archivo)
```

`nombre_archivo` Ubicación del archivo.

La función `filesize` devuelve el tamaño de un archivo o `FALSE` en caso de error.

chdir

La función `chdir` permite cambiar el directorio actual.

Sintaxis

```
booleano chdir(cadena ruta)
```

`ruta` Directorio deseado.

La función `chdir` devuelve `TRUE` en caso de éxito y `FALSE` en caso de error.

opendir

La función `opendir` permite abrir un directorio.

Sintaxis

```
recurso opendir(cadena ruta)
```

`ruta` Directorio que se desea abrir.

La función `opendir` abre un directorio para leer su contenido y devuelve un puntero a la carpeta o `FALSE` en caso de error.

closedir

La función `closedir` permite cerrar un directorio.

Sintaxis

```
closedir(recurso directorio)
```

`directorio`	Puntero de directorio previamente abierto.

La función `closedir` cierra un puntero de directorio previamente abierto.

readdir

La función `readdir` permite leer el contenido de un directorio.

Sintaxis

```
cadena readdir(recurso directorio)
```

`directorio`	Puntero de directorio previamente abierto.

La función `readdir` devuelve el nombre del siguiente archivo en el directorio (en ningún orden en particular), o `FALSE` si ya no hay más nombres de archivos que leer en el directorio.

scandir

La función `scandir` lee el contenido de un directorio en una matriz.

Sintaxis

```
matriz scandir(cadena ruta[,entero clasificación])
```

`ruta`	Directorio en cuestión.
`Clasificación`	Clasificación deseada: `SCANDIR_SORT_NONE`: ninguna. `SCANDIR_SORT_ASCENDING`: orden alfabético (predefinido). `SCANDIR_SORT_DESCENDING`: orden alfabético inverso.

La función `scandir` devuelve una matriz que lista el contenido del directorio en cuestión o `FALSE` en caso de error.

9.2 Ejemplos de uso

Algunas operaciones básicas con archivos

```
<?php
// Abrir un archivo para su escritura.
$f = fopen('info.txt','wb');
// Escribir en el archivo.
fwrite($f, 'Olivier HEURTEL');
// Cerrar el archivo.
fclose($f);
// Abrir un archivo en lectura.
$f = fopen('info.txt','rb');
// Leer en el archivo.
$texto = fread($f, filesize('info.txt'));
// Cerrar el archivo.
fclose($f);
// Mostrar la información leída
echo $texto,'<br />';
// Más simple: utilizar file_get_contents.
$texto = file_get_contents('info.txt');
// Mostrar la información leída.
echo $texto;
?>
```

Resultado

```
Olivier HEURTEL
Olivier HEURTEL
```

Visualización del contenido de un directorio

```
<?php
// Primer método: opendir + readdir + closedir.
echo '<b>1) opendir + readdir + closedir</b><br />';
// Abrir el directorio.
$dir = opendir('../documentos');
// Examinar el directorio enumerando el nombre de un archivo
// en cada iteración.
while($archivo = readdir($dir)) {
echo $archivo,'<br />';
}
// Cerrar el directorio.
closedir($dir);
// Segundo método: scandir.
echo '<br /><b>2) scandir</b><br />';
// Listar el contenido del directorio en una matriz.
$archivos = scandir('../documentos');
```

```
// Examinar resultado.
foreach ($archivos as $archivo) {
  echo $archivo,'<br />';
}
?>
```

Resultado

```
1) opendir + readdir + closedir
.
..
cv.pdf
info.txt
foto.png
pj.doc

2) scandir
.
..
cv.pdf
info.txt
foto.png
pj.doc
```

Las funciones `readdir` y `scandir` permiten recuperar el nombre de los archivos y de los directorios contenidos en un directorio. El directorio actual y el directorio superior también se devuelven con los símbolos `.` (punto) y `..` (dos puntos).

10. Manipular los encabezados HTTP

La función `header` permite enviar encabezados HTTP con la página HTML.

Sintaxis simplificada

```
header(cadena encabezado[, booleano reemplazar[, entero código_respuesta]])
```

`encabezado`	Cadena que se va a enviar como encabezado HTTP con la página HTML.
`reemplazar`	Indica si la función debe reemplazar un encabezado previamente emitido (por defecto, el valor `TRUE`) o bien añadir un nuevo encabezado (valor `FALSE`).
`código_respuesta`	Código de respuesta HTTP.

Los diferentes encabezados HTTP se describen en RFC 2616.

Por ejemplo, la función `header` puede utilizarse para enviar un encabezado que prohíba el almacenamiento en caché de la página por parte del cliente o por un proxy. Esta necesidad es bastante común en los scripts PHP que generan HTML dinámico, cuyo contenido cambia en función del usuario.

Ejemplo

```
// HTTP 1.0
header("Pragma: no-cache");
// HTTP 1.1
header("Cache-Control: no-cache, must-revalidate");
```

En este libro, vamos a tener la oportunidad de utilizar la función `header` en varias situaciones:

- redirección HTTP (véase el capítulo Gestionar formularios y enlaces);
- identificación HTTP (véase el capítulo Gestionar sesiones, sección Autenticar);
- descarga (download) de un documento (véase el capítulo Gestionar formularios y enlaces, apartado Intercambiar un archivo entre el cliente y el servidor);
- visualización de una imagen en una página mediante el uso de un script PHP (véase el capítulo Anexo, sección Ejemplos adicionales).

Observación

La función `header` debe llamarse antes de cualquier instrucción (PHP o HTML) que tenga el efecto de iniciar la construcción de la página HTML (de lo contrario, será de alguna manera demasiado tarde para el encabezado). Un simple espacio en el script o en un script incluido (`require` o `include`) provoca un error.

Ejemplo de una llamada a la función header que genera un error

```
<!DOCTYPE html>
<html xmlns=http://www.w3.org/1999/xhtml " lang="es">>
  <head><meta charset="utf-8" /><title>Publicación</title></head>
  <body>
  <?php
  header('location: inicio.htm');
  exit;
  ?>
  </body>
</html>
```

Resultado

```
Warning: Cannot modify header information - headers already sent by
(output started at /app/scripts/info.php:6) in /app/scripts/publicacion.php
on line 7
```

Observación

Si la característica de almacenamiento en búfer de la página está activada con la directiva de configuración `output_buffering` (está ya predefinido), el resultado del script no se envía progresivamente, sino que se coloca en un búfer y luego se envía de golpe al final (o en porciones si el búfer es de tamaño limitado). En este caso, es posible utilizar la función `header` sin causar un error cuando el script haya comenzado a construir la página.

PHP ofrece otras funciones relativas a los encabezados:

- `headers_list`: lista de encabezados de la respuesta.
- `header_sent`: permite comprobar si los encabezados ya han sido enviados.
- `get_headers`: lista de encabezados reenviados por un servidor, para una URL determinada.

11. Ejercicios

11.1 Ejercicio 3: manipular los datos

Ahora que hemos estudiado un gran número de funciones PHP, podemos simplificar el código que habíamos escrito en el ejercicio 2, ver la información adicional y modificar la presentación de algunos datos.

Paso 1

Para empezar, vamos a mostrar un nuevo mensaje que da la fecha del día, simplifica el código que cuenta el número de letras del nombre y determina si el nombre empieza por una vocal.

Indicaciones:

- En un nuevo directorio, copie los scripts `inicio.php` y `commun.inc.php` desarrollados en el ejercicio 2.
- En el script `inicio.php`, después del mensaje de bienvenida, muestre un nuevo mensaje con la fecha del día con la forma «Hoy es ....». La fecha tendrá el formato DD/MM/AAAA.
- Simplifique el código que cuenta el número de caracteres del nombre, utilizando una función PHP en lugar del bucle `while`.

- Simplifique el código que determina si el nombre empieza por una vocal o una consonante, utilizando funciones PHP en lugar de la estructura de control `if` o `switch`. Por ejemplo, puede definir una tabla (o una cadena), que contenga la lista de vocales y probar si la primera letra del nombre está en ella (o en esta cadena). De esta manera, se gestiona el caso en que el nombre no empiece por una letra mayúscula como se supone inicialmente.

Resultado esperado (sin visualización del tabla de autores)

```
Hola Olivier.
Bienvenido a miSitio.com.
Hoy es jueves 08 de febrero de 2024.
Su nombre tiene 7 letras.
Su nombre empieza por una vocal.
```

Solución (código PHP modificado)

```
<?php
// Ver los mensajes
echo "Hola $nombre.<br />";
echo 'Bienvenido a ',MI_SITIO,'.<br />';
// Ver la fecha
echo 'Hoy es ',date('d/m/Y'),'.<br />';
// Contar el número de letras del nombre.
echo 'Su nombre tiene ',strlen($nombre),' letras.<br />';
// Determinar si el nombre empieza por una vocal o consonante.
$vocales = ['A','E','I','O','U'];
if (in_array(strtoupper($nombre[0]),$vocales)) {
 echo 'Su nombre empieza por una vocal.<br />';
} else {
 echo 'Su nombre empieza por una consonante.<br />';
}
?>
```

Para determinar si el nombre empieza por una vocal o consonante, es posible utilizar la siguiente variante:

```
if (stripos('AEIOUY',$nombre[0]) !== FALSE) {
  echo 'Su nombre empieza por una vocal.<br />';
} else {
  echo 'Su nombre empieza por una consonante.<br />';
}
```

Observe el uso de la función `stripos`, que permite realizar una búsqueda independiente de la diferencia en mayúsculas y minúsculas y la prueba `!== FALSE`, que permite gestionar correctamente el caso en el que la primera letra sea una `A` y o la función devuelva 0, que es equivalente a `FALSE` en una comparación.

Paso 2

También deseamos ver el número de vocales contenidas en el nombre, explotando la potencia de las expresiones racionales.

Indicaciones:

- Utilice una expresión racional para encontrar el número de veces que una vocal aparece en el nombre (piense en gestionar correctamente la diferencia entre mayúsculas y minúsculas).
- Visualice un mensaje del tipo «Su nombre tiene n vocales.».

Resultado esperado (sin visualización de la tabla de autores)

```
Hola Olivier.
Bienvenido a miSitio.com.
Hoy es jueves 08 de febrero de 2024.
Su nombre tiene 7 letras.
Su nombre empieza por una vocal.
Su nombre tiene 4 vocales.
```

Solución (solo la nueva porción de código)

```
$numero_vocales = preg_match_all('/[AEIOUY]/i',$nombre);
echo "Su nombre tiene $numero_vocales vocales.<br />";
```

- El patrón `/[AEIOU]/i` permite buscar una vocal sin tener en cuenta la diferencia entre mayúsculas y minúsculas (opción `i`) y la función `preg_match_all` permite encontrar todas las ocurrencias del patrón en la cadena; esta función devuelve el número de ocurrencias encontradas. Como un bonus, puede modificar el mensaje para escribir «vocal» en plural solo si es necesario.

Paso 3

Ahora queremos mostrar información adicional relativa a los autores.

Indicaciones:

- Muestre un mensaje del tipo «Hay *n* autores en la lista».

Resultado esperado (sin visualización de la tabla de autores)

```
Hola Olivier.
Bienvenido a miSitio.com.
Hoy es jueves 08 de febrero de 2024.
Su nombre tiene 7 letras.
Su nombre empieza por una vocal.
Su nombre tiene 4 vocales.
Hay 4 autores en la lista.
```

Solución (solo la nueva porción de código)

```
echo 'Hay ',count($autores),' autores en la lista.<br />';
```

Como un extra, puede mejorar este código y gestionar correctamente los casos en los que la lista esté vacía o solo contenga un autor.

Paso 4

Adicionalmente, vamos a mostrar el nombre de mi autor preferido (al azar) en forma «nombre (apellido)».

Indicaciones:

- Seleccione al azar el nombre de un autor, utilizando un número aleatorio comprendido entre 0 y el número de autores menos uno (franja de índices en la tabla).
- Suponiendo que el nombre de un autor siempre está en forma «apellido nombre», utilice una expresión racional para capturar el apellido y el nombre y sustituir el nombre inicial por el nombre en forma «nombre (apellido)».
- Muestre un mensaje del tipo «*X* es mi autor preferido.».

Resultado esperado (sin visualización de la tabla de autores, aleatorio para el autor preferido)

```
Hola Olivier.
Bienvenido a miSitio.com.
Hoy es jueves 08 de febrero de 2024.
Su nombre tiene 7 letras.
Su nombre empieza por una vocal.
Su nombre tiene 4 vocales.
Hay 4 autores en la lista.
Rimbaud (Arthur) es mi autor preferido.
```

Solución (solo la nueva porción de código)

```
$mi_autor = $autores[rand(0,count($autores)-1)];
$mi_autor = preg_replace('/(.*) (.*)/','$2 ($1)',$mi_autor);
echo $mi_autor,' es mi autor preferido.<br />';
```

Observación

Existe una función PHP array_rand que permite sacar al azar uno o varios valores de una tabla.

Paso 5

Para terminar, queremos sacar al azar diferentes autores en la lista y mostrar su nombre en forma «nombre (apellidos)».

Indicaciones:

- Extraiga al azar de la tabla de autores, conservando las claves.
- En el bucle de visualización de autores en la tabla HTML, suponiendo también aquí que el nombre de un autor siempre está en forma «apellidos nombre», utilice otra técnica diferente a una expresión racional para recuperar el apellido y el nombre del autor y mostrar el nombre en forma «nombre (apellidos)».

Resultado esperado (solo la tabla)

Autores
Rimbaud (Arthur)
Baudelaire (Charles)
Verlaine (Paul)
Hugo (Víctor)

Observación

El orden inicial clasifica los autores por su apellido.

Solución (solo el código PHP de visualización de la lista)

```
<?php
asort($autores);
foreach ($autores as $autor) {
  [$apellido_autor,$nombre_autor] = explode(' ',$autor);
  echo "<tr><td>$nombre_autor ($apellido_autor)</td></tr>";
}
?>
```

11.2 Ejercicio 4: escribir y leer un archivo en el servidor

En este ejercicio, vamos a aprender a escribir y leer en un archivo en el servidor.

Paso 1

Vamos a empezar escribiendo un script PHP que guarde la lista de autores en un archivo.

Indicaciones:

- En un nuevo directorio, copie el script `commun.inc.php` desarrollado en el ejercicio 2 y después cree un nuevo script PHP llamado: `guardar_autores.php`.
- En este nuevo script, empiece incluyendo el script `commun.inc.php`.

- Escriba las instructiones que van a permitir registrar la lista de autores (tabla `$autores`) en un archivo llamado `autores.txt`, escribiendo una línea para cada autor.

Resultado esperado (archivo autores.txt)

```
Víctor Hugo
Charles Baudelaire
Arthur Rimbaud
Paul Verlaine
```

Solución

```
<?php
include_once('commun.inc.php');
// Guardar los autores en un archivo.
$f = fopen('autores.txt','wb');
foreach ($autores as $autor) {
 fwrite($f, $autor . PHP_EOL);
}
fclose($f);
?>
```

Paso 2

Ahora vamos a escribir un script PHP que muestre la lista de autores leídos del archivo guardado anteriormente.

Indicaciones:

- En el directorio de este ejercicio, copie el script `inicio.php` desarrollado en el ejercicio 2.
- En este script, conserve solo el código relativo a la visualización de la lista de autores.
- En la sección de código PHP inicial, elimine la instrucción de inclusión del archivo `commun.inc.php` (y la declaración de la variable `$nombre` que ya no se utiliza) y escriba una instrucción que permita leer el contenido del archivo `autores.txt` en la tabla `$autores` utilizada para la visualización (asegúrese de que los caracteres de nueva línea no se añadan al final de cada elemento de la tabla).

Resultado esperado (en la página HTML)

Autores
Víctor Hugo
Charles Baudelaire
Arthur Rimbaud
Paul Verlaine

Solución

```
<?php
// Leer la lista de los autores a partir del archivo.
$autores = file('autores.txt',FILE_IGNORE_NEW_LINES);
?>
<!DOCTYPE html>
<html xmlns="http://www.w3.org/1999/xhtml" lang="es">
 <head>
   <meta charset="utf-8" />
   <title>Inicio</title>
   <style>
   table { border-collapse: collapse; }
   table, td, th { border: 1px solid black; }
   td, th { padding: 4px; }
   </style>
 </head>
 <body>
   <div>
   <!-- Ver la tabla de autores. -->
   <table>
   <tr><th>Autores</th></tr>
   <?php
   foreach ($autores as $autor) {
     echo "<tr><td>$autor</td></tr>";
   }
   ?>
   </table>
   </div>
 </body>
</html>
```

Paso 3

Para terminar, queremos redirigir el navegador a la página de visualización de la lista de autores, con el objetivo de guardarla en el archivo.

Indicaciones:

- Al final del script `guardar_autores.php`, inserte una redirección al script `inicio.php`.

Solución

```
<?php
include_once('commun.inc.php');
// Guardar los autores en un archivo.
$f = fopen('autores.txt','wb');
foreach ($autores as $autor) {
  fwrite($f, $autor . PHP_EOL);
}
fclose($f);
header('location: inicio.php');
?>
```

Capítulo 4
Escribir funciones y clases PHP

1. Funciones

1.1 Introducción

Al igual que en otros lenguajes de programación, PHP ofrece la posibilidad de definir sus propias funciones (llamadas funciones del «usuario») con todas las ventajas asociadas (modularidad, uso de mayúsculas...). Una función es un conjunto de instrucciones identificadas por un nombre, cuya ejecución devuelve un valor y cuya llamada se puede utilizar como operando en una expresión. Un procedimiento es un conjunto de instrucciones identificadas por un nombre que puede ser llamado como una instrucción.

1.2 Declaración y llamada

La palabra clave `function` permite introducir la definición de una función.

Sintaxis

```
function nombre_función([parámetro]) [: tipo]{
  instrucciones;
}
```

`nombre_función`	Nombre de la función (debe respetar las reglas de los nombres presentes en el capítulo Introducción a PHP - Estructura básica de una página PHP). En este nombre no se diferencian entre mayúsculas y minúsculas (para PHP, las funciones `unafunción` y `UnaFunción` son las mismas).
`parámetro`	Parámetros posibles de la función expresados como una lista de variables (véase la sección Parámetros): `$parámetro1, $parámetro2, ...`
`tipo`	Declaración del tipo de datos devuelto por la función. Valores posibles: `int`, `float`, `string`, `bool`, `array`, `callable`, `iterable`, `object`, `mixed`, `void`, `true`, `false`, `null`, un nombre de clase o de interfaz (véase en este capítulo la sección Clases) o una unión o intersección de tipos. El nombre del tipo se puede preceder por un punto de interrogación (`?`), lo que indica que la función puede devolver un valor `NULL`, excepto para los siguientes tipos: `void`, `never`, `null` (que ya es `NULL`), `mixed` (ya incluido), unión de tipos (el tipo `null` puede añadirse a la unión) e intersección de tipos. Consulte el capítulo Introducción a PHP para la definición de los tipos de datos y la versión a partir de la cual se pueden utilizar algunos de ellos (véase la sección Las bases del lenguaje PHP - Tipos de datos).
`instrucciones`	Conjunto de instrucciones que componen la función.

El nombre de la función no debe ser una palabra reservada de PHP (nombre de función nativa, de instrucción) ni ser igual al nombre de otra función definida de antemano.

Una función de usuario se puede llamar como una función nativa de PHP: en una asignación, en una comparación, etc.

Si la función devuelve un valor, es posible utilizar la instrucción `return` para definir el valor que la función devuelve.

Sintaxis

```
return expresión;
```

`expresión`	Expresión cuyo resultado constituye el valor que la función devuelve (por defecto, `NULL`).

El resultado de una función puede ser de cualquier tipo (cadena, número, matriz, etc.).

La instrucción `return` detiene la ejecución de la función y devuelve el resultado de `expresión` a quien realiza la llamada. Si hay varias instrucciones `return` en la función, la primera que se encuentre en el desarrollo de las instrucciones es la que define el valor de retorno y provoca la interrupción de la función. Si la función no incluye ninguna instrucción `return` (o si no se ha ejecutado ninguna instrucción `return`), el valor de retorno de la función es `NULL`.

Ejemplo

```
<?php
// Función sin parámetro que muestra "¡Hola!"
// Sin valor de retorno.
function mostrar_hola() {
  echo '¡Hola!<br />';
}
// Función con dos parámetros que devuelve el producto
// de los dos parámetros.
function producto($valor1,$valor2) {
  return $valor1 * $valor2;
}
// Llamada de la función mostrar_hola.
mostrar_hola();
// Usos de la función producto:
// - en una asignación
$resultado = producto(2,4);
echo "2 x 4 = $resultado<br />";
// - en una comparación
if (producto(10,12) > 100) {
  echo '10 x 12 es superior a 100.<br />';
}
?>
```

Resultado

```
¡Hola!
2 x 4 = 8
10 x 12 es superior a 100.
```

Observación

En el lenguaje PHP, no existe un procedimiento real. Para definir algo equivalente a un procedimiento, basta con definir una función que no devuelva ningún valor y llamar a la función como si se tratara de una instrucción (como la función `mostrar_hola`, por ejemplo). Una función que no devuelve nada, se puede declarar de manera explícita con el tipo de retorno `void`.

Como ya mencionamos anteriormente, el contenido de una matriz se puede transformar en una lista de parámetros dentro de una llamada de función gracias al operador `...` (tres puntos suspensivos).

Ejemplo

```
<?php
// Función con tres parámetros que devuelve la suma
// de los tres parámetros.
function suma($valor1,$valor2,$valor3) {
  return $valor1 + $valor2 + $valor3;
}
// Transformación del contenido de una matriz en
// lista de parámetros.
$valores = [1,2,3];
echo '1 + 2 + 3 = ',suma(...$valores),'<br />';
// Lo mismo para una parte solamente de los parámetros
// con una matriz definida directamente en la llamada.
echo '1 + 2 + 4 = ',suma(1,...[2,4]),'<br />';
?>
```

Resultado

```
1 + 2 + 3 = 6
1 + 2 + 4 = 7
```

Con esta sintaxis, no es posible pasar parámetros adicionales por posición después de utilizar una matriz (pero sí es posible utilizando el nombre del parámetro en la llamada - véase más abajo).

Cuando una función devuelve una matriz, es posible acceder directamente a un elemento de la matriz llamando a la función con una sintaxis de tipo `function(...)[clave]`.

Ejemplo

```
<?php
// Definición de una función que devuelve una matriz.
function quien() {
  return ['Olivier','Heurtel'];
}
// Llamada a la función y recuperación directa del nombre almacenado
// en el índice 0 de la matriz devuelta.
$nombre = quien()[0];
echo "quien()[0] = $nombre<br />";
?>
```

Resultado

```
quien()[0] = Olivier
```

Esta técnica funciona también cuando la función devuelve una matriz multidimensional con una sintaxis de tipo `función(...)[clave1][clave2]`.

Es posible utilizar una función antes de definirla.

Ejemplo

```
<?php
// Utilización de la función producto.
echo producto(5,5);
// Definición de la función producto.
function producto($valor1,$valor2) {
  return $valor1 * $valor2;
}
?>
```

Resultado

```
25
```

Por lo tanto, no hay ningún problema para definir funciones que se llamen entre ellas.

Observación

Una función se puede utilizar solo en el script donde se define. Para utilizarla en varios scripts, es necesario o bien copiar su definición en los diferentes scripts (se pierde el interés por definir una función) o bien definirla en un archivo incluido donde la función sea necesaria.

Ejemplo

– Archivo `funciones.inc` que contiene la definición de funciones:

```
<?php
// Definición de la función producto.
function producto($valor1,$valor2) {
  return $valor1 * $valor2;
}
?>
```

– Script que utiliza las funciones definidas en `funciones.inc`:

```
<?php
// Inclusión del archivo contenedor de la definición de las funciones.
include('funciones.inc');
// Utilización de la función producto.
echo producto(5,5);
?>
```

Declaración del tipo de datos devueltos

Es posible definir el tipo de datos devueltos por una función.

Cuando es el caso, en el modo de funcionamiento predefinido (a diferencia de modo estricto que se presenta a continuación), PHP realiza si es necesario una conversión automática del valor devuelto al tipo de datos declarado.

Ejemplo

```
<?php
// Declaración de dos funciones que devuelven el producto
// de dos parámetros, el segundo especifica un tipo
// de datos "entero" para el valor de retorno.
function producto1($valor1,$valor2) {
  return $valor1 * $valor2;
}
function producto2($valor1,$valor2) : int {
  return $valor1 * $valor2;
}
// Llamada de dos funciones con los mismos parámetros
echo 'producto1(20,1/7) => ',var_dump(producto1(20,1/7)),'<br />';
echo 'producto2(20,1/7) => <b>',var_dump(producto2(20,1/7)),'</b><br />';
?>
```

Resultado (si los errores de nivel `E_DEPRECATED` no se muestran en la versión 8.1)

```
producto1(20,1/7) => float(2.8571428571428568)
producto2(20,1/7) => int(2)
```

En este ejemplo, podemos ver claramente que PHP ha convertido el valor devolver por la segunda función a un valor entero (con las reglas de conversión mencionadas en el capítulo Introducción a PHP - Las bases del lenguaje PHP - Tipos de datos).

Note que a partir de la **versión 8.1**, el ejemplo anterior genera una alerta de nivel `E_DEPRECATED` si hay una pérdida de precisión en la conversión de enteros.

Resultado (si los errores de nivel `E_DEPRECATED` se muestran en la versión 8.1)

```
producto1(20,1/7) => float(2.8571428571429)
producto2(20,1/7) =>
Deprecated: Implicit conversion from float 2.8571428571428568 to int
loses precision in /app/scripts/index.php on line 9
int(2)
```

Sin embargo, con este ejemplo, no habrá alerta si no hay pérdida de precisión en la conversión, por ejemplo, con una llamada como `producto2(3/2,2/3)`: el resultado es un número en punto flotante igual a 1 (`float(1)`) que puede convertirse a un entero sin pérdida de precisión.

Si PHP no es capaz de realizar la conversión (tipos de datos no convertibles entre ellos), se produce una excepción `TypeError`. Esta excepción detiene el script si no se gestiona (véase en este capítulo la sección Clases - Excepciones).

Ejemplo

```
<?php
// Declaración y llamada de una función que debe devolver una
// matriz pero que devuelve una cadena de caracteres.
function quien() : array {
  return 'Olivier Heurtel';
}
echo 'quien()[0] = ',quien()[0];
?>
```

Resultado

```
quien()[0] =
Fatal error: Uncaught TypeError: Return value of quien() must be of the
type array, string returned in /app/scripts/index.php:5 Stack trace: #0
/ app/scripts/index.php(7): quien() #1 {main} thrown in/app/scripts/
index.php on
line 5
```

Una función declarada que devuelve un tipo diferente de `void`, debe devolver un valor no `NULL`. Si este no es el caso, se genera un error, diferente según el caso:

Ausencia de instrucción `return`

```
Fatal error: Uncaught TypeError: Return value of MiFuncion() must be of
the type int, none returned in ...
```

Instrucción `return vacía`

```
Fatal error: A function with return type must return a value in ...
```

Instrucción `return NULL`

```
Fatal error: Uncaught TypeError: Return value of MiFuncion() must be of
type int, null returned in ...
```

Para autorizar una función para que devuelva un valor `NULL`, hay que utilizar un punto de interrogación (`?`), delante del nombre del tipo (diferente de `void`).

```
<?php
// Declaración y llamada de una función que especifica un
// tipo de datos de retorno que puede ser NULL
function cubo($valor) : ?int {
  if (is_null($valor)) {
    return NULL;
  } else {
    return $valor ** 3 ;
```

```
  }
}
echo 'cubo(2) => <b>',var_dump(cubo(2)),'</b><br />';
echo 'cubo(NULL) => <b>',var_dump(cubo(NULL)),'</b><br />';
?>
```

Resultado

```
cubo(2) => int(8)
cubo(NULL) => NULL
```

Incluso con esta opción, la función debe tener una instrucción `return` no vacía. Si no es el caso, se devuelve un error, diferente según el caso:

Ausencia de instrucción `return`

```
Fatal error: Uncaught TypeError: Return value of MiFuncion() must be of
type int, none returned in ...
```

Instrucción `return` vacía

```
Fatal error: A function with return type must return a value (did you
mean "return null;" instead of "return;"?) in ...
```

Se puede obtener un resultado similar utilizando una unión de tipos (int|null).

A la inversa, es posible declarar que una función no devuelva nada, utilizando `void` como nombre de tipo. En este caso, la función debe omitir la instrucción `return` o poner una instrucción `return` vacía sin valor (incluso `NULL`).

Ejemplo

```
<?php
// Declaración y llamada de una función
// declarada como que no devuelve nada.
function mostrar_hola() : void {
  echo 'Hola<br />';
}
mostrar_hola();
?>
```

Resultado

```
Hola
```

Si una función declarada `void` tiene una instrucción `return` no vacía, se devuelve un error, diferente según el caso:

Instrucción `return NULL`

```
Fatal error: A void function must not return a value (did you mean
"return;" instead of "return null;"?) in ...
```

Instrucción `return` con un valor no `NULL`

Fatal error: A void function must not return a value in ...

A partir de la **versión 8.1**, también es posible utilizar el tipo de valor devuelto `never`, que indica que la función nunca retorna. Una función de este tipo no debe terminar (bucle infinito) o terminar solo mediante una llamada a la función `exit()` o `die()` (que terminan el programa), o lanzando una excepción. Cuando se llama a una función de este tipo, PHP sabe que el código que sigue nunca se ejecutará.

Si una función `never` termina normalmente, se devuelve un error, dependiendo del caso:

Presencia de una instrucción `return`

Fatal error: A never-returning function must not return in ...

Fin normal (implícito) sin instrucción `return`

Fatal error: Uncaught TypeError: MaFonction() : never-returning function must not implicitly return in ...

Cuando se utiliza una unión de tipos como tipo devuelto, si la conversión es posible en varios tipos, el orden es el siguiente: `int`, `float`, `string`, `bool`. Por otra parte, en este caso, para indicar que la función puede devolver un valor `NULL`, hay que incluir el tipo `null` en la lista de los tipos (la utilización del punto de interrogación no funciona con una unión de tipos).

Ejemplo

```
<?php
// Declaración y llamada de una función que especifica
// una unión de tipos como tipo de datos de retorno
// y que puede ser NULL o FALSE
function potencia4($valor) : int|float|null|false {
  if (is_null($valor)) {
    return NULL;
  } elseif ($valor == 0) { // Por cualquier motivo
    return FALSE;           // devolver FALSE en este caso.
  } else {
   return $valor ** 4 ;
  }
}
echo 'potencia4(2) => <b>',var_dump(potencia4(2)),'</b><br />';
echo 'potencia4(2.5) => <b>',var_dump(potencia4(2.5)),'</b><br />';
echo 'potencia4(0) => <b>',var_dump(potencia4(0)),'</b><br />';
echo 'potencia4(NULL) => <b>',var_dump(potencia4(NULL)),'</b><br />';
?>
```

Resultado

```
potencia4(2) => int(16)
potencia4(2.5) => float(39.0625)
potencia4(0) => bool(false)
potencia4(NULL) => NULL
```

Además, es posible activar el tipo strict en un script. En este modo, PHP produce una excepción `TypeError` si el valor devuelto por la función no es ya el tipo de datos declarado para la función (sin conversión).

Para activar el tipo strict en un script, debe incluir la siguiente declaración como la primera instrucción en el script:

```
declare(strict_types=1);
```

Ejemplo

```
<?php
// Activación del tipo strict.
declare(strict_types=1);
// Declaración de dos funciones que devuelven el producto
// de dos parámetros, el segundo especifica un tipo
// de datos "entero" para el valor de retorno.
function producto1($valor1,$valor2) {
  return $valor1 * $valor2;
}
function producto2($valor1,$valor2) : int {
  return $valor1 * $valor2;
}
// Llamada de dos funciones con los mismos parámetros
echo 'producto1(20,1/7) = ',producto1(20,1/7),'<br />';
echo 'producto2(20,1/7) = ',producto2(20,1/7),'<br />';
?>
```

Resultado

```
producto1(20,1/7) = 2.8571428571429
producto2(20,1/7) =
Fatal error: Uncaught TypeError: Return value of producto2() must be of
type int, float returned in /app/scripts/index.php:11 Stack
trace: #0 /app/scripts/index.php(15): producto2(20, 0.14285714285714) #1
{main} thrown in /app/scripts/index.php on line 11
```

Observación

El tipo strict se activa script por script y la instrucción `declare` debe ser la primera instrucción del script; de lo contrario se producirá un error fatal.

Función variable

PHP ofrece una «función variable» que permite almacenar un nombre de función en una variable y llamar a la variable en una instrucción, como si se tratara de una función, con la notación `$variable()`. En tal escritura, PHP sustituye la variable por su valor y trata de ejecutar la función correspondiente (que, por supuesto, debe existir).

Ejemplo

```
<?php
// Función que efectúa un producto.
function producto($valor1,$valor2) {
  return $valor1 * $valor2;
}
// Función que efectúa una suma.
function suma($valor1,$valor2) {
  return $valor1 + $valor2;
}
// Función que efectúa un cálculo, el nombre del cálculo
// ('suma' o 'producto') se pasa como parámetro.
function calcular($operación,$valor1,$valor2) {
  // $operación contiene el nombre de la función
  // a ejecutar => llamada $operación().
  return $operación($valor1,$valor2);
}
// Utilización de la función calcular.
echo '3 + 5 = ',calcular('suma',3,5).'<br />';
echo '3 x 5 = ',calcular('producto',3,5).'<br />';
?>
```

Resultado

```
3 + 5 = 8
3 x 5 = 15
```

Una variable que contiene un nombre de función al que se puede llamar se puede identificar por el tipo especial `callable`, y probarse como tal con la función `is_callable`. Esta característica también se puede utilizar con los nombres de métodos de los objetos (véase la sección Clases, en este capítulo). Una función pasada como parámetro a otra función por su nombre en forma de una cadena de caracteres se llama función de retrollamada (*callback function* en inglés).

1.3 Parámetros

1.3.1 Sintaxis

Los parámetros (también llamados argumentos) posibles de la función se definen en forma de una lista de variables.

Sintaxis de declaración de un parámetro

```
[tipo] $parámetro [= valor]
```

`tipo`	Declaración del tipo de datos del parámetro). Valores posibles: `int`, `float`, `string`, `bool`, `array`, `callable`, `iterable`, `object`, `mixed`, `true`, `false`, `null`, un nombre de clase o de interfaz (véase en este capítulo la sección Clases), o una unión o intersección de tipos. El nombre del tipo se puede preceder de un punto de interrogación (`?`) para indicar que el argumento puede aceptar un valor `NULL`, excepto para los siguientes tipos: `void`, `never`, `null` (ya incluido), `mixed` (ya incluido), unión de tipos (el tipo `null` puede añadirse a la unión) e intersección de tipos. En el capítulo Introducción a PHP puede encontrar la definición de los tipos de datos y la versión a partir de la cual pueden usarse (vea la sección Las bases del lenguaje PHP - Tipos de datos).
`$parámetro`	Nombre del parámetro (debe respetar las reglas de nomenclatura de una variable que se han presentado en el capítulo Introducción a PHP - Estructura básica de una página PHP).
`valor`	Valor predefinido del parámetro.

Versión 8

Desde la **versión 8**, se puede poner una coma al final de la lista de los parámetros en la definición de la función (esta posibilidad ya existía en la versión 7 para la llamada). Esta flexibilidad en la sintaxis permite añadir fácilmente parámetros mediante copia y pega cuando los parámetros se especifican uno debajo del otro. Esta posibilidad también se aplica en la llamada de las funciones nativas de PHP.

Ejemplo

```
<?php
// Coma final en la lista de los parámetros
function miFunción(
    $valor1,
    $valor2,
) {}
```

```
// Coma final en la llamada
miFunción(
    1,
    2,
);
// Lo mismo con una función nativa de PHP
unset(
    $primeraVariable,
    $segundaVariable,
);
?>
```

Después de este tercer punto, vamos a estudiar las siguientes posibilidades:

- definir un valor predeterminado para un parámetro;
- declarar el tipo de datos de un parámetro;
- pasar un parámetro por referencia;
- utilizar una lista variable de parámetros.
- utilizar el nombre del parámetro en la llamada.

1.3.2 Valor predeterminado

Es posible indicar que un parámetro tenga un valor predeterminado con la siguiente sintaxis:

```
$parámetro = expresión literal
```

El valor predeterminado de un parámetro debe ser una expresión literal, una constante o una expresión que implique únicamente expresiones literales, constantes y operadores; no puede ser ni una variable, ni una llamada de función. El valor predefinido puede ser de tipo escalar, de tipo matriz o de tipo `NULL`. Desde la **versión 8.1**, el valor predefinido también puede ser un objeto instanciado mediante el operador `new` (del que hablaremos más adelante en este capítulo).

El valor predeterminado se utiliza como valor de un parámetro cuando se llama a la función, sin mencionar el valor para el parámetro en cuestión.

Ejemplo

```
<?php
// Definición de una constante
define('UNO',1);
// Definición de la función producto con valores
// predeterminados para los parámetros (incluyendo una constante
// para el primer parámetro y una expresión para el
// segundo
function producto($valor1=UNO,$valor2=2*UN) {
```

```
  return $valor1* $valor2;
}
// Llamadas
// - sin parámetro
echo 'producto() = ',producto(),'<br />';
// - con un único parámetro = obligatoriamente el primero
echo 'producto(3) = ',producto(3),'<br />';
?>
```

Resultado

```
producto() = 2
producto(3) = 6
```

No dar ningún valor a un parámetro que tenga un valor predeterminado solo es posible desde la derecha. Pasar un valor «vacío» ("" o NULL) no resuelve el problema porque PHP convierte el valor en cuestión en el tipo apropiado (en este caso, entero igual a 0).

● Versión 8

A partir de la **versión 8**, ha quedado obsoleto definir un parámetro opcional antes de un parámetro obligatorio.

Ejemplo

```
<?php
function f($x = 0, $y) {}
?>
```

Resultado (en la versión 8.0)

```
Deprecated: Required parameter $y follows optional parameter $x in
/app/scripts/index.php on line 2
```

Resultado (en la versión 8.1)

```
Deprecated: Optional parameter $x declared before required parameter $y is
implicitly treated as a required parameter in /app/scripts/index.php on
line 2
```

Tenga en cuenta que a partir de la **versión 8.1**, el parámetro se trata como obligatorio.

En la práctica, esto no aporta nada porque, al estar presente el segundo parámetro, es obligatorio pasar un valor al primer parámetro en la llamada.

No obstante, sigue estando permitido cuando se define un tipo de datos para el parámetro, pero únicamente con el valor predefinido `NULL` (o `null`):

Ejemplo

```
<?php
function f(int $x = null, $y) {}
?>
```

Curiosamente, en la **versión 8.1**, utilizar conjuntamente un valor `NULL` (o `null`) predefinido y el operador `?` para indicar que el parámetro acepta el valor `NULL` (`?int $x = null`) genera el mismo error de obsolescencia que antes.

En la **versión 8**, es posible utilizar el nombre del parámetro en la llamada, lo que hace posible llamar primero a una función que tiene un parámetro predefinido, antes que a cualquier parámetro opcional (véase la sección Utilizar el nombre del parámetro en la llamada más abajo). Sin embargo, esta facilidad se ha eliminado en la **versión 8.1**.

En resumen, desaconsejamos definir un parámetro opcional antes que un parámetro obligatorio, ya que esto ya no es posible a partir de la versión 8.1.

Observación

Pasar un número insuficiente de parámetros y no tener ningún valor predeterminado genera una excepción `ArgumentCountError` que interrumpe el script si no se administra. Pasar demasiados parámetros no genera ningún error; los parámetros en exceso se pasan por alto.

1.3.3 Declaración del tipo de datos

La declaración del tipo de datos de un parámetro permite imponer que el valor pasado a ese parámetro en el momento de la llamada sea de un tipo determinado.

Para declarar el tipo de datos de un parámetro, basta con poner el nombre del tipo delante del nombre del parámetro en la declaración:

```
tipo $parámetro
```

Los valores permitidos para el tipo de datos son los siguientes: `int`, `float`, `string`, `bool`, `array`, `callable`, `iterable`, `object`, `mixed`, `true`, `false`, `null`, un nombre de clase o de interfaz (véase en este capítulo la sección Clases), una unión o intersección de tipos. En el capítulo Introducción a PHP puede encontrar la definición de los tipos de datos (sección Las bases del lenguaje PHP - Tipos de datos). También encontrará la versión a partir de la cual se pueden utilizar algunos de ellos.

Para los tipos de datos `array`, `callable`, `iterable`, `object`, `true`, `false`, `null` y nombre de clase o de interfaz, PHP produce una excepción `TypeError` si el valor pasado como parámetro no es del tipo correcto.

Para los tipos de datos escalares `int`, `float`, `string` y `bool`, PHP produce una excepción `TypeError` si el valor pasado como parámetro no es de un tipo correcto únicamente si el tipo strict está activado (véase la sección anterior, Declaración y llamada). Si este no es el caso, en el modo de funcionamiento predefinido, PHP realiza si es preciso una conversión automática del valor pasado como parámetro en el tipo de datos declarado y produce una excepción `TypeError` si no es capaz de realizar esta conversión (tipos de datos no convertibles entre ellos).

En los dos casos, el valor `NULL` no está autorizado, salvo si el argumento tiene un valor predefinido `NULL`. El nombre del tipo se puede preceder por un punto de interrogación (`?`) para indicar que el argumento puede aceptar un valor `NULL`, salvo por los siguientes tipos: `mixed` (ya incluido), `null` (ya `NULL`), unión de tipos (el tipo `null` puede agregarse en una unión) e intersección de tipos.

Ejemplo con un parámetro de tipo matriz

```
<?php
// Declaración de una función que acepta únicamente un
// parámetro de tipo "matriz".
function tamaño(array $matriz) {
  return count($matriz);
}
// Llamada de esta función una primera vez con un tipo de
// datos correcto y una segunda vez con un tipo de datos
// incorrecto.
echo 'tamaño([1,2,3]) = ',tamaño([1,2,3]),'<br />';
echo 'tamaño(NULL) = ',tamaño(NULL),'<br />';
?>
```

Resultado

```
tamaño([1,2,3]) = 3
tamaño(NULL) =
Fatal error: Uncaught TypeError: Argument 1 passed to tamaño() must be
of type array, null given, called in /app/scripts/index.php on line
11 and defined in /app/scripts/index.php:4 Stack trace: #0 /app/scripts/
index.php(11): tamaño(NULL) #1 {main} thrown in /app/scripts/
index.php on line 4
```

Ejemplo con un parámetro de tipo escalar

```
<?php
// Declaración de una función que muestra el valor de sus
// dos parámetros, de los cuales el segundo se declara de tipo "entero".
function mostrar($valor1,int $valor2) {
  echo '$valor1 => ',var_dump($valor1),'<br />';
  echo '$valor2 => ',var_dump($valor2),'<br />';
}
```

```
// Llamada de la función pasando el mismo valor real
// a los dos parámetros.
mostrar(20/7,20/7);
?>
```

Resultado (si los errores de nivel `E_DEPRECATED` no se muestran en la versión 8.1)

```
$valor1 => float(2.857142857142857)
$valor2 => int(2)
```

En este ejemplo, podemos ver que PHP ha convertido el valor pasado al segundo parámetro a un valor entero (con las reglas de conversión mencionadas en el capítulo Introducción a PHP - Las bases del lenguaje PHP - Tipos de datos).

Tenga en cuenta que a partir de la **versión 8.1**, el ejemplo anterior genera una alerta de nivel `E_DEPRECATED` si se produce una pérdida de precisión en la conversión de enteros.

Resultado (si los errores de nivel `E_DEPRECATED` se muestran en la versión 8.1)

```
Deprecated: Implicit conversion from float 2.857142857142857 to int loses
precision in /app/scripts/index.php on line 4
$valor1 => float(2.857142857142857)
$valor2 => int(2)
```

Por otro lado, con este ejemplo, no habrá alerta si no hay pérdida de precisión en la conversión, por ejemplo, con una llamada como `mostrar(sqrt(4), sqrt(4))`: `sqrt(4)` es un número flotante igual a 2 (`float(2)`) que se puede convertir a un entero sin pérdida de precisión.

Ejemplo con un argumento de tipo escalar que acepta el valor NULL

```
<?php
// Declaración de una función que acepta un
// argumento de tipo entero que puede ser NULL.
function cubo(?int $valor ) {
  if (is_null($valor)) {
    return NULL;
  } else {
    return $valor ** 3 ;
  }
}
// Llamadas a la función.
echo 'cubo(<b>2</b>) => ',var_dump(cubo(2)),'<br />';
echo 'cubo(<b>NULL</b>) => ',var_dump(cubo(NULL)),'<br />';
echo 'cubo() => ',var_dump(cubo()),'<br />';
?>
```

Resultado

```
cubo(2) => int(8)
cubo(NULL) => NULL
cubo() =>
Fatal error: Uncaught ArgumentCountError: Too few arguments to function
cubo(), 0 passed in /app/scripts/index.php on line 14 and exactly
1 expected in /app/scripts/index.php:4 Stack trace: #0 /app/scripts/
index.php(14): cube() #1 {main} thrown in /app/scripts/index.php o line 5
```

En este ejemplo, vemos que el argumento acepta el valor `NULL`, pero que este argumento es obligatorio; llamar a la función sin argumento provoca un error fatal. Para que la última llamada funcione y que se acepte el valor `NULL`, será necesario definir un valor predefinido `NULL` para el argumento (en este caso el punto de interrogación se podría omitir delante del nombre del tipo).

Si activamos el tipo strict en el script, se produce una excepción si el valor del parámetro no es ya del tipo correcto.

Ejemplo con un parámetro de tipo escalar (tipo strict)

```
<?php
// Activación del tipo strict.
declare(strict_types=1);
// Declaración de una función que muestra el valor de sus
// dos parámetros, de los cuales el segundo se declara de tipo "entero".
function mostrar($valor1,int $valor2) {
  echo '$valor1 => ',var_dump($valor1),'<br />';
  echo '$valor2 => ',var_dump($valor2),'<br />';
}
// Llamada de la función pasando el mismo valor real
// a los dos parámetros.
mostrar(20/7,20/7);
?>
```

Resultado

```
Fatal error: Uncaught TypeError: mostrar(): Argument #2 ($valor2)) must
of the type int, float given, called in /app/scripts/index.php on
be line 12 and defined in /app/scripts/index.php:6 Stack trace: #0 /app/
scripts/index.php(12): mostrar(2.8571428571429, 2.8571428571429) #1
{main} thrown in/app/scripts/index.php on line 6
```

● Versión 8

Desde la **versión 8**, se considera que un parámetro que tiene un valor predefinido `NULL` en el momento de la ejecución (por ejemplo, una constante igual a `NULL`) no puede aceptar el valor `NULL`. Para ello, se debe utilizar la notación `?type` o asignarle explícitamente un valor predefinido `NULL`.

Ejemplo

```
<?php
define('C_NULL',NULL);
function f(int $x = C_NULL) {}
f(NULL);
?>
```

Resultado

```
Fatal error: Uncaught TypeError: f(): Argument #1 ($x) must be of type int,
null given, called in /app/scripts/test.php on line 4 and defined in
/app/scripts/test.php:3 Stack trace: #0 /app/scripts/test.php(4): f(NULL) #1
{main} thrown in /app/scripts/test.php on line 3
```

Soluciones

```
function f(?int $x = C_NULL) {}
function f(int $x = null) {}
```

1.3.4 Pasar por referencia

Por defecto, los parámetros se pasan por valor: se trata de una copia del valor que se pasa a la función. Por lo tanto, la modificación de los parámetros dentro de la función no tiene efecto sobre los valores en el script de llamada.

Ejemplo

```
<?php
// Definición de una función que toma un parámetro.
función por_valor($parámetro) {
  // Incrementar el parámetro.
  $parámetro++;
  // Visualización del parámetro en el interior de la función.
  echo "\$parámetro = $parámetro<br />";
}
// Inicialización de una variable.
$x = 1;
// Visualización de la variable antes de la llamada a la función.
echo "\$x antes de la llamada = $x<br />";
// Llamada de la función utilizando la variable como valor
// del parámetro.
por_valor($x);
// Visualización de la variable después de la llamada a la función.
echo "\$x después de la llamada = $x<br />";
?>
```

Resultado

```
$x antes de la llamada = 1
$parámetro = 2
$x después de la llamada = 1
```

Si es necesario, es posible pasar por referencia utilizando el operador de referencia & (véase el capítulo Introducción a PHP, sección Las bases del lenguaje PHP - Operadores - El operador de asignación por referencia) delante del nombre del parámetro en la definición de la función. Con esta definición, a la función se le pasa una referencia a la variable (no una copia); esta última trabaja directamente en la variable del script de llamada.

Ejemplo

```
<?php
// Definición de una función que toma un parámetro.
function por_referencia(&$parámetro) {
  // Incrementación del parámetro.
  $parámetro++;
  // Visualización del parámetro en el interior de la función.
  echo "\$parámetro = $parámetro<br />";
}
// Inicialización de una variable.
$x = 1;
// Visualización de la variable antes de la llamada a la función.
echo "\$x antes de la llamada = $x<br />";
// Llamada de la función utilizando la variable como valor
// del parámetro.
por_referencia($x);
// Visualización de la variable después de la llamada a la función.
echo "\$x después de la llamada = <b>$x</b><br />";
?>
```

Resultado

```
$x antes de la llamada = 1
$parámetro = 2
$x después de la llamada = 2
```

Con esta definición, no es posible pasar una constante o una expresión como valor del parámetro.

Ejemplos prohibidos

```
por_referencia(2);
por_referencia(1+1);
por_referencia(UNO); // UNO = constante definida anteriormente
```

1.3.5 Lista variable de parámetros

La explotación de una lista variable de parámetros se puede llevar a cabo o bien con la ayuda de las funciones `func_num_args`, `func_get_args` y `func_get_arg`, o bien con la ayuda del operador `...` (puntos suspensivos). Presentaremos los dos métodos sucesivamente.

Primer método (obsoleto)

Dentro de una función, es posible utilizar las siguientes tres funciones de PHP:

Función	Papel
`func_num_args`	Indica el número de parámetros pasados a la función.
`func_get_args`	Devuelve la lista de parámetros pasados a la función (en una matriz).
`func_get_arg`	Devuelve el valor de un parámetro cuyo número se especifica.

Sintaxis

```
entero func_num_args()
matriz func_get_args()
mixto func_get_arg(entero número)
```

`número` Número del parámetro solicitado (0 = primer parámetro).

Gracias a estas funciones nativas, es muy fácil escribir una función que acepta un número variable de parámetros. Los principios son los siguientes:

- declarar la función sin parámetros;
- recuperar, en el cuerpo de la función, los parámetros con las funciones `func_get_args` o `func_get_arg` y utilizarlos (normalmente en un bucle).

En la práctica, nada impide que los parámetros sean de diferentes tipos.

Por otra parte, es posible declarar explícitamente los parámetros y luego aceptar una lista de variables de parámetros adicionales. En este caso, los parámetros explícitamente declarados se retoman en el recuento y en la lista de parámetros. Por tanto, es necesario eliminarlos del procesamiento.

Ejemplo

```
<?php
// Función que acepta un primer parámetro por referencia
// y que almacena el producto de los demás parámetros.
function producto(&$resultado) {
  switch (func_num_args()) {
```

```
    caso 1:
      // Un único parámetro (la variable para el resultado)
      // Devolver 0 (elección arbitraria).
      $resultado = 0;
      break;
    default:
      // Recuperar los parámetros en una matriz
      // y eliminar el primer elemento (el primer
      // parámetro).
      $parámetros = func_get_args();
      unset($parámetros[0]);
      // Inicializar el resultado a 1.
      $resultado = 1;
      // Hacer un bucle en la matriz de parámetros
      // para multiplicar el resultado por el parámetro.
      foreach($parámetros as $parámetro) {
        $resultado *= $parámetro;
      }
      break;
  }
}
// llamadas
producto($resultado);
echo 'producto($resultado) => ',$resultado,'<br />';
producto($resultado,1,2,3);
echo 'producto($resultado,1,2,3) => ',$resultado,'<br />';
?>
```

Resultado

```
producto($resultado) => 0
producto($resultado,1,2,3) => 6
```

Segundo método (recomendado)

El último parámetro de una función puede ir precedido del operador `...` (puntos suspensivos) para indicar que la función acepta un número variable de parámetros. En este caso, en la llamada de la función, los valores se pasarán en el parámetro en cuestión en forma de una matriz. Como anteriormente, los primeros parámetros de la función se pueden declarar de manera explícita. En este caso, durante la llamada de la función, solo se pasarán en la matriz los valores supernumerarios que no corresponden a un parámetro explícito.

Ejemplo

```
<?php
// Función que acepta un primer parámetro por referencia
// y que almacena la suma del resto de los parámetros.
function suma(&$resultado,...$valores) {
  $resultado = 0;
  foreach ($valores as $valor) {
    $resultado += $valor;
  }
}
// llamadas
suma($resultado);
echo 'suma($resultado) => ',$resultado,'<br />';
suma($resultado,1,2,3,4);
echo 'suma($resultado,1,2,3,4) => ',$resultado,'<br />';
$valores = [1,2,4,8];
suma($resultado,...$valores); // matriz => lista de parámetros
echo 'suma($resultado,...[1,2,4,8]) => ',$resultado,'<br />';
?>
```

Resultado

```
suma($resultado) => 0
suma($resultado,1,2,3,4) => 10
suma($resultado,...[1,2,4,8]) => 15
```

1.3.6 Utilizar el nombre del parámetro en la llamada

Desde la **versión 8**, es posible utilizar el nombre del parámetro en la llamada de una función.

Sintaxis

```
nombre_parametro: valor
```

`nombre_parametro`	Nombre del parámetro en la declaración de la función (sin el prefijo `$`, diferenciando mayúsculas y minúsculas).
`valor`	Valor que se le pasa al parámetro.

Esta funcionalidad es interesante porque permite pasar los parámetros en un orden cualquiera y, en cierto modo, documenta la llamada (si los nombres de los parámetros hablan por sí mismos). Por otro lado, este tipo de llamada es práctico si la función posee parámetros opcionales que no estén situados al final de la lista de los parámetros.

Ejemplo

```
<?php
// Función que calcula el volumen de un cilindro en función
// de su radio y de su altura.
function volumen_cilindro($radio = 1,$altura = 1) {
 return round(pi() * ($radio ** 2) * $altura,2);
}
// El orden de los parámetros es importante
echo 'volumen_cilindro(2,10) = ',volumen_cilindro(2,10),'<br />';
echo 'volumen_cilindro(10,2) = ',volumen_cilindro(10,2),'<br />';
// Llamada no ambigua con un orden de los parámetros cualquiera.
echo 'volumen_cilindro(altura: 10, radio: 2) = ',
    volumen_cilindro(altura: 10, radio: 2),'<br />';
// Llamada omitiendo el primer parámetro.
echo ' volumen_cilindro(altura: 5) = ',volumen_cilindro(altura: 5),'<br />';
// Descomponer una matriz cuyas claves son iguales a los nombres
// de los parámetros (no importa el orden dentro de la matriz).
$dimensiones = ['altura => 10,'radio => 2];
echo "volumen_cylindro(...['altura => 10,'radio => 2]) = ",
     volumen_cilindro(...$dimensiones),'<br />';
?>
```

Resultado

```
volumen_cilindro(2,10) = 125.66
volumen_cilindro(10,2) = 628.32
volumen_cilindro(altura: 10, radio: 2) = 125.66
volumen_cilindro(altura: 5) = 15.71
volumen_cilindro(...['altura'=> 10,'radio' => 2]) = 125.66
```

Como nos recuerda el último ejemplo, a partir de la **versión 8.1**, es posible pasar como lista de parámetros el contenido de una matriz cuyas claves sean iguales a los nombres de los parámetros de la función.

Se produce un error si se pasa un parámetro varias veces. Por ejemplo, con la función anterior, la llamada `volumen_cilindro(`**`radio`**`: 1, `**`radio`**`: 1)` provoca este error:

```
Fatal error: Uncaught Error: Named parameter $radio overwrites previous
argument in ...
```

Pueden utilizarse ambos métodos (posición del parámetro y nombre del parámetro) en la misma llamada. En ese caso, los parámetros que se pasan por su nombre deben figurar después de los parámetros que se pasan por su posición.

Ejemplo

```
<?php
// Función que permite registrar un nuevo candidato.
function añadir_candidato($nombre,$apellido,$teléfono=null,$correo=null) {
 // ...
```

```
}
// Llamada pasando dos parámetros por su posición y uno por su nombre.
añadir_candidato('Olivier', 'Heurtel', correo: 'contact@olivier-heurtel.es');
?>
```

A partir de la **versión 8.1**, también es posible pasar un parámetro con su nombre después de pasar un parámetro en forma de descomposición de una matriz.

Ejemplo

```
<?php
// Función que calcula la distancia entre dos puntos.
function distancia($x1=0,$y1=0,$x2=0,$y2=0) {
  return sqrt(($x2-$x1)**2+($y2-$y1)**2);
}
// Llamada con un parámetro pasado por su nombre
// después de la descomposición de la matriz
echo distancia(...[3,0],y2:4); //x2 = 0 (valor predeterminado)
?>
```

Resultado

```
5
```

En la versión 8, la llamada anterior genera un error:

```
Fatal error: Cannot combine named arguments and argument unpacking in
```

Antes de la **versión 8.1**, este método también permitía llamar una función que tendría en primer lugar un parámetro predefinido, seguido de parámetros obligatorios, siempre y cuando la declaración de la función respetara las nuevas reglas de la versión 8 (véase en este capítulo la sección Valor predeterminado).

Ejemplo

```
<?php
function f(int $x = null, $y) {}
f(y: 1);
?>
```

A partir de la **versión 8.1**, un parámetro opcional especificado antes de uno obligatorio se trata siempre como obligatorio, incluso cuando se realiza una llamada utilizando los nombres de los parámetros. Como resultado, el ejemplo anterior genera un error relativo al número de parámetros:

```
Fatal error: Uncaught ArgumentCountError: f(): Argument #1 ($x) not passed in
/app/scripts/index.php:2 Stack trace: #0 /app/scripts/index.php(3):
f(NULL, 1) #1 {main} thrown in /app/scripts/index.php on line 2
```

Como ya hemos mencionado anteriormente, desaconsejamos definir un parámetro opcional antes de uno obligatorio, ya que esto no se puede utilizar a partir de la versión 8.1.

Esta funcionalidad puede utilizarse para las funciones nativas del lenguaje PHP, empleando los nombres de los parámetros que se definieron en la especificación de la función (puede consultar la documentación de PHP).

Descripción de la función `number_format` en la documentación

```
number_format ( float $num , int $decimals = 0 , string|null
$decimal_separator = "." , string|null $thousands_separator = "," ) : string
```

Llamada

```
<?php
$x = 123456789;
echo number_format(num: $x,thousands_separator: ' '),'<br />';
?>
```

1.4 Consideraciones sobre las variables utilizadas en las funciones

1.4.1 Variables locales/globales

Las variables utilizadas dentro de una función son locales: no se definen fuera de la función y se inicializan en cada llamada a la función. Lo mismo ocurre con los parámetros de la función.

Por el contrario, una variable definida fuera de la función (en el script de llamada) no está definida dentro de la función.

PHP ofrece un concepto de variable global para acceder, en una función, a las variables definidas dentro del contexto del script de llamada.

Para ello, dentro de la función, es necesario declarar las variables globales que la función utiliza con la instrucción `global` o usar la matriz asociativa predefinida `$GLOBALS`.

Sintaxis

```
global $variable[, ...];
```

`$variable`	Variable del script de llamada que la función quiere usar. Se pueden especificar varias variables, separadas por una coma.

La matriz predeterminada `$GLOBALS` es una matriz asociativa. En esta matriz asociativa, la clave es igual al nombre de la variable global (sin el $) y el valor asociado es igual al valor de la variable global.

Observación

La matriz asociativa `$GLOBALS` es una matriz «superglobal». Una matriz superglobal está automáticamente disponible en todos los entornos de ejecución sin tener que haberla declarado como global. En este libro, utilizaremos otras matrices superglobales.

Ejemplo

```
<?php
// Objetivo: escribir una función que efectúe el producto
//           de las variables $x y $y y que almacene el resultado
//           en la variable $z.
// Inicialización de dos variables en el script de llamada.
$x = 2;
$y = 5;
echo '<b>Caso 1: sin utilización de variables ',
     'globales</b><br />';
function producto1() {
  // $x y $y están vacías en el interior de la función.
  echo '$x = ',$x??null,'<br />';
  echo '$y = ',$y??null,'<br />';
  $z = 0 + ($x??0) * ($y??0);
}
producto1();
// $z está vacía en el script principal.
echo '$z = ',$z??null,'<br />';
// Resolución del problema utilizando variables globales:
// - con la palabra clave global para $x y $y
// - con la matriz $GLOBALS para $z
echo '<b>Caso 2: utilización de variables globales</b><br />';
function producto2() {
  global $x, $y;
  echo "\$x = $x<br />";
  echo "\$y = $y<br />";
  $GLOBALS['z'] = 0 + $x * $y;
}
producto2();
echo "\$z = $z<br />";
?>
```

Resultado

```
Caso 1: sin utilización de variables globales
$x =
$y =
$z =
```

```
Caso 2: utilización de variables globales
$x = 2
$y = 5
$z = 10
```

Observación

Un parámetro de una función se comporta como una variable local a la función, a menos que se pase por referencia, en cuyo caso es equivalente a una variable global.

1.4.2 Variables estáticas

De forma predeterminada, las variables locales de una función se restablecen en cada llamada a la función.

La instrucción `static` permite definir variables locales estáticas que tienen la propiedad de conservar el valor de una llamada a otra función mientras dure el script.

Sintaxis

```
static $variable = expresión_escalar[, ...];
```

`$variable`	Variable en cuestión.
`expresión_escalar`	Valor inicial asignado a la variable durante la primera llamada a la función dentro del script. Solo se aceptan las expresiones literales, las constantes y las expresiones que implican únicamente expresiones literales, constantes y operadores; las variables y las llamadas de función no están permitidas. A partir de la **versión 8.1**, el valor inicial también puede ser un objeto instanciado con el operador `new` (del que hablaremos más adelante en este capítulo).

Ejemplo

```
<?php
// Definición de una función.
function variable_estática() {
  // Inicialización de una variable estática.
  static $variable_estática = 0;
  // Inicialización de otra variable.
  $otra_variable = 0;
  // Visualización de las dos variables.
  echo "\$variable_estática = $variable_estática <br />";
  echo "\$otra_variable = $otra_variable<br />";
  // Incrementación de las dos variables.
  $variable_estática++;
```

```
  $otra_variable++;
}
// Primera llamada de la función.
echo '<b>Primera llamada de la función:</b><br />';
variable_estática();
// ...
// Segunda llamada de la función.
echo '<b>Segunda llamada de la función:</b><br />';
variable_estática();
//...
// Tercera llamada de la función.
echo '<b>Tercera llamada de la función:</b><br />';
variable_estática();
?>
```

Resultado

```
Primera llamada de la función:
$variable_estática = 0
$otra_variable = 0
Segunda llamada de la función:
$variable_estática = 1
$otra_variable = 0
Tercera llamada de la función:
$variable_estática = 2
$otra_variable = 0
```

Este ejemplo muestra que el valor de `$variable_estática` se conserva de una llamada a otra; la primera llamada permite inicializarlo. Por el contrario, la variable `$otra_variable` se pone a 0 en cada llamada de la función.

Observación

El valor solo se conserva por la duración del script: cuando este termina, el valor se pierde y, en la siguiente llamada del script, la variable estática se restablece.

1.5 Las constantes y las funciones

En el capítulo Introducción a PHP - Las bases del lenguaje PHP - Constantes, se observó que el alcance de las constantes es el script en el que se definen.

A diferencia de las variables, el ámbito de aplicación se extiende a las funciones llamadas en el script: una constante se puede utilizar dentro de la función sin ser declarada global.

Por el contrario, una constante definida en una función se puede utilizar en un script después de llamar a la función.

Ejemplo

```
<?php
// Definición de una constante en el script.
define(CONSTANTE_SCRIPT,'constante script');
// Definición de una función.
function constante() {
  // Que define una constante.
  define(CONSTANTE_FUNCION,'constante función');
  // Y que muestra una constante del script de llamada.
  echo 'En la función, CONSTANTE_SCRIPT = ',
        CONSTANTE_SCRIPT,'<br />';
}
// Llamada de la función.
constante();
// Visualización de la constante definida en la función.
echo 'En el script, CONSTANTE_FUNCIÓN= ',
   CONSTANTE_FUNCIÓN,'<br />';
?>
```

Resultado

```
En la función, CONSTANTE_SCRIPT = constante script
En el script, CONSTANTE_FUNCIÓN = constante función
```

1.6 Recursividad

Al igual que muchos lenguajes, PHP permite la recursividad, es decir, la posibilidad de que una función se llame a sí misma.

Para ilustrar este concepto, vamos a escribir una función genérica que muestra el contenido de una matriz, posiblemente multidimensional.

Fuente

```
<?php
function mostrar_matriz(array $matriz,$título='',$nivel=0) {
  // Parámetros
  //    - $matriz = matriz cuyo contenido se debe mostrar
  //    - $título = título que se debe mostrar sobre el contenido
  //    - $nivel = nivel de visualización
  // Si hay un título, mostrarlo.
  if ($título != '') {
    echo "<br /><b>$título</b><br />";
  }
  // Probar si hay datos.
  if (isset($matriz)) { // hay datos
    // Examinar la matriz pasada en parámetro.
    reset ($matriz);
```

```
    foreach ($matriz as $clave => $valor) {
      // Mostrar la clave (con sangría en función del nivel).
      echo
        str_pad('',12*$nivel, ' '),
        htmlentities($clave),' = ';
      // Mostrar el valor
      if (is_array($valor)) { // es una matriz ...
        // etiquetar <br />
        echo '<br />';
        // Y llamar de manera recursiva a mostrar_matriz para
        // mostrar la matriz en cuestión (sin título y
        // al nivel siguiente de sangría)
        mostrar_matriz($valor,'',$nivel+1);
      } else { // es un valor escalar
        // Mostrar el valor.
        echo htmlentities($valor),'<br />';
      }
    }
  } else { // sin datos
    // Poner una etiqueta simple <br />
    echo '<br />';
  }
}
// Mostrar una matriz de colores.
$colores = array('Azul','Blanco','Rojo');
mostrar_matriz($colores,'Colores');
// Mostrar una matriz de dos dimensiones (país/ciudad).
$país = array('España' => array('Madrid','León','Barcelona'),
              'Italia' => array('Roma','Venecia'));
mostrar_matriz($país,'País/Ciudades');
?>
```

Resultado

```
Colores
0 = Azul
1 = Blanco
2 = Rojo
País/Ciudades
España =
  0 = Madrid
  1 = León
  2 = Barcelona
Italia =
  0 = Roma
  1 = Venecia
```

El primer argumento es de tipo `array` para garantizar que el valor pasado a este parámetro es una matriz.

Esta función utiliza la función PHP `htmlentities` que presentaremos en el capítulo Gestionar formularios y enlaces.

Utilizaremos esta función varias veces en este libro, asumiendo que es parte de un conjunto de funciones genéricas definidas en un archivo incluido en el script si es necesario.

1.7 Función anónima

Una función anónima, también llamada de cierre o *closure* en inglés, es una función a la que no se le ha asignado ningún nombre en su creación.

Como con cualquier función, es posible especificar tipos para los parámetros y el valor que devuelve la función, utilizando la sintaxis habitual.

Una función anónima se puede utilizar como el valor de una variable (función variable) o como una función de devolución de llamada a otra función.

Ejemplo

```
<?php
// Definición de una función anónima almacenada en una variable.
$función_anónima = function ($nombre) {
  echo "¡Hola $nombre!<br />";
};
// Llamada a la función anónima.
$función_anónima('todo el mundo');
// Utilización de la función anónima como función de devolución
// de llamada.
$nombres = array('Olivier','David','Tomás');
array_walk($nombres,$función_anónima);
?>
```

Resultado

```
¡Hola todo el mundo!
¡Hola Olivier!
¡Hola David!
¡Hola Tomás!
```

La función `array_walk` permite ejecutar una función (llamada función de devolución de llamada) en los elementos de una matriz.

La función anónima se puede definir directamente en la llamada.

Ejemplo

```
<?php
$nombres = array('Olivier','David','Tomás');
array_walk
   (
   $nombres,
   función ($nombre) {echo "¡Hola $nombre!<br />";}
   );
?>
```

Una función anónima puede importar variables del contexto padre. Para ello, tras la firma de la función, basta con utilizar la palabra clave `use` seguida de la lista de variables que deben importarse entre paréntesis.

Ejemplo

```
<?php
// Definición de una variable.
$nombre = 'Olivier';
// Definición de una función anónima almacenada en una variable
// esta función importa la variable $nombre.
$función_anónima = function () use ($nombre) {
  echo "¡Hola $nombre!<br />";
};
// Llamada de la función anónima.
$función_anónima();
?>
```

Resultado

```
¡Hola Olivier!
```

Si la variable importada debe modificarse por la función anónima, es necesario importarla con el operador & (`use (&$nombre)`).

1.8 Función de flecha

Una función de flecha (*arrow function*) es una versión simplificada, más concisa, de la función anónima que puede utilizarse de la misma forma.

La sintaxis general de una función de flecha es la siguiente y se introduce con la palabra clave `fn`:

```
fn([parámetros]) => expresión
```

Por definición, el código de una función de flecha se limita a una sola expresión.

Además, una función de flecha puede utilizar directamente las variables del contexto padre sin tener que importarlas. Sin embargo, al contrario de lo que ocurre en la función anónima, no hay forma de modificar la variable del contexto padre en la función de flecha.

Ejemplo 1

```
<?php
// Definición de una función de flecha almacenada en una variable.
$función_anónima = fn ($x) => $x * $x;
echo $función_anónima(3),'<br />';
?>
```

Resultado

```
3
```

Ejemplo 2

```
<?php
// Definición de una función que acepta una función y un número
// como parámetros y que devuelve el resultado de la función aplicada
// al número.
function cálculo(callable $función,int|float $valor) :int|float {
 return $función($valor);
}
// Utilización de la función anterior con dos funciones
// de flecha que efectúan un cálculo cualquiera con un parámetro.
echo cálculo(fn ($x) => $x * $x,5),'<br />'; // cuadrado
echo cálculo(fn ($x) => $x + $x,5),'<br />'; // suma
// Utilización de una variable del contexto padre.
$factor = 3;
echo cálculo(fn ($x) => $x * $factor,5),'<br />'; // producto por un factor
?>
```

Resultado

```
25
10
15
```

1.9 Función generadora

Un generador (*generator* en inglés) o función generadora es una función que genera una lista de valores que podrán explorarse en el programa mediante una llamada con la ayuda de la estructura `foreach` (como para una matriz). Esta técnica es interesante, ya que permite generar una lista de valores sin pasar por un almacenamiento en una matriz que podría consumir mucha memoria. Sin esta función es posible obtener el mismo resultado, pero a cambio de una mayor complejidad a la hora de definir una clase que implemente la interfaz `iterator`.

Para proporcionar valores sucesivos al que llama la función generadora, ésta utiliza la palabra clave `yield`.

Sintaxis

```
yield [clave =>] valor;
```

`valor` Expresión cuyo resultado constituye el valor proporcionado por la función.

`clave` Expresión cuyo resultado constituye la clave asociada al valor proporcionado por la función. Si no se especifica esta cláusula, los valores proporcionados se indexan a partir de 0 de forma predefinida.

Cuando se llama a una función generadora, en realidad devuelve un objeto de la clase interna `Generator` que implementa la interfaz `Iterator`. Cuando este objeto se explora por un bucle `foreach`, PHP llama a la función para recuperar un valor, hasta que no haya más valores (como para una matriz). En cada iteración, la función proporciona el valor con la ayuda de la palabra clave `yield` y su ejecución se suspende hasta la siguiente iteración.

Primer ejemplo: generación de una lista de valores

```
<?php
// definición de una función que genera números aleatorios
function lanzador_de_dados($número=3) {
  for ($i = 1; $i <= $número; $i++) {
    yield rand(1,6);
  }
}
// llamada de la función en una variable
$valores = lanzador_de_dados();
// dump de la variable (para ver)
echo '<b>Dump de la variable:</b><br />';
var_dump($valores);
echo '<b>  // es un objeto</b><br />';
// exploración de los valores
```

```
echo '<b>Exploración de los valores:</b><br />';
foreach ($valores as $valor) {
  echo "$valor ";
}
echo '<br />';
// nueva llamada (con 5 valores) y exploración directamente
// en la estructura foreach
echo '<b>Nueva generación (5 valores):</b><br />';
foreach (lanzador_de_dados(5) as $valor) {
  echo "$valor ";
}
?>
```

Resultado

```
Dump de la variable:
object(Generator)#1 (0) { } // es un objeto
Exploración de los valores:
5 6 3
Nueva generación (5 valores):
4 4 1 4 3
```

Segundo ejemplo: generación de una lista de parejas clave/valor

```
<?php
// definición de una función que proporciona una a una las letras de un
// texto utilizando el código ASCII de la letra como índice
function letras($texto) {
  for ($i = 0; $i < strlen($texto); $i++) {
    yield ord($texto[$i]) => $texto[$i];
  }
}
foreach (letras('OLIVIER') as $code => $letra) {
  echo "$letra ($code) ";
}
?>
```

Resultado

```
O (79) L (76) I (73) V (86) I (73) E (69) R (82)
```

Es posible incluir una instrucción `return expression` en el código de una función generadora (la instrucción `return` también puede utilizarse sin expresión, simplemente con el efecto de interrumpir la ejecución de la función). Esta función permite a la función devolver un valor final. Para recuperar este valor, es necesario utilizar una sintaxis de tipo objeto (véase más abajo) y llamar al método `getReturn()`, después de leer todos los valores generados (si no se han leído todos los valores generados, se produce un error).

Ejemplo

```
<?php
// definición de una función que genera un número aleatorio de
// potencias de 2 y que devuelve el número de valores generados
function potencia() {
  $n = rand(1,10);
  for ($i = 0; $i < $n; $i++) {
    yield 2**$i;
  }
  return $n;
}
// llamada del generador en una variable (objeto) para poder
// a continuación llamar al método getReturn()
$potencia = potencia();
foreach ($potencia as $valor) {
  echo "$valor ";
}
echo '<br /> Número de valores generados = ',$potencia->getReturn();
?>
```

Resultado

```
1 2 4 8 16 32 64 128
Número de valores generados = 8
```

Por otra parte, una función generadora puede delegar la generación de valores a otro generador, una matriz o a un objeto «transitable» (un objeto que puede ser explorado por una estructura `foreach`). Para ello, simplemente utilice la palabra clave `yield from` en la función generadora.

Ejemplo

```
<?php
// definición de una función que genera las cifras impares
function impar() {
  for ($i = 0; $i < 5; $i++) {
    yield 2*$i+1;
  }
}
// definición de una función que genera las cifras impares
// seguidas de cifras pares
function cifras() {
  yield from impar();  // delegación a otro generador
  yield from [2,4,6,8]; // delegación a una matriz
}
// llamada del generador de cifras
foreach (cifras() as $valor) {
  echo "$valor ";
}
?>
```

Resultado

```
1 3 5 7 9 2 4 6 8
```

1.10 Ejercicio 5: escribir funciones

En este ejercicio, vamos a escribir una función que realiza un análisis de las vocales contenidas en una cadena de caracteres.

Indicaciones:

- En un nuevo directorio, copie los scripts `inicio.php` y `commun.inc.php` desarrollados en el ejercicio 3.
- En el script `commun.inc.php` defina una función `analizar_vocales` con los siguientes argumentos:

`$nombre`	Texto para analizar el número de vocales.
`$numero`	Argumento pasado por referencia que devuelve el número de vocales contenidas en el nombre.
`$empieza_por`	Argumento pasado por referencia que devuelve un booleano que indica si el nombre empieza por una vocal.

- Vuelva al código inicialmente escrito en el script `inicio.php`, para alimentar los dos argumentos.
- En el script `inicio.php`, conserve solo el código que muestra el nombre, la información de la primera letra del nombre y el número de vocales del nombre, y llame a la función `analizar_vocales` para determinar los dos valores anteriores.

Resultado esperado

```
Hola Olivier.
Su nombre empieza por una vocal.
Su nombre tiene 4 vocales.
```

Solución (script commun.inc.php)

```
<?php
const MI_SITIO = 'miSitio.com';
$autores = ['Víctor Hugo','Charles Baudelaire','Arthur Rimbaud',
'Paul Verlaine'];
function analizar_vocales($texto,&$numero,&$empieza_por) {
 $empieza_por = in_array(strtoupper($texto[0]),['A','E','I','O','U','Y']);
 $numero = preg_match_all('/[AEIOUY]/i',$texto);
}
?>
```

Solución (script inicio.php)

```
<?php
include_once('commun.inc.php');
$nombre = 'Olivier';
?>
<!DOCTYPE html>
<html xmlns="http://www.w3.org/1999/xhtml" lang="es">
 <head>
   <meta charset="utf-8" />
   <title>Inicio></title>
 </head>
 <body>
   <div>
   <?php
   echo "Hola $nombre.<br />";
   analizar_vocales($nombre,$numero_vocales,$empieza_por_vocal);
   if ($empieza_por_vocal) {
     echo 'Su nombre empieza por una vocal.<br />';
   } else {
     echo 'Su nombre empieza por una consonante.<br />';
   }
   echo "Su nombre tiene $numero_vocales vocales.<br />";
   ?>
   </div>
 </body>
</html>
```

2. Clases

2.1 Concepto

PHP ofrece características clásicas de programación orientada a objetos:

- Definición de clase.
- Uso de métodos constructor y destructor.
- Conceptos de propiedad o de método público, privado, protegido.
- Legado.
- Conceptos de clase o método abstracto, de clase o método final, de interfaz, de atributo, de propiedad o método estático (de clase).
- Excepciones.
- Atributos (similar a los conceptos de anotación en Java o de decorador en Python o en JavaScript, novedad de la versión 8 que no se presenta en este libro).

Una clase es un tipo compuesto que reagrupa variables (llamadas atributos de la clase) y funciones (llamadas métodos de la clase). Por sí misma, una clase no contiene ningún dato; es solo un modelo, una definición.

A partir de la clase, es posible definir («instanciar») objetos que tienen la estructura de la clase y que contienen datos.

En esta sección, vamos a presentar las características básicas más utilizadas: es una introducción práctica a las características orientadas a objetos de PHP. Para obtener más información, consulte la documentación de PHP.

2.2 Definir una clase

La palabra clave `class` permite introducir la definición de una clase.

Sintaxis

```
[readonly] class nombre_clase {
 // definición de las propiedades
 [
 public | private | protected [tipo [readonly]] $propiedad [= expresión];
 ...
 ]
 // definición de los métodos
 [
 [public | private | protected] function método() {
  ...
 }
 ...
 ]
}
```

`nombre_clase`	Nombre de la clase (debe respetar las reglas relativas a los nombres explicadas en el capítulo Introducción a PHP - Estructura básica de una página PHP). En este nombre no se diferencia entre mayúsculas y minúsculas (para PHP, las clases `unaclase` y `UnaClase` son las mismas).

`tipo`	Declaración del tipo de datos de la propiedad. Valores posibles: `int`, `float`, `string`, `bool`, `array`, `iterable`, `object`, `self`, `parent` (únicamente en una clase que tiene un padre, véase la noción de legado más adelante), `mixed`, `true`, `false`, `null`, un nombre de clase o de interfaz (véase más adelante), una unión o intersección de tipos. El nombre del tipo se puede preceder de un punto de interrogación (`?`) para indicar que el argumento puede aceptar un valor `NULL`, salvo para los siguientes tipos: `mixed` (ya incluido), `null` (ya es `NULL`), unión de tipos (el tipo `null` puede agregarse en la unión) y la intersección de tipos. Véase el capítulo Introducción a PHP para la definición de los tipos de datos y la versión a partir de la cual ciertas de ellas pueden ser utilizadas (sección Las bases del lenguaje PHP - Tipos de datos).
`$propiedad`	Nombre de una variable que corresponde a una propiedad de la clase.
`expresión`	Valor inicial de la propiedad. Solo se aceptan las expresiones literales, las constantes y las expresiones que implican únicamente expresiones literales, constantes y operadores; las variables y las llamadas de función no están permitidas.
`método`	Definición de una función que corresponde a uno de los métodos de la clase.

La visibilidad de las propiedades y los métodos se define por una de las siguientes palabras clave:

`public`	La propiedad o el método son públicos y se puede acceder a ellos desde el exterior de la clase.
`private`	La propiedad o el método son privados y solo se puede acceder a ellos desde el interior de la clase.
`protected`	La propiedad o el método están protegidos y solo se puede acceder a ellos desde el interior de la clase o de las clases derivadas de la clase (véase el concepto de legado más adelante).

De forma predeterminada, un método es público. En cambio, la visibilidad de la propiedad debe especificarse.

Cuando una propiedad tiene un tipo, debe inicializarse antes de accederse a ella para no provocar una excepción `Error`:

```
Fatal error: Uncaught Error: Typed property usuario::$nombre must not be
accessed before initialization in ...
```

En la instrucción de declaración de una propiedad definida con su tipo, el valor asignado a la propiedad debe ser del tipo correcto (no se permite ninguna conversión). De lo contrario, se generará un error fatal:

```
Fatal error: Cannot use int as default value for property
Usuario::$nombre of type string in ...
```

Para los tipos de datos (`array`, `iterable`, `object`, `self`, `parent`, `true`, `false`, `null` y clase o interfaz), PHP genera una excepción `TypeError` si el valor que se asigna a la propiedad no es del tipo adecuado.

Para los tipos de datos escalares `int`, `float`, `string` y `bool`, PHP genera una excepción `TypeError` si el valor que se asigna a la propiedad posteriormente no es del tipo adecuado únicamente si está activada la declaración de tipo estricto (véase más adelante el apartado Declaración y llamada en la sección Funciones). Si no es el caso, en el modo de funcionamiento predeterminado, PHP efectúa, si es necesario, una conversión automática del valor asignado a la propiedad y genera la excepción `TypeError` si no es capaz de realizar esta conversión (tipos de datos no convertibles entre ellos).

En ambos casos, también se genera una excepción `TypeError` si se asigna el valor `NULL` a la propiedad, salvo si el tipo es `null` o el nombre del tipo se precede de un punto de interrogación (`?`) para indicar que se permite el valor `NULL`. Esta sintaxis está permitida excepto para los siguientes tipos: `mixed` (ya incluido), `null` (ya es `NULL`), unión de tipos (el tipo `null` puede agregarse en la unión) e intersección de tipos.

● Versión 8

Desde la **versión 8.1**, una propiedad puede declararse como de solo lectura utilizando la palabra clave `readonly`, pero solo si la propiedad es tipada (utilice el tipo `mixed` si la propiedad puede ser de cualquier tipo). Una propiedad de solo lectura debe cumplir varias reglas:

- No debe tener un valor inicial en la declaración (una propiedad de solo lectura con un valor inicial sería lo mismo que una constante, por lo que también podría utilizar una constante en este caso (véase la noción de constante de clase más adelante en este capítulo).
- Puede inicializarse una vez y no debe modificarse posteriormente.
- Debe inicializarse dentro del ámbito de su declaración (es decir, en un método de la clase).

- No se puede declarar estática (véase la noción de propiedad estática más adelante en este capítulo).
- No se debe leer antes de ser inicializada (consecuencia del hecho que su tipo ya fue declarado).

Si no se respetan estas reglas, se generan diferentes errores:

- Declaración de una propiedad de solo lectura sin definición de tipo:

  Fatal error: `Readonly property xxx must have type in ...`
- Declaración de una propiedad de solo lectura con un valor inicial:

  Fatal error: `Readonly property xxx cannot have default value in ...`
- Inicialización fuera del alcance de la declaración:

  Fatal error: `Uncaught Error: Cannot initialize readonly property xxx from global scope in ...`
- Tentativa de modificación posterior a una propiedad de solo lectura:

  Fatal error: `Uncaught Error: Cannot modify readonly property xxx in ...`

A partir de la **versión 8.2**, una clase en su conjunto se puede declarar como de solo lectura con la palabra clave `readonly` delante de la palabra clave `class`. En una clase de solo lectura, todas las propiedades definidas en la clase están explícitamente declaradas como de solo lectura. De esta manera, todas las propiedades de la clase deben respetar las reglas presentadas anteriormente para las propiedades de solo lectura.

Los métodos se definen como las funciones de usuario clásicas (con parámetros, declaración de tipos de datos para los parámetros o el valor de retorno, instrucción `return`...), pero dentro de la clase.

● Versión 8

Para el tipo de datos de retorno, el tipo `static` (novedad en la **versión 8**) puede utilizarse además de los tipos de datos habituales; en ese caso, el valor de retorno debe ser una instancia de la misma clase que la del método que se llama.

Las reglas para la administración de los errores cuando los tipos de datos de los parámetros o del valor de retorno no corresponden con lo que se ha declarado, son las mismas que para las funciones (especialmente, con la posible utilización de la declaración de tipo estricto). Un método de una clase puede tener el mismo nombre que una función de usuario o que otro método de otra clase.

Al crear («instanciar») un nuevo objeto, se llama automáticamente un método particular llamado método constructor, `__construct`. En general, este método se utiliza para inicializar las propiedades. En las antiguas versiones de PHP, era posible utilizar un método con el mismo nombre que la clase como método constructor.

Versión 8

Esta posibilidad, que quedó obsoleta a partir de la versión 7, se ha suprimido definitivamente en la **versión 8**. En la versión 8, un método que lleva el mismo nombre que la clase se considera un método «normal» y jamás se le llamará automáticamente al crear un nuevo objeto.

Además, es posible especificar un método destructor llamado `__destruct` (sin parámetros). A este método destructor se le llama automáticamente cuando se elimina la última referencia a un objeto. Este método se puede utilizar para liberar los recursos utilizados por el objeto (del tipo archivo, información en una base de datos, etc.).

Por último, es posible especificar un método llamado `__toString` (sin parámetros), que permite convertir un objeto en cadena. A este método se le llama automáticamente cada vez que se utiliza el objeto en un contexto en el que PHP espera una cadena (por ejemplo, en un `echo`). Este método debe devolver una cadena en la que se puede integrar la información que se desee sobre el objeto.

Existen otros métodos especiales (llamados métodos mágicos por PHP) cuyos nombres comienzan por __ (dos guiones bajos) y se desaconseja utilizar nombres para otros métodos que comiencen por esos dos caracteres (reservados para PHP).

Dentro de los métodos, el objeto actual (o instancia actual) se puede referenciar por la variable `$this`; para acceder a las propiedades o a los métodos, basta con utilizar el operador -> seguido del nombre de la propiedad o del nombre del método, detrás del nombre de la variable `$this`.

Sintaxis

```
$this->propiedad
$this->método([valor[, ...]])
```

El signo $ va en el nombre de la variable `this`, pero no en el nombre de la propiedad.

Ejemplo

```
<?php
// Definición de una clase destinada a almacenar información
// sobre un usuario.
class Usuario {
  // Definición de las propiedades.
  public $apellido; // nombre del usuario
  public $nombre; // nombre del usuario
  protected $idioma = 'es_ES'; // idioma del usuario
                            // español predefinido
  private $timestamp; // fecha/hora de creación (privado)
  // Definición de los métodos:
  // - método constructor
```

```
  public function __construct($nombre,$apellido) {
    // Inicializar el apellido y el nombre
    // con los valores parametrados.
    $this->nombre = $nombre;
    $this->apellido = $apellido;
    // Inicializar el timestamp con la función time().
    $this->timestamp = time();
  }
  // - método destructor
  public function __destruct() {
    // Basta con mostrar un mensaje.
    echo "<p><b>Eliminación de $this->apellido</b></p>";
  }
  // - método de conversión del objeto en cadena
  public function __toString() {
    // Devuelve el apellido y el nombre.
    return "__toString = $this->apellido - $this->nombre";
  }
  // - método que modifica el idioma del usuario.
  public function idioma($idioma) {
    $this->idioma = $idioma;
  }
  // - método (privado) que da formato a la fecha/hora
  //   de creación del usuario.
  private function FormatoDeLaMarcaDeTiempo() {
    $format = datefmt_create($this->idioma);,IntlDateFormatter::FULL,
                             IntlDateFormatter::LONG);
    return datefmt_format($format, $this->timestamp);
  }
  // - método que da información sobre el usuario
  public function información() {
    $creación = $this->FormatoDeLaMarcaDeTiempo();
    return "$this->nombre $this->apellido - $creación";
  }
}
?>
```

Versión 8

A partir de la **versión 8**, los parámetros del método constructor pueden convertirse automáticamente en propiedades del objeto. Para ello, en la definición del método constructor, basta con escribir antes del nombre del parámetro una de las palabras clave de visibilidad (`private`, `public` o `protected`). A partir de la **versión 8.1**, es posible incluir la palabra clave `readonly` para definir una propiedad de solo lectura (en este caso, también debe especificar un tipo para el parámetro).

Ejemplo

```
public function __construct
  (
  public    $nombre, // nombre del usuario
  public    $apellido, // apellido del usuario
  protected $idioma = 'es_ES', // idioma del usuario
  private   $timestamp = null // fecha/hora de creación
  )
{
  $this->timestamp ??= time(); // timestamp actual si no se ha definido
}
```

Con esta sintaxis, las propiedades se declaran e inicializan automáticamente con el valor que se pasa como parámetro (o el valor predefinido del parámetro). Si fuera necesario, puede haber otros parámetros que no se conviertan en propiedades, pero que se utilicen en el método constructor. Los parámetros pueden definirse en cualquier orden, se conviertan o no en propiedades.

A partir de la **versión 8.1**, en este contexto, el valor predefinido de un parámetro promovido a una propiedad también puede ser un objeto instanciado con el operador `new` (mientras que no es posible inicializar una propiedad definida de la forma tradicional con un objeto).

El código del método puede estar vacío si no hay ninguna otra acción que realizar cuando se crea el objeto, aparte de la inicialización de las propiedades. Si hay código, se ejecuta después de la creación y la inicialización de las propiedades. Es lo que ocurre en este ejemplo, donde se requiere una acción para asignar un valor a la propiedad `timestamp` si esta última esta vacía.

Observación

Una clase se puede utilizar solo en el script donde se define. Para poder utilizarla en varios scripts, es necesario o bien copiar su definición en los diferentes scripts (se pierde el interés por definir una clase) o bien definirla en un archivo incluido donde la clase sea necesaria.

2.3 Instanciar una clase

Una instancia significa crear un objeto basado en la definición de la clase. Hasta cierto punto, esto equivale a la definición de una variable que tiene como «tipo» la clase.

La creación de instancias se realiza mediante el operador `new`.

Sintaxis

```
$nombre_objeto = new nombre_clase[(valor[, ...])]
```

`$nombre_objeto` Variable para almacenar el objeto.

`nombre_clase` Nombre de la clase que sirve como «modelo» para el objeto.

`valor` Posible parámetro que se pasa al método constructor de la clase llamada durante la creación del objeto.

Después de la creación del objeto, las propiedades y métodos públicos del objeto se pueden obtener con el operador ->, en la variable `$nombre_objeto`, como con la variable `$this`.

Observación

No hay protección de las propiedades públicas de los objetos; se pueden manipular directamente.

Ejemplo

```
<?php
// Inclusión del archivo que contiene la definición de la
// clase Usuario presentada anteriormente.
include('clases.inc.php');
// Instanciación de un objeto.
$yo = new Usuario('Olivier','Heurtel');
// La variable $yo contiene ya un objeto basado en la
// clase Usuario. Los métodos son accesibles por el
// operador ->.
// Utilización de los métodos del objeto.
echo "{$yo->información()} <br/>";
$yo->idioma('en_US');  // modificación del idioma
echo "{$yo->información()} <br/>";
// Modificación y lectura directa de una propiedad pública
$yo->apellido = strtoupper($yo->apellido);
echo "$yo->apellido <br />";
// Visualización directa del objeto => utilización de __toString
echo "$yo <br />";
?>
```

Resultado

```
Olivier Heurtel - lun. 12 febrero 2024 10:33:37 CEST
Olivier Heurtel - Mon 12 Feb 2024 10:33:37 PM CEST
HEURTEL
__toString = HEURTEL - Olivier
Eliminación de HEURTEL
```

Como muestra este ejemplo, las variables objeto pueden sustituirse igual que el resto (véase el capítulo Introducción a PHP, sección Las bases del lenguaje PHP - Tipos de datos) en las cadenas de caracteres delimitadas con comillas dobles. Si es necesario, se pueden utilizar llaves para delimitar la variable dentro de la cadena.

Es posible acceder a un miembro de una clase (propiedad o método) durante la instanciación, con una sintaxis de tipo `(new clase(...))->miembro`.

Ejemplo

```
<?php
// Inclusión del archivo que contiene la definición de la
// clase Usuario presentada anteriormente.
include('clases.inc.php');
// Llamada a un método durante la instanciación de un objeto.
$información = (new Usuario('Víctor','Hugo'))->información();
echo "$información <br/>";
?>
```

Resultado

```
Supresión de Hugo

Víctor Hugo - lun. 12 febrero 2024 10:33:37 CEST
```

Con este tipo de llamada, el nuevo objeto se suprime inmediatamente después de su creación, lo que explica por qué el mensaje de supresión se muestra antes de la información.

Observación

Las mismas reglas de alcance y duración de las variables se aplican a los objetos (véase el capítulo Introducción a PHP, sección Las bases del lenguaje PHP - Variables).

En el contexto de una clase, también es posible crear un objeto de la clase en cuestión mediante la sintaxis `new self`.

El operador `new` puede aplicarse sobre una variable que contiene el nombre de la clase que se debe instanciar.

Versión 8

Desde la **versión 8**, también puede utilizarse con cualquier expresión siempre y cuando el resultado de esa expresión sea un nombre de clase válido; la expresión debe figurar entre paréntesis.

Ejemplo

```
<?php // Inclusión del archivo que contiene la definición de la
// clase Usuario presentada anteriormente.
include('clases.inc.php');
// Variable que contiene el nombre de la clase
$clase = 'Usuario';
// Función que devuelve el nombre de la clase
function leer_clase() {return 'Usuario';}
```

```
// Instanciación con ayuda de la variable
$yo = new $clase('Olivier','Heurtel');
// Lo mismo con la variable como expresión (sintaxis versión 8)
$otra_vez_yo = new ($clase)('Olivier','Heurtel');
// Instanciación con ayuda de una expresión (en esta caso, un a función)
$una_vez_más_yo = new (leer_clase())('Olivier','Heurtel');
?>
```

Llamar un método o acceder a una propiedad de un objeto no instanciado (`null`) produce un error (una simple alerta por acceder a una propiedad, una excepción `Error` por llamar un método):

```
Warning: Attempt to read property "nombre" on null in ...
Fatal error: Uncaught Error: Call to a member function información() on null in ...
```

Versión 8

Antes de la **versión 8**, para evitar este tipo de error, se probaba de antemano el objeto, típicamente con la función `is_null`.

Desde la versión 8, es posible utilizar el operador `?->` (llamado operador *nullsafe*) que devuelve `null` si el objeto utilizado es `null`. Este operador permite simplificar la sintaxis en este tipo de situación.

Ejemplo

```
<?php
// Inclusión del archivo que contiene la definición de la
// clase Usuario presentada anteriormente.
include('clases.inc.php');
// Llamada de un método sin haber instanciado el objeto.
// El operador ?-> permite evitar una excepción.
$yo = null;
echo "Yo (1): {$yo?->información()} <br/>";
// Llamada del método después de instanciar el objeto.
$yo= new Usuario('Olivier','Heurtel');
echo "Yo (2): {$yo?->información()} <br/>";
?>
```

Resultado

```
Yo (1):
Yo (2): Olivier Heurtel - lun. 12 febrero 2024 10:38:13 CET

Supresión de Heurtel
```

Desde la **versión 8.2**, la creación de propiedades dinámicas ha quedado obsoleta. Una propiedad dinámica es una propiedad creada automáticamente por PHP cuando se asigna un valor a una propiedad de un objeto que no está definida en la clase (creada en el objeto instanciado, no en la definición de la clase).

Ejemplo

```
<?php
// Incluir el archivo que contiene la definición de la
// clase de usuario presentada anteriormente
include('clases.inc.php');
// Instanciar un objeto.
$yo = new usuario('Olivier','Heurtel');
// Asignar un valor a una propiedad que no existe.
$yo->teléfono = '0606060606';
?>
```

Resultado (a partir de la versión 8.2)

```
Deprecated: Creation of dynamic property Usuario::$teléfono
is deprecated in ...
```

Antes de la versión 8.2, la propiedad `teléfono` se creaba automáticamente en el objeto instanciado.

Existen varias técnicas posibles para hacer frente a este mensaje de obsolecencia:

- Declarar la propiedad (la primera solución recomendada).
- Utilizar los métodos mágicos `__get()` y `__set()`, que no se ven afectados por esta depreciación (permiten gestionar eficazmente las propiedades dinámicas - consulte la documentación para más información).
- Como último recurso, añadir el atributo `#[\AllowDynamicProperties]` a la definición de la clase (consulte la documentación para obtener más información).

2.4 Legado

Es posible definir una nueva clase que hereda de una clase existente con la palabra clave `extends`.

Sintaxis

```
[readonly] class nombre_clase extends nombre_clase_de_base{
 // Definición de propiedades adicionales.
 [
 public | private | protected [type [readonly]] $propiedad [= expresión];
 ...
 ]

 // Definición de métodos adicionales.
```

```
 [
 public | private | protected function método() {
  ...
 }
 ...
 ]
}
```

El significado de los diferentes elementos es el mismo que para la definición de una clase.

La nueva clase creada se llama clase hija y la clase base (que sirve como un «molde» en esta creación) se denomina clase madre.

La nueva clase tiene implícitamente las propiedades y los métodos de la clase base y puede definir otros nuevos, incluyendo una clase constructora de llamada `__construct`. Si la clase hija no tiene un método constructor, se llama al método del constructor de la clase madre cuando se instancia un objeto de la clase hija (salvo si el método constructor de la clase madre es privado).

Cuando el método constructor existe en la clase hija, no hay ninguna llamada automática al método constructor de la clase madre: si es necesario, se le debe llamar explícitamente utilizando `parent::__construct()`.

En la clase hija, es posible crear un objeto de la clase madre con la sintaxis `new parent`.

Ejemplo

```
<?php
// Definición de una clase base.
class Usuario {
  // Definición de las propiedades.
  public $apellido; // apellido del usuario
  public $nombre; // nombre del usuario
  // Definición de los métodos:
  // - método constructor
  public function __construct($nombre,$apellido) {
    // Inicializar el apellido y el nombre
    // con los valores parametrados.
    $this->nombre = $nombre;
    $this->apellido = $apellido;
  }
  // - método que da la información sobre el usuario
  public function información() {
    return "$this->nombre $this->apellido";
  }
}
// Definición de una clase que hereda de la primera.
```

```
class UsuarioColor extends Usuario{
  // Definición de propiedades complementarias.
  public $colores; // colores preferidos de usuarios
  // Definición de métodos complementarios.
  // - método constructor
  public function __construct($nombre,$colores) {
    // Llamada al constructor de la clase madre
    // para la primera parte de la inicialización.
    parent::__construct ($nombre,'X');
    // Inicialización específica complementaria.
    $this->colores = explode(',',$colores);
  }
  // - lista de los colores preferidos del usuario
  public function colores() {
    return implode(',',$this->colores);
  }
}
// Instanciación de un objeto en la clase hija.
$yo = new UsuarioColor('Olivier','azul,blanco,rojo');
// Utilización de métodos:
// - de la clase madre
echo "{$yo->información()}<br />"; // existe por legado
// - de la clase hija
echo "{$yo->colores()}<br />"; // existe en la clase
?>
```

Resultado

```
Olivier X
azul,blanco,rojo
```

En una clase hija, es posible volver a declarar un método o una propiedad existente en la clase madre (noción de sobrecarga). En este caso, el operador `parent::` se puede utilizar para hacer referencia explícitamente a las propiedades o métodos (`parent::método()`) de la clase madre y eliminar la ambigüedad de los nombres (este operador se puede utilizar incluso si no hay ambigüedad).

Si un método se vuelve a declarar en una clase secundaria, esta debe tener exactamente los mismos parámetros (la misma «firma») que el método de la clase madre, con algunas excepciones:

- Los nombres de los parámetros pueden ser diferentes (pero no es recomendable si desea poder utilizar el nombre del parámetro en la llamada).
- Los parámetros pueden ser opcionales (tener un valor predefinido) o tener un valor predefinido diferente del valor predefinido en el método padre. Sin embargo, un parámetro opcional no puede convertirse en obligatorio en el método hijo.
- Pueden añadirse parámetros adicionales opcionales (con un valor predefinido).

- Puede omitirse el tipo de los parámetros. También puede redefinirse siempre y cuando sea menos específico que el del método padre (tipo añadido en una unión de tipos, clase madre en lugar de una clase hija).
- Se puede definir un tipo de retorno si el método padre no lo ha definido. También puede redefinirse siempre y cuando sea más específico que el del método padre (tipo extraído de una unión de tipos, clase hija en lugar de una clase de base).

Si no es el caso, se ha producido un error. Estas reglas no se aplican al método constructor ni a los métodos privados que pueden tener firmas totalmente diferentes.

Ejemplo permitido

```
<?php
// Definición de una clase madre.
class ClaseMadre {
  public function put(string $x) {}
}
// Definición de una clase hija que hereda de la clase madre.
class ClaseHija extends ClaseMadre {
  // Método declarado de nuevo con una firma compatible.
  //   - parámetro opcional
  //   - omisión del tipo del parámetro
  //   - añadidura de un segundo parámetro opcional
  //   - añadidura de un tipo de retorno
  public function put($x = '?',$y = 0) : int {
    // ...
  }
}
?>
```

Versión 8

Desde la **versión 8**, utilizar el operador `parent::` en una clase que no tiene madre provoca un error fatal durante la compilación (antes de la versión 8, aparecía una excepción `Error` durante la ejecución).

Desde la **versión 8**, se puede redefinir la visibilidad de los métodos y las propiedades privadas de una clase madre (`protected` o `public` en lugar de `private`). Por otra parte, los métodos y propiedades protegidos o públicos no pueden redefinirse con una visibilidad menor (`protected` o `private` en lugar de `public`, o `private` en lugar de `protected`). Sin embargo, sí es posible hacer público un método o propiedad protegido. En resumen, la visibilidad de los métodos y propiedades puede relajarse, pero no restringirse.

Por el contrario, si una propiedad se declara como de solo lectura en una clase padre (posible desde la **versión 8.1**), no puede redefinirse como de lectura-escritura (es decir, sin la palabra `readonly`) en una clase hija. Reciprocamente, no es posible definir una propiedad como de solo lectura en una clase hija si no se declara también como de solo lectura en la clase padre.).

De forma más general, si la clase padre se declara como de solo lectura (posible desde la **versión 8.2**), la clase hija también debe declararse como de solo lectura. Inversamente, una clase hija solo puede declararse como de solo lectura si su clase padre está declarada como de solo lectura.

Desde la **versión 8.1**, las variables estáticas utilizadas en métodos heredados, pero no sobrecargados, se comparten con el método padre.

Ejemplo

```
<?php
// Definición de una clase madre.
class ClaseMadre {
  public function valor() {
    static $nombre = 0 ;
    return ++$nombre;
  }
}
// Definición de una clase hija que hereda de la clase madre.
class ClaseHija extends ClaseMadre {}
// Instanciación de dos objetos
$m = new ClaseMadre() ;
$f = new ClaseHija() ;
echo '$m->valor() = ',$m->valor(),'</br>';
echo '$f->valor() = ',$f->valor(),'</br>';
echo '$m->valor() = ',$m->valor(),'</br>';
echo '$f->valor() = ',$f->valor(),'</br>';
?>
```

Resultado a partir de la versión 8.1

```
$m->valor() = 1
$f->valor() = 2
$m->valor() = 3
$f->valor() = 4
```

Resultado antes de la versión 8.1

```
$m->valor() = 1
$f->valor() = 1
$m->valor() = 2
$f->valor() = 2
```

Antes de la versión 8.1, la variable estática no era compartida entre las dos clases.

2.5 Otras características de las clases

2.5.1 Clases o métodos abstractos

Una clase abstracta es una clase que no se puede instanciar (no se crea ningún objeto en la clase). En cambio, esta clase puede servir de base para definir una clase hija que se puede instanciar (excepto si es a su vez abstracta).

Un método abstracto es un método que se define en una clase (que a su vez es necesariamente abstracta), pero no se ha implementado (el código del método no está presente). Este método se puede implementar en una clase hija. Un método abstracto no puede ser privado.

En cuanto a la sintaxis, basta con poner la palabra clave `abstract` antes de la definición de la clase o del método.

Una clase hija que no implementa todos los métodos abstractos de la clase madre es implícitamente abstracta (aunque la palabra clave `abstract` no esté presente).

Ejemplo

```
<?php
// Definición de una clase abstracta.
abstract class ClaseMadre {
   // propiedad protegida
   protected $x;
   // dos métodos para acceder a la propiedad protegida
   //   - para leer
   public function get() {
      return "GET = $this->x";
   }
   //   - para escribir
   //     > método abstracto
   abstract public function put($valor);
}
// Definición de una clase hija que hereda de la clase madre.
class ClaseHija extends ClaseMadre {
   // Implementación del método de escritura.
   public function put($valor) {
      $this->x = $valor;
   }
}
// Utilización de la clase hija.
$objeto = new ClaseHija();
$objeto->put(123);
echo $objeto->get(),'<br />';
?>
```

Resultado

```
GET = 123
```

En una clase hija que se extiende de una clase abstracta, los métodos se pueden sobrecargar según las reglas habituales de firma que hemos presentado anteriormente.

Ejemplo

```
<?php
// Definición de una clase abstracta.
abstract class ClaseMadre {
   abstract public function put(string $valor);
}
// Definición de una clase hija que herida de la clase principal.
class ClaseHija extends ClaseMadre {
   // Implementación del método.
   //   - omisión del tipo del argumento
   //   - añadir un tipo de retorno
   public function put($valor) : int {
       // ...
   }
}
?>
```

2.5.2 Clases o métodos finales

No se puede heredar de una clase final.

Un método final no puede ser redefinido en una clase hija.

En cuanto a la sintaxis, basta con poner la palabra clave `final` antes de la definición de la clase o del método.

Ejemplo 1

```
<?php
// Definición de una clase madre con un método final.
class ClaseMadre {
    final public function métodoFinal() {
        echo 'Método final en la clase madre';
    }
}
// Definición de una clase hija que hereda de la clase madre.
class ClaseHija extends ClaseMadre {
    // Intento de modificación de la clase final.
    public function métodoFinal() {
        echo 'Método final en la clase hija';
    }
}
?>
```

Resultado

```
Fatal error: Cannot override final method
claseMadre::métodoFinal() in /app/scripts/index.php on line 14
```

Ejemplo 2

```
<?php
// Definición de una clase madre final.
final class ClaseMadre {
    public $x;
}
// Intento de definición de una clase hija que hereda
// de la clase madre.
class ClaseHija extends ClaseMadre {
    public $y;
}
?>
```

Resultado

```
Fatal error: Class claseHija may not inherit from final class
(claseMadre) in /app/scripts/index.php on line 10
```

2.5.3 Interfaces

Una interfaz es una clase que solo contiene las especificaciones de los métodos sin implementación. Una interfaz tampoco incluye ninguna propiedad.

Otras clases se pueden definir y, a continuación, aplicar una o más interfaces, es decir, aplicar los métodos de una o más interfaces.

Sintaxis para la definición de una interfaz

```
interface nombre_interfaz {
    // Definición de los métodos.
    [public] function método();
    ...
}
```

`nombre_interfaz`	Nombre de la interfaz (debe respetar las reglas de los nombres presentes en el capítulo Introducción a PHP - Estructura básica de una página PHP). En este nombre, no se diferencia entre mayúsculas y minúsculas (para PHP, las interfaces `unainterfaz` y `UnaInterfaz` son las mismas).
`método`	Especificación de un método de la interfaz.

Los métodos de una interfaz son siempre públicos, por lo que se puede omitir la palabra clave `public`.

Es posible definir una nueva clase que implemente una o varias interfaces con la palabra clave `implements`.

Sintaxis

```
class nombre_clase implements nombre_interfaz1,nombre_interfaz2,... {
...
}
```

Esta clase debe implementar los distintos métodos de las interfaces que implementa. Si no se implementa uno de los métodos de las interfaces, la clase debe declararse como abstracta. La clase que implementa una interfaz debe utilizar una firma compatible (véanse las reglas que se han presentado anteriormente); de lo contrario, se producirá un error fatal. Así mismo, una clase puede implementar dos interfaces que definan el mismo método (mismo nombre), siempre y cuando las firmas de los diferentes métodos sean compatibles.

Una interfaz puede extenderse como una clase utilizando el operador `extends`.

Ejemplo

```
<?php
// Definición de dos interfaces.
interface lectura {
    function get();
}
interface escritura {
    function put($valor);
}

// Definición de una clase que implementa las dos interfaces.
class UnaClase implements lectura,escritura {
    // Definición de cualquier propiedad.
    private $x;
    // Implementación del método de lectura.
    public function get() {
        return $this->x;
    }
    // Implementación del método de escritura.
    public function put($valor) {
        $this->x = $valor;
    }
}
?>
```

2.5.4 Propiedades o métodos estáticos - Constantes de clases

Una propiedad o un método estático se puede utilizar directamente sin necesidad de instanciar antes un objeto. También es conocido como propiedad o método de clase.

Para definir una propiedad o un método estático, basta con colocar la palabra clave `static` antes de la definición de la propiedad o del método.

Para hacer referencia a una propiedad o un método estático, debe utilizar la sintaxis `nombre_clase::$nombre_propiedad` o `nombre_clase::nombre_método()`. También es posible llamar un método estático desde un objeto con el operador `->` o `::`.

Una constante de clase es una constante definida en una clase que se puede utilizar directamente sin necesidad de instanciar antes un objeto (como una propiedad de clase, pero constante). Una constante de clase puede redefinirse en una clase hija. Una constante se puede definir en una interfaz; una constante de interfaz se comporta como una constante de clase, pero no se puede redefinir en una clase que implementa la interfaz o una interfaz que hereda de la interfaz.

<u>Sintaxis para definir una constante de clase</u>

```
[public | private | protected] const nombre_constante = valor;
```

`nombre_constante`	Nombre de la constante.
`valor`	Valor de la constante (mismas reglas que para una constante clásica definida con la palabra clave `const` - véase la sección Las bases del lenguaje PHP - Constantes, en el capítulo Introducción a PHP).

La visibilidad de una constante de clase se puede definir con las palabras clave habituales:

`public`	La constante es pública y se puede acceder a ella desde el exterior de la clase.
`private`	La constante es privada y solo se puede acceder a ella desde el interior de la clase.
`protected`	La constante está protegida y solo podemos acceder a ella desde el interior de la clase o desde clases derivadas de esta (ver la noción de legado).

Por defecto, las constantes de clase son públicas.

A partir de la **versión 8.1**, una constante de clase o interfaz puede declararse como final utilizando la palabra clave `final`, en cuyo caso no podrá redefinirse en una clase derivada (véase más arriba la sección Clases o métodos finales).

Para hacer referencia a una constante de clase, debe utilizar la sintaxis `nombre_clase::nombre_constante` u `objeto::nombre_constante`, donde `objeto` es un objeto instanciado de la clase.

En el interior de una clase, también se puede acceder a las propiedades y métodos estáticos de la clase, así como a las constantes de clase de la clase con las palabras clave `self` o `static` seguidas del operador `::` (`self::` o `static::`). Existe una sintaxis similar (`parent::`) para acceder desde una clase a las propiedades y métodos estáticos de la clase madre, así como a las constantes de la clase madre.

Ejemplo

```
<?php
// Definición de una clase.
class UnaClase {
  // Cualquier propiedad privada.
  private $x;
  // Atributo privado estático para almacenar
  // el número de objetos instanciados.
  static private $número = 0;
  // Constante de clase para definir un valor predeterminado.
  const PREDETERMINADO = 'X';
  // Función pública estática que devuelve el número de objetos.
  static public function númeroObjetos() {
    return UnaClase::$número;
  }
  // Método constructor
  // - recuperar el valor de la propiedad (valor predeterminado
  //   = la constante de clase)
  // - incrementar el número de objetos
  public function __construct($valor = self:PREDETERMINADO) {
 // self::constante
    $this->x = $valor;
    self::$número++; //self::$propiedad
    echo "Creación del objeto: $this->x<br />";
  }
  // Método destructor.
  // - reducir el número de objetos
  public function __destruct() {
    static::$número--; // static::$propiedad
    echo "Eliminación del objeto: $this->x<br />";
  }
}
// Crear dos objetos.
$desconocido = new UnaClase();
$abc = new UnaClase ('ABC');
// Mostrar el número de objetos
```

```
echo UnaClase::númeroObjetos(),' objeto(s)<br />';
// "Eliminar" un objeto.
unset($desconocido);
// Mostrar el número de objetos
echo UnaClase::númeroObjetos(),' objeto(s)<br />'; // clase::método()
echo $abc::númeroObjetos(),' objeto(s)<br />';      // objeto::método()
echo $abc->númeroObjetos(),' objeto(s)<br />';     // objeto-> método()
// Mostrar el valor de la constante de clase
echo 'UnaClase::PREDETERMINADO = ',UnaClase::PREDETERMINADO,'<br />';
// clase::constante
echo '$abc::PREDETERMINADO = ',$abc::PREDETERMINADO,'<br />';
// objeto::constante?>
```

Resultado

```
Creación del objeto: X
Creación del objeto: ABC
2 objeto(s)
Eliminación del objeto: X
1 objeto(s)
1 objeto(s)
1 objeto(s)
UnaClase::PREDETERMINADO = X
$abc::PREDETERMINADO = X
Eliminación del objeto: ABC
```

Este ejemplo ilustra las diferentes sintaxis disponibles para acceder a las propiedades o métodos estáticos o a las constantes de clase (ver los comentarios en el código).

Pueden utilizarse métodos estáticos para encapsular el método constructor y conseguir así varios métodos para crear un objeto a partir de diferentes valores (una clase PHP solo puede tener un solo método constructor `__construct`).

Ejemplo

```
<?php
class Usuario{
  // Propiedades de la clase.
  private string $nombre;
  private string $apellido;
  // Método constructor privado.
  private function __construct(string $nombre,string $apellido) {
    $this->nombre = $nombre;
    $this->apellido = $apellido;
  }
  // Primer método estático para crear un objeto.
  public static function crearBásico(string $nombre,string $apellido): static {
    return new static($nombre, $apellido);
  }
  // Segundo método estático para crear un objeto.
  public static function crearMatriz(array $data): static {
```

```
    return new static($data['nombre'],$data['apellido']);
  }
  // Tercer método estático para crear un objeto.
  public static function crearCSV(string $csv): static {
    $data = str_getcsv($csv);
    return new static($data[0],$data[1]);
  }
  // Para mostrar el objeto.
  public function __toString() {
     return "$this->nombre $this->apellido";
  }
}
// Creación de tres objetos con los tres métodos estáticos.
$yo = Usuario::crearBásico('Olivier','Heurtel');
echo $yo,'<br />';
$él = Usuario::crearMatriz(['nombre'=>'Victor','apellido'=>'Hugo']);
echo $él,'<br />';
$otro = Usuario::crearCSV('Arthur,Rimbaud');
echo $otro,'<br />';
?>
```

Resultado

```
Olivier Heurtel
Victor Hugo
Arthur Rimbaud
```

Los tres métodos «constructor» estáticos crean un objeto de la clase haciendo una llamada al «auténtico» método constructor (`__construct`, que aquí es privado) mediante una llamada `new static()`.

Versión 8

Desde la **versión 8**, llamar a un método no estático de forma estática provoca una excepción `Error` (estaba obsoleto antes de la versión 8).

2.5.5 Traits

Un trait (rasgo) es un tipo de clase que reagrupa un conjunto de métodos, propiedades o constantes (a partir de la **versión 8.2**) que pueden utilizarse a continuación en otras clases sin legado. Es un medio fácil de reutilización del código en un lenguaje como PHP, que no autoriza el legado múltiple.

Sintaxis de definición de un trait

```
trait nombre_rasgo {
  // Definición de propiedades y/o métodos y/o constantes
  ...
}
```

`nombre_rasgo` Nombre del rasgo (debe respetar las reglas de nomenclatura presentadas en el capítulo Introducción a PHP - Estructura básica de una página PHP). En este nombre, no se diferencia entre mayúsculas y minúsculas (para PHP, los traits `unrasgo` y `Unrasgo` son iguales).

En la definición del trait, las propiedades, métodos y constantes se definen como en una clase normal.

A continuación, es posible definir una nueva clase que utilice uno o varios traits con la palabra clave `use`.

Sintaxis

```
class nombre_clase [extiende el nombre de la clase de base] {
  // Utilización de uno o varios traits
  use nombre_trait [,...];
  // Seguido de la definición de la clase.
  ...
}
```

Ejemplo

```
<?php
// Definición de un trait que contiene métodos de cálculo.
trait YoSéCalcular {
  function suma($a,$b) {
    return $a+$b;
  }
  function producto($a,$b) {
    return $a*$b;
  }
}
// Definición de un trait que contiene un método que
// muestra un mensaje.
trait YoSoyListo {
  // El método prueba si existe una propiedad 'nombre' en
  // la clase y si es el caso lo utiliza en el mensaje.
  function decirHola() {
    if (isset($this->nombre)) {
      echo "¡Hola {$this->nombre}!<br />";
    } else {
      echo '¡Hola!<br />';
    }
  }
}
// Definición de una clase que utiliza los dos traits.
```

```
class Usuario{
  use YoSéCalcular,YoSoyListo;
  // Propiedades y métodos de la clase.
  private $nombre; // nombre del usuario
  public function __construct($nombre) {
    // Inicializar el nombre con el valor pasado como parámetro.
    $this->nombre = $nombre;
    // Decir hola (llamada de un método de uno de los traits).
    $this->decirHola();
  }
}
// Instanciar un nuevo objeto.
$yo = new Usuario('Olivier');
// Hacer un cálculo (llamada de un método de uno de los traits)
echo 'Yo sé calcular: ';
echo '10821 x 11409 = ',$yo->producto(10821,11409);
?>
```

Resultado

```
¡Hola Olivier!
Yo sé calcular: 10821 x 11409 = 123456789
```

Un método heredado de una clase base se reemplaza por un método con el mismo nombre surgido de un trait, que a su vez se reemplaza por un método del mismo nombre de la clase actual.

Por el contrario, si dos traits insertan un método con el mismo nombre en una clase, se produce un error fatal, salvo si el conflicto se resuelve explícitamente utilizando los operadores `insteadof` o `as` (véase la documentación a este respecto).

No existe un mecanismo similar para las propiedades y constantes. Se produce un error fatal si una clase define una propiedad o constante con el mismo nombre que una propiedad o constante de un trait utilizado, a menos que las definiciones sean estrictamente idénticas (mismo tipo, misma visibilidad, mismo valor inicial). Lo mismo ocurre si dos traits insertan una propiedad o constante con el mismo nombre en una clase.

Un trait puede utilizar otros traits.

Nótese que una constante de rasgo (introducida en la versión 8.2) no puede llamarse directamente como constante de clase (en la forma `nombre_rasgo::nombre_constante`). Sin embargo, dicha constante de rasgo se convierte en una constante de clase en una clase que utilice el rasgo y, por tanto, puede llamarse utilizando la sintaxis correspondiente.

Otras características están disponibles con los traits:

- Cambiar la visibilidad de los métodos de la clase que utiliza el trait.
- Definir los métodos abstractos en trait (estos métodos deberán implementarse en la clase que utiliza el trait). Desde la versión 8, estos métodos abstractos pueden ser privados (antes de la versión 8, solo estaban permitidos los métodos abstractos públicos o protegidos).
- Definir propiedades o métodos estáticos en un trait (mismo funcionamiento que las propiedades y los métodos estáticos definidos en una clase).

Para saber más acerca de estas diferentes características, consulte la documentación.

2.5.6 Clases anónimas

Es posible definir clases anónimas, al igual que las funciones anónimas presentadas anteriormente en este capítulo.

Ejemplo

```
<?php
// Definición de una clase que permite hacer geometría.
class Euclides {
  // Figura geométrica (objeto).
  private $figura;
  // Método que define la figura geométrica manipulada.
  public function atribuirFigura($figura) {
    $this->figura = $figura;
  }
  // Método que muestra la superficie de la figura.
  public function mostrarSuperficie() {
    echo 'Superficie = ',$this->figura->superficie();
  }
}
// Instanciación de un objeto.
$euclide = new Euclides();
// Definición de la figura (objeto) manipulado
// utilizando la ayuda de una clase anónima.
$euclide->atribuirFigura(
  new class(2,5) { // argumentos pasados al constructor
    private $ancho;
    private $longitud;
    public function __construct($ancho,$longitud) {
      $this->ancho = $ancho;
      $this->longitud = $longitud;
    }
    public function superficie() {
```

```
      return $this->ancho * $this->longitud;
    }
  });
// Visualización de la superficie.
echo $euclide->mostrarSuperficie();
?>
```

Ejemplo

```
Superficie = 10
```

2.6 Excepciones

Los lenguajes de programación basados en objetos como C++ y Java utilizan el concepto de excepción para administrar los errores; también es el caso de PHP. Como veremos en el capítulo Gestionar los errores en un script PHP, PHP genera gran cantidad de errores en forma de excepciones.

Una excepción es un objeto de la clase `Exception` o de una subclase de esa clase.

Administrar una excepción consiste en incluir el código susceptible de provocar errores en un bloque `try` y asociarlo a un bloque `catch` destinado a detectar errores y procesarlos:

Estructura general

```
try {
    // código susceptible de generar errores
    ...
} catch (Exception [$variable]) {
    // código destinado a procesar los errores
    ...
[
} finally {
    // código ejecutado en todos los casos
    ...
]
}
```

En la cláusula `catch`, en lugar de la clase `Exception`, es posible especificar el nombre de ua subclase de la clase `Exception` si el objetivo es tratar específicamente los errores de ese tipo.

Versión 8

Desde la **versión 8**, en el `catch`, ya no es obligatorio almacenar la excepción en una variable.

Es posible incluir un bloque `finally` después del bloque `catch`. El código presente en el bloque `finally` siempre se ejecuta después de los bloques `try` y `catch`, independientemente de si se produce una excepción o no.

La clase `Exception` es una clase que contiene los siguientes métodos:

`__construct`	Método constructor que acepta dos parámetros: un mensaje de error y un código de error (opcional).
`getMessage`	Método que permite recuperar el mensaje de error.
`getCode`	Método que permite recuperar el código de error.

Dentro del bloque `try`, se puede producir una excepción por una instrucción de tipo `throw new Exception(mensaje, [código])`. En el bloque `catch`, los métodos `getMessage` y `getCode` permiten recuperar información sobre el error y procesarla. En caso de excepción en un bloque `try`, el procesamiento se ramifica directamente en el bloque `catch`: el resto del bloque `try` no se ejecuta.

Ejemplo

```
<?php
// Definición de una clase.
class UnaClase {
  // Cualquier propiedad.
  private $x;
  // Método constructor.
  public function __construct($valor) {
    $this->x = $valor;
  }
  // Método que lleva a cabo cualquier acción.
  public function acción() {
    // Por alguna razón, se prohíbe la acción
    // si la propiedad es negativa: se produce una excepción.
    if ($this->x < 0) {
      throw new Exception('Acción prohibida',123);
    }
  }
}
// Crear dos objetos.
$objeto = new UnaClase(1);
try {
  echo 'Objeto 1: ';
```

```
    $objeto->acción(); // no va a provocar ninguna excepción
    echo 'OK<br />';
  } catch (Exception $e) {
    echo 'ERROR ',$e->getCode(),' - ',$e->getMessage(),'<br />';
  }
  $objeto = new UnaClase(-1);
  try {
    echo 'Objeto 2: ';
    $objeto->acción(); // va a provocar una excepción
    echo 'OK<br />';
  } catch (Exception $e) {
    echo 'ERROR ',$e->getCode(),' - ',$e->getMessage(),'<br />';
  }
  echo '--<br />';
  // Lo mismo con un bloque finally.
  $objeto = new UnaClase(1);
  try {
    echo 'Objeto 1: ';
    $objeto->action(); // no se producirá una excepción
    echo 'OK<br />';
  } catch (Exception $e) {
    echo 'ERROR ',$e->getCode(),' - ',$e->getMessage(),'<br />';
  } finally {
    echo 'FINALLY<br />';
  }
  $objeto = new UnaClase(-1);
  try {
    echo 'Objeto 2: ';
    $objeto->action(); // producirá una excepción
    echo 'OK<br />';
  } catch (Exception $e) {
    echo 'ERROR ',$e->getCode(),' - ',$e->getMessage(),'<br />';
  } finally {
    echo 'FINALLY<br />';
  }
  ?>
```

Resultado

```
Objeto 1: OK
Objeto 2: ERROR 123 - Acción prohibida
--
Objeto 1: OK
FINALLY
Objeto 2: ERROR 123 - Acción prohibida
FINALLY
```

Si una excepción no ha sido procesada, se producirá un error fatal (**`Fatal error:`** `Uncaught Exception: ...`). En este caso, se puede definir un gestor de excepción predefinido utilizando la función `set_exception_handler` (véase el capítulo Gestionar los errores en un script PHP, sección Las funciones de gestión de errores).

Puede crear sus propias clases de excepción ampliando la clase `Exception` de base.

```
class MiExcepción extends Exception {
  // definición de la clase
}
```

En este caso, se pueden utilizar varios bloques `catch` para procesar diferentes clases de excepción.

Ejemplo

```
try {
    // código susceptible de generar errores
    ...
} catch (MiException $e) {
    // código destinado a procesar los errores de la clase MiException
    ...
} catch (Exception $e) {
    // código destinado a procesar los errores de la clase Exception de
base
    ...
}
```

También se puede definir un bloque `catch` para tratar varias clases de excepción diferentes; esta funcionalidad es práctica cuando se deben tratar varias excepciones de la misma manera.

Ejemplo

```
    // código susceptible de generar errores
    ...
} catch (Exception1 | Exception2 $e) {
    // código destinado a tratar errores de las
    // clases Exception1 y Exception 2
    ...
}
```

Versión 8

Desde la **versión 8**, `throw` es una expresión que puede utilizarse en un contexto en el que se espera una expresión, lo cual puede ser interesante para crear una excepción si fuera necesario.

Ejemplos

Con el operador ternario (?):

```
$n = is_array($t) ? count($t) : throw new exception('Matriz esperada');
```

Con el operador de unión NULL (??):

```
$valor = $valor1 ?? $valor2 ?? throw new Exception('Valor obligatorio');
```

Con la expresión match:

```
$valor = match($x) {
  1 => 'uno',
  2 => 'dos',
  default => throw new Exception('x debe ser igual a 1 o 2')
};
```

2.7 Enumeraciones

En la **versión 8.1**, PHP introdujo la capacidad de definir enumeraciones de la misma manera que otros lenguajes.

Una enumeración es un tipo que tiene un número fijo de valores posibles (o casos). En PHP, una enumeración es una clase particular y estos valores posibles son objetos de instancia única. Como resultado, una enumeración puede ser usada dondequiera que un objeto pueda ser usado, particularmente en la declaración de un tipo: argumento de una función o método, valor que devuelve un método o función, propiedad en una clase, etc.

Para definir una enumeración, se usa la palabra clave enum.

Sintaxis para definir una enumeración

```
enum nombre_enumeración {
  // Definición de valores.
  case valor1;
  [case valor2;]
  ...
}
```

El nombre de una enumeración debe cumplir con las reglas de los nombres presentadas en el capítulo Introducción a PHP. El nombre no diferencia entre mayúsculas y minúsculas (para PHP, las enumeraciones mienumeración y MiEnumeración son lo mismo). Las enumeraciones comparten el mismo espacio de nombres que las clases, interfaces y traits (rasgos): una enumeración no puede, por tanto, tener el mismo nombre que una clase, interfaz o trait.

Los valores de una enumeración son identificadores que deben cumplir las reglas de nombres de una constante (y, en particular, no deben comenzar por $). Estos identificadores son distintos si se usan mayúsculas o minúsculas (`valor` y `VALOR` son dos valores diferentes) y los valores deben ser diferentes entre sí dentro de la enumeración. No hay límite en el número de valores en una enumeración.

Los valores de una enumeración pueden referenciarse como constantes de clase utilizando la sintaxis `nombre_enumeración::valor`, por ejemplo `Nivel::Experto`.

Las enumeraciones implementan una interfaz interna que proporciona un método `cases()` que devuelve los valores de la enumeración en una matriz, en el orden en que fueron declarados.

Además, cada valor de una enumeración tiene una propiedad de solo lectura llamada `name`, que proporciona el valor en forma de cadena de caracteres. Se puede acceder a esta propiedad utilizando la sintaxis habitual (`->name`).

Ejemplo

```
<?php
// Definición de una enumeración.
enum Color {
  case Azul;
  case Blanco;
  case Rojo;
}
// Declaración de una constante inicializada con un valor de la enumeración.
const BLANCO = Color::Blanco;
// Declaración de una función que acepta un parámetro
// que debe ser de este tipo.
function muestra_color(Color $color) {
  echo var_dump($color),'</br>'; // mostrar la variable
  echo $color ->name,'</br>'; // mostrar la propiedad "name"
}
// Declaración de una función que acepta un parámetro
// que debe ser de este tipo.
function color_aleatorio() : Color {
  return Color::cases()[rand(0,2)];
}
// Mostrar la lista de valores de enumeración
echo 'Colores de la bandera francesa: ' ;
foreach (Color::cases() as $color) {
  echo $color->name,' ';
}
echo '</br>';
// Asigna un valor de la enumeración a una variable..
$color = Color::Azul;
// Llama a la función que devuelve un valor de la enumeración.
$color = color_aleatorio();
```

```
// Llama a la función con un valor del tipo correcto para el parámetro.
muestra_color($color);
// Llama a la función con un valor del tipo incorrecto para el parámetro.
try {
  muestra_color('Azul');
} catch (Error $e) {
  echo $e->getMessage(),'</br>';
}
?>
```

Resultado (aleatorio)

```
Colores de la bandera francesa: Azul Blanco Rojo
enum(Color::Rojo)
Rojo
muestra_color(): Argument #1 ($color) must be of type Color,
string given, called in /media/sf_scripts_php/Test/test.php on line 35
```

En este ejemplo, la última llamada falla porque el valor pasado a la función como parámetro es de tipo incorrecto.

Dos valores de una enumeración pueden compararse por igualdad (con los operadores habituales == o === pero no por desigualdad (< o >).

Los valores de una enumeración no tienen un valor escalar equivalente predefinido (por ejemplo, 1 = Azul, 2 = Blanco, etc.), aunque el nombre del atributo de solo lectura puede desempeñar este papel hasta cierto punto. Sin embargo, disponer de un valor escalar para cada valor de la enumeración puede ser útil, sobre todo para el almacenamiento en una base de datos o un archivo.

Si es necesario, puede utilizarse la siguiente sintaxis para definir una enumeración cuyos valores estén asociados a valores escalares de tipo `int` o `string`. En la documentación, esta variante se denomina enumeración respaldada (*backed enumeration*).

Sintaxis para definir una enumeración con valores escalares

```
enum nombre_enumeración: int|string {
  // Definición de valores.
  case valor = valor_escalar;
  ...
}
```

Ejemplo 1 (valor escalar de tipo `int`)

```
<?php
// Definición de una enumeración.
enum Tamaño : int {
  case UNO  = 1;
  case DOS  = 2;
  case TRES = 3;
}
?>
```

Ejemplo 2 (valor escalar de tipo `string`)

```
<?php
// Definición de una enumeración.
enum Tamaño : string {
  case UNO  = 'U';
  case DOS  = 'D';
  case TRES = 'T';
}
?>
```

Los valores escalares asociados deben ser distintos entre sí y son obligatorios (debe asignarse un valor y este debe ser distinto de `NULL`). Solo se permiten valores literales y expresiones literales (no se pueden utilizar constantes, variables ni funciones). Los valores deben ser del tipo esperado (PHP no realiza una conversión implícita si el valor no es del tipo correcto, sino que genera un error).

Las enumeraciones definidas de esta forma tienen una propiedad adicional de solo lectura llamada value, que devuelve el valor escalar asociado a un valor de la enumeración.

Ejemplo

```
<?php
// Definición de una enumeración.
enum Tamaño : int {
  case UNO  = 1;
  case DOS  = 2;
  case TRES = 3;
}
echo Tamaño::UNO->name,' = ', Tamaño::UNO->value;
?>
```

Resultado

```
UNO = 1
```

Las enumeraciones definidas con valores escalares asociados también implementan una interfaz interna que proporciona dos métodos estáticos, `from` y `tryFrom`, que pueden utilizarse para devolver el valor de la enumeración asociada a un valor escalar.

Signature (patrón)

```
public static from(int|string $valor): static
public static tryFrom(int|string $ valor): ?static
```

Estos dos métodos devuelven el valor de la enumeración correspondiente al valor escalar introducido en el parámetro `$valor`. Se diferencian en su comportamiento si el valor pasado en el parámetro no corresponde a ningún valor escalar definido en la enumeración. En este caso, el método `from` lanza una excepción `ValueError`, mientras que el método `tryFrom` devuelve `null`. Las reglas para el tratamiento de errores cuando el tipo de datos del parámetro `$valor` no se ajusta a su declaración son las mismas que para las funciones (incluyendo el posible uso de tipos estrictos).

Ejemplo

```
<?php
enum Tamaño : int {
  case UNO  = 1;
  case DOS  = 2;
  case TRES = 3;
}
$tamaño = Tamaño::from(1);
echo '1 => ',$tamaño->name,'</br>';
$tamaño = Tamaño::tryFrom(2);
echo '2 => ',$tamaño->name,'</br>';
try {
  $tamaño = Tamaño::from(0); // lanza una excepción
  echo '0 => ',$tamaño?->name,'</br>';
} catch (ValueError $e) {
  echo '0 => ',$e->getMessage(),'</br>';
}
$tamaño = Tamaño::tryFrom(0); // devuelve null
echo '0 => ',$tamaño?->name,'</br>';
?>
```

Resultado

```
1 => UNO
2 => DOS
0 => 0 is not a valid backing value for enum Tamaño
0 =>
```

Las enumeraciones también pueden contener métodos, que pueden ser estáticos, implementar interfaces o utilizar traits (siempre que estos no contengan propiedades). En un método de enumeración, la variable `$this` hace referencia al objeto correspondiente al valor de enumeración (recuerde que los valores de enumeración son objetos de instancia única de la clase que implementa la enumeración). Las enumeraciones también pueden contener constantes, que son equivalentes a las constantes de clase.

Ejemplo

```
<?php
//  Definición de una interfaz.
interface lectura {
  function get() : string;
}
// Definición de un enumeración que implemente la interfaz.
enum Nivel : int implements lectura {
  // Valores de la enumeración.
  case Principiante = 1;
  case Iniciado     = 2;
  case Confirmado   = 3;
  case Experto      = 4;
  // Définir una constante.
  public const Máximo = self::Experto;
  // Método que devuelve información sobre el valor.
  public function información() : string {
    return "$this->name ($this->value)" ;
  }
  // Método estático que devuelve un valor aleatorio de la enumeración.
  public static function azar() : static {
    return static::from(rand(1,4)) ;
  }
  // Implementar el método de lectura.
  public function get() : string {
    return "[$this->value] $this->name" ;
  } }
$niveau = Niveau::azar(); // un nivel al azar
echo $niveau->información(),'</br>';
echo $niveau->get(),'</br>';
if ($niveau === Nivel::Máximo) { // comparar con el nivel máximo
  echo 'Nivel máximo, ¡bravo!';
} else {
  echo 'Aún un pequeño esfuerzo más para alcanzar el nivel máximo.';
}
?>
```

Resultado (aleatorio)

```
Confirmado (3)
[3] Confirmado
Aún un pequeño esfuerzo más para alcanzar el nivel máximo.
```

En el ejemplo anterior, el método `azar()` desempeña el papel de un método constructor (posible uso de un método estático, véase la sección Propiedades o métodos estáticos - Constantes de clase en este capítulo).

A partir de la **versión 8.2**, es posible acceder a las propiedades `name` y `value` de una enumeración en la expresión utilizada para definir una constante.

Ejemplo

```
<?php
enum Orientación : int {
  case NORTE = 1;
  case OESTE = 2;
  case SUR   = 3;
  case ESTE  = 4;
}
const N = Orientación::NORTE->name;
const S = Orientación::SUR->value;
echo 'N = ',N,'</br>';
echo 'S = ',S,'</br>';
?>?
```

Resultado

```
N = NORTE
S = 3
```

2.8 Ejercicio 6: escribir una clase

En este ejercicio, vamos a escribir y utilizar una clase que permite la gestión (muy simplificada) de un autor.

Paso 1

Vamos a empezar creando un script con la definición de nuestra clase.

Indicaciones:

– En un nuevo directorio, cree un script llamado `clase.Autor.php`.
– En este script, defina una clase `Autor` con las siguientes características:

Constantes de clase

`APELLIDOS_ENTRE_PARENTESIS`	Formato de visualización del nombre (valor igual a 1).
`APELLIDOS_DESPUES_COMILLAS`	Formato de visualización del nombre (valor igual a 2).

Propiedades

`$nombre`	Nombre del autor.
`$apellidos`	Apellidos del autor.

Métodos

`__construct($patronimico)`	Método constructor. `$patronimico`: nombre completo del autor en forma «apellidos nombre». Este método recupera los apellidos y el nombre en el argumento y los almacena en las propiedades `$apellidos` y `$nombre`.
`__toString()`	Método de conversión del objeto en cadena. Devuelve el nombre completo en formato «apellidos nombre».
`format($format = NULL)`	Método que devuelve el nombre del autor formateado en función del valor del argumento. – «nombre (apellidos)» si el argumento es igual a la constante de clase: `APELLIDOS_ENTRE_PARENTESIS`. – «nombre, apellidos» si el argumento es igual a la constante de clase `APELLIDOS_DESPUES_COMILLAS`. – «apellidos nombre» si el argumento es igual al valor `NULL`. Se produce una excepción para cualquier otro valor del argumento (mensaje «Formato desconocido»).

Puede comprobar que la sintaxis de definición de la clase es correcta, llamando al script en su navegador.

Solución (script clase.Autor.php)

```
<?php
class Autor {
 // Definición de las constantes de clase.
 const APELLIDOS_ENTRE_PARENTESIS = 1;
 const APELLIDOS_DESPUES_COMILLAS = 2;
 // Definición de las propiedades.
 public  $nombre;    // nombre del autor
 public  $apellidos; // apellidos del autor
 // Método constructor.
 public function __construct($patronimico) {
   // Inicializar el nombre y el apellido
```

```
    // a partir del nombre completo pasado como argumento.
    [$this->apellidos,$this->nombre] = explode(' ',$patronimico);
  }
  // Método de conversión del objeto en cadena
  public function __toString() {
    // Solo devuelve el apellidos y el nombre.
    return "$this->apellidos $this->nombre";
  }
  // Método de formateo del nombre del autor.
  public function format($format = NULL) {
    switch ($format) {
      case self::APELLIDOS_ENTRE_PARENTESIS:
        $valor = "$this->nombre ($this->apellidos)";
        break;
      case self::APELLIDOS_DESPUES_COMILLAS:
        $valor = "$this->nombre, $this->apellidos";
        break;
      case NULL:
        $valor = "$this->apellidos $this->nombre";
        break;
      default:
        throw new Exception('Formato desconocido');
    };
    return $valor;
  }
}
?>
```

Paso 2

Ahora vamos a utilizar esta clase en un nuevo script.

Indicaciones:

- Cree un nuevo script PHP llamado `inicio.php` y escriba el código que permita mostrar una página HTML llamada «Inicio».
- Al inicio del script, escriba una instrucción para incluir la definición de la clase.
- En la página HTML, incorpore una sección de código PHP que va a instanciar un nuevo autor con el nombre que usted elija, mostrar el objeto directamente en la página, después llamar al método `format()` sucesivamente sin argumentos y después, con las dos constantes de clase, y a continuación con un valor cualquiera. Escriba este código dentro de un bloque `try {} catch {}` para mostrar el mensaje de error de una eventual excepción en forma «Error: *mensaje*.», en negrita.

Resultado esperado

```
Víctor Hugo
Víctor Hugo
Hugo (NOMBRE)
Hugo, NOMBRE
Error: Formato desconocido.
```

Solución (script inicio.php)

```
<?php
include_once('clase.Autor.php');
?>
<!DOCTYPE html>
<html xmlns="http://www.w3.org/1999/xhtml" lang="es">
 <head>
   <meta charset="utf-8" />
   <title>Inicio</title>
 </head>
 <body>
   <div>
   <?php
   try {
     $autor = new Autor('Olivier Heurtel');
     echo $autor,'<br />';
     echo $autor->format(),'<br />';
     echo $autor->format(Autor::NOMBRE_ENTRE_PARENTESIS),'<br />';
     echo $autor->format(Autor::NOMBRE_DESPUES_COMILLAS),'<br />';
     echo $autor->format('?'),'<br />';
   } catch (Exception $e) {
     printf('<b>Error: %s.</b>',$e->getMessage());
   }
   ?>
   </div>
 </body>
</html>
```

3. Espacios de nombres

Los espacios de nombres (*namespace* en inglés) permiten resolver dos problemas frecuentes en el uso de clases o de bibliotecas de funciones:

- Uso de un mismo nombre (clase, función, constante) en dos bibliotecas.
- Manipulación de nombres especialmente largos que hacen que el código sea difícil de escribir.

Un espacio de nombre se declara con la palabra clave `namespace` al principio de un archivo, antes de cualquier otro código, a excepción de la instrucción `declare`, que se autoriza antes (de lo contrario, se produce un error grave).

Ejemplo

```
<?php
// Definición del espacio de nombre.
namespace MiBiblioteca;
// Definición de una constante.
const UNO = 1;
// Definición de una clase.
class unaClase {
  /*
  ...
  */
}
// Definición de una función.
function unaFunción() {
  /*
  ...
  */
}
?>
```

El mismo espacio de nombre se puede definir en varios archivos, lo que permite organizar el código en varios archivos, agrupándolo dentro del mismo espacio de nombre.

Observación

Es posible definir varios espacios de nombres en un mismo archivo, pero no es una buena práctica de codificación.

Un espacio de nombre se puede definir con subniveles, utilizando el separador de la barra invertida (\): `MiBiblioteca\Sub\Nivel`.

De forma predeterminada, si no se define un espacio de nombre, todas las definiciones (clases, funciones, constantes) se colocan en el espacio de nombre global.

La constante `__NAMESPACE__` da el nombre del espacio de nombre actual (cadena vacía en el espacio global).

El espacio de nombre se puede utilizar para cualificar un identificador (constante, función, clase) con el separador de barra invertida (\) y así precisar su origen. El nombre cualificado es relativo al espacio de nombre actual si no comienza con una barra invertida; de lo contrario, es absoluto.

Si el nombre no está cualificado, está implícitamente resuelto en el espacio de nombre actual (o en el espacio de nombre global si no se ha definido un espacio de nombre).

La palabra clave `namespace` se puede utilizar para hacer referencia explícitamente a un elemento del espacio de nombre actual o a un subespacio.

Suponiendo que el espacio de nombre actual es `MiProyecto`, tenemos las siguientes resoluciones:

Referencia	**Se convierte en**
`f()`	`\MiProyecto\f()` (nombre no cualificado = espacio de nombre actual)
`Biblioteca\f()`	`\MiProyecto\Biblioteca\f()` (nombre relativo)
`\MiProyecto\Biblioteca\f()`	`\MiProyecto\Biblioteca\f()` (nombre absoluto)
`namespace\f()`	`\MiProyecto\f()` (utilización de la palabra clave `namespace`)
`namespace\Biblioteca\f()`	`\MiProyecto\Biblioteca\f()` (utilización de la palabra clave `namespace`)

Para hacer referencia a un identificador del espacio global, se puede utilizar un nombre absoluto `\nombre` (por ejemplo, `\time()`).

Para facilitar el uso de espacios de nombres en el código, es posible importar un espacio de nombre o hacer referencia a un nombre absoluto con un alias. El alias de nombre y la importación son posibles para las clases y el espacio de nombre, así como para las funciones y para las constantes.

El alias se crea con el operador `use`.

Sintaxis

```
use [tipo] nombre [as alias][, ...]
```

`tipo` Valores posibles: `función` o `const`. Indica que el elemento importado es una función o una constante.

`nombre` Nombre cualificado absoluto del elemento (espacio de nombre, clase, función o constante) que se debe importar. La barra invertida inicial del nombre absoluto no es necesaria. Para importar una función o una constante, es necesario precisar el tipo (`function` o `const`).

`alias` Nombre del alias. Igual al nombre «corto» de `nombre` (sin la ruta) si no se especifica.

El nombre importado debe ser absoluto y no se resuelve desde el espacio de nombre actual.

Ejemplos

```
use MiProyecto\Biblioteca as lib; // alias de un espacio de nombre
lib\unaFunción(); // llama a MiProyecto\Biblioteca\unaFunción()
use MiProyecto\Biblioteca\unaClase as cl; // alias de una clase
$objeto = new cl; // instanciación de un objeto de la clase
                  // MiProyecto\Biblioteca\unaClase
use MiProyecto\Biblioteca; // equivalente a
                           // use MiProyecto\Biblioteca as Biblioteca
```

Desde la versión 7, es posible agrupar varias importaciones en una sola instrucción `use` haciendo figurar los elementos que se van a importar entre llaves:

```
use MiProyecto\Biblioteca\{unaClase as cl,OtraClase}
```

Para ilustrar los diferentes conceptos presentados anteriormente, vamos a considerar el uso de la biblioteca `biblioteca.inc` siguiente:

```
<?php
// Declaración del espacio de nombre.
namespace MiProyecto\Biblioteca;
// Definición de una constante.
const UNO = 1;
// Definición de una clase.
class unaClase {
  static function información() {
    echo 'Biblioteca<br />';
  }
}
// Definición de una función.
function unaFunción() {
  echo __FUNCTION__,'<br />';
}
?>
```

Esta biblioteca se utiliza en el siguiente script:

```
<?php
// Definición del espacio de nombre.
namespace MiProyecto;
// Inclusión de la biblioteca.
include('biblioteca.inc');
// Definición de una constante.
const UNO = 'uno';
// Definición de una clase.
class unaClase {
  static function información() {
    echo 'MiProyecto<br />';
  }
}
// Definición de una función.
```

```
function unaFunción() {
    echo __FUNCTION__,'<br />';
}
// Visualización del espacio de nombre actual.
echo 'Espacio de nombre actual = ', __NAMESPACE__,'<br />';
// Llamada de unaFunción():
// nombre no cualificado = espacio de nombre actual
echo 'unaFunción() = ';
unaFunción();
// Llamada de Biblioteca\unaFunción():
// nombre cualificado relativo
echo 'Biblioteca\unaFunción() = ';
Biblioteca\unaFunción();
// Visualización de \MiProyecto\Biblioteca\UNO:
// nombre cualificado absoluto
echo '\MiProyecto\Biblioteca\UNO = ',
     \MiProyecto\Biblioteca\UNO,
     '<br />';
// Visualización de namespace\UNO:
// utilización de la palabra clave 'namespace' (espacio actual)
echo 'namespace\UNO = ',
     namespace\UNO,
     '<br />';
// Definición de un alias de clase.
use \MiProyecto\Biblioteca\unaClase as cl;
echo 'cl::información() = ';
cl::información();
// Definición de un alias de espacio de nombre.
use MiProyecto\Biblioteca as lib;
echo ' lib\unaFunción() = ';
lib\unaFunción();
// Definición de un alias de constante.
use const MiProyecto\Biblioteca\UNO as ONE;
echo 'ONE = ',ONE,'<br />';
// Definición de un alias de función.
use function MiProyecto\Biblioteca\unaFunción as f;
echo 'f() = ';
f();
?>
```

Resultado

```
Espacio de nombres actual = MiProyecto
unaFunción() = MiProyecto\unaFunción
Biblioteca\unaFunción() = MiProyecto\Biblioteca\unaFunción
\MiProyecto\Biblioteca\UNO = 1
namespace\UNO = uno
cl::información() = Biblioteca
lib\unaFunción() = MiProyecto\Biblioteca\unaFunción
ONE = 1
f() = MiProyecto\Biblioteca\unaFunción
```

Capítulo 5
Gestionar los errores en un script PHP

1. Información general

Un error en un script PHP se puede manifestar de dos maneras, posiblemente al mismo tiempo:

- por un valor determinado devuelto por la función PHP en la que se encuentra el error;
- por un mensaje enviado directamente a la página.

Ejemplos

Función	Comportamiento en caso de error
`require`	Si el archivo que se pasa como parámetro no existe, se muestra un mensaje, pero la función no devuelve ningún código especial.
`mysqli_query`	Si el servidor MySQL devuelve un error en la ejecución de la consulta, no aparece ningún mensaje, pero la función devuelve `FALSE` (la naturaleza del error se puede recuperar por otras funciones).
`oci_execute`	Si el servidor Oracle devuelve un error en la ejecución de la consulta, aparece un mensaje y la función devuelve `FALSE` (la naturaleza del error se puede recuperar por otras funciones).

Por tanto, gestionar los errores en un script PHP consiste, en general, en establecer un mecanismo para detectar la generación de un error con el fin de que este muestre un mensaje en lugar del mensaje que muestra PHP directamente.

2. Mensajes de error de PHP

Los mensajes de error (o avisos) que muestra PHP tienen un nivel correspondiente a su gravedad:

Valor	Constante asociada	Descripción
1	`E_ERROR`	Error fatal de ejecución (mensaje «Fatal error:...»). El script se interrumpe. Ejemplos: llamada a una función que no existe, archivo mencionado en la instrucción `require` que no existe.
2	`E_WARNING`	Alerta de ejecución (mensaje «Warning:...»). El script continúa. Ejemplos: intento de apertura (con `fopen`) de un archivo no existente, apertura de una conexión MySQL sin éxito... En general, si el script continúa, provoca otros mensajes del mismo tipo.
4	`E_PARSE`	Error de compilación («Parse error:...»). El script no se ejecuta. Ejemplos: olvido de un punto y coma, un paréntesis de cierre...
8	`E_NOTICE`	Advertencia durante la ejecución (mensaje «Notice:...»). El script continúa.
16	`E_CORE_ERROR`	Error grave al inicializar PHP. El script no se ejecuta.
32	`E_CORE_WARNING`	Alerta durante la inicialización de PHP.
64	`E_COMPILE_ERROR`	Error grave durante la compilación. El script no se ejecuta.
128	`E_COMPILE_WARNING`	Alerta durante la compilación.
256	`E_USER_ERROR`	Error generado por el desarrollador. El script se interrumpe.

Valor	Constante asociada	Descripción
512	E_USER_WARNING	Alerta generada por el desarrollador.
1024	E_USER_NOTICE	Advertencia generada por el desarrollador.
2048	E_STRICT	Consejos durante la ejecución. Permite a PHP sugerir cambios para mejorar la portabilidad del código, especialmente para las futuras versiones.
4096	E_RECOVERABLE_ERROR	Error grave recuperable. Si el desarrollador no gestiona el error (véase más abajo), se detiene el script.
8192	E_DEPRECATED	Alertas durante la ejecución. Permite mostrar alertas sobre el código que utiliza características obsoletas y que podría no funcionar ya en futuras versiones.
16384	E_USER_DEPRECATED	Alerta de obsolescencia generada por el desarrollador.
32767	E_ALL	Todos los errores y advertencias (suma de los niveles anteriores).

La mayoría de los errores fatales (`E_ERROR`) o recuperables (`E_RECOVERABLE_ERROR`) se señalan provocando una excepción de tipo `Error`. Si ningún controlador de excepción (`catch`) procesa la excepción, se produce un error fatal. Es importante señalar que la excepción de tipo `Error` no hereda del tipo `Exception` y por tanto no es interceptada por un `catch(Exception $e)`. Este nuevo mecanismo es interesante, ya que permite gestionar más fácilmente este tipo de error.

La clase `Error` es la clase de base de una jerarquía de subclases que corresponden a diferentes tipos de errores que detecta PHP:

```
Error
  ArithmeticError
    DivisionByZeroError
  AssertionError
  CompileError
     ParseError
  TypeError
    ArgumentCountError
  ValueError
  UnhandledMatchError
```

El significado de estos errores es el siguiente:

`ArgumentCountError`	Se ha pasado un número insuficiente de parámetros a una función o a un método.
`ArithmeticError`	Error en una operación matemática.
`AssertionError`	Error al probar una aserción con la función `assert()`.
`DivisionByZeroError`	Dividir entre cero (¡El nombre de la excepción está claro!).
`CompileError`	Error de compilación.
`ParseError`	Error al analizar el código que se ejecuta con la función `eval()`.
`TypeError`	Error de tipo. Un parámetro que se ha pasado a una función (o método) o el valor de retorno de una función (o método) no coincide con el tipo declarado.
`ValueError`	Un parámetro tiene un valor incorrecto (pero el tipo de datos es correcto). Ejemplo: separador vacío en la llamada de la función `explode()`.
`UnhandledMatchError`	Ninguna coincidencia en la expresión match (véase el capítulo Introducción a PHP - Las bases del lenguaje PHP - Operadores).

Ejemplo de error grave

```
<?php
$archivo = fope('/tmp/info.txt','r');
$texto = fread($archivo,100);
fclose($archivo);
?>
```

Resultado

```
Fatal error: Uncaught Error: Call to undefined function: fope() in
/app/scripts/index.php :2 Stack trace: #0 {main} thrown
in /app/scripts/index.php on line 2
```

Este ejemplo muestra claramente que el error es en origen una excepción de tipo `Error` que no ha sido interceptada (`Uncaught Error`). Si es preciso, este error puede interceptarse por parte de un controlador de excepciones.

Ejemplo de error fatal (con controlador de excepción)

```
<?php
try {
$archivo = fope('/tmp/info.txt','r');
$texto = fread($archivo,100);
fclose($archivo);
} catch(Exception $e) {
  echo 'Type "Excepción"<br />';
  echo 'Después del procesamiento del error ...';
} catch(Error $e) {
  echo 'Type "Error"<br />';
  echo 'Después del procesamiento del error ...';
}
?>
```

Resultado

```
Type "Error"
Después del procesamiento del error ...
```

Este ejemplo muestra claramente que la excepción es del tipo `Error`, y no `Exception`.

Otro ejemplo de error fatal (no gestionado)

```
<?php
$archivo = fopen('/tmp/infos.txt'); // falta un parámetro obligatorio.
?>
```

Resultado

```
Fatal error: Uncaught ArgumentCountError: fopen() expects at least 2
arguments, 1 given in ...
```

En este caso, se trata de una excepción `ArgumentCountError` que no se ha gestionado.

Ejemplo de alerta

```
<?php
$archivo = fopen('/tmp/infos.txt','r');
?>
```

Resultado

```
Warning: fopen(/tmp/infos.txt): failed to open stream:
No such file or directory in /app/scripts/index.php on line 2
```

Ejemplo de error de análisis

```
<?php
echo '¡Hola!<br />'      // ¡Falta el punto y coma!
echo '¡Bienvenido!<br />';
?>
```

Resultado

```
Parse error: syntax error, unexpected token "echo", expecting "," or ";"
in /app/scripts/index.php on line 3
```

3. Las funciones de gestión de errores

PHP ofrece varias funciones que permiten gestionar correctamente los errores en un script:

Nombre	Función
`error_reporting`	Define los niveles de errores que se muestran por PHP.
`error_log`	Envía un mensaje de error a un destino (archivo, por ejemplo).
`set_error_handler`	Especifica el nombre de una función de usuario que se utiliza como controlador de error.
`set_exception_handler`	Indica el nombre de una función de usuario que se utilizará como controlador de excepción.
`restore_exception_handler`	Reactiva el antiguo controlador de excepción.
`restore_error_handler`	Restaura el controlador de error antiguo.
`trigger_error` `user_error`	Genera un error definido por el desarrollador (`user_error` es un alias de `trigger_error`).
`error_get_last`	Devuelve información sobre el último error encontrado en el script.
`error_clear_last`	Borra el último error encontrado en el script.

También existen dos funciones, `debug_backtrace` y `debug_print_backtrace` que permiten obtener información útil para la puesta a punto (contexto de ejecución y pila de llamadas). Para saber más sobre estas dos funciones, consulte la documentación.

Además, el operador @, colocado antes del nombre de una función, puede usarse para eliminar la visualización de los mensajes generados en la función en caso de error.

Ejemplo

```
<?php
$archivo = @fopen('/tmp/infos.txt','r');
?>
```

Al ejecutar esta instrucción, no aparece ningún mensaje, ya que el archivo solicitado no existe.

● Versión 8

Desde la **versión 8**, el operador `@` ya no elimina la visualización de los errores fatales que provocan que el script se detenga (`E_ERROR`, `E_PARSE`, `E_CORE_ERROR`, `E_COMPILE_ERROR`, `E_USER_ERROR`, `E_RECOVERABLE_ERROR`). Antes de la versión 8, se detenía la ejecución del script, pero no se mostraba ningún mensaje.

Ejemplo

```
<?php
$archivo = @fopen('/tmp/infos.txt','r');
$texto = @fread($archivo,100);
@fclose($archivo);
?>
```

Resultado

```
Fatal error: Uncaught TypeError: fread(): Argument #1 ($stream) must be of
type resource, bool given in /app/scripts/index.php:3 Stack trace: #0
/app/scripts/index.php(3): fread(false, 100) #1 {main} thrown in
/app/scripts/index.php on line 3
```

En este ejemplo, el descriptor de fichero que devuelve la llamada a la función `fopen` contiene el valor `FALSE` porque la llamada ha fracasado (el archivo no existe). Por lo tanto, el tipo de datos que se ha pasado como parámetro a la función `fread` no es correcto, lo que provoca una excepción `TypeError` que se transforma en error fatal e interrumpe el script.

Cuando el error provoca una parada del script, la página mostrada está vacía o incompleta. Por tanto, es necesario probar el resultado de las funciones, o usar un gestor de errores, para controlar el flujo del programa y realizar los procesamientos necesarios.

error_reporting

La función `error_reporting` permite definir los niveles de error para los cuales el programa permite a PHP mostrar los mensajes.

Sintaxis

entero `error_reporting([`*entero* `niveles])`

`niveles`	Niveles de error mostrados por PHP, expresados en forma de una suma de los valores asignados a cada nivel.

La función `error_reporting` devuelve el valor anterior. Llamada sin parámetros, esta función solo devolverá el valor actual, sin cambiar nada.

Al definir los niveles deseados, se recomienda, para asegurar la compatibilidad futura, utilizar las constantes y no poner los valores codificados directamente en el programa.

La constante `E_ALL`, igual a la suma de todas las otras constantes (excepto `E_STRICT`), se puede utilizar para solicitar la visualización de todos los niveles de error.

Por el contrario, un nivel igual a 0 provoca la supresión de la visualización de todos los mensajes; esto es equivalente, para el conjunto del script, al operador `@` que se puede utilizar en una función. A diferencia del operador `@`, utilizar el nivel 0 suprime la visualización de los errores fatales que interrumpen la ejecución del script (en este sentido, no hay cambios en la versión 8 con respecto a las anteriores).

Del mismo modo que se definen los valores de niveles de error, especificar varios niveles es muy sencillo por medio de operaciones aritméticas en las constantes.

Ejemplo

`E_ERROR+E_WARNING`	Niveles `E_ERROR` y `E_WARNING`
`E_ALL-E_USER_ERROR-E_USER_WARNING-E_USER_NOTICE`	Todos los niveles, excepto `E_USER_ERROR`, `E_USER_WARNING` y `E_USER_NOTICE`

● Versión 8

El valor predefinido (`E_ALL` desde la **versión 8**) se define por la directiva de configuración `error_reporting`.

Además, la directiva de configuración `display_errors` permite autorizar (`on`) o prohibir (`off`) la visualización de los mensajes de error; si `display_errors` es `off`, dar un valor cualquiera a `error_reporting` (en el archivo `.ini` o en un script) no tiene ningún efecto.

En fase de desarrollo, es aconsejable mostrar todos los errores (`E_ALL`), incluidas las advertencias, para escribir el código lo más limpio posible.

Ejemplo

```
<?php
// Valor actual de error_reporting.
echo '<b>error_reporting = ',error_reporting(),'</b><br />';
// Predefinido igual a todo (E_ALL) desde la versión 8.
echo '= E_ALL ',E_ALL,'<br />';
// Visualización de una variable no inicializada.
echo "\$x (no inicializada) = $x => mensaje de error <br />";
// Pasar error_reporting a E_ALL-E_WARNING (todo menos E_WARNING).
error_reporting(E_ALL-E_WARNING);
echo '<b>error_reporting = E_ALL-E_WARNING </b><br />';
// Visualización de una variable no inicializada.
echo "\$x (no inicializada) = $x => más mensaje <br />";
 // Pasar error_reporting a 0 (nada).
error_reporting(0);
echo '<b>error_reporting = 0</b><br />';
// Apertura de un archivo que no existe.
if (! $archivo = fopen('/tmp/infos.txt','r')) {
   echo 'Error en fopen => no hay mensaje<br />';
};
// Lectura del archivo con ayuda del descriptor de fichero.
echo '<i>Intento de lectura del archivo con fread</i>br />';
$texto = @fread($archivo,100);
// La llamada anterior fracasa con un error fatal que detiene
// la ejecución del script. La instrucción siguiente no se ejecuta.
echo '<b>Fin del script</b><br />';
?>
```

Resultado

```
error_reporting = 32767
= E_ALL = 32767

Warning: Undefined variable $x in /app/scripts/index.php on line 16$x
(no inicializada) = => mensaje de error
error_reporting = E_ALL-E_WARNING
$x (no inicializada) = => más mensaje
error_reporting = 0
Error en fopen => no hay mensaje
Intento de lectura del archivo con fread
```

En este ejemplo, vemos de nuevo las consecuencias de un error fatal (llamada de la función `fread` sobre un descriptor de fichero incorrecto): la ejecución del script se detiene (no se visualiza el mensaje final), pero no se muestra ningún mensaje de error.

En general, una vez en producción, se recomienda desactivar la visualización de mensajes de error (ya sea por una directiva de configuración o llamando a `error_reporting(0)` al comienzo de cada script para que sea independiente de la configuración). Esta inhibición de mensajes de error, justificada en parte por razones de seguridad (los mensajes de error de PHP revelan información sobre el árbol del servidor), permite también mostrar mensajes propios.

error_log

La función `error_log` permite enviar un mensaje de error a un destino determinado.

Sintaxis

```
entero error_log(cadena mensaje, entero tipo_destino,
[cadena destino[, cadena complemento]])
```

`mensaje`	Mensaje que se ha de enviar.
`tipo_destino`	Tipo de destino: 0: historial de PHP 1: dirección de correo electrónico 2: ya no es una opción (antiguamente, usado en un puesto de depuración) 3: archivo 4: controlador de identificación SAPI
`destino`	Especifica el destino para los tipos 1 y 3: 1: dirección de correo electrónico 3: nombre del archivo (creado automáticamente si no existe)
`complemento`	Encabezado(s) complementario(s) que se han de enviar en el mensaje del caso 1 (véase la función `mail` en el capítulo Enviar un correo electrónico, para más información).

La función `error_log` devuelve `TRUE` en caso de éxito y `FALSE` en caso contrario.

El parámetro `mensaje` no debe contener el carácter `NULL`. Además, según el tipo de destino (archivo, correo, etc.), puede ser necesario escapar determinados caracteres o convertir el texto utilizando funciones como `base64_encode`, `rawurlencode` o `addslashes`.

Por el tipo de destino 0 (historial de PHP), el archivo de salida se define por la directiva de configuración `error_log`.

■ Observación

Si la directiva de configuración `log_errors` está en `on`, los mensajes se escriben siempre en el archivo especificado por la directiva `error_log`, sin que sea necesario llamar a la función `error_log`.

Ejemplo

```
<?php
// No se muestran errores en el script.
error_reporting(0);
// Lectura de un archivo que no existe.
$nombre_archivo = '/tmp/infos.txt';
if (! readfile($nombre_archivo)) {
   // Escritura de un mensaje de error en un archivo de seguimiento
   // específico a la aplicación.
   error_log("No se puede leer el archivo $nombre_archivo.\n",
             3,'/app/logs/miAplicación.log');
   // Visualización de un mensaje para el usuario.
   echo 'No se puede completar su solicitud; ',
        'vuelva a intentarlo más tarde.';
};
?>
```

Resultado en el archivo miAplicación.log

```
No se puede leer el archivo /tmp/infos.txt.
```

Resultado en el navegador

```
No se puede completar su solicitud; vuelva a intentarlo más tarde.
```

La función `error_log` es útil, en la fase de pruebas o de producción, para conservar un seguimiento de un error en alguna parte. Sin embargo, no sustituye a la visualización de un mensaje explícito para el usuario.

set_error_handler

La función `set_error_handler` permite especificar el nombre de una función de usuario a la que debe llamarse para gestionar los errores de forma centralizada.

Sintaxis

```
cadena set_error_handler(cadena función [, entero niveles])
```

`función`	Nombre de la función encargada de gestionar los errores.
`niveles`	Niveles de error correspondientes.

La función set_error_handler devuelve el nombre de la anterior función responsable de la gestión de errores (cadena vacía si no había ninguna) o FALSE en caso de error. El valor NULL se puede pasar por el parámetro función para reinicializar el controlador a su valor predeterminado.

La función de gestión de errores debe aceptar al menos dos parámetros: el primero para el nivel del error y el segundo para el mensaje de error. Se pueden especificar tres parámetros adicionales para el nombre del archivo en el que se produjo el error, el número de la línea donde se generó el error y el contexto del error (matriz con todas las variables existentes en el momento del error).

Versión 8

Este último parámetro se ha suprimido en la **versión 8** y no debe utilizarse (estaba obsoleto desde la versión 7.2). Si está presente sin valor predefinido, se genera una excepción ArgumentCountError (número de valores insuficiente en la llamada, porque PHP ya no pasa esta información).

Si la función de gestión de errores devuelve FALSE, entonces la gestión de errores normal de PHP continúa. De lo contrario, desde el momento en que se especifica un controlador de error, PHP no muestra ningún mensaje adicional, independientemente del valor de error_reporting. Además, de forma predeterminada, se llama al controlador de error para todos los errores, salvo E_STRICT, sea cual sea el valor de error_reporting. El parámetro niveles permite especificar los niveles adecuados. Los niveles E_ERROR, E_PARSE, E_CORE_ERROR, E_CORE_WARNING, E_COMPILE_ERROR y E_COMPILE_WARNING no pueden gestionarse de esta manera.

Ejemplo

```
<?php
// Definir el controlador de error.
function controlador_errores
            ($nivel,$mensaje,$archivo,$línea) {
   // Mostar el archivo correspondiente, con el número de línea.
   echo "Archivo = $archivo<br />";
   echo "Línea   = $línea<br />";
   // Mostrar el nivel y el mensaje.
   echo "Nivel = $nivel <br />";
   echo "Mensaje = $mensaje<br />";
   // No ejecutar el controlador interno de PHP
   // (superfluo, como es el caso si la función no devuelve
   // explícitamente FALSE).
   return TRUE;
}
// Especificar el controlador que se va a utilizar.
```

```
set_error_handler('controlador_errores');
// Generar un error.
readfile('/tmp/infos.txt');
// Mostrar un mensaje de fin.
echo 'Fin';
?>
```

Resultado

```
Archivo = /app/scripts/index.php
Línea = 19
Nivel = 2
Mensaje = readfile(/tmp/infos.txt):
Failed to open stream: No such file or directory
Fin
```

Este ejemplo muestra que, si el error no causa la interrupción del script, este último continúa después de la llamada al controlador de error; por lo que es su responsabilidad detener la ejecución del script utilizando la instrucción `exit` o la función `die` (véase el capítulo Introducción a PHP, sección Las bases del lenguaje PHP - Interrumpir el script).

Ejemplo

```
<?php
// Definir el controlador de error.
function controlador_errores
            ($nivel,$mensaje,$archivo,$línea) {
   // Mostrar el archivo correspondiente, con el número de línea.
   echo "Archivo = $archivo<br />";
   echo "Línea   = $línea<br />";
   // Mostrar el nivel y el mensaje.
   echo "Nivel = $nivel <br />";
   echo "Mensaje = $mensaje<br />";
   // Interrumpir el script.
   exit;
}
// Especificar el controlador que se va a utilizar.
set_error_handler('controlador_errores');
// Generar un error.
readfile('/tmp/infos.txt');
// Mostrar un mensaje de fin.
echo 'Fin';
?>
```

Resultado

```
Archivo = /app/scripts/index.php
Línea = 17
Nivel = 2
Mensaje = readfile(/tmp/infos.txt):
Failed to open stream: No such file or directory
```

En el controlador de error, se puede utilizar la función `header` (véase el capítulo Gestionar formularios y enlaces - sección Ir a otra página) para redirigir al usuario a una página HTML o un script PHP encargado de mostrar los mensajes de error.

Esta técnica es muy útil porque permite centralizar la gestión de errores (la función se puede definir en un archivo incluido) y separar claramente el código encargado del procesamiento normal del código responsable de gestionar los errores.

restore_error_handler

La función `restore_error_handler` permite restaurar el anterior controlador de error después de un cambio efectuado con `set_error_handler`.

Sintaxis

```
booleano restore_error_handler()
```

Esta función devuelve siempre `TRUE`.

Ejemplo

```
<?php
// Definir un primer controlador de errores.
function controlador1 ($número,$mensaje) {
   // Muestra un mensaje simple.
   echo '=> controlador n° 1<br />';
}
// Definir un segundo controlador de errores.
function controlador2 ($número,$mensaje) {
   // Muestra un mensaje simple.
   echo '=> controlador n° 2<br />';
}
// Definir una función que genera un error.
function generar_error() {
   // Mostrar un mensaje.
   echo 'Generar un error<br />';
   // Leer un archivo que no existe.
   readfile('/tmp/infos.txt');
}
// Primera secuencia: sin controlador.
echo '<b>Sin controlador</b><br />';
generar_error();
// Segunda secuencia: controlador número 1.
```

```
set_error_handler('controlador');
echo '<b>Utilizar el controlador n° 1</b><br />';
generar_error();
// Tercera secuencia: controlador número 2.
set_error_handler('controlador2');
echo '<b>Utilizar el controlador n° 2</b><br />';
generar_error();
// Cuarta secuencia: restaurar el anterior controlador.
restore_error_handler();
echo '<b>Primer restore_error_handler()</b><br />';
generar_error();
// Quinta secuencia: restaurar el anterior controlador.
restore_error_handler();
echo '<b>Segundo restore_error_handler()</b><br />';
generar_error();
?>
```

Resultado

Sin controlador
Generar un error
Warning: readfile(/tmp/infos.txt): Failed
to open stream: No such file or directory in
/app/scripts/index.php on line **17**
Utilizar el controlador n° 1
Generar un error
=> controlador n° 1
Utilizar el controlador n° 2
Generar un error
=> controlador n° 2
Primer restore_error_handler()
Generar un error
=> controlador n° 1
Segundo restore_error_handler()
Generar un error
Warning: readfile(/tmp/infos.txt): Failed
to open stream: No such file or directory in
/app/scripts/index.php on line **17**

Este ejemplo ilustra la posibilidad de apilar y quitar de la pila los controladores de errores con las funciones `set_error_handler` y `restore_error_handler`.

Si una parte del script necesita un controlador diferente del utilizado en el resto del script, basta con llamar a `set_error_handler`, al principio de la sección en cuestión, para definir el controlador; a continuación, `restore_error_handler`, al final de la sección, para restaurar el anterior.

Por otra parte, el controlador predefinido, es decir, el de PHP, siempre se sustituye al final de la ejecución de un script, por lo que no es necesario llamar a `restore_error_handler` al final del script. Como hemos visto anteriormente, para restaurar el controlador predefinido durante el script, es posible llamar a la función `set_error_handler` pasándole el valor `NULL` como nombre de función.

set_exception_handler

La función `set_exception_handler` permite especificar el nombre de una función de usuario a la que debe llamarse para generar de forma centralizada las excepciones no interceptadas.

Sintaxis

```
cadena set_exception_handler(cadena función)
```

`función` Nombre de la función encargada de gestionar los errores.

La función `set_exception_handler` devuelve el nombre de la antigua función encargada de la gestión de excepciones (`NULL` si no había ninguna) o `NULL` en caso de error. El valor `NULL` se puede pasar como parámetro `función` para restablecer el controlador a su valor predeterminado.

La función de gestión de excepciones debe aceptar un parámetro que recibirá el objeto correspondiente a la excepción que se ha producido y no se ha procesado. Este parámetro es de tipo `Throwable` (interfaz implementada a la vez por el tipo `Exception` y por el tipo `Error`).

Después de una llamada al controlador de excepción, se detendrá la ejecución del script.

Ejemplo

```
<?php
// Definir el controlador de excepción.
function controlador_excepción($excepción) {
   // Mostrar el archivo correspondiente, con el número de línea.
   echo 'Archivo = ',$excepción->getFile(),'<br />';
   echo 'Línea   = ',$excepción->getLine(),'<br />';
   // Mostrar el mensaje.
   echo 'Mensaje = ',$excepción->getMensaje(),'<br />';
}
// Especificar el controlador que se va a utilizar.
set_exception_handler('controlador_excepción');
// Producir una excepción.
throw new Exception('¡Error!');
// Mostrar un mensaje de finalización.
echo 'Fin';
?>
```

Resultado

```
Archivo = /app/scripts/index.php
Línea = 13
Mensaje = ¡Error!
```

Este ejemplo muestra que la ejecución del script se detiene después de la llamada al controlador de excepción; el mensaje «Fin» no se muestra.

restore_exception_handler

La función `restore_exception_handler` permite restaurar el antiguo controlador de excepción después de un cambio efectuado con `set_exception_handler`.

Sintaxis

```
booleano restore_exception_handler()
```

Esta función devuelve siempre `TRUE`.

Ejemplo

```
<?php
// Definir un primer controlador de excepción.
function controlador1 ($excepción) {
   // Muestra un simple mensaje
   echo '=> controlador n° 1<br />';
}
// Definir un segundo controlador de excepción.
function controlador2 ($excepción) {
   // Muestra un simple mensaje
   echo '=> controlador n° 2<br />';
}
// Definir una función que genere un error.
function generar_error() {
   throw new Exception('Error !');
}
// Definir el controlador número 1.
set_exception_handler('controlador1');
// Código ...
// Definir el controlador número 2.
set_exception_handler('controlador2');
// Código que requiere un controlador particular
// ...
// Restaurar el antiguo controlador.
restore_exception_handler();
// Generar un error.
generar_error();
?>
```

Resultado

```
=> controlador n° 1
```

Este ejemplo ilustra la posibilidad de apilar y quitar de la pila los controladores de excepción con las funciones `set_exception_handler` y `restore_exception_handler`.

Si una porción de script requiere un controlador diferente del utilizado en el resto del script, basta con llamar a `set_exception_handler` al principio de la sección correspondiente para definir el controlador, a continuación `restore_exception_handler` al final de la sección para reemplazar el anterior.

Por otra parte, el controlador predefinido, es decir, el de PHP, siempre se sustituye al final de la ejecución de un script, por lo que no es necesario llamar a `restore_exception_handler` al final del script. Para restaurar el controlador predefinido durante el script, es posible llamar a la función `set_exception_handler` pasándole el valor `NULL` como nombre de función.

trigger_error (o su alias user_error)

La función `trigger_error` permite provocar un error definido por el desarrollador como si este error hubiese sido provocado por PHP de forma nativa.

Sintaxis

```
trigger_error(cadena mensaje[, entero nivel])
```

`mensaje`	Mensaje del error.
`nivel`	Nivel del error entre `E_USER_ERROR`, `E_USER_WARNING` y `E_USER_NOTICE` (¡cualquier otro valor genera un error!). El valor predefinido es `E_USER_NOTICE`.

El error provocado por `trigger_error` se procesa por el controlador interno de PHP (visualización del mensaje) o el posible controlador definido por `set_error_handler`. En el primer caso, el script se detiene si el nivel del error es igual a `E_USER_ERROR` (de lo contrario, continuará). En el segundo caso, el script continúa sea cual sea el nivel del error (si es preciso, el encargado de interrumpir el script es el controlador).

Ejemplo con el controlador interno

```
<?php
// Generar un error E_USER_NOTICE.
trigger_error('*** mi mensaje ***',E_USER_NOTICE);
// Generar un error E_USER_WARNING.
trigger_error('*** mi mensaje ***',E_USER_WARNING);
// Generar un error E_USER_ERROR.
```

```
trigger_error('*** mi mensaje ***',E_USER_ERROR);
// Mostrar un mensaje de fin.
echo 'Fin';

?>
```

Resultado

```
Notice: *** mi mensaje *** in /app/scripts/index.php on line 3
Warning: *** mi mensaje *** in /app/scripts/index.php on line 5
Fatal error: *** mi mensaje *** in /app/scripts/index.php on line 7
```

Este ejemplo muestra que los dos primeros errores (niveles `E_USER_NOTICE` y `E_USER_WARNING`) no provocan que se detenga el script, a diferencia del tercero (nivel `E_USER_ERROR`).

Ejemplo con un controlador externo

```
<?php
// Definir el controlador de error.
function controlador_errores($nivel,$mensaje) {
   // Mostrar simplemente el nivel y el mensaje.
   echo "Nivel = $nivel <br />";
   echo "Mensaje = $mensaje<br />";
   // No interrumpe el script (exit en comentario).
   // exit;
}
// Especificar el controlador que se va a utilizar.
set_error_handler('controlador_errores');
// generar un error E_USER_NOTICE.
trigger_error('*** mi mensaje ***',E_USER_NOTICE);
// generar un error E_USER_WARNING.
trigger_error('*** mi mensaje ***',E_USER_WARNING);
// generar un error E_USER_ERROR.
trigger_error('*** mi mensaje ***',E_USER_ERROR);
// mostrar un mensaje de fin.
echo 'Fin';

?>
```

Resultado

```
$nivel = 1024
$mensaje = *** mi mensaje ***
$nivel = 512
$mensaje = *** mi mensaje ***
$nivel = 256
$mensaje = *** mi mensaje ***
Fin
```

error_get_last

La función `error_get_last` devuelve información sobre el último error encontrado en el script.

Sintaxis

```
matriz error_get_last()
```

La función `error_get_last` devuelve una matriz asociativa que contiene las claves `tipo`, `mensaje`, `file` y `line`. Si no hay ningún error, la función devuelve `NULL`.

Ejemplo

```
<?php
// Generar un error (sin mostrarlo: @...).
@readfile('/tmp/infos.txt');
// Continuar el script.
echo 'más ...<br />';
// Mostrar la información sobre el último error.
foreach (error_get_last() as $clave => $valor) {
     echo "$clave => $valor<br />";
}
?>
```

Resultado

```
más...
tipo => 2
mensaje => readfile(/tmp/infos.txt):
Failed to open stream: No such file or directory
file => /app/scripts/index.php
line => 3
```

error_clear_last

La función `error_clear_last` permite borrar el último error encontrado en el script.

Sintaxis

```
error_clear_last()
```

Tras una llamada a `error_clear_last`, la función `error_get_last` devuelve `NULL`.

Ejemplo

```
<?php
// Generar un error (sin mostrarlo : @...).
@readfile('/tmp/infos.txt');
// Mostrar el tipo de error_get_last().
echo 'error_get_last() = ',gettype(error_get_last()),'<br />';
```

```
// Borrar el último error.
error_clear_last() ;
// Mostrar el tipo de error_get_last().
echo 'error_get_last() = ',gettype(error_get_last()),'<br />';
?>
```

Resultado

```
error_get_last() = array
error_get_last() = NULL
```

La variable $php_errormsg

En las versiones anteriores, si la directiva de configuración `track_errors` estaba en `on`, el mensaje del último error quedaba disponible en la variable `$php_errormsg`, lo cual podía evitar la implementación de un controlador de errores.

Versión 8

Esta funcionalidad no se usaba desde la versión 7.2 y se ha suprimido definitivamente en la **versión 8**. En su lugar, la buena práctica consiste en utilizar la función `error_get_last`.

Observación

Existen numerosas directivas de configuración relacionadas con los errores, además de las presentadas en este capítulo. Para obtener más información, consulte la documentación de PHP.

4. Ejercicio 7: gestionar los errores

En este ejercicio, vamos a aprender a gestionar los errores en un script PHP.

Paso 1

Vamos a analizar lo que pasa si un script quiere leer el contenido de un archivo que no existe.

Indicaciones:

- En un nuevo directorio, copie el script `inicio.php` desarrollado en el ejercicio 4 (sin copiar el archivo `autores.txt`).
- Llame a este script en su navegador.

Resultado esperado

```
Warning: file(autores.txt): Failed to open stream: No such file or
directory in  /app/scripts/ejercicios/07/inicio.php on line 3

Warning: foreach() argument must be of type array|object, bool given in
/app/scripts/ejercicios/07/inicio.php on line 22
```

Autores

En el estado actual de las cosas, si el archivo `autores.txt` no existe, se producen dos errores y se muestran en la página, uno durante la lectura del archivo y otro durante el recorrido de la tabla (como consecuencia del error inicial, la variable `$autores` contiene el valor `FALSE`).

Paso 2

Queremos mejorar el comportamiento de nuestro script en caso de error, controlando la visualización del mensaje de error.

Indicaciones:

- Al inicio del script, inserte una instrucción que desactive la visualización de los errores de PHP.
- Pruebe el resultado de la llamada a la función `file()` y asigne una variable `$ok` que indique si la lectura del archivo ha terminado con éxito o no.
- En la página, en caso de éxito de la lectura del archivo, muestre la tabla HTML que contiene la lista de los autores; en caso contrario, muestre un mensaje del tipo «Error durante la lectura de la lista de autores.» seguido de un enlace «Intentar nuevamente», que llame a una nueva página. Para esto, recuerde que existe una sintaxis especial de la estructura de control `if`, que permite incorporar o no, porciones de código HTML en una página.

Resultado esperado

```
Error durante la lectura de la lista de autores.
Intentar de nuevo
```

Solución

```
<?php
// Desactivar la visualización de los errores.
error_reporting(0);
// Leer la lista de autores a partir del archivo.
$autores = file('autores.txt',FILE_IGNORE_NEW_LINES);
// Asignar la variable $ok.
$ok = ($autores !== FALSE);
?>
<!DOCTYPE html>
```

```
<html xmlns="http://www.w3.org/1999/xhtml" lang="es">
 <head>
   <meta charset="utf-8" />
   <title>Inicio</title>
   <style>
   table { border-collapse: collapse; }
   table, td, th { border: 1px solid black; }
   td, th { padding: 4px; }
   </style>
 </head>
 <body>
   <div>
   <?php if ($ok): // condición PHP ?>
   <!—Mostrar la tabla de autores
       (solo en caso de éxito). -->
   <table>
   <tr><th>Autores</th></tr>
   <?php
   foreach ($autores as $autor) {
     echo "<tr><td>$autor</td></tr>";
   }
   ?>
   </table>
   <?php else: // como consecuencia de la condición PHP ?>
   <!—Mostrar un mensaje de error y un enlace. -->
   Error durante la lectura de la lista de autores.<br />
   <a href="inicio.php">Intentar nuevamente</a>
   <?php endif; // fin de la condición PHP ?>
   </div>
 </body>
</html>
```

Paso 3

Como complemento, queremos guardar información sobre los errores que se producen en nuestro script en un archivo de trazas. Para esto, vamos a utilizar un administrador de errores personalizado.

Indicaciones:

- Defina una función llamada `administrador_errores` que acepte cuatro argumentos: `$nivel` para el nivel del error, `$mensaje` para el mensaje de error, `$archivo` para el nombre del archivo en el que aparece el error y `$linea` para el número de la línea donde se produce el error.
- Esta función debe enviar un mensaje a un archivo llamado `errores.log`. Este mensaje debe tener la estructura *`fecha - archivo (línea) - mensaje`*, con una fecha en formato ISO 8601.

- A continuación, indique a PHP que utilice la función anterior como administrador de errores.

Resultado esperado (archivo errores.log)

```
2021-03-06T16:30:27+01:00 - /app/scripts/ejercicios/07/inicio.php (13)
- file(autores.txt): failed to open stream: No such file or directory
```

Solución (solo código PHP)

```
<?php
// Desactivar la visualización de los errores.
error_reporting(0);
// Definir el administrador de errores.
function administrador_errores($nivel,$mensaje,$archivo,$linea) {
  $mensaje = date('c') . " - $archivo ($linea) - $mensaje";
  error_log("$mensaje\n",3,'errores.log');
}
// Especificar el administrador a utilizar.
set_error_handler('administrador_errores');
// Leer la lista de los autores a partir del archivo.
$autores = file('autores.txt',FILE_IGNORE_NEW_LINES);
// Mostrar la variable $ok.
$ok = ($autores !== FALSE);
?>
```

Recuerde que si la función de gestión de errores no devuelve `FALSE`, entonces no se realiza la gestión de errores normal de PHP.

Ahora puede copiar el archivo `autores.txt` escrito en el ejercicio 04 en el directorio actual para comprobar que el script funciona correctamente cuando el archivo está presente, por ejemplo, pulsando en el enlace «Intentar nuevamente».

Capítulo 6
Gestionar formularios y enlaces

1. Información general

1.1 Introducción

En los sitios web dinámicos, muy a menudo es necesario interactuar con el usuario.

En HTML, existen principalmente dos métodos para interactuar con un usuario:

- los enlaces (etiqueta <a>);
- los formularios (etiqueta <form>).

Se pueden usar scripts PHP para procesar el clic del usuario en un enlace o la introducción de datos por parte del usuario en un formulario.

1.2 Los enlaces

El enlace o vínculo es la técnica básica que permite a un usuario navegar entre las diferentes páginas de un sitio.

Un enlace HTML se define entre las etiquetas <a> y </a>.

Sintaxis simplificada

```
<a
  [ href="url" ]
  [ id="identificador_enlace" ]
  [ target="destino" ]
>
...
</a>
```

Los atributos de la etiqueta <a> son los siguientes:

`href` URL (*Uniform Resource Locator*) relativa o absoluta a la que llama el enlace.

`id` Identificador del enlace. Si la página HTML contiene varios enlaces, el identificador permite diferenciarlos. En nuestro caso, este identificador no tiene ningún valor porque no se recupera en el script de procesamiento del enlace. En contraposición, se puede utilizar del lado del cliente, en JavaScript, por ejemplo.

`target` Destino (por ejemplo, otra ventana) en el que se abrirá la dirección URL de destino. Por defecto, la URL de destino se muestra en la misma ventana.

La URL puede contener parámetros que permitan pasar información de una página a otra.

Sintaxis

```
url_clasica?nombre=valor[&...]
```

El signo de interrogación (?) introduce la lista de parámetros de URL separados por el carácter «&»; cada parámetro se compone de un `nombre/valor` en la forma `nombre=valor`:

```
www.misitio.com/info/inicio.php?nombre=Olivier
buscar.php?nombre=Olivier&apellido=HEURTEL
```

Ejemplo

- Script `pagina1.php`

```
<?php
// Inicialización de una variable.
$nombre='Olivier';
?>
<!DOCTYPE html>
<html xmlns="http://www.w3.org/1999/xhtml" lang="es">
  <head><meta charset="utf-8" /><title>Página 1</title></head>
  <body>
    <div>
    <!-- enlace hacia la página 2 pasando el valor de $nombre
         en la URL -->
    <a href="pagina2.php?nombre=<?=$nombre ?>">Página 2</a>
    </div>
  </body>
</html>
```

– Código fuente de la página en el navegador

```
<!DOCTYPE html>
<html xmlns=http://www.w3.org/1999/xhtml lang="es">
  <head><meta charset="utf-8" /><title>Página 1</title></head>
  <body>
    <div>
    <!-- enlace hacia la página 2 pasando el valor de $nombre
         en la URL -->
    <a href="pagina2.php?nombre=Olivier">Página 2</a>
    </div>
  </body>
</html>
```

Resultado

– Presentación de la página 1:

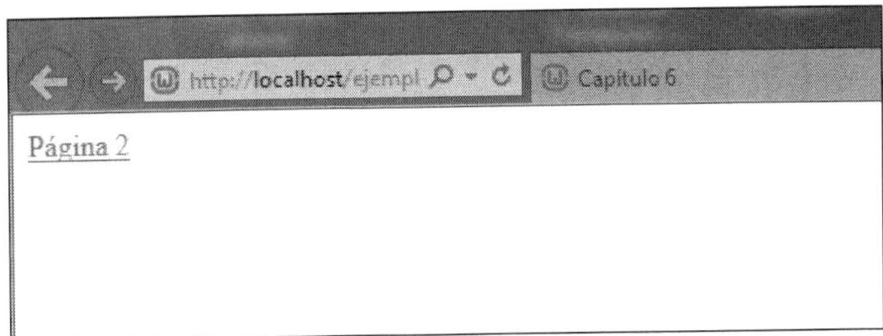

– Resultado al hacer clic en el enlace:

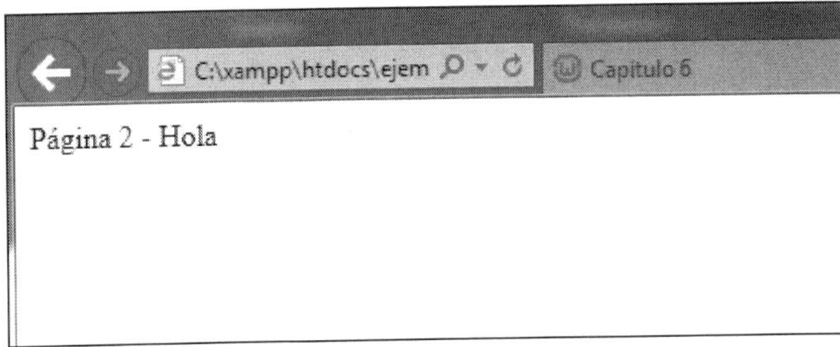

Por el momento, no se muestra ningún nombre en la segunda página. La variable `$nombre` definida en el script `pagina1.php` no está disponible en el script `pagina2.php` (véase el capítulo Introducción a PHP, sección Las bases del lenguaje PHP - Variables - Alcance y duración). Además, nuestro script no contiene ninguna instrucción que permita recuperar los datos pasados en la URL; veremos cómo proceder en la sección Recuperar los datos de una URL o de un formulario.

1.3 Los formularios

1.3.1 Rápido recordatorio sobre los formularios

El formulario es un instrumento básico necesario para los sitios web dinámicos, ya que permite al usuario introducir información y, por lo tanto, interactuar con el sitio.

Un formulario HTML se define entre las etiquetas `<form>` y `</form>`.

Sintaxis simplificada

```
<form
  [ action="url_de_procesamiento" ]
  [ method="GET"|"POST" ]
  [ id="identificador_formulario" ]
  [ target="destino" ]>

...
</form>
```

Los atributos de la etiqueta `<form>` son los siguientes:

`action` URL relativa o absoluta (*Uniform Resource Locator*) que procesará el formulario, en nuestro caso, un script PHP. Este atributo es opcional en HTML 5, pero es obligatorio para cumplir con la estricta recomendación XHTML.

`method` Modo de transmisión al servidor de la información introducida en el formulario.

`GET` (valor predeterminado): los datos del formulario se transmiten en la URL.

`POST`: los datos del formulario se transmiten en el cuerpo de la consulta.

`id` Identificador del formulario. Si la página HTML contiene varios formularios, el identificador permite diferenciarlos. En nuestro caso, este identificador no tiene ningún valor porque no se recupera en el script de procesamiento del formulario. En cambio, se puede utilizar del lado del cliente, en JavaScript, por ejemplo.

`target` Destino (por ejemplo, otra ventana) en el que se abrirá la dirección URL de destino. De forma predefinida, la URL de destino se abre en la misma ventana.

Entre las etiquetas `<form>` y `</form>`, es posible colocar etiquetas `<input>`, `<select>` o `<textarea>` para definir los campos de entrada de datos.

Ejemplo (formulario de HTML completo)

```
<!DOCTYPE html>
<html xmlns=http://www.w3.org/1999/xhtml lang="es">
  <head>
  <meta charset=utf-8" />
  <title>Entrada de datos</title>
  </head>
  <body>
    <form action="escribir.php" method="post">
    <div>
      Nombre:
      <input type="text" name="nombre" value=""
           size="20" maxlength="20" />
      Contraseña:
      <input type="password" name="Contraseña" value=""
           size="20" maxlength="20" />
      <br />Sexo:
      <input type="radio" name="sexo" value="M" />Masculino
      <input type="radio" name="sexo" value="F" />Femenino
      <input type="radio" name="sexo" value="?"
                              checked="checked" />No lo sé
      <br />Foto:
      <input type="file" name="foto" size="50" />
      <br />Colores favoritos:
      <input type="checkbox" name="colores[azul]" />Azul
      <input type="checkbox" name="colores[blanco]" />Blanco
      <input type="checkbox" name="colores[rojo]" />Rojo
      <input type="checkbox" name="colores[ninguno]"
                                  checked="checked" />No lo sé
      <br />Idioma:
      <select name="idioma">
        <option value="E">Español</option>
        <option value="F" selected="selected" >Francés</option>
        <option value="I">Italiano</option>
      </select>
      <br />Frutas favoritas:<br />
      <select name="fruta[]" multiple="multiple" size="8">
        <option value="A">Albaricoques</option>
        <option value="C">Cerezas</option>
        <option value="F">Fresas</option>
        <option value="M">Melocotones</option>
        <option value="?" selected="selected">
                          No lo sé</option>
      </select>
      <br />Comentarios:<br />
      <textarea name="comentarios" rows="4" cols="50"></textarea>
      <br />
```

```
      <input type="hidden" name="invisible" value="123" /><br />
      <input type="submit" name="enviar" value="OK" />
      <input type="image" name="validar" alt="validar" src="validar.gif" />
      <input type="reset" name="borrar" value="Borrar" />
      <input type="button" name="acción" value="No hacer nada" />
    </div>
    </form>
  </body>
</html>
```

Resultado

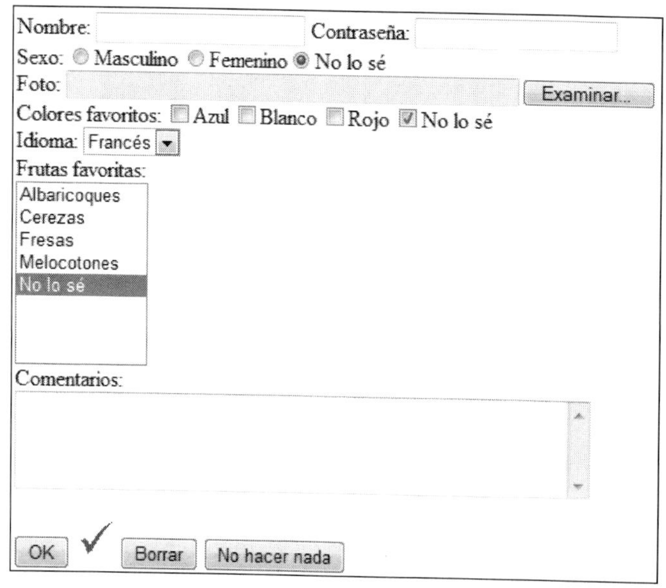

PHP puede intervenir en dos lugares con respecto al formulario:

- Para la construcción del formulario, si este debe incluir información dinámica.
- Para el procesamiento del formulario (es decir, los datos introducidos por el usuario en el formulario).

1.3.2 Construir un formulario de forma dinámica

Al igual que el resto de la página, la totalidad o parte de un formulario se puede construir de forma dinámica. En esta sección se abordan tres casos:

- Generar todo el formulario.
- Generar valores iniciales en los campos de entrada.
- Generar una lista de opciones.

Generar todo el formulario

Si existe una descripción del formulario de una forma u otra, es posible generar todo el formulario.

En el siguiente ejemplo simplificado, se supone que se recupera (en un archivo, en una base de datos...) una descripción del formulario como una matriz de dos dimensiones: cada línea de la matriz contiene una descripción del campo en forma de matriz con el título, el tipo, el nombre y el valor.

```
<?php
// Matriz que contiene la descripción del formulario.
$formulario = array(
  array('Apellido: ','text','apellido','HEURTEL'),
  array('','submit','ok','OK') );
// Generación del formulario mediante un bucle
// en la matriz.
echo '<form action="entrada.php" method="POST">';
foreach($formulario as $campo) {
  echo "$campo[0]<input type=\"$campo[1]\" ",
       "name=\"$campo[2]\" value=\"$campo[3]\"><br />";
}
echo '</form>';
?>
```

Resultado en pantalla

Apellido:	HEURTEL
OK	

Resultado en el código fuente de la página del navegador (todo en una línea)

```
<form action="entrada.php" method="POST">Apellido: <input
type="text" name="apellido" value="HEURTEL"><br /><input
type="submit" name="ok" value="OK"><br /></form>
```

Generar valores iniciales en los campos de entrada

Ya hemos hablado de esta posibilidad en diferentes ejemplos.

Ejemplo

```
<form action="entrada.php" method="POST">
Apellido: <input type="text" name="apellido"
            value="<? $apellido ?>"><br />
<input type="submit" name="ok" value="OK">
</form>
```

En este caso, suponemos que `$apellido` es una variable inicializada en el resto del script PHP.

Generar una lista de opciones

Se puede utilizar código PHP para generar listas de opciones, ya sea en un campo `<select>` (lista de selección única o múltiple) o bien en un campo `<input>` de tipo `radio` (grupo de botones de opción) o bien en un campo `<input>` de tipo `checkbox` (casilla de verificación).

Los datos mostrados proceden a menudo a una base de datos y es interesante poder construir este campo del formulario de forma dinámica a partir de los datos existentes en la base de datos.

Ejemplo con una lista de selección múltiple

```
<?php
// Lista de frutas a mostrar en la lista, en
// forma de matriz asociativa que da el código de la
// fruta (clave de la matriz) y el título de la fruta.
$fruta_del_mercado = array(
  'A' => 'Albaricoques',
  'C' => 'Cerezas',
  'F' => 'Fresas',
  'M' => 'Melocotones',
  '?' => 'No lo sé');
// Lista de frutas favoritas del usuario, en
// forma de una matriz que da el código de las frutas correspondientes.
$frutas_favoritas = array('A','F');
// Nota: más adelante veremos cómo recuperar
//           esta información en una base de datos.
?>
<!-- construcción del formulario -->
<form action="entrada.php" method="POST">
Fruta favorita:<br />
<select name="fruta[]" multiple size="8">
<?php
```

```
// Código PHP que genera la parte dinámica del formulario.
// Examinar la lista que se va a mostrar y recuperar el código
// y el título.
foreach($fruta_del_mercado as $código => $título) {
  // Determinar si la línea debe estar seleccionada
  //   - o si el código figura en la lista de frutas
  //     favoritas del usuario => búsqueda de $código
  //     en $fruta_favorita con la función in_array
  //   - si es el caso, incluir el atributo "selected" en
  //     la etiqueta "option", en caso contrario no incluir nada.
  $selección =
    in_array($código,$fruta_favorita)?'selected="selected"':'';
  // Generar la etiqueta "option" con la variable $código para
  // el atributo "value", la variable $selección para
  // la indicación de selección y la variable $título
  // para el texto mostrado en la lista.
  echo "<option value=\"$código\" $selección>$título</option>";
}
?>
</select>
</form>
```

Resultado en pantalla

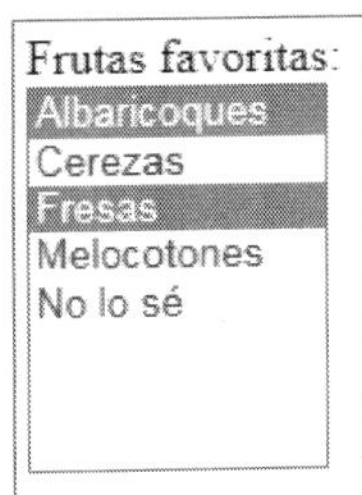

Código fuente en el navegador

```
<!-- construcción del formulario -->
<form action="entrada.php" method="POST">
Fruta favorita:<br />
<select name="fruta[]" multiple size="8">
<option value="A"
selected="selected">Albaricoques</option><option value="C"
>Cerezas</option><option value="F"
selected="selected">Fresas</option><option value="M"
>Melocotones</option><option value="?" >No lo
sé</option></select>
</form>
```

Este ejemplo es muy fácil de adaptar si el atributo `value` no se utiliza.

Ejemplo con una lista de selección única

```
<?php
// Lista de idiomas a mostrar en la lista, en
// forma de matriz asociativa que da el código del
// idioma (clave de la matriz) y el título del idioma.
$idiomas_disponibles = array(
  'E' => 'Español',
  'F' => 'Francés',
  'I' => 'Italiano');
// Código del idioma del usuario
$idioma = 'E';
?>
<!-- construcción del formulario -->
<form action="entrada.php" method="POST">
Idioma:<br />
<select name="idioma">
<?php
// Código PHP que genera la parte dinámica del formulario.
// Examinar la lista que se va a mostrar y recuperar el código
// y el título.
foreach($idiomas_disponibles as $código => $título) {
  // Determinar si la línea debe estar seleccionada
  //  - o si el código es igual al código del idioma del
  //    usuario
  //  - si es el caso, incluir el atributo "selected" en
  //    la etiqueta "option", en caso contrario no incluir nada
  $selección = ($código == $idioma)?'selected="selected"':'';
  // Generar la etiqueta "option" con la variable $código para
  // la opción "value", la variable $selección para
  // la indicación de selección y la variable $título
  // para el texto mostrado en la lista.
  echo "<option value=\"$código\" $selección>$título</option>";
}
?>
</select>
</form>
```

Resultado en pantalla

Código fuente en el navegador

```
<!-- construcción del formulario -->
<form action="entrada.php" method="POST">
Idioma:<br />
<select name="idioma">
<option value="E" >Español</option><option value="F"
selected="selected">Francés</option><option value="I"
>Italiano</option></select>
</form>
```

Se pueden utilizar técnicas similares para construir una lista de casillas de verificación, un grupo de botones de opción, etc.

1.3.3 Procesar un formulario utilizando un script PHP

Existen principalmente tres métodos para procesar un formulario con un script PHP:

- Colocar el formulario en un documento HTML «puro» (`.htm` o `.html`) e indicar el nombre del script PHP que debe procesar el formulario en el atributo `action` de la etiqueta `<form>`. En este caso, el formulario no contiene ningún elemento dinámico.
- Colocar el formulario en un script PHP (por ejemplo, para construir una parte del formulario de forma dinámica) y hacer que procese el formulario otro script PHP (mencionado en el atributo `action` de la etiqueta `<form>`).
- Colocar el formulario en un script PHP (por ejemplo, para construir una parte del formulario de forma dinámica) y hacerlo procesar por el mismo script PHP (mencionado en el atributo `action` de la etiqueta `<form>`).

Además, también se puede insertar en cualquier parte de otra página, un enlace (`Entrada de datos`, por ejemplo) para llamar al formulario de entrada de datos:

- Formulario HTML:

```
<a href="entrada.htm">Entrada de datos</a>
```

- Formulario PHP:

```
<a href="entrada.php">Entrada de datos</a>
```

Primer método

Archivo HTML entrada.htm

```
<!DOCTYPE html>
<html xmlns="http://www.w3.org/1999/xhtml" lang="es">
  <head>
     <meta charset=utf-8" />
     <title>Entrada</title>
  </head>
  <body>
     <form action="procesamiento.php" method="post">
     <div>
       Nombre: <input type="text" name="nombre" value="" />
       <input type="submit" name="ok" value="OK" />
     </div>
     </form>
  </body>
</html>
```

Script PHP procesamiento.php

```
<?php
/* Por hacer...
    - recuperar la información introducida
    - realizar el procesamiento
    - mostrar una nueva página
*/
?>
```

Resultado

- Presentación inicial del formulario:

- Entrada de información:

- El resultado al hacer clic en el botón **OK** es una página en blanco porque, por ahora, el script de procesamiento no hace nada.

Segundo método

Script PHP entrada.php

Un poco de código PHP (en negrita) se utiliza para generar una parte dinámica del formulario.

```
<?php
// Incluir un archivo que contiene definiciones de
// constantes, incluido el título de página (TITULO_PAGINA_ENTRADA).
require('constantes.inc');
// Inicialización de una variable que contiene el valor
// inicial del campo de entrada de datos (en la práctica este
// valor proviene sin duda de otro lugar y no está codificado de forma
// rígida).
$nombre = 'X';
// En el código HTML siguiente, inclusión de dos pequeñas
// porciones de código PHP para mostrar respectivamente el título
// de la página y el valor inicial del campo de entrada de datos.
?>
<!DOCTYPE html>
<html xmlns="http://www.w3.org/1999/xhtml" lang="es">
  <head>
    <meta charset=utf-8" />
    <title><?= TITULO_PAGINA_ENTRADA ?></title>
  </head>
  <body>
    <form action="procesamiento.php" method="post">
    <div>
      Nombre: <input type="text" name="nombre"
                     value="<?= $nombre??'' ?>" />
      <input type="submit" name="ok" value="OK" />
    </div>
    </form>
  </body>
</html>
Script PHP tratamiento.php
<?php
/* Por hacer ...
    - recuperar la información introducida
    - hacer el tratamiento
    - mostrar una nueva página
*/
?>
```

Script PHP procesamiento.php

```
<?php
/* Por hacer...
    - recuperar la información introducida
    - realizar el procesamiento
    - mostrar una nueva página
*/
?>
```

Resultado

- Presentación inicial del formulario (se propone un valor inicial dinámico para el área de entrada):

- Entrada de información:

- El resultado al hacer clic en el botón **OK** es una página en blanco porque, por ahora, el script de procesamiento no hace nada.

Tercer método

Script PHP entrada.php

Es el mismo script que el anterior; simplemente cambia el atributo `action` de la etiqueta `<form>` para indicar que el formulario debe ser procesado por el mismo `entrada.php`.

```
<?php
// Incluir un archivo que contiene definiciones de
// constantes, incluido el título de página (TITULO_PAGINA_ENTRADA).
require('constantes.inc');
// Inicialización de una variable que contiene el valor
// inicial del campo de entrada de datos (en la práctica este
// valor proviene sin duda de otro lugar y no está codificado de forma
// rígida).
$nombre = 'X';
// En el código HTML siguiente, inclusión de dos pequeñas
// porciones de código PHP para mostrar respectivamente el título
// de la página y el valor inicial del campo de entrada de datos.
?>
<!DOCTYPE html>
<html xmlns="http://www.w3.org/1999/xhtml"lang="es">
  <head>
```

```
    <meta charset=utf-8" />
    <title><?= TITULO_PAGINA_ENTRADA ?></title>
  </head>
  <body>
    <form action="entrada.php" method="post">
    <div>
      Nombre: <input type="text" name="Nombre"
                     value="<?= $nombre ?>" />
      <input type="submit" name="ok" value="OK" />
    </div>
    </form>
  </body>
</html>
```

Resultado

- Presentación inicial del formulario (se propone un valor inicial dinámico para el área de entrada):

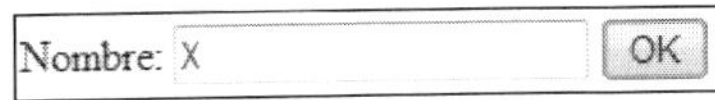

- Entrada de información:

- El resultado al hacer clic en el botón **OK** es la misma página mostrada de nuevo porque, por ahora, el script de procesamiento no hace nada más:

¿Qué método elegir?

La elección de un método en particular depende de la complejidad del sitio y de las preferencias de cada uno.

Algunas consideraciones generales:

- Separar la página HTML (o el script PHP que genera el formulario) del script PHP tiene una desventaja en términos de mantenimiento: si se realizan cambios en el formulario, hay dos archivos que modificar (con los consiguientes riesgos de error, olvido...).
- Por el contrario, si el formulario no tiene ninguna parte dinámica, escribirlo en un archivo HTML separado del script PHP que lo procesa permite separar la interfaz de usuario (la capa de «presentación») del procesamiento.

– En la práctica, para facilitar el mantenimiento, es conveniente definir ciertos valores presentados en varias ocasiones (nombre de la empresa, por ejemplo) en las constantes o variables y utilizar estas constantes y variables en las páginas: todas las páginas se vuelven un poco dinámicas y el tercer método parece ser el mejor.

En el resto de este capítulo, vamos a entrar en los detalles del procesamiento de formularios en PHP utilizando ejemplos construidos sobre el modelo del tercer método.

1.4 Recuperar los datos de una URL o de un formulario

A diferencia de los scripts CGI, no hay necesidad de realizar análisis complejos de cadenas de caracteres («parser») para recuperar los valores introducidos por el usuario; estos valores se recuperan con facilidad en el script de procesamiento.

Por defecto, todos los campos del formulario se almacenan automáticamente en el script PHP que procesa el formulario, en una matriz asociativa `$_POST` para los formularios `POST` y `$_GET` para los formularios `GET`: la clave de la matriz es igual al nombre del campo en el formulario (atributo `name` de la etiqueta `<input>`, `<select>` o `<textarea>`), y el valor, igual al valor introducido en el campo.

Del mismo modo, todos los parámetros de la URL se almacenan en la matriz asociativa `$_GET`: la clave de la matriz es igual al nombre del parámetro y el valor igual al que se ha pasado en la URL.

Además, esta información también está disponible en la matriz asociativa `$_REQUEST`, que agrupa el contenido de las matrices `$_GET` y `$_POST` (y, lo veremos más adelante, de la matriz `$_COOKIE`, que contiene información sobre las cookies).

Observación

Las matrices `$_POST`, `$_GET` y `$_REQUEST` son matrices superglobales, están disponibles en todos los contextos de ejecución.

En el capítulo Gestionar sesiones, después de haber visto otras matrices similares, haremos un pequeño resumen de las variables GPCS (Get/Post/Cookie/Session).

Ejemplo con un formulario

Archivo HTML entrada.htm

```
<!DOCTYPE html>
<html xmlns="http://www.w3.org/1999/xhtml" lang="es">
  <head>><meta charset="utf-8" /><title>Entrada</title></head>
  <body>
    <form action="procesamiento.php" method="post">
    <div>
      Nombre: <input type="text" name="nombre" value="" />
      <input type="submit" name="ok" value="OK" />
```

```
    </div>
    </form>
  </body>
</html>
```

Script PHP procesamiento.php

```
<?php
// Visualización de la información contenida en las
// matrices $_POST y $_REQUEST.
echo '$_POST[\'nombre\'] -> ',$_POST['nombre'],'<br \>';
echo '$_REQUEST[\'nombre\'] -> ',$_REQUEST['nombre'],'<br \>';
?>
```

Resultado

- Presentación inicial del formulario

- Entrada de un valor

- Resultado al hacer clic en el botón **OK**

```
$_POST['nombre'] -> Olivier
$_REQUEST['nombre'] -> Olivier
```

Ejemplo con una URL

- Script `pagina1.php`

```
< ?php
// Inicialización de una variable.
$nombre='Olivier' ;
?>
<!DOCTYPE html>
<html xmlns="http://www.w3.org/1999/xhtml" lang="es">
  <head>><meta charset="utf-8" /><title>Página 1</title></head>
  <body>
    <div>
    <!-- enlace a la página 2 pasando el valor de $nombre
         en la URL -->
    <a href="pagina2.php?nombre=<?= $nombre ?>">Página 2</a>
    </div>
  </body>
</html>
```

– Script pagina2.php

```
<?php
// Visualización de la información contenida en las
// matrices $_GET y $_REQUEST.
echo '$_GET[\'nombre\'] -> ',$_GET['nombre'],'<br \>';
echo '$_REQUEST[\'nombre\'] -> ',$_REQUEST['nombre'],'<br \>';
?>
```

Resultado

– Presentación de la página 1

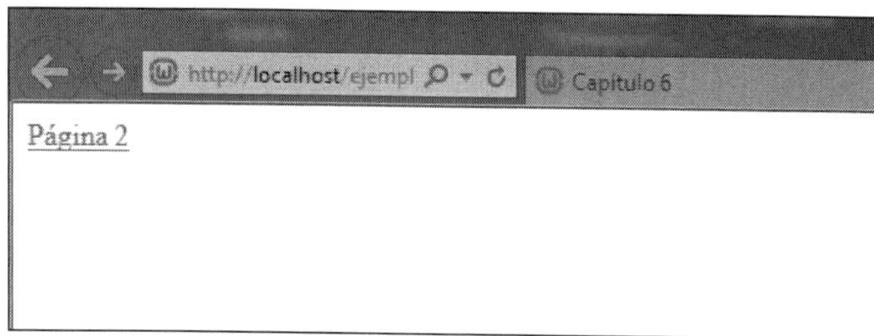

– Resultado al hacer clic en el enlace

```
$_GET['nombre'] -> Olivier
$_REQUEST['nombre'] -> Olivier
```

2. Recuperar los datos pasados por la URL

2.1 Consideraciones

2.1.1 ¿Qué sucede si dos parámetros comparten el mismo nombre?

Simplemente, el último parámetro encontrado en la URL es el que determina el valor.

Ejemplo

```
<a href="pagina2.php?nombre=Olivier&nombre=Xavier">Página 2</a>
```

Esta URL da una sola variable `nombre` igual a `Xavier` en la matriz `$_GET`.

2.1.2 Utilizar una matriz para pasar datos en la URL

Es posible utilizar una notación del tipo matriz en el nombre del parámetro que se pasa en la URL.

Ejemplo

```
<a href="pagina2.php?data[]=HEURTEL&data[]=Olivier">Página 2</a>
```

Esta URL da una variable `data`, de tipo matriz, que contiene las siguientes líneas:

Clave	Valor
0	HEURTEL
1	Olivier

PHP completa la matriz añadiendo una línea para cada parámetro con un índice entero consecutivo que comienza en 0 (como para la notación `[]` estudiada en el capítulo Introducción a PHP - Las bases del lenguaje PHP - Matrices).

Esta técnica es interesante, pero debe saber que en el código, el índice 0 corresponde al apellido y el índice 1 al nombre. Por otra parte, puede surgir un problema si el orden de los parámetros cambia.

Para mejorar esta técnica, es posible establecer la clave, bien con un número o con una cadena de caracteres.

Ejemplo

```
<a href="pagina2.php?data[apellido]=HEURTEL&data[nombre]=Olivier">
Página 2</a>
```

Esta URL da el resultado siguiente en la matriz `data`:

Clave	Valor
apellido	HEURTEL
nombre	Olivier

2.2 Transferir caracteres especiales

Si el valor que se transmite no contiene caracteres especiales (espacio, signo &, signo de interrogación (?), etc.), puede colocarse directamente en la URL como se ha indicado anteriormente. De lo contrario, es necesario codificarla para evitar la interpretación incorrecta de estos caracteres especiales.

Por ejemplo, si el dato pasado en la URL contiene «Olivier & Xavier», solo «Olivier» se recuperará a su llegada, ya que el & se interpreta como el separador de parámetros.

La codificación necesaria se puede realizar muy fácilmente con las funciones `urlencode` o `rawurlencode`.

Sintaxis

```
cadena urlencode(cadena valor)
cadena rawurlencode(cadena valor)
```

`valor` Cadena que se va a codificar.

Estas dos funciones devuelven la cadena después de la codificación. La codificación consiste en sustituir todos los caracteres no alfanuméricos por una secuencia `%xy`, siendo `xy` un número hexadecimal igual al código ASCII del carácter. La diferencia entre las dos funciones es sutil y solo implica el carácter de espacio: la función `urlencode` reemplaza los espacios con el carácter «más» (+), el verdadero carácter «más» se codifica, mientras que la función `rawurlencode` reemplaza los espacios por la secuencia `%20` (código ASCII 32 en hexadecimal). La función `urlencode` es coherente con el tipo MIME application/x-www-form-urlencoded (tipo usado para transmitir los valores de los formularios), mientras que la función `rawurlencode` cumple con RFC 3986; a priori, debemos utilizar la función `rawurlencode`.

Ejemplo

```
<?php
// Inicialización de una variable.
$nombre='Olivier & Xavier';
echo urlencode($nombre),'<br />';
echo rawurlencode($nombre),'<br />';
?>
```

Resultado

```
Olivier+%26+Xavier
Olivier%20%26%20Xavier
```

El script `pagina1.php` puede modificarse de la siguiente manera:

```
<?php
// Inicialización de una variable.
$nombre='Olivier & Xavier';
?>
<!DOCTYPE html>
<html xmlns="http://www.w3.org/1999/xhtml" lang="es">
  <head>><meta charset="utf-8" /><title>Página 1</title></head>
  <body>
    <div>
    <!-- enlace hacia la página 2 pasando el valor de $nombre
         en la URL -->
    <a href="pagina2.php?nombre=<?= rawurlencode($nombre) ?>">
```

```
    Página 2</a>
    </div>
  </body>
</html>
```

Código fuente de la página en el navegador

```
<!DOCTYPE html>
<html xmlns="http://www.w3.org/1999/xhtml" lang="es">
  <head>><meta charset="utf-8" /><title>Página 1</title></head>
  <body>
    <div>
    <!-- enlace hacia la página 2 pasando el valor de $nombre
         en la URL -->
    <a href="pagina2.php?nombre=Olivier%20%26%20Xavier">
       Página 2</a>
    </div>
  </body>
</html>
```

Resultado mostrado a la llegada

```
Olivier & Xavier
```

La cadena de la consulta también puede construirse mediante la función `http_build_query`.

Sintaxis

```
cadena http_build_query (matriz datos [, cadena prefijo[, cadena
separador[, entero codificación]]])
```

Donde:

`datos`	Matriz que contiene los datos que se utilizarán para construir la cadena de la consulta. El índice o la clave de la matriz se utiliza como nombre del parámetro para el valor asociado.
`prefijo`	Prefijo que se va a utilizar para el nombre de los parámetros, cuando sea un índice numérico.
`separador`	Separador de argumentos (por defecto, el valor de la directiva de configuración `arg_separator.output`, él mismo predefinido a &).
`codificación`	Codificación que se usará definida por una de las siguientes constantes: `PHP_QUERY_RFC1738` (valor predefinido): codificación conforme a la RFC 1738 y al tipo MIME application/x-www-form-urlencoded. `PHP_QUERY_RFC3986`: codificación compatible con RFC 3986.

De forma predifinida, esta función construye, a continuación, una cadena de consulta con el formato `clave1=valor1&clave2=valor2&...` utilizando las claves (o índices) y los valores encontrados en la matriz de `datos`. Si se introduce, el parámetro `prefijo` se añadirá delante de los índices numéricos.

Ejemplo

```
<?php
// Inicialización de la matriz que contiene los datos.
$datos=array('nombre' => 'Olivier & Xavier','David + Thomas');
// Construcción de la cadena de la consulta:
// - sin prefijo.
echo http_build_query($datos),'<br />';
// - con prefijo.
echo http_build_query($datos,'v_'),'<br />';
?>
```

Resultado

```
nombre=Olivier+%26+Xavier&0=David+%2B+Thomas
nombre=Olivier+%26+Xavier&v_0=David+%2B+Thomas
```

Observación

Existen dos funciones, `urldecode` y `rawurldecode`, que permiten decodificar una cadena previamente codificada, respectivamente por `urlencode` o `rawurlencode`. Estas funciones de decodificación no necesitan ser llamadas cuando se transmiten datos codificados a través de la URL. En efecto, estos datos se decodifican automáticamente a su llegada.

2.3 Ejercicio 8: recuperar los datos pasados por la URL

En este ejercicio, vamos a aprender a pasar información de una página a otra, utilizando la URL.

Paso 1

Vamos a comenzar escribiendo un script PHP que muestre la lista de autores, cada elemento de la lista tiene un enlace que permite mostrar una página que da la información detallada sobre el autor.

Indicaciones:

- En un nuevo directorio, copie los scripts `commun.inc.php` e `inicio.php` desarrollados en el ejercicio 2; en el script `inicio.php`, conserve únicamente el código relativo a la visualización de la lista de autores.

- Modifique la visualización de la lista de autores para que el nombre de cada autor enlace a una página llamada `autor.php` ; la URL debe contener un argumento llamado `numero` cuyo valor es igual al número del autor (índice en la tabla `$autor`).

Resultado esperado (en la página)

Autores
Víctor Hugo
Charles Baudelaire
Arthur Rimbaud
Paul Verlaine

Resultado esperado (ejemplo de enlace)

```
<a href="autor.php?numero=0">Victor Hugo</a>
```

Solución

```
<?php
include_once('commun.inc.php');
?>
<!DOCTYPE html>
<html xmlns="http://www.w3.org/1999/xhtml" lang="es">
  <head>
    <meta charset="utf-8" />
    <title>Inicio</title>
    <style>
    table { border-collapse: collapse; }
    table, td, th { border: 1px solid black; }
    td, th { padding: 4px; }
    </style>
  </head>
  <body>
    <div>
    <!-- Mostrar la tabla de autores. -->
    <table>
    <tr><th>Autores</th></tr>
    <?php
    foreach ($autores as $numero => $autor) {
      echo "<tr><td><a href=\"autor.php?numero=$numero\">$autor</a>
</td></tr>";
    }
    ?>
    </table>
```

```
    </div>
  </body>
</html>
```

Paso 2

Ahora vamos a escribir el script PHP que se llama en la página.

Indicaciones:

- Cree un nuevo script PHP llamado `autor.php`.
- En este script, inserte una sección de código PHP que debe incluir el script `commun.inc.php`, recuperando el número del autor que se pasa en la URL, y a continuación el nombre del autor correspondiente en la tabla `$autores`.
- Añada el código HTML de la página llamada «Autor» y muestre el nombre del autor en una etiqueta `<h1>` (en una versión más completa, esta página se utilizará para mostrar la información detallada sobre el autor).
- Añada también un enlace «Volver a la lista» que permita regresar a la página `inicio.php`.

Resultado esperado (ejemplo con uno de los autores de la lista)

Víctor Hugo

Volver a la lista

Solución

```
<?php
include_once('commun.inc.php');
$numero = $_GET['numero'];
$autor = $autores[$numero];
?>
<!DOCTYPE html>
<html xmlns="http://www.w3.org/1999/xhtml" lang="es">
  <head>
    <meta charset="utf-8" />
    <title>Autor</title>
  </head>
  <body>
    <h1><?= $autor ?></h1>
    <p><a href="inicio.php">Volver a la lista</a></p>
  </body>
</html>
```

Observación

Este script se mejorará en el futuro para gestionar los errores, por ejemplo, cuando se llama directamente al script sin un número en la URL o con un número incorrecto en la URL.

3. Recuperar los datos introducidos en el formulario

3.1 Consideraciones

3.1.1 ¿Qué sucede si dos campos comparten el mismo nombre?

Simplemente, el último campo encontrado en el formulario es el que determina el valor.

Ejemplo

```
<form action="entrada.php" method="POST"><div>
Apellido: <input type="text" name="nombre"><br />
Nombre: <input type="text" name="nombre"><br />
<input type="submit" name="ok" value="OK">
</div></form>
```

El texto `HEURTEL` en la primera zona y `Olivier` en la segunda dan un solo valor igual a `Olivier` en la matriz `$_POST`.

3.1.2 ¿Qué ocurre si hay dos formularios en la página HTML?

Las variables solo se crean y se rellenan en el formulario que ha sido validado.

Ejemplo

```
<form action="entrada.php" method="POST"><div>
Nombre 1: <input type="text" name="nombre1"><br />
<input type="submit" name="ok1" value="OK1">
</div></form>
<form action="entrada.php" method="POST"><div>
Nombre 2: <input type="text" name="nombre2"><br />
<input type="submit" name="ok2" value="OK2">
</div></form>
```

Si el usuario valida el primer formulario, el valor `nombre1` estará disponible. Si el usuario valida el segundo formulario, el valor `nombre2` es el que estará disponible.

3.1.3 Usar una matriz para recuperar los datos introducidos

Es posible utilizar una notación de tipo matriz en el atributo `name` de las etiquetas `<input>`, `<select>` y `<textarea>`.

Ejemplo

```
<form action="entrada.php" method="POST"><div>
Apellido: <input type="text" name="entrada[]"><br />
Nombre: <input type="text" name="entrada[]"><br />
<input type="submit" name="ok" value="OK">
</div></form>
```

El texto `HEURTEL` en el primer campo y `Olivier` en el segundo dan una sola variable `$entrada`, de tipo de matriz, que contiene las siguientes líneas:

Clave	Valor
0	HEURTEL
1	Olivier

PHP completa la matriz, añadiendo una línea para cada campo, con un índice entero consecutivo que comienza en 0 (como en la notación `[]` estudiada en el capítulo Introducción a PHP - Las bases del lenguaje PHP - Matrices).

Esta técnica es interesante, pero debe saber que en el código, el índice 0 corresponde al apellido y el índice 1 al nombre. Por otra parte, puede surgir un problema si el orden de los campos cambia.

Para mejorar esta técnica, es posible establecer la clave, bien con un número o con una cadena de caracteres.

Ejemplo con un número

```
<form action="entrada.php" method="POST"><div>
Apellido: <input type="text" name="entrada[1]"><br />
Nombre: <input type="text" name="entrada[2]"><br />
<input type="submit" name="ok" value="OK">
</div></form>
```

El texto `HEURTEL` en el primer campo y `Olivier` en el segundo dan el siguiente resultado en la matriz `$entrada`:

Clave	Valor
1	HEURTEL
2	Olivier

Ejemplo con una cadena de caracteres

```
<form action="entrada.php" method="POST"><div>
Apellido: <input type="text" name="entrada[apellido]"><br />
Nombre: <input type="text" name="entrada[nombre]"><br />
<input type="submit" name="ok" value="OK">
</div></form>
```

El texto HEURTEL en el primer campo y Olivier en el segundo dan el siguiente resultado en la matriz $entrada:

Clave	Valor
apellido	HEURTEL
nombre	Olivier

Más adelante veremos otras situaciones donde se requiere este tipo de notación.

3.1.4 Pasar información en un campo de formulario oculto

La información introducida en un formulario se transmite al script encargado del procesamiento y puede mostrarse en una nueva página.

Este método se puede utilizar para la transmisión de otro tipo de información no introducida por el usuario, por lo general, colocándola en un campo de formulario oculto.

Ejemplo

– Script pagina1.php

```
<?php
// Inicialización de una variable.
$nombre='Olivier & Xavier';
?>
<!DOCTYPE html>
<html xmlns="http://www.w3.org/1999/xhtml" lang="es">
  <head>><meta charset="utf-8" /><title>Página 1</title></head>
  <body>
    <!-- enlace hacia la página 2 con un botón de formulario -->
    <form action="pagina2.php" method="post">
    <div>
    <!-- la información transmitida está oculta -->
    <input type="hidden" Name="nombre" value= "<?= $nombre ?>" />
    <br /><input type="submit" name="pagina2" value="Página 2" />
    </div>
    </form>
  </body>
</html>
```

– Código fuente de la página en el navegador

```
<!DOCTYPE html>
<html xmlns="http://www.w3.org/1999/xhtml" lang="es">
  <head>><meta charset="utf-8" /><title>Página 1</title></head>
  <body>
    <!-- enlace hacia la página 2 con un botón de formulario -->
    <form action="pagina2.php" method="post">
    <div>
    <!-- la información transmitida está oculta -->
    <input type="hidden" Name="nombre" value= "Olivier & Xavier" />
    <br /><input type="submit" name="pagina2" value="Página 2" />
    </div>
    </form>
  </body>
</html>
```

– Script pagina2.php

```
<?php
$nombre = $_POST['nombre'];
echo $nombre;
?>
```

Resultado

– Presentación de la página 1:

– Resultado al hacer clic en el botón:

Con el formulario, no hay ningún problema de codificación (se hace automáticamente).

3.2 Los diferentes tipos de campos

3.2.1 Resumen general

Tomamos nuestro formulario completo de salida y vemos la información recuperada en el script PHP.

Script entrada.htm

```
<!DOCTYPE html>
<html xmlns="http://www.w3.org/1999/xhtml" lang="es">
  <head>
    <meta charset=utf-8" />
    <title>Entrada</title>
  </head>
  <body>
    <form action="entrada.php" method="post">
    <div>
      Apellido:
      <input type="text" name="apellido" value=""
           size="20" maxlength="20" />
      Contraseña:
      <input type="password" name="contraseña" value=""
           size="20" maxlength="20" />
      <br />Sexo:
      <input type="radio" name="sexo" value="M" />Masculino
      <input type="radio" name="sexo" value="F" />Femenino
      <input type="radio" name="sexo" value="?"
                        checked="checked" />No lo sé
      <br />Foto:
      <input type="file" name="foto" value="" size="50" />
      <br />Colores favoritos:
      <input type="checkbox" name="colores[azul]" />Azul
      <input type="checkbox" name="colores[blanco]" />Blanco
      <input type="checkbox" name="colores[rojo]" />Rojo
      <input type="checkbox" name="colores[nointentar]"
                             checked="checked" />No lo sé
      <br />Idioma:
      <select name="idioma">
        <option value="E">Español</option>
        <option value="F" selected="selected" >Francés</option>
        <option value="I">Italiano</option>
      </select>
      <br />Fruta favorita:<br />
      <select name="fruta[]" multiple="multiple" size="8">
        <option value="A">Albaricoques</option>
        <option value="C">Cerezas</option>
        <option value="F">Fresas</option>
        <option value="M">Melocotones</option>
```

```
        <option value="?" selected="selected">
                          No lo sé</option>
      </select>
      <br />Comentarios:<br />
      <textarea name="comentarios" rows="4" cols="50"></textarea>
      <br />
      <input type="hidden" name="invisible" value="123" /><br />
      <input type="submit" name="enviar" value="OK" />
      <input type="image" name="validar" alt="validar" src="validar.gif" />
      <input type="reset" name="borrar" value="Borrar" />
      <input type="button" name="action" value="No hacer nada" />
    </div>
    </form>
  </body>
</html>
```

Script entrada.php

```
<?php
// Inclusión de un archivo que contiene funciones genéricas
// (incluida la función mostrar_matriz definida en
// el capítulo sobre funciones y clases)
include('funciones.inc') ;
mostrar_matriz($_POST,'$_POST :');
?>
```

Resultado

- Presentación inicial y entrada de los diferentes valores:

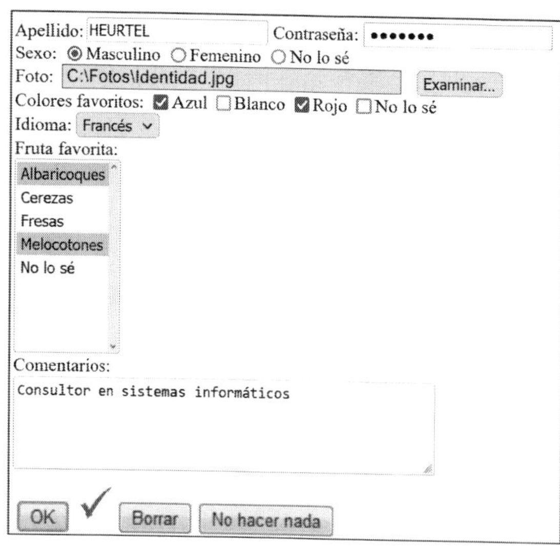

– Resultado al hacer clic en el botón **OK** (visualización del contenido de `$_POST`):

```
$_POST:
apellido = HEURTEL
contraseña = olivier
sexo = M
foto = identidad.jpg
colores =
  azul = on
  rojo = on
idioma = F
fruta =
  0 = A
  1 = M
comentarios = Consultor en sistemas informáticos
invisible = 123
enviar = OK
```

Basándonos en este ejemplo, vamos a ofrecer algunas explicaciones.

3.2.2 Campos que contienen texto

Para los campos que contienen texto, es decir, los campos `<input>` de tipo `text` (`apellido`), `password` (`contraseña`), `file` (`foto`) y `hidden` (`invisible`), así como para el campo `<textarea>` (`comentarios`), las entradas asociadas contienen el texto introducido.

Ejemplo

```
$_POST:
apellido = HEURTEL
contraseña = olivier
foto = identidad.jpg
comentario = Consultor en sistemas informáticos
invisible = 123
```

Observación

Por ahora, con el campo de tipo `file`, hemos recuperado solo el nombre del archivo, pero no el archivo en sí (véase en este capítulo la sección Intercambiar un archivo entre el cliente y el servidor - Enviar un archivo desde el cliente (upload)).

3.2.3 Grupos de botones de opción

Para disponer de un grupo de botones de opción, los campos deben tener el mismo nombre.

Para un grupo de botones de opción, es decir, para los campos `<input>` de tipo `radio`, la entrada asociada contiene el valor contenido en el atributo `value` de la etiqueta `input` del botón seleccionado. Si el atributo `value` está ausente, el valor predefinido es `on`, lo cual resulta molesto, ya que es imposible conocer la opción seleccionada. En la práctica, debemos rellenar el atributo `value`.

Ejemplo

```
<br />Sexo:
<input type="radio" name="sexo" value="M" /> Masculino
<input type="radio" name="sexo" value="F" /> Femenino
<input type="radio" name="sexo" value="?"
          checked="checked" /> No lo sé
```

Opción seleccionada

Sexo: ◉ Masculino ○ Femenino ○ No lo sé

Resultado

```
$_POST:
sexo = M
```

3.2.4 Casillas de verificación

Para las casillas de verificación, es decir, para los campos `<input>` de tipo `checkbox`, la entrada asociada contiene el valor incluido en el atributo `value` de la etiqueta `input`; si el atributo `value` está ausente, el valor predeterminado es `on`. En ambos casos, la entrada asociada se define solo para las casillas de verificación.

Ejemplo

```
<br />Colores favoritos:
<input type="checkbox" name="azul" value="b"/> Azul
<input type="checkbox" name="blanco" /> Blanco
<input type="checkbox" name="rojo" /> Rojo
<input type="checkbox" name="nolosé"
        checked="checked" />No lo sé
```

Opciones seleccionadas

Colores favoritos: ☑ Azul ☐ Blanco ☑ Rojo ☐ No lo sé

Resultado

```
$_POST:
azul = b
rojo = on
```

Con la casilla de verificación, el atributo `value` es menos importante por lo general, ya que es posible determinar si una casilla está marcada solo por el hecho de que la entrada asociada tiene un valor (independientemente de este valor). En contraposición, es importante que cada casilla tenga un nombre diferente.

Varios enfoques son posibles en relación con el valor del atributo `value`:

- El atributo `value` almacena el valor deseado al nivel de la lógica de la aplicación en caso de que la casilla esté marcada (`1`, `sí`...), sabiendo que, si la casilla no está marcada, la variable no existe.
- El atributo `value` se omite y el código interpreta la existencia de la variable de acuerdo a las necesidades de la lógica de la aplicación.

En el código, si desea recuperar el hecho de que una casilla esté marcada en forma de un booleano, puede escribir una instrucción como la siguiente:

```
$casilla_marcada = isset($_POST['nombre_casilla'])?TRUE:FALSE;
```

Si lo desea, puede utilizar una matriz para no tener una entrada por casilla de verificación. Para poder determinar cuáles son las casillas marcadas, existen dos opciones:

- Utilizar una matriz sin índice, pero rellenar el atributo `value`:

```
<br />Colores favoritos:
<input type="checkbox" name="colores[]" value="azul"/> Azul
<input type="checkbox" name="colores[]" value="blanco" /> Blanco
<input type="checkbox" name="colores[]" value="rojo" /> Rojo
<input type="checkbox" name="colores[]" value="nolosé"
                         checked="checked" />No lo sé
```

- No rellenar el atributo `value`, pero definir los índices o las claves en la matriz:

```
// Índices numéricos
<br />Colores favoritos:
<input type="checkbox" name="colores[1]"/> Azul
<input type="checkbox" name="colores[2]" /> Blanco
<input type="checkbox" name="colores[3]" /> Rojo
<input type="checkbox" name="colores[4]"
                      checked="checked" />No lo sé
// claves alfanuméricas
<br />Colores favoritos:
<input type="checkbox" name="colores[azul]"/> Azul
<input type="checkbox" name="colores[blanco]" /> Blanco
<input type="checkbox" name="colores[rojo]" /> Rojo
<input type="checkbox" name="colores[nolosé]"
                         checked="checked" />No lo sé
```

Con este último ejemplo, si las casillas «Azul» y «Rojo» están marcadas, la matriz `color` contendrá los siguientes valores:

```
$_POST:
colores =
  azul = on
  rojo = on
```

Si se utiliza una matriz para todo el formulario, puede emplear soluciones diferentes, incluyendo:

– Utilizar una matriz sin índice, pero rellenar el atributo `value`:

```
<br />Colores favoritos:
<input type="checkbox" name="entrada[colores][]" value="azul"/> Azul
<input type="checkbox" name="entrada[colores][]" value="blanco" /> Blanco
<input type="checkbox" name="entrada[colores][]" value="rojo" /> Rojo
<input type="checkbox" name="entrada[colores][]" value="nolosé"
                            checked="checked" />No lo sé
```

– No rellenar el atributo `value`, pero definir los índices o las claves en la matriz:

```
// Índices numéricos
<br />Colores favoritos:
<input type="checkbox" name="entrada[colores][1]"/> Azul
<input type="checkbox" name="entrada[colores][2]" /> Blanco
<input type="checkbox" name="entrada[colores][3]" /> Rojo
<input type="checkbox" name="entrada[colores][4]"
                         checked="checked" />No lo sé
// claves alfanuméricas
<br />Colores favoritos:
<input type="checkbox" name="entrada[colores][azul]"/> Azul
<input type="checkbox" name="entrada[colores][blanco]" /> Blanco
<input type="checkbox" name="entrada[colores][rojo]" /> Rojo
<input type="checkbox" name="entrada[colores][nolosé]"
                             checked="checked" />No lo sé
```

Con este último ejemplo, si las casillas «Azul» y «Rojo» están marcadas, la matriz `color` contendrá los siguientes valores:

```
$_POST:
entrada =
  colores =
    azul = on
    rojo = on
```

3.2.5 Listas de selección única

Para las listas de selección única, es decir, para un campo `<select>` sin atributo `multiple` (`idioma` en el siguiente ejemplo), la entrada asociada contiene el valor incluido en el atributo `value` de la etiqueta `<option>` o, si no hay atributo `value`, el valor mostrado en la lista (es decir, detrás de la etiqueta `<option>`).

Ejemplo (con atributo value)

```
<br />Idioma:
<select name="idioma">
  <option value="E">Español</option>
  <option value="F" selected="selected" >Francés</option>
  <option value="I">Italiano</option>
</select>
```

Opción seleccionada

Idioma: Francés

Resultado

```
$_POST:
idioma = F
```

Ejemplo (sin atributo value)

```
<br />Idioma:
<select name="idioma">
   <option>Español</option>
   <option selected="selected" >Francés</option>
   <option>Italiano</option>
</select>
```

Opción seleccionada

Idioma: Francés

Resultado

```
$_POST:
idioma = Francés
```

Se puede elegir una u otra posibilidad de acuerdo a las necesidades de la lógica de la aplicación. A menudo, se utiliza el atributo `value` para crear un código que se almacena en la base de datos en lugar del valor mostrado. Este enfoque tiene un inconveniente: la parte de interfaz de usuario (capa de presentación) debe conocer los códigos, lo cual no es una buena idea. La solución óptima consiste en generar dinámicamente el formulario a partir de la base de datos.

3.2.6 Listas de selección múltiple

Para las listas de selección múltiple, es decir, para un campo `<select>` sin atributo `multiple` (`fruta` en el siguiente ejemplo), la entrada asociada contiene el valor incluido en el atributo `value` de la etiqueta `<option>` o, si no hay atributo `value`, el valor mostrado en la lista (es decir, detrás de la etiqueta `<option>`). Tenga en cuenta que esto es válido solo para la última opción seleccionada si el nombre es un nombre de variable escalar. En consecuencia, para obtener una lista de selección múltiple, es necesario utilizar una matriz.

Ejemplo (con atributo value)

```
<br />Frutas favoritas:<br />
<select name="fruta[]" multiple="multiple" size="8">
  <option value="A">Albaricoques</option>
  <option value="C">Cerezas</option>
  <option value="F">Fresas</option>
  <option value="M">Melocotones</option>
  <option value="?" selected="selected">
                    No lo sé</option>
</select>
```

Opciones seleccionadas

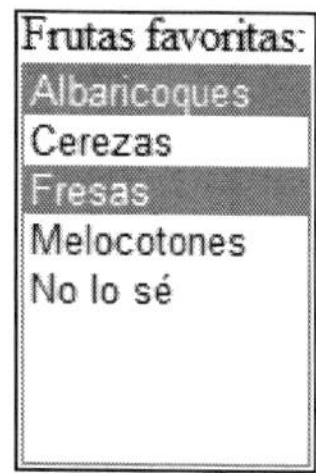

Resultado

```
$_POST:
fruta =
  0 = A
  1 = F
```

Como ya hemos visto, PHP rellena la tabla con una línea para cada opción seleccionada y numera estas líneas. En el caso de la lista de selección múltiple, este modo de funcionamiento no plantea ningún problema.

Ejemplo (sin opción value)

```
<br />Frutas favoritas:<br />
<select name="fruta[]" multiple="multiple" size="8">
  <option>Albaricoques</option>
  <option>Cerezas</option>
  <option>Fresas</option>
  <option>Melocotones</option>
  <option selected="selected">
                    No lo sé</option>
</select>
```

Resultados (con la misma selección que anteriormente)

```
$_POST:
fruta =
  0 = Albaricoques
  1 = Fresas
```

Se puede elegir una u otra posibilidad de acuerdo a las necesidades de la lógica de la aplicación (los mismos principios que para la lista de selección única).

Utilizar una matriz para todo el formulario no es un problema.

Ejemplo (con atributo value)

```
<br />Frutas favoritas:<br />
<select name="entrada[fruta][]" multiple="multiple" size="8">
  <option value="A">Albaricoques</option>
  <option value="C">Cerezas</option>
  <option value="F">Fresas</option>
  <option value="M">Melocotones</option>
  <option value="?" selected="selected">
                    No lo sé</option>
</select>
```

Resultados (con la misma selección que anteriormente)

```
$_POST:
entrada =
  fruta =
    0 = A
    1 = F
```

3.2.7 Botones de validación

Para un botón de validación, es decir, para un campo `<input>` de tipo `submit` (`OK` en el siguiente ejemplo), PHP crea una entrada que lleva el nombre del botón (atributo `name`) y tiene como valor el del atributo `value` solo si se pulsa el botón.

Ejemplo

```
<input type="submit" name="enviar" value="OK" />
```

Resultado (si se pulsa el botón)

```
$_POST:
enviar = OK
```

Si el botón no tiene nombre, no se crea ninguna variable. Esto no tiene importancia si:

- No es necesario saber cómo se llama el script (presentación inicial o procesamiento del formulario).
- Hay un solo botón de validación.

En otros casos, se deben nombrar los botones.

El siguiente script muestra cómo diferenciar entre la llamada del script para la presentación inicial y la llamada del script para el procesamiento del formulario (véase en este capítulo la sección Información general - Los formularios - Procesar un formulario utilizando un script PHP, tercer método).

Ejemplo

```
<?php
...
// Probar cómo se llama el script
if (isset($_POST['enviar'])) {
  // Existe una línea en la variable $_POST
  // correspondiente al botón OK llamada «enviar»:
  // el script se llama en la validación del formulario.
  // => Procesar el formulario ...
  ...
} else {
  // El script no se llama por el clic en el
  // botón OK. Si no hay otro botón «submit», el
  // script se llama para la presentación inicial.
  // => Inicializar el formulario ...
  ...
}
?>
```

Surge un problema si el formulario tiene un único cuadro de texto, ningún botón y el usuario pulsa ENTER o RETURN. En este caso, el formulario se envía correctamente, pero no hay botón de validación para completar la prueba en el script PHP. La solución consiste en probar si la variable $_* está vacía o no (con empty pero no isset, ya que la matriz no existe).

Si el formulario contiene dos botones de validación con nombres diferentes (atributo name), el primero ok y el segundo cancelar, es posible determinar en qué contexto se llama al script.

Ejemplo

```
// Probar cómo se llama al script
if (isset($_POST['ok'])) {
  // botón OK
} elsif (isset($_POST['cancelar'])) {
  // botón Cancelar
} else {
  // Presentación inicial
}
```

Si el formulario contiene dos botones de validación con el mismo nombre (atributo name="enviar", por ejemplo), pero valores (atributo value) distintos, el primero OK y el segundo Cancelar, es posible determinar en qué contexto se llama al script de la siguiente manera.

Ejemplo

```
// Probar cómo se llama al script
if ($_POST['enviar'] == 'OK') {
  // botón OK
} elsif ($_POST['enviar'] == 'Cancelar') {
  // botón Cancelar
} else {
  // Presentación inicial
}
```

3.2.8 Botones de imagen

Para un botón de imagen, es decir, para un campo <input> de tipo image (ejemplo validar a continuación), PHP crea dos entradas que llevan el nombre del botón (atributo name) seguido de _x e _y y dan la posición relativa, en píxeles, del clic con respecto al ángulo situado en la parte superior izquierda de la imagen (solo si se hace clic en la imagen). Si el botón no tiene ningún nombre, las dos variables se llaman x e y.

Ejemplo

```
<input type="image" name="validar" alt="validar" src="validar.gif" />
```

Resultado si se hace clic en la imagen

```
$_POST:
validar_x = 5
validar_y = 8
```

Entonces es posible procesar la posición del clic si es significativa desde el punto de vista de la lógica de la aplicación.

Si hay varios botones de imagen en el formulario, es posible determinar qué botón provoca el envío del formulario.

Ejemplo

```
// Probar cómo se llama el script
if (isset($_POST['validar_x'])) {
  // botón Validar
} else ...
```

3.2.9 Botones «reset» o «button»

Un clic en los botones correspondientes a los campos `<input>` de tipo `reset` o `button` no provoca el envío del formulario ni la llamada del script de procesamiento. Estos botones permiten realizar una acción simple del lado del navegador (por ejemplo, en JavaScript).

3.3 Resumen

Debemos acostumbrarnos a nombrar correctamente (atributo `name`) todos los campos del formulario con nombres distintos o utilizar una nomentaclura de tipo matriz, asociativa, para facilitar el mantenimiento y la legibilidad del código.

En el caso de los grupos de botones de opción, se debe especificar un atributo `value` distinto para cada botón.

Para las casillas de verificación, se deben utilizar diferentes nombres (atributo `name`) o valores diferentes (atributo `value`), con objeto de garantizar la diferencia en la llegada; en caso de utilizar una matriz, no deje que PHP realice la numeración (sin `[]`).

Para las listas de selección múltiple, se debe utilizar una denominación de tipo matriz con objeto de poder recuperar la lista de valores seleccionados; utilice el atributo `value` para recuperar un valor diferente del que aparece en la lista.

Del mismo modo, es necesario nombrar los botones de validación para poder saber cómo se llama al script PHP. Si se utilizan varios botones, es posible utilizar el mismo nombre, siempre y cuando los valores (atributo `value`) sean diferentes.

El formulario utilizado en esta sección es un buen ejemplo de la aplicación de estas diferentes recomendaciones.

Mismo ejemplo con una matriz

```
<!DOCTYPE html>
<html xmlns="http://www.w3.org/1999/xhtml" lang="es">
  <head>
    <meta charset=utf-8" />
    <title>Entrada</title>
  </head>
  <body>
    <form action="entrada.php" method="post">
    <div>
      Apellido:
      <input type="text" name="entrada[apellido]" value=""
           size="20" maxlength="20" />
      Contraseña:
      <input type="password" name="entrada[contraseña]" value=""
           size="20" maxlength="20" />
      <br />Sexo:
      <input type="radio" name="entrada[sexo]" value="M" /> Masculino
      <input type="radio" name="entrada[sexo]" value="F" /> Femenino
      <input type="radio" name="entrada[sexo]" value="?"
                          checked="checked" /> No lo sé
      <br />Foto:
      <input type="file" name="entrada[foto]" value="" size="50" />
      <br />Colores favoritos:
      <input type="checkbox" name="entrada[colores][azul]" />Azul
      <input type="checkbox" name="entrada[colores][blanco]" />Blanco
      <input type="checkbox" name="entrada[colores][rojo]" />Rojo
      <input type="checkbox" name="entrada[colores][ninguno]"
                              checked="checked" />No lo sé
      <br />Idioma:
      <select name="entrada[idioma]">
        <option value="E">Español</option>
        <option value="F" selected="selected" >Francés</option>
        <option value="I">Italiano</option>
      </select>
      <br />Fruta favorita:<br />
      <select name="entrada[fruta][]" multiple="multiple" size="8">
        <option value="A">Albaricoques</option>
        <option value="C">Cerezas</option>
        <option value="F">Fresas</option>
        <option value="M">Melocotones</option>
        <option value="?" selected="selected">
                  No lo sé</option>
      </select>
      <br />Comentarios:<br />
```

```
        <textarea name="entrada[comentario]"
                            rows="4" cols="50"></textarea>
        <br />
        <input type="hidden" name="entrada[invisible]" value="123" />
        <br />
        <input type="submit" name="enviar" value="OK" />
        <input type="image" name="validar" alt="validar" src="validar.gif" />
        <input type="reset" name="borrar" value="Borrar" />
        <input type="button" name="action" value="No hacer nada" />
      </div>
      </form>
    </body>
</html>
```

Resultado (con la misma entrada que en el ejemplo original)

```
$_POST:
entrada =
  apellido = HEURTEL
  contraseña = olivier
  sexo = M
  foto = identidad.jpg
  colores =
    azul = on
    rojo = on
  idioma = F
  fruta =
    0 = A
    1 = F
  comentarios = Consultor en sistemas informáticos
  invisible = 123
enviar = OK
```

3.4 Ejercicio 9: recuperar los datos introducidos en un formulario

En este ejercicio, vamos a aprender a recuperar la información introducida en un formulario.

Paso 1

Vamos a empezar escribiendo un script PHP que muestre un formulario que permita introducir el apellido y el nombre de un autor.

Indicaciones:

- En un nuevo directorio, cree un nuevo script PHP `introducir.php`.
- En este nuevo script, introduzca el código HTML que permite mostrar una página HTML llamada «Introducir» conteniendo un formulario con el siguiente aspecto:

Apellido y nombre del nuevo autor:

Apellido [ ]

Nombre [ ]

[Guardar]

- Los campos «Apellido» y «Nombre» son de tipo texto, de tamaño 40, y se llaman respectivamente `apellido` y `nombre` (atributo `name`). El botón «Guardar» se llama `ok` (atributo `name`). La alineación de los campos se obtiene gracias a la utilización de código CSS aplicado a las etiquetas `<label>` (el diseño del formulario es secundario para la realización de este ejercicio).
- Este formulario se tratará por el script PHP `introducir.php`.
- Por el momento, este script no contiene código PHP.

Solución

```
<!DOCTYPE html>
<html xmlns="http://www.w3.org/1999/xhtml" lang="es">
 <head>
   <meta charset="utf-8" />
   <title>Introducir</title>
   <style>
   label { display: block; width: 60px; float: left; }
   </style>
 </head>
 <body>
   <!—Formulario para introducir el autor. -->
   <form action="introducir.php" method="post">
   <div>
```

```
      <b>Apellido y nombre del nuevo autor:</b>
      <br /><label>Apellido</label>
      <input type="text" name="apellido" size="40" maxlength="40"
             autofocus="autofocus"/>
      <br /><label>Nombre</label>
      <input type="text" name="nombre" size="40" maxlength="40" />
      <br />
      <input type="submit" name="ok" value="Guardar" />
    </div>
    </form>
  </body>
</html>
```

Paso 2

Ahora vamos a añadir el código PHP que permite tratar el formulario y recuperar la información introducida en los dos campos.

Indicaciones:

- Al inicio del script, inserte una sección de código PHP que verifique si el script se llama durante el tratamiento del formulario, y, si es el caso, recupere el contenido de los campos «Apellido» y «Nombre» en dos variables `$apellido` y `$nombre`. Defina otra variable `$autor` conteniendo la concatenación de las dos variables anteriores, separadas por un espacio.
- En la página HTML, bajo el formulario, muestre el valor de la variable `$autor` si está definida.

Resultado esperado (introducir inicial)

Apellido y nombre del nuevo autor:
Apellido [Heurtel]
Nombre [Olivier]
[Guardar]

Resultado esperado (después de pulsar el botón «Guardar»)

Apellido y nombre del nuevo autor:
Apellido [ ]
Nombre [ ]
[Guardar]
Olivier Heurtel

Solución

```
<?php
// Comprobar si el script se llama durante el tratamiento del formulario.
if (isset($_POST['ok'])) { // sí
 // Recuperar los valores introducidos en el formulario.
 $apellido = $_POST['apellido'];
 $nombre = $_POST['nombre'];
 $autor = "$apellido $nombre";
}
?>
<!DOCTYPE html>
<html xmlns="http://www.w3.org/1999/xhtml" lang="es">
 <head>
   <meta charset="utf-8" />
   <title>Introducir</title>
   <style>
   label { display: block; width: 60px; float: left; }
   </style>
 </head>
 <body>
   <!—Formulario para introducir el autor. -->
   <form action="introducir.php" method="post">
   <div>
     <b>Apellido y nombre del nuevo autor:</b>
     <br /><label>Apellido</label>
     <input type="text" name="apellido" size="40" maxlength="40"
            autofocus="autofocus"/>
     <br /><label>Nombre</label>
     <input type="text" name="nombre" size="40" maxlength="40" />
     <br />
     <input type="submit" name="ok" value="Guardar" />
   </div>
   </form>
   <div><?= (isset($autor))?$autor:'' ?></div>
 </body>
</html>
```

4. Controlar los datos recuperados

4.1 Información general

En la primera parte de este capítulo, vimos cómo recuperar los datos pasados en una URL o introducidos en un formulario.

A continuación, es necesario comprobar que los datos recuperados son correctos, es decir, que respetan las normas de gestión definidas para la aplicación.

Observación

Para la seguridad del sitio, es necesario no fiarse de los datos procedentes del exterior (formulario, URL, pero esto también lo veremos más adelante: cookie, etc.). Estos datos se deben controlar, filtrar, para evitar posibles ataques de un usuario malintencionado.

El objetivo de este apartado es proporcionar una orientación sobre las técnicas más utilizadas en PHP para realizar esta comprobación. Otro posible enfoque consiste en realizar un control en JavaScript en el navegador; se trata de evitar un viaje de ida y vuelta al servidor.

Observación

Los diferentes ejemplos que se presentan en esta parte utilizan formularios. Deben realizarse las mismas verificaciones para los datos pasados en una URL.

4.2 Comprobaciones clásicas

4.2.1 Limpieza de los espacios no deseados

La función `trim` (véase el capítulo Utilizar las funciones PHP - sección Manipular las cadenas de caracteres) se puede utilizar para eliminar los espacios en blanco no deseados al principio o al final de la cadena. En el caso de un formulario, este procesamiento se aplica especialmente a los campos de entrada libre (`<input>` de tipo `text` o `password`, `<textarea>`).

Ejemplo

```
// Recuperar el valor introducido en el campo «apellido» y limpiar
// los espacios en blanco (al principio y al final)
$apellido = trim($_POST['apellido']);
```

4.2.2 Datos obligatorios

Comprobar si un dato obligatorio está presente resulta muy simple: basta con comprobar si la variable asociada contiene un valor.

Ejemplo

```
$apellido = trim($_POST['apellido']);
if ($apellido == '') {
  // $apellido vacío = campo "apellido" no rellenado => hacer algo
}
```

4.2.3 Longitud máxima de una cadena

La longitud de los datos recuperados se puede controlar con la función `strlen` (véase el capítulo Utilizar las funciones PHP - sección Manipular las cadenas de caracteres). En el caso de un formulario, este procesamiento se aplica especialmente a los campos de entrada libre (`<input>` de tipo `text` o `password`, `<textarea>`).

Ejemplo

```
$apellido = trim($_POST['apellido']);
if (strlen($apellido) > 20) {
  // $apellido demasiado largo => hacer algo
}
```

En un formulario, el atributo `maxlength` de la etiqueta `input` permite tener un control adicional en el momento de la entrada de datos (el navegador es el responsable).

4.2.4 Caracteres permitidos para una cadena - Formato

Si es necesario, el uso de expresiones regulares (véase el capítulo Utilizar las funciones PHP - sección Utilizar expresiones regulares) permite controlar muy fácilmente que solo ciertos caracteres estén presentes y, si es preciso, que el dato recuperado respete un formato específico.

Por ejemplo, supongamos que la contraseña debe verificar la siguiente regla: comenzar con una letra, seguida de letras, números o caracteres _#*$ con una longitud mínima de 8.

Ejemplo

```
$contraseña = trim($_POST['contraseña']);
$motivo = '/^[a-z][a-z0-9_#*$]{8,}/i';
if (preg_match($patrón,$contraseña) == 0) {
  // Contraseña no válida
}
```

Algunas explicaciones sobre la expresión regular utilizada (`/^[a-z][a-z0-9_#*$]{8,}/i`):

- carácter delimitador =/
- opción `i` utilizada para no hacer diferenciación entre mayúsculas ni minúsculas.
- `^` = comienza por...
- `[a-z]` = una letra entre a y z (o A y Z con la opción i)...
- `[a-z0-9_#*$]{8,}` = seguido de al menos tres (`{8,}`) caracteres entre los que figuran: `a` a `z` (y por tanto `A` a `Z`), `0` a `9` y los caracteres `_#*$`.

Otros ejemplos se presentan más adelante en esta sección con fechas y números.

4.2.5 Validez de una fecha - Rango de valores

Por lo general, para una fecha es necesario comprobar si:

- cumple con un formato (DD/MM/AAAA, por ejemplo);
- validez (no sirve 32/13/2001).

La verificación del cumplimiento con el formato y los caracteres permitidos se puede realizar de manera muy simple con una expresión regular.

Ejemplo

```
$fecha_nacimiento = trim($_POST['fecha_nacimiento']);
$formato_fecha = '#^([0-9]{1,2})/([0-9]{1,2})/([0-9]{4})$#';
if (preg_match($formato_fecha,$fecha_nacimiento) == 0) {
  // Formato de fecha incorrecto.
}
```

Algunas explicaciones sobre la expresión regular utilizada (`#^([0-9]{1,2})/([0-9] {1,2})/([0-9]{4})$#`):

- carácter delimitador = `#`
- `^` = comienza por...
- `([0-9]{1,2})` = uno o dos dígitos (subpatrón de captura)...
- `/` = seguido por el carácter «/»...
- `([0-9]{1,2})` = seguido de uno o dos dígitos (subpatrón de captura)...
- `/` = seguido por el carácter «/»...
- `([0-9]{4})` = seguido de cuatro dígitos (subpatrón de captura)...
- `$` = seguido de... ¡nada! La cadena debe terminar inmediatamente.

Para comprobar la validez de la fecha, es posible utilizar la función `checkdate` (véase el capítulo Utilizar las funciones PHP - sección Manipular las fechas).

Al principio, se deben recuperar los componentes de la fecha introducida. Hay varias opciones disponibles:

– Con la función `explode`:

```
$jma = explode('/',$fecha_nacimiento);
// $jma[0] contiene el día
// $jma[1] contiene el mes
// $jma[2] contiene el año
if (! checkdate($jma[1],$jma[0],$jma[2])) {
// Fecha no válida.
}
```

– Variante con las funciones `explode` y `list`:

```
list($día,$mes,$año) = explode('/',$fecha_nacimiento);
// Recuperación de componentes en variables independientes.
if (! checkdate($mes,$día,$año)) {
// Fecha no válida.
}
```

– Con el tercer parámetro de la función `preg_match`, que se completa con los resultados de la búsqueda, se puede comprobar directamente que el formato se cumpla:

```
$fecha_nacimiento = trim($_POST['fecha_nacimiento']);
$formato_fecha = '#^([0-9]{1,2})/([0-9]{1,2})/([0-9]{4})$#';
if (preg_match($formato_fecha,$fecha_nacimiento) == 0) {
  // Formato de fecha incorrecto.
} else {
  // Formato de fecha correcto.
  // $jma contiene los distintos componentes con
  // índices distintos en relación con el ejemplo anterior:
  // $jma[1] contiene el día
  // $jma[2] contiene el mes
  // $jma[3] contiene el año
  if (! checkdate($jma[2],$jma[1],$jma[3])) {
    // Fecha no válida.
  }
}
```

Para probar el rango de valores, la manera más fácil es hacer una comparación numérica (o alfabética) sobre un número (o cadena) construida en formato `AAAAMMDD` (`20010828` para el `28/08/2001`).

Ejemplo

```
// Recuperar los componentes de la fecha.
list($día,$mes,$año) = explode('/',$fecha_nacimiento);
// Construir una cadena con el formato AAAAMMDD
$aaaammdd = sprintf('%04d%02d%02de,$año,$mes,$día);
// Definir las fechas mini y maxi según el mismo formato.
$fecha_mini = '19000101'; // 01/01/1900
$fecha_maxi = date('Ymde); // fecha del día
// Comparar.
if ($aaaammd < $fecha_mini o $aaaammdd > $fecha_maxi) {
  // Fecha fuera del rango permitido
}
```

4.2.6 Validez de un número - Rango de valores

Se pueden utilizar varias técnicas para comprobar si un número tiene un formato adecuado:

- las expresiones regulares;
- la función `is_numeric`;
- la conversión de los datos introducidos y la comprobación del resultado obtenido.

Ejemplos con expresiones regulares

```
// Comprobar que un dato es un número entero.
preg_match('/^[+-]?[0-9]+$/',$variable)
// Comprobar que un dato es un número entero y controlar
// el número de cifras (entre 1 y 3 por ejemplo)
preg_match('/^[+-]?[0-9]{1,3}$/',$variable)
// Comprobar que un dato es un número decimal (en este
// ejemplo la coma y el punto se aceptan como
// separador decimal).
preg_match('/^[+-]?[0-9]+[.,]?[0-9]*$/',$variable)
```

Para el rango de valores, basta con una simple prueba del siguiente tipo.

Ejemplo

```
if ($variable < mínimo or $variable > maximum) {
  //$variable fuera del rango permitido
}
```

4.2.7 Validez de una dirección de correo electrónico

Una vez más, las expresiones regulares serán útiles. El tema ha sido objeto de numerosos estudios y se pueden encontrar muchas soluciones en Internet.

La siguiente solución funciona bien para las estructuras de dirección actuales:

```
preg_match(
  '/^[a-z0-9]+([._-]?[a-z0-9]+)*'.                    // inicio
  '@'.                                                // continuación
  '[a-z0-9]+([.-]?[a-z0-9]+)*\.[a-z]{2,4}$/i', // fin
  $dirección_correo
)
```

Para facilitar la lectura, la expresión racional se construye por concatenación de tres cadenas.

Algunas explicaciones sobre la expresión regular utilizada:

- Carácter delimitador = `/`
- Opción `i` utilizada para no hacer diferenciación entre mayúsculas ni minúsculas.
- `^` = comienza por...
- `[0-9a-z]+` = una secuencia que incluye letras o números ...
- `([._-]?[a-z0-9]+)*` = posiblemente seguido de una o varias secuencias, cada una puede comenzar por un guion, un guion bajo o un punto seguido de letras o de números...
- `@` = seguido de una `@`...
- `[0-9a-z]+` = seguido de una secuencia que incluye letras o números...
- `([._-]?[a-z0-9]+)*` = seguido posiblemente de una o varias secuencias, cada una puede comenzar por un guion o un punto seguido de letras o de números...
- `\.` = seguido de un punto...
- `[a-z]{2,4}` = seguido de dos a cuatro letras
- `$` = seguido de... ¡nada! La cadena debe terminar.

Observación

La expresión regular permite verificar que la dirección sea sintácticamente correcta, pero no controlar que realmente exista.

5. Problemas con los datos recuperados

Puede producirse un problema de presentación en un campo de formulario si el texto que se muestra contiene un signo de comillas (").

Ejemplo

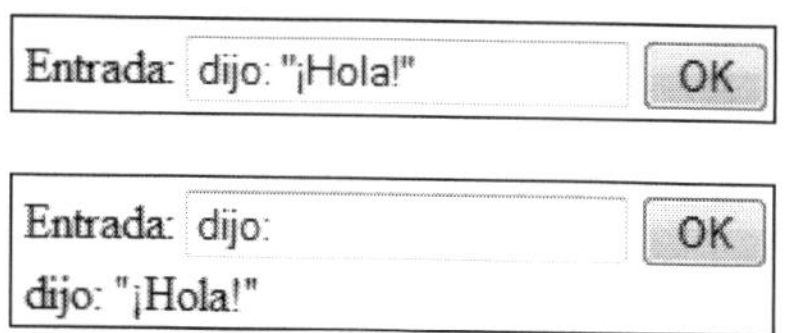

Código fuente de la página en el navegador (extracto)

```
<form action="entrada.php" method="post">
<div>
  Entrada: <input type="text" name="entrada"
           value="dijo: "¡Hola!"" />
  <input type="submit" name="ok" value="OK" />
  <br />dijo: "¡Hola!"    </div>
</form>
```

En HTML, en los atributos de las etiquetas (`value`, `name`...), el delimitador de cadena es el signo de comillas. En el atributo `value`, la secuencia "`dijo: `" se considera como el valor del atributo y el resto de la cadena se pasa por alto. El problema se produce incluso si las comillas se escapan por medio del carácter \ porque este último no es un carácter de escape en HTML.

Otro problema de presentación se produce en la página si los datos mostrados contienen etiquetas HTML.

Ejemplo

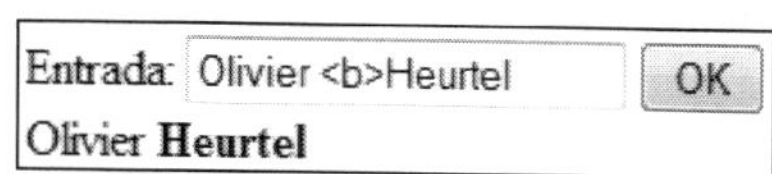

El fragmento `Olivier <b>Heurtel` da la palabra `Heurtel` en negrita cuando se visualiza en la página HTML. La secuencia `<b>` introducida por el usuario se encuentra tal cual en el código fuente de la página y, por lo tanto, se interpreta por el navegador como la etiqueta de la negrita.

Por último, podemos encontrarnos con un tercer problema al escribir en un campo de comentario.

Ejemplo

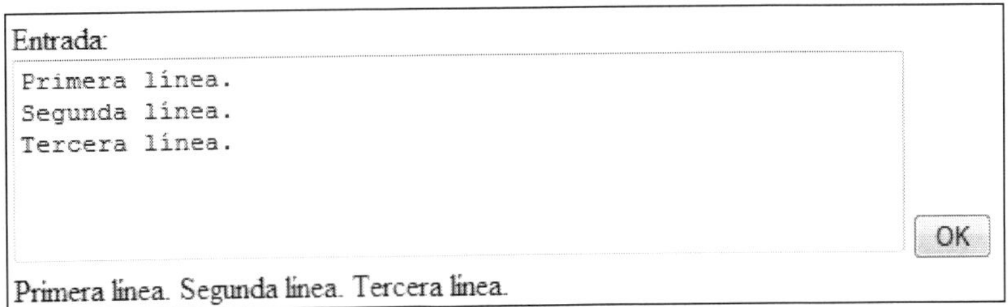

Un texto de varias líneas en el campo `<textarea>` se vuelve a mostrar tal cual en el campo, pero aparece sin los saltos de línea en la página HTML. El texto está presente con saltos de línea en el código fuente de la página, pero el salto de línea fuera de un campo `<textarea>` no es interpretado por el navegador: es necesario incorporar una etiqueta `<br />`.

Por tanto, vemos que aparecen tres problemas relativos a la presentación en la página HTML de los datos introducidos por el usuario:

- La presencia del carácter de comillas, que puede suponer un problema cuando se usan los datos en un formulario (atributo `value`).
- La presencia de etiquetas HTML válidas, que se interpretan como tal por el navegador.
- El no tener en cuenta los saltos de línea en un texto.

El segundo «problema» puede ser interesante si desea ofrecer la posibilidad a un usuario avanzado de introducir texto con algún formato para mostrarlo más tarde en una página.

Para resolver estos tres problemas, PHP dispone de cuatro funciones: `htmlspecialchars`, `htmlentities`, `nl2br` y `strip_tags`.

htmlspecialchars

La función `htmlspecialchars` toma una cadena de caracteres y la devuelve reemplazando ciertos caracteres por su equivalente HTML:

Sintaxis

```
cadena htmlspecialchars(cadena texto [, entero opción [, cadena juego
[, booleano doble_codificación]]])
```

`texto`	Cadena que se va a procesar.
`opción`	Funcionamiento para los caracteres de comillas (") y el apóstrofo (').

`juego`	Juego de caracteres utilizado para la conversión.
`doble_codificación`	Indica si es necesario (`TRUE`, valor predeterminado) o no (`FALSE`) codificar las entidades HTML ya codificadas.

Los caracteres convertidos son los siguientes:

Entrada	Salida
&	&
"	"
'	'
<	<
>	>

El segundo parámetro permite especificar el funcionamiento para los caracteres de comillas (") y el apóstrofo ('):

Valor	Comportamiento
`ENT_COMPAT`	Conversión de las comillas, pero no de los apóstrofos (predefinido).
`ENT_NOQUOTES`	Ninguna conversión.
`ENT_QUOTES`	Conversión de dos caracteres, la coma y el apóstrofo.
`ENT_IGNORE`	Ignora las secuencias de código no válidas (en Unicode) en lugar de devolver una cadena vacía (desaconsejada por razones de seguridad).
`ENT_SUBSTITUTE`	Sustituye las secuencias de código no válido (en Unicode) por un carácter de sustitución (U+FFFD).
`ENT_DISALLOWED`	Sustituye las secuencias de código no válido (en Unicode) para el tipo de documento especificado por un carácter de sustitución (U+FFFD).
`ENT_HTML401`	Gestiona el código como si fuese HTML 4.01.
`ENT_XML1`	Gestiona el código como si fuese XML 1.
`ENT_XHTML`	Gestiona el código como si fuese XHTML.
`ENT_HTML5`	Gestiona el código como si fuese HTML 5.

Se pueden combinar varios indicadores con el operador «o lógico» (|). El valor predeterminado a partir de la **versión 8.1** es `ENT_QUOTES | ENT_SUBSTITUTE | ENT_HTML401` (`ENT_COMPAT | ENT_HTML401` antes).

El tercer parámetro permite definir el juego de caracteres utilizado para la conversión: `ISO-8859-1`, `ISO-8859-15`, `UTF-8`, etc. El valor de la directiva de configuración `default_charset` se utiliza como valor predeterminado (esta directiva es, a su vez, por defecto `UTF-8`). El valor `NULL` está permitido, lo que equivale a omitir el parámetro. Aunque este parámetro es opcional, se recomienda especificar un valor correcto adaptado a su código.

También existe una función `htmlspecialchars_decode` que realiza la conversión inversa de la función `htmlspecialchars`.

Ejemplo

```
<?php
$texto = 'Olivier & Co. ha declarado: "It\'s raining!"';
echo htmlspecialchars($texto,ENT_QUOTES, UTF-8);
?>
```

Resultado en el código fuente de la página (los elementos pertinentes están en negrita)

```
Olivier &amp; Co. ha declarado: &quot;It&#039;s raining!&quot;
```

htmlentities

La función `htmlentities` presenta un comportamiento idéntico al de `htmlspecialchars`, pero para todos los caracteres que tienen un equivalente en HTML (caracteres acentuados, especialmente).

Sintaxis

```
cadena htmlentities (cadena texto [, entero opción [, cadena juego
[, booleano doble_codificación]]]
```

`texto`	Cadena que se va a procesar.
`opción`	Funcionamiento para los caracteres de comillas (") y el apóstrofo (').
`juego`	Juego de caracteres utilizado para la conversión.
`doble_codificación`	Indica si es necesario (`TRUE`, valor predeterminado) o no (`FALSE`) codificar las entidades HTML ya codificadas.

El segundo y el tercer parámetro tienen el mismo significado que para la función `htmlspecialchars`.

Ejemplo

```
<?php
$texto = 'Olivier & Co. ha declarado : "It\'s raining!"';
echo htmlentities($texto,ENT_QUOTES, 'UTF-8');
?>
```

Resultado en el código fuente de la página (los elementos pertinentes están en negrita)

```
Olivier &amp; Co. ha declarado: &quot;It&#039;s raining!&quot;
```

nl2br

La función `nl2br` toma una cadena y devuelve esta cadena después de haber insertado una etiqueta de salto de línea delante de cada salto de línea.

Sintaxis

```
cadena nl2br (cadena texto[, booleano xhtml])
```

`texto`	Cadena que se va a procesar.
`xhtml`	Si `TRUE` (valor predefinido), se utiliza una etiqueta XHTML compatible (` `). Si `FALSE`, se utiliza una etiqueta tradicional (` `).

Ejemplo

```
<?php
$texto = "Primera línea.\nSegunda línea.";
echo nl2br($texto);
?>
```

Resultado en el código fuente de la página (los elementos pertinentes están en negrita)

```
Primera línea.<br />
Segunda línea.
```

strip_tags

La función `strip_tags` toma una cadena de caracteres y la devuelve después de haber eliminado todas las etiquetas HTML que contiene.

Sintaxis

```
cadena strip_tags (cadena texto[, cadena etiquetas_permitidas])
cadena strip_tags (cadena texto[, matriz etiquetas_permitidas])
```

`texto`	Cadena que se va a procesar.

`etiquetas_permitidas`	Etiquetas que se conservarán en la cadena, ya sea en forma de una lista (primera sintaxis) o en forma de una matriz (segunda sintaxis). En el caso de una matriz, las etiquetas pueden especificarse sin los caracteres < y >.

Ejemplo

```
<?php
$texto = "<u><b>Olivier</b></u> <i>Heurtel</i>";
echo $texto,'<br/>';
echo strip_tags($texto),'<br/>';
echo strip_tags($texto,'<b>'),'<br/>';
echo strip_tags($texto,'<b><i>'),'<br/>';  // varias etiquetas (sintaxis 1)
echo strip_tags($texto,['b','i']),'<br/>'; // varias etiquetas (sintaxis 2)
?>
```

Resultado

Olivier *Heurtel*
Olivier Heurtel
Olivier Heurtel
Olivier *Heurtel*
Olivier *Heurtel*

Utilización de estas funciones

Estas funciones permitirán ayudar a manejar los diferentes problemas mencionados anteriormente.

Para evitar problemas de presentación en el navegador, es aconsejable realizar una transformación de los datos antes o en la instrucción `echo`.

Se pueden desarrollar funciones personales para realizar esta operación.

Ejemplo

```
<?php
// Función que permite mostrar datos en un formulario.
// Cifrar todos los caracteres HTML especiales.
function hacia_formulario($valor) {
  return htmlentities($valor??'',ENT_QUOTES,'UTF-8');
}
// Función que permite mostrar datos en una página.
// Cifrar todos los caracteres HTML especiales.
// Convertir los saltos de línea en <br />.
function hacia_página($valor) {
  return nl2br(htmlentities($valor??'',ENT_QUOTES,'UTF-8'));
}
?>
```

Estas funciones se pueden utilizar en el script de procesamiento de un formulario.

Ejemplo

```
<?php
// Inclusión del archivo que contiene las definiciones de nuestras
// funciones generales.
include('funciones.inc');
// Probar si la página se llama después de la validación del formulario
if (isset($_POST['ok'])) {
  // Recuperación del valor introducido en el formulario
  $apellido = isset($_POST['apellido'])?$_POST['apellido']:'';
  // El valor introducido se vuelve a mostrar en el formulario y
  // en la página ...
}
?>
<!DOCTYPE html>
<html xmlns="http://www.w3.org/1999/xhtml" lang="es">
  <head>
    <meta charset="UTF-8" />
    <title>Entrada</title>
  </head>
  <body>
    <form action="entrada.php" method="post">
    <div>
      Apellidos:
      <input type="text" name="apellido"
        value<?= hacia_formulario($apellido) ?>" />
      <input type="submit" name="ok" value="OK" /><br />
      <?= hacia_página($apellido) ?>
    </div>
    </form>
  </body>
</html>
```

Resultado

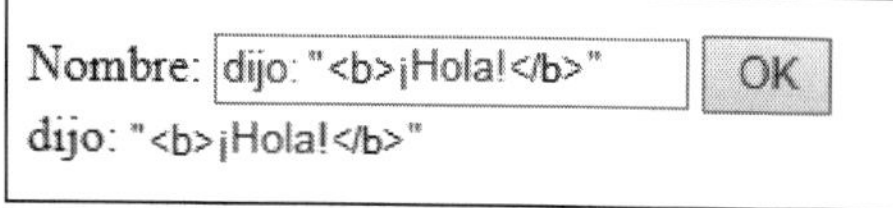

Con este enfoque, la entrada se presenta tal cual: si el usuario ha introducido una etiqueta, se la vuelve a encontrar (no se interpreta por el navegador). Si es necesario, las funciones se pueden modificar para eliminar las etiquetas con la ayuda de la función `strip_tags`.

Observación

La función `nl2br` debe llamarse después de las funciones `htmlentities` o `htmlspecialchar`. De lo contrario, la etiqueta `<br />` agregada por `nl2br` se codifica (en `<br />`) antes de insertarse en el código fuente de la página y, por lo tanto, no es interpretada por el navegador (el texto `<br />` aparece en la página). La función `nl2br` no debe llamarse para texto destinado a un campo `<textarea>` (una vez más, es necesario incluir `<br />` en el campo).

6. Utilizar filtros

6.1 Principios

Esta extensión permite filtrar y validar los datos, incluidos los introducidos por los usuarios.

Cada filtro está definido por un número (identificador), un nombre y posibles opciones y los indicadores que definen el comportamiento del filtro. Cada opción está definida por un nombre que se utiliza como clave en una matriz asociativa. Cada indicador se define por una constante; para especificar varios indicadores, basta con sumar las constantes correspondientes.

Algunos ejemplos de ellos filtros (véase la documentación para la descripción de todos):

Identificador (constante predefinida)	Descripción
`FILTER_VALIDATE_INT`	Valida un valor como entero. Las opciones `min_range` y `max_range` permiten definir un intervalo de validez.
`FILTER_VALIDATE_FLOAT`	Valida un valor como número de punto flotante. La opción `decimal` permite especificar el carácter que se utiliza como separador decimal y la opción `thousand` el carácter que se utiliza como separador de miles. Las opciones `min_range` y `max_range` permiten definir un intervalo válido. Para autorizar la presencia de los separadores de miles, es necesario, además, utilizar el indicador `FIL-TER_FLAG_ ALLOW_THOUSAND`.

Identificador (constante predefinida)	Descripción
FILTER_VALIDATE_REGEXP	Valida un valor utilizando una expresión regular compatible con PERL. La expresión regular que se va a utilizar se especifica con la opción `regexp`.
FILTER_VALIDATE_EMAIL	Valida un valor como dirección de correo electrónico.
FILTER_SANITIZE_STRING	Elimina las etiquetas contenidas en una cadena y codifica los caracteres ' y ". Hay disponibles varios indicadores para eliminar o codificar caracteres adicionales (más adelante). Obsoleto a partir de la versión 8.1 (en su lugar, utilice la función `htmlspecialchars` descrita anteriormente).
FILTER_SANITIZE_SPECIAL_CHARS	Codifica en HTML los caracteres ', ", <, > y &, así como todos los caracteres de código ASCII inferior a 32. Hay disponibles varios indicadores para eliminar o codificar caracteres adicionales (véase más adelante).
FILTER_SANITIZE_ADD_SLASHES	Añade un carácter de barra invertida (\) delante de los caracteres apóstrofo ('), comillas ("), barra invertida (\) y NUL.

Los siguientes indicadores se pueden utilizar con los filtros FILTER_SANITIZE_STRING y FILTER_SANITIZE_SPECIAL_CHARS:

FILTER_FLAG_STRIP_LOW — Elimina los caracteres de código ASCII por debajo de 32.

FILTER_FLAG_STRIP_HIGH — Elimina los caracteres de código ASCII por encima de 127.

FILTER_FLAG_STRIP_BACKTICK — Elimina el caracter apostrofe inverso (`).

FILTER_FLAG_ENCODE_HIGH — Codifica en HTML los caracteres de código ASCII por encima de 127.

Además, los siguientes indicadores se pueden utilizar con el filtro `FILTER_SANITIZE_STRING`:

`FILTER_FLAG_NO_ENCODE_QUOTES`	No codifica los caracteres ' ni ".
`FILTER_FLAG_ENCODE_AMP`	Codifica en HTML el carácter &.
`FILTER_FLAG_ENCODE_LOW`	Codifica en HTML los caracteres de código ASCII por debajo de 32.

Por otra parte, el indicador `FILTER_NULL_ON_FAILURE` se puede utilizar con todos los filtros para que las funciones devuelvan el valor `NULL` en lugar del valor `FALSE` en caso de fallo.

Estos filtros se pueden utilizar en las funciones `filter_var`, `filter_var_array`, `filter_input` y `filter_input_array`.

Función filter_var

La función `filter_var` permite filtrar datos.

Sintaxis

mixto `filter_var(`*mixto* `datos[,` *entero* `filtro[,` *mixto* `opciones_indicadores]])`

`datos`	Datos que se van a filtrar.
`filtro`	Identificador del filtro que se ha de aplicar (por defecto `FILTER_DEFAULT`).
`opciones_indicadores`	Opciones o posibles indicadores del filtro (véase más abajo).

Esta función devuelve los datos filtrados, o `FALSE` si el filtro falla (o `NULL` si se utiliza el indicador `FILTER_NULL_ON_FAILURE`).

En el caso más general, el parámetro `opciones_indicadores` se especifica en forma de una matriz asociativa que contiene una o dos líneas, con las siguientes claves: `flags` para los indicadores y `opciones` para las opciones. Como se mencionó anteriormente, algunos indicadores se pueden proporcionar mediante la suma de las constantes correspondientes. El valor de las opciones también se define como una matriz asociativa en la que se utiliza el nombre de la opción como clave.

En caso de que el parámetro `opciones_indicadores` solo defina los indicadores, el valor correspondiente se puede pasar directamente como parámetro, sin necesidad de utilizar una matriz.

Ejemplo 1

```
<?php
function mostrar($x,$f) { // se usa para mostrar los resultados
  echo var_export($x,TRUE),' => ',var_export($f,TRUE),'<br />';
}
echo "<b>Filtrar un número entero</b><br />";
$valores = array('123','abc','1.2',NULL);
foreach ($valores as $x) {
  mostrar($x,filter_var($x,FILTER_VALIDATE_INT));
}
echo "<b>+ NULL en lugar de FALSE en caso de error</b><br />";
$x = 'abc';
// indicador pasado en opción directamente
$options = FILTER_NULL_ON_FAILURE;
mostrar($x,filter_var($x,FILTER_VALIDATE_INT,$options));
echo "<b>Filtrar un número entero (0-100)</b><br />";
// opciones del filtro definidas a través de una matriz asociativa
$options =
  array
    (
    'options' => array('min_range' => 0,'max_range' => 100)
    );
$valores = array('0','100','101');
foreach ($valores as $x) {
  mostrar($x,filter_var($x,FILTER_VALIDATE_INT,$options));
}
echo "<b>+ NULL en lugar de FALSE en caso de error</b><br />";
// Indicador agregado en la matriz de las opciones
$options =
  array
    (
    'options' => array('min_range' => 0,'max_range' => 100),
    'flags' => FILTER_NULL_ON_FAILURE
    );
$x = '101';
mostrar($x,filter_var($x,FILTER_VALIDATE_INT,$options));
echo "<b>Filtrar con una expresión regular</b><br />";
$regexp = '<^[0-9]{2}/[0-9]{2}/[0-9]{4}$>';
$options =
  array
    (
    'options' => array('regexp' => $regexp)
    );
$valores = array('01/01/2021','01/01/21');
foreach ($valores as $x) {
```

```
  mostrar($x,filter_var($x,FILTER_VALIDATE_REGEXP,$options));
}
?>
```

Resultado

```
Filtrar un número entero
'123' => 123
'abc' => false
'1.2' => false
NULL => false

+ NULL en lugar de FALSE en caso de error
'abc' => NULL
Filtrar un número entero (0-100)
'0' => 0
'100' => 100
'101' => false
+ NULL en lugar de FALSE en caso de error
'101' => NULL
Filtrar con una expresión regular
'01/01/2021' => '01/01/2021'
'01/01/21' => false
```

Ejemplo 2

```
<?php
$texto = "<b>It’s raining</b>";
echo "// texto mostrado sin precaución<br />\n";
echo $texto,"<br />\n";
echo "// FILTER_SANITIZE_SPECIAL_CHARS<br />\n";
echo filter_var ($texto, FILTER_SANITIZE_SPECIAL_CHARS),"<br />\n";
?>
```

Resultado en el navegador

```
// Texto mostrado sin precaución
It’s raining
// FILTER_SANITIZE_SPECIAL_CHARS
<b>It’s raining</b>
```

Resultado en el código fuente de la página

```
// Texto mostrado sin precaución<br />
<b>It’s raining</b><br />
// FILTER_SANITIZE_SPECIAL_CHARS<br />
&#60;b&#62;It&#39;s raining&#60;/b&#62;<br />
```

Si utiliza un juego de caracters de múltiples bytes, como UTF-8 por ejemplo, no hace falta usar el indicador `FILTER_FLAG_ENCODE_HIGH` del filtro `FILTER_SANITIZE_SPECIAL_CHARS`, ya que podría obtener un resultado no deseado:

Ejemplo

```
<?php
$texto = "€";
echo "// texto de origen<br />\n";
echo $texto,"<br />\n";
echo "// FILTER_SANITIZE_SPECIAL_CHARS ",
     "+ opción FILTER_FLAG_ENCODE_HIGH<br />\n";
echo
  filter_var
    (
    $texto,
    FILTER_SANITIZE_SPECIAL_CHARS,FILTER_FLAG_ENCODE_HIGH
    ),
    "<br />\n";
?>
```

Resultado en el navegador

```
// Texto de origen
€
// FILTER_SANITIZE_SPECIAL_CHARS + opción FILTER_FLAG_ENCODE_HIGH
â‚¬
```

Resultado en el código fuente de la página

```
// texto de origen<br />
€<br />
// FILTER_SANITIZE_SPECIAL_CHARS + opción FILTER_FLAG_ENCODE_HIGH <br />
&#226;&#130;&#172;<br />
```

En UTF-8, el símbolo del euro se codifica con 3 bytes (`E2`, `82` y `AC` en hexadecimal, es decir, `226`, `130` y `172` en decimal). Visiblemente, la codificación realizada por el indicador `FILTER_FLAG_ENCODE_HIGH` se lleva a cabo en los bytes individuales y no en el carácter como elemento global, lo cual da el resultado anterior (normalmente, el código numérico HTML del símbolo del euro es `€` y su código HTML, `€`).

Función filter_var_array

La función `filter_var_array` permite filtrar una matriz de datos.

Sintaxis

```
mixto filter_var_array(matriz datos[, mixto filtros
[,booleano añadir vacío]])
```

`datos`	Matriz asociativa que contiene los datos que se han de filtrar. Las claves son cadenas de caracteres que identifican cada dato por validar.
`filtros`	Definición de filtros que se han de aplicar a cada uno de los datos de la matriz de datos.
`añadir_vacío`	Indica si se deben añadir líneas en el resultado para los datos que no existen en la matriz de origen (por defecto, `TRUE`).

La función devuelve la matriz de datos filtrados; las líneas para las cuales el filtro ha fallado están como `FALSE` (o `NULL` si se utiliza el indicador `FILTER_NULL_ON_FAILURE`) o aquellas para las que los datos no existen están como `NULL`, salvo si el parámetro `añadir_vacío` está como `FALSE`, en cuyo caso no se añadirán las líneas en el resultado.

En el caso más general, el parámetro `filtros` se especifica en la forma de una matriz asociativa que contiene las claves de la matriz de datos (la correspondencia entre las matrices `datos` y `filtros` se efectúa por medio de la clave). Cada valor de la matriz `filtros` puede ser un identificador simple de filtro o una matriz asociativa que da una descripción más completa del filtro que se ha de aplicar. En este caso, las claves de la matriz `filtros` son `filter` para el identificador del filtro, `flags` para los indicadores que se van a aplicar al filtro y `options` para las opciones que se van a aplicar al filtro; los valores asociados a las claves `flags` y `options` se definen como para la función `filter_var`.

En el caso de que el mismo filtro se deba aplicar a todos los datos, sin indicador ni opción, el parámetro `filtros` puede ser un simple número entero igual al identificador del filtro.

Ejemplo

```
<?php
function mostrar($x,$f) { // se utiliza para mostrar los resultados
  echo var_export($x,TRUE),'<br /> => ',var_export($f,TRUE),'<br />';
}
echo '<b>Filtrar una matriz de números enteros</b><br />';
$valores = array('123','abc');
// Mismo filtro a aplicar a todos los datos,
// sin indicador ni opción.
mostrar($valores,filter_var_array($valores,FILTER_VALIDATE_INT));
echo '<b>Filtrar una matriz de datos diferentes (1)</b><br />';
$valores = array
    (
    'edad' => 123,
    'tamaño' => 'abc',
```

```
    'correo' => 'contacto@olivier-heurtel.es'
    );
// Filtro diferente, pero "simple" (sin indicador
// ni opción) a aplicar a los datos.
$filtros = array
    (
    'edad' => FILTER_VALIDATE_INT,
    'tamaño' => FILTER_VALIDATE_INT,
    'correo' => FILTER_VALIDATE_MAIL
    );
mostrar($valores,filter_var_array($valores,$filtros));
echo '<b>Filtrar una matriz de datos diferentes (2)</b><br />';
$valores = array
    (
    'edad' => 123,
    'tamaño' => 'abc',
    'correo' => 'contacto@olivier-heurtel.es'
    );
// Filtro con opciones e indicador a aplicar a uno de los datos.
$filtro_edad = array
    (
    'filter' => FILTER_VALIDATE_INT,
    'options' => array('min_range' => 0,'max_range' => 100),
    'flags' => FILTER_NULL_ON_FAILURE
    );
// Observar la mención de un filtro para un dato
// que no existe.
$filtros = array
    (
    'edad' => $filtro_edad,
    'tamaño' => FILTER_VALIDATE_INT,
    'peso' => FILTER_VALIDATE_INT, // no existe
    'correo' => FILTER_VALIDATE_EMAIL
    );
mostrar($valores,filter_var_array($valores,$filtros));
// Desactivar la acción de añadir elementos vacíos
echo '<b>Lo mismo que al desactivar la acción de añadir elementos
vacíos</b><br />';
mostrar($valores,filter_var_array($valores,$filtros,FALSE));
?>
```

Resultado

Filtrar una matriz de números enteros
array (0 => '123', 1 => 'abc',)
=> array (0 => 123, 1 => false,)
Filtrar una matriz de datos diferentes (1)
array ('edad' => 123, 'tamaño' => 'abc', 'correo' =>

```
'contacto@olivier-heurtel.es', )
=> array ( 'edad' => 123, 'tamaño' => false, 'correo' =>
'contacto@olivier-heurtel.es', )
```
Filtrar una matriz de datos diferentes (2)
```
array ( 'edad' => 123, 'tamaño' => 'abc', 'correo' =>
'contacto@olivier-heurtel.es', )
=> array ( 'edad' => NULL, 'tamaño' => false, 'peso' => NULL, 'correo' =>
'contacto@olivier-heurtel.es', )
```
Lo mismo que al desactivar la acción de añadir elementos vacíos
```
array ( 'edad' => 123, 'tamaño' => 'abc', 'correo' =>
'contacto@olivier-heurtel.es', )
=> array ( 'edad' => NULL, 'tamaño' => 'abc', correo' =>
'contacto@olivier-heurtel.es', )
```

En el último ejemplo, observe el valor `NULL`, que se ha asociado al dato `peso` (mencionado en el filtro, pero sin datos) y la posibilidad que nos ofrece de desactivar la acción de añadir estos elementos vacíos.

Funciones filter_input y filter_input_array

Las funciones `filter_input` y `filter_input_array` son similares a las funciones `filter_var` y `filter_var_array`, pero se aplican a datos externos a PHP (datos de un formulario, por ejemplo) y no a variables del script.

Sintaxis

```
mixto filter_input(entero origen,cadena nombre_variable[,
entero filtro[, mixto opciones_indicadores]])
```

`origen`	Origen de los datos. Una de las constantes `INPUT_GET` (datos pasados por el método `GET`), `INPUT_POST` (datos pasados por el método `POST`), `INPUT_COOKIE` (datos pasados por una cookie).
`nombre_variable`	Nombre de la variable que se ha de procesar.
`filtro`	Identificador del filtro que se ha de aplicar (por defecto, `FILTER_DEFAULT`).
`opciones_indicadores`	Opciones o posibles indicadores del filtro (idéntico a la función `filter_var`).

Esta función devuelve el dato filtrado si todo va bien, `FALSE` si el filtro ha fallado o `NULL` si la variable no está definida. Si se utiliza el indicador `FILTER_NULL_ON_FAILURE`, la función devuelve `NULL` si el filtro ha fallado o `FALSE` si la variable no está definida.

Sintaxis

```
mixto filter_input_array(entero origen[, mixto filtros[, booleano
añadir_vacío]])
```

`origen`	Origen de los datos (idéntico a la función `filter_input`).
`filtros`	Definición de los filtros que se van a aplicar a cada uno de los datos de la matriz de datos (idéntico a la función `filter_var_input`).
`añadir_vacío`	Indica si se deben añadir líneas en el resultado para los datos que no existen en la matriz de origen (por defecto, `TRUE`).

Esta función es equivalente a una llamada a la función `filter_var_array` efectuada en la matriz `$_GET`, `$_POST` o `$_COOKIE` correspondiente al origen (`INPUT_GET`, `INPUT_POST` o `INPUT_COOKIE`).

La función devuelve la matriz de los datos filtrados o `NULL` si el origen no contiene ningún dato; las líneas para las cuales el filtro ha fallado están como `FALSE` (o `NULL` si se utiliza el indicador `FILTER_NULL_ON_FAILURE`) y aquellas para las que la variable no existe están como `NULL`, salvo si el parámetro `añadir_vacío` está como `FALSE`, en cuyo caso no se añadirán las líneas en el resultado.

En la siguiente sección se darán ejemplos de uso de estas funciones.

6.2 Aplicación a los formularios

Los filtros se pueden utilizar para implementar todo o parte de los procesamientos relativos a la gestión de formularios:

- Recuperación de los datos introducidos (funciones `filter_input` y `filter_input_array`).
- Verificación de los datos introducidos (filtros `FILTER_VALIDATE_*`).
- Procesamiento de problemas relativos a los datos introducidos (filtros `FILTER_SANITIZE_*`).

Cabe señalar que los filtros `FILTER_SANITIZE_*` efectúan transformaciones similares a las de las funciones `htmlspecialchars`, `html_entities` y `strip_tags`, presentadas en este capítulo en la sección Problemas con los datos recuperados, y pueden reemplazarlas en nuestros ejemplos.

Ejemplo

```
<?php
$apellido = null;
include('funciones.inc');
// Comprobar si la página se llama después de la validación del formulario
```

```
if (filter_has_var(INPUT_POST, 'ok')) {
  // Definir los filtros para los datos introducidos.
  $filtros =
    array
      (
      'apellido' => array('filter'=> FILTER_SANITIZE_SPECIAL_CHARS,
                     'flags' => FILTER_FLAG_ENCODE_LOW)
      );
  // Recuperar los datos introducidos filtrados.
  $entrada = filter_input_array(INPUT_POST,$filtros);
  $apellido = $entrada['apellido'];
  // El valor introducido se vuelve a mostrar en el formulario y
  // en la página ...
}
?>
<!DOCTYPE html>
<html xmlns="http://www.w3.org/1999/xhtml" lang="es">
  <head>
  <meta charset=UTF-8" />
  <title>Entrada</title>
  </head>
  <body>
    <form action="entrada.php" method="post">
    <div>
      Apellidos:
      <input type="text" name="apellido"
        value="<?php echo $apellido; ?>" />
      <input type="submit" name="ok" value="OK" /><br />
      <?php echo $apellido; ?>
    </div>
    </form>
  </body>
</html>
```

Entrada

Apellidos: dijo: "<b>It's raining</b> OK

Resultado

Apellidos: dijo: "It's raining" OK

dijo: "It's raining"

En este ejemplo, el filtro `FILTER_SANITIZE_SPECIAL_CHARS` se utiliza para recuperar los datos introducidos y codificar los caracteres que puedan ser un problema en caso de presentación (en la página o en el formulario).

Observación

Se puede usar una técnica similar para procesar los datos recuperados en una URL.

6.3 Ejercicios

6.3.1 Ejercicio 10: controlar los datos que se pasan por la URL

En este ejercicio, vamos a aprender a controlar los datos que se pasan por la URL.

Indicaciones:

- En un nuevo directorio, copie los scripts `commun.inc.php`, `inicio.php` y `autor.php` desarrollados en el ejercicio 8.
- En el script `autor.php`, alimente la variable `$autor` con el nombre del autor, únicamente si el número que se pasa en la URL es un entero y este número se corresponde con un número de un autor (índice en la tabla `$autores`).
- En la página HTML, muestre el nombre del autor si está definido o "Autor no existente" en caso contrario.
- Compruebe el script modificado llamándolo directamente en su navegador con diferentes casos: `autor.php` (sin argumento), `autor.php?numero` (argumento vacío), `autor.php?numero=abc` (argumento de tipo incorrecto), `autor.php?numero=99` (número que no existe) y `autor.php?num=0` (argumento correcto).

Resultado esperado en caso de problema con el número que se pasa en la URL

Autor no existente

Volver a la lista

Solución (script autor.php)

```
<?php
include_once('commun.inc.php');
$numero = filter_input(INPUT_GET,'numero',FILTER_VALIDATE_INT);
if (is_int($numero) and array_key_exists($numero,$autores)) {
 $autor = $autores[$numero];
}
```

```
?>
<!DOCTYPE html>
<html xmlns="http://www.w3.org/1999/xhtml" lang="es">
 <head>
   <meta charset="utf-8" />
   <title>Autor</title>
 </head>
 <body>
   <h1><?= isset($autor)?$autor:'Autor no existente' ?></h1>
   <p><a href="inicio.php">Volver a la lista</a></p>
 </body>
</html>
```

En esta solución, utilizamos un filtro para verificar que el número que se pasa en la URL, existe y es un entero; si no es el caso, la función `filter_input` devuelve `FALSE`. La prueba `is_int($numero)` permite comprobar que este número es un entero (y por lo tanto no es `FALSE`) y la prueba `array_key_exists($numero, $autores)`, permite comprobar que este número sea el número (el índice) de un autor.

6.3.2 Ejercicio 11: controlar los datos introducidos en un formulario

En este ejercicio, vamos a aprender a controlar los datos introducidos en un formulario.

Paso 1

Vamos a empezar utilizando un filtro para comprobar los datos introducidos en el formulario y adaptar el mensaje mostrado después de guardarlos.

Indicaciones:

- En un nuevo directorio, copie el script `introducir.php` desarrollado en el ejercicio 9.
- Defina un filtro de tipo expresión regular que permita verificar que el apellido y el nombre solo contienen letras, espacios y guiones, con una longitud comprendida entre 1 y 40 caracteres. En caso de error, el filtro debe devolver `NULL` en lugar de `FALSE`.
- Utilice este filtro para verificar los datos introducidos en los campos «Apellido» y «Nombre» del formulario.
- Si son correctos, recupere los valores filtrados para guardar la variable `$autor`.
- Si no son correctos, muestre en el formulario un mensaje del tipo «Los datos introducidos no son correctos.», en lugar del nombre del autor que se muestra en caso de éxito.

Resultado esperado (si los datos introducidos no son correctos)

Apellido y nombre del nuevo autor:
Apellido
Nombre
Guardar
Los datos introducidos no son correctos.

Solución

```
<?php
// Comprueba si el script se llama durante el tratamiento del formulario.
if (isset($_POST['ok'])) { // si
 // Utilización de un filtro para asegurarse de que los datos introducidos
son correctos.
 $filtro = ['filter'  => FILTER_VALIDATE_REGEXP,
            'options' => ['regexp' => '/^[[:alpha:]- ]{1,40}$/u'],
            'flags'   => FILTER_NULL_ON_FAILURE  ];
 // Utilización de este filtro para verificar el apellido y el nombre.
 $filtros = ['apellido' => $filtro,'nombre' => $filtro];
 $introducir = filter_input_array(INPUT_POST,$filtros);
 // Probar el resultado del filtro.
 if (in_array(NULL, $introducir, true)) { // NULL presente = datos
incorrectos
   $mensaje = 'Los datos introducidos no son correctos.';
 } else {
   $autor = $introducir['apellido'] . " " . $introducir['nombre'];
 }
}
?>
<!DOCTYPE html>
<html xmlns="http://www.w3.org/1999/xhtml" lang="es">
 <head>
   <meta charset="utf-8" />
   <title>Introducir datos</title>
   <style>
   label { display: block; width: 60px; float: left; }
   </style>
 </head>
 <body>
   <!—Formulario para introducir datos del autor. -->
   <form action="introducir.php" method="post">
   <div>
     <b>Apellido y nombre del nuevo autor:</b>
     <br /><label>Apellido</label>
     <input type="text" name="apellido" size="40" maxlength="40"
            autofocus="autofocus"/>
```

```
      <br /><label>Nombre</label>
      <input type="text" name="nombre" size="40" maxlength="40" />
      <br />
      <input type="submit" name="ok" value="Guardar" />
    </div>
    </form>
    <div><?= $mensaje ?? $autor ?? '' ?></div>
  </body>
</html>
```

El patrón utilizado para la expresión relacional (`/^[[:alpha:]- ]{1,40}$/u`) utiliza la option u para tratar los caracteres UTF-8.

Con la opción `FILTER_NULL_ON_FAILURE`, el valor `NULL` está presente en la tabla devuelta por la función `filter_input_array` si un dato no es correcto (ejemplo: `array('nombre' => 'Olivier', 'apellido' => NULL ))`. La prueba `in_array(NULL, $introducir, true)` permite saber si el valor `NULL` está presente o no en la tabla y por lo tanto, si los datos introducidos son correctos o no.

Paso 2

Deseamos mejorar la solución anterior y dejar los datos introducidos del usuario en los campos del formulario en caso de error, para que los pueda corregir sin tener que volver a introducirlos.

Indicaciones:

- Al inicio del script, inicialice dos variables `$apellido` y `$nombre` con cadenas vacías.
- Utilice estas dos variables para volver a asignar el valor de los campos del formulario (atributo `value`).
- Si los datos introducidos no son correctos, alimente las variables `$apellido` y `$nombre` con los valores introducidos de nuevo por el usuario. Compruebe que estos valores se «limpian» correctamente para poder mostrarse sin riesgo en los campos del formulario (puede utilizar un filtro `SANITIZE` para esto). Si los datos introducidos son correctos, compruebe que los campos del formulario están vacíos.

Resultado esperado (si los datos introducidos no son correctos)

Apellido y nombre del nuevo autor:
Apellido "Heurtel"
Nombre Olivier
Guardar
Los datos introducidos no son correctos.

Solución

```
<?php
// Initializar las variables utilizadas en el formulario.
$apellido = '';
$nombre = '';
// Comprobar si el script se llama durante el tratamiento del formulario.
if (isset($_POST['ok'])) { // sí
 // Utilización de un filtro para asegurar que los datos introducidos
son correctos.
 $filtro = ['filter'  => FILTER_VALIDATE_REGEXP,
            'options' => ['regexp' => '/^[[:alpha:]- ]{1,40}$/u'],
            'flags'   => FILTER_NULL_ON_FAILURE  ];
 // Utilización de este filtro para verificar el apellido y el nombre.
 $filtros = ['apellido' => $filtro,'nombre' => $filtro];
 $introducir = filter_input_array(INPUT_POST,$filtros);
 // Probar el resultado del filtro.
 if (in_array(NULL, $introducir, true)) { // NULL presente = datos incorrectos
   $mensaje = 'Los datos introducidos no son correctos.';
   // Recuperar los valores y prepararlos para mostrar el formulario.
   $apellido = filter_input(INPUT_POST,'apellido',
   FILTER_SANITIZE_SPECIAL_CHARS);
   $nombre = filter_input(INPUT_POST,'nombre',FILTER_SANITIZE_SPECIAL_CHARS);
 } else {
   $autor = $introducir['apellido'] . " " . $introducir['nombre'];
 }
}
?>
<!DOCTYPE html>
<html xmlns="http://www.w3.org/1999/xhtml" lang="es">
 <head>
   <meta charset="utf-8" />
   <title>Introducir</title>
   <style>
   label { display: block; width: 60px; float: left; }
   </style>
 </head>
 <body>
   <!—Formulario para introducir datos del autor. -->
   <form action="introducir.php" method="post">
   <div>
     <b>Apellido y nombre del nuevo autor:</b>
     <br /><label>Apellido</label>
     <input type="text" name="apellido" size="40" maxlength="40"
            value="<?= $apellido ?>" autofocus="autofocus" />
     <br /><label>Nombre</label>
     <input type="text" name="nombre" size="40" maxlength="40"
            value="<?= $nombre ?>" />
     <br />
     <input type="submit" name="ok" value="Guardar" />
   </div>
```

```
    </form>
    <div><?= $mensaje ?? $autor ?? '' ?></div>
  </body>
</html>
```

La solución todavía se podría mejorar más, para mostrar un mensaje de error más explícito (naturaleza concreta del error, campo implicado, etc.).

7. Ir a otra página

En el procesamiento efectuado por un script PHP, puede ser necesario mostrar otra página.

El caso puede producirse, por ejemplo, al final del procesamiento de un formulario; la situación puede variar en función de si el formulario se procesa por el script que lo muestra o por un script independiente.

Variantes posibles

		Formulario procesado por	
		El script de presentación	Otro script
Resultado del procesamiento	OK	Ir a otra página	- Página ya correcta - Ir a otra página
	Problema	- Volver a mostrar el formulario con un mensaje - Ir a una página de error específica	- Volver a mostrar el formulario con un mensaje - Ir a otra página de error específica - Mostrar el error en la página actual

Es posible redirigir al usuario a otra página desde el script utilizando la función `header`, que permite enviar encabezados `http` con la página HTML (véase el capítulo Utilizar las funciones PHP - Manipular los encabezados HTTP).

Vamos a utilizar el encabezado `location`, que redirige la solicitud a otra dirección.

Sintaxis de la directiva location

```
location: URL absoluta o relativa
```

Sintaxis con la función header

```
header('location: URL absoluta o relativa')
```

Ejemplos

```
// Redirección a un script PHP situado al mismo nivel.
header('location: error.php');
// Redirección hacia una página HTML situada en un subnivel.
header('location: ./error/entrada.htm');
// Redirección hacia otro sitio.
header('location: http://www.olivier-heurtel.es');
```

El protocolo HTTP 1.1 requiere una URL absoluta en la directiva `location`. Para ello, puede utilizar las variables globales `$_SERVER['HTTP_HOST']` y `$_SERVER['PHP_SELF']` (véase el capítulo Anexo - sección Variables PHP predefinidas).

Ejemplo

```
<?php
$url_relativa = 'error.php';
echo '$url_relativa = ',$url_relativa,'<br />';
echo '$_SERVER[\'HTTP_HOST\'] = ',
      $_SERVER['HTTP_HOST'],'<br />';
echo '$_SERVER[\'PHP_SELF\'] = ',
      $_SERVER['PHP_SELF'],'<br />';
echo 'dirname($_SERVER[\'PHP_SELF\']) = ',
      dirname($_SERVER['PHP_SELF']),'<br />';
$url_absoluta = 'http://' . $_SERVER['HTTP_HOST'] .
               rtrim(dirname($_SERVER['PHP_SELF']), '/\\') .
               '/' . $url_relativa;
echo '$url_absoluta = ',$url_absoluta,'<br />';
?>
```

Resultado

```
$url_relativa = error.php
$_SERVER['HTTP_HOST'] = athena
$_SERVER['PHP_SELF'] = /eni/index.php
dirname($_SERVER['PHP_SELF']) = /eni
$url_absoluta = http://athena/eni/error.php
```

Ejemplo simple de utilización de un script info.php

```
<?php
// Asignar un valor a $apellido si un número elegido aleatoriamente
// entre 0 y 1 es igual a 1.
$apellido = (rand(0,1)==1)?'Olivier':'';
// Comprobar si $apellido está en blanco.
if ($apellido == '') {
  // La variable $apellido está vacía, esto no es normal:
  // => redirigir al usuario a una página de error.
  header('location: error.htm');
```

```
  // Interrumpir la ejecución de este script.
  exit;
}
// La variable $apellido no está vacía, dejar seguir el script.
$mensaje = "¡Hola $nombre!"; // preparar un mensaje
?>
<!DOCTYPE html>
<html xmlns="http://www.w3.org/1999/xhtml" lang="es">
  <head>
    <meta charset=UTF-8" />
    <title>Entrada</title>
  </head>
  <body>
  <p><?php echo $mensaje; ?></p>
  </body>
</html>
```

Página error.htm

```
<!DOCTYPE html>
<html xmlns="http://www.w3.org/1999/xhtml" lang="es">
  <head>
   <meta charset=UTF-8" />
   <title>Error</title>
  </head>
  <body>
  <div>
  El sitio no está disponible en este momento. Por favor,
  inténtelo más tarde.<br />
  Gracias por su comprensión.<br />
  <!-- Enlace para volver a intentarlo -->
  <a href="info.php">Intentar de nuevo</a>
  </div>
  </body>
</html>
```

Estadísticamente, una de cada dos veces, la llamada del script `info.php` da el siguiente resultado:

```
¡Hola Olivier!
```

Y, por lo tanto, una de cada dos, lo siguiente:

```
El sitio no está disponible en este momento. Por favor, inténtelo más
tarde. Gracias por su comprensión.
Intentar de nuevo
```

Observación

Salvo en casos especiales, la función `header` debe llamarse antes de cualquier instrucción (PHP o HTML) que tenga el efecto de iniciar la construcción de la página HTML (véase el capítulo Utilizar las funciones PHP - Manipular los encabezados HTTP).

Primer ejemplo de lógica de flujo de texto

Un script `entrada.php` proporciona la presentación inicial del formulario y su procesamiento. En caso de error, el formulario se propone de nuevo para su corrección (con los valores introducidos), acompañado de un mensaje de error. En caso de éxito del procesamiento, se llama a otra página.

```
<?php
// Incluir el archivo que contiene las definiciones de nuestras
// funciones generales.
include('funciones.inc');
//Inicializar las variables utilizadas en el script.
$apellido = null;
$mensaje = null;
// Probar cómo se llama al script.
if (isset($_POST['ok'])) {
  // Procesamiento del formulario.
  // Recuperar los datos introducidos en el formulario.
  $apellido = trim($_POST['apellido']);
  // Controlar los valores introducidos.
  if ($apellido == '')
    { $mensaje .= "El apellido es obligatorio.\n"; }
  if (strlen($apellido) > 10)
   { $mensaje .= "El apellido debe tener como máximo diez caracteres.\n"; }
  // Comprobar si hay errores.
  if ($mensaje == '') {
    // Ningún error.
    // Redirigir al usuario a otra página y detener
    // la ejecución del script.
    header('location: inicio.php');
    exit;
  } else {
    // Error.
    // Preparar el mensaje para mostrarlo.
    $mensaje = hacia_página($mensaje);
  }
} else {
  // Presentación inicial.
  // En este sencillo ejemplo, nada que hacer.
}
// En el código HTML siguiente, inclusión de dos pequeñas porciones de
// código PHP para mostrar respectivamente el valor de los campos de
```

```
// entrada y el mensaje.
?>
<!DOCTYPE html>
<html xmlns="http://www.w3.org/1999/xhtml" lang="es">
  <head>
   <meta charset=UTF-8" />
   <title>Entrada</title>
  </head>
  <body>
    <form action="entrada.php" method="post">
    <div>
      Apellidos:
      <input type="text" name="apellido"
        value="<?php echo hacia_formulario($apellido); ?>" />
      <input type="submit" name="ok" value="OK" /><br />
      <?php echo $mensaje; ?>
    </div>
    </form>
  </body>
</html>
```

Segundo ejemplo de lógica de flujo de texto

Un script `entrada.php` asegura la presentación inicial del formulario, y un script `procesamiento.php`, el procesamiento. En caso de fallo, se muestra un mensaje de error y se pide al usuario que vuelva atrás. En caso de éxito del procesamiento, se muestra otra página.

Archivo entrada.htm

```
<!DOCTYPE html>
<html xmlns="http://www.w3.org/1999/xhtml" lang="es">
  <head>
    <meta charset=UTF-8" />
    <title>Entrada</title>
  </head>
  <body>
    <form action="procesamiento.php" method="post">
    <div>
      Nombre:
      <input type="text" name="nombre" value="" />
      <input type="submit" name="ok" value="OK" />
    </div>
    </form>
  </body>
</html>
```

Script procesamiento.php

```
<?php
// Incluir el archivo que contiene las definiciones de nuestras
// funciones generales.
include('funciones.inc');
// Inicializar las variables utilizadas en el script
$apellido = null;
$mensaje = null;
// Probar cómo se llama al script.
if (isset($_POST['ok'])) {
  // Procesamiento del formulario.
  // Recuperar los datos introducidos en el formulario.
  $apellido = trim($_POST['apellido']);
  // Controlar los valores introducidos.
  if ($apellido == '')
    { $mensaje .= "El apellido es obligatorio.\n"; }
  if (strlen($apellido) > 10)
    { $mensaje .= "El apellido debe tener como máximo diez caracteres.\n"; }
  // Comprobar si hay errores.
  if ($mensaje == '') {
    // Ningún error.
    // Redirigir al usuario a otra página y detener
    // la ejecución del script.
    header('location: inicio.php');
    exit;
  } else {
    //Error.
    //Preparar el mensaje para mostrarlo.
    $mensaje = hacia_página($mensaje);
  }

// En el código HTML siguiente, inclusión de una pequeña porción de
// código PHP para mostrar el mensaje.
?>
<!DOCTYPE html>
<html xmlns="http://www.w3.org/1999/xhtml" lang="es">
  <head>
   <meta charset=UTF-8" />
   <title>Error</title>
  </head>
  <body>
    <!-- Pequeño formulario que contiene un botón que permite
    ---- volver atrás (con JavaScript) para realizar correcciones.
    -->
    <form>
    <div>
      <?php echo $mensaje; ?><br />
      <input type="button" value="Corregir"
```

```
                         onClick="self.history.back()">
    </div>
    </form>
  </body>
</html>
```

Pueden existir otras lógicas de flujo de texto; la función `header` permite considerar varios escenarios (véase la documentación de PHP).

El resultado del procesamiento también se puede mostrar en otra ventana con el atributo `target` de la etiqueta `<form>`.

Ejemplo

```
<form action="procesamiento.php" method="post" target="procesamiento">
```

Si la ventana no existe, será creada por el navegador.

8. Intercambiar un archivo entre el cliente y el servidor

8.1 Resumen general

Algunos sitios pueden ofrecer a los usuarios cargar documentos desde su equipo al servidor web: enviar un currículum vitae en un sitio (sitio de búsqueda de empleo), adjuntar un archivo en un mensaje (sitio de mensajería) o, simplemente, guardar el documento en el servidor (sitio de almacenamiento).

En la terminología anglosajona, esta característica se llama «file upload».

Por el contrario, muchos sitios permiten a los usuarios descargar («download») documentos desde el servidor web a su equipo.

Estas dos características son aplicaciones específicas de las técnicas que se presentan en este capítulo.

8.2 Enviar un archivo desde el cliente (upload)

Esta característica es muy fácil de implementar en PHP y necesita dos operaciones:

- En un formulario, proporcionar un campo en el que el usuario pueda especificar la ubicación del archivo en su equipo.
- En el script de procesamiento del formulario, recuperar el archivo enviado por el usuario y hacer algo.

En la primera parte de este capítulo hemos visto la posibilidad de disponer en un formulario un campo que permita indicar la ubicación de un archivo en su equipo (`type="file"`).

Pero colocar una zona de este tipo no es suficiente. Para provocar la transferencia del archivo, basta con añadir el atributo `enctype="multipart/form-data"` en la etiqueta `<form>`:

```
<form action="entrada.php" method="post"
    enctype="multipart/form-data">
```

Observación

Esta técnica funciona solo con los formularios que utilizan el método `POST`.

Además, es posible añadir un campo oculto en el formulario para limitar el tamaño de los archivos que se pueden enviar al servidor. Este campo oculto, obligatoriamente situado antes del campo de tipo `file`, debe llamarse `MAX_FILE_SIZE` (atributo `name`) y especificar el tamaño máximo en bytes en el atributo `value`.

Ejemplo de zona oculta para limitar el tamaño de los archivos a 10 KB

```
<input type="hidden" name="MAX_FILE_SIZE" value="10240">
```

El valor especificado en esta zona no puede superar el valor de la directiva de configuración `upload_max_filesize` (por defecto, 2 MB). Si la zona oculta no está presente, se aplica el tamaño especificado en la directiva `upload_max_filesize`.

Cabe señalar que para la descarga de archivos grandes puede ser necesario aumentar el valor de la directiva `memory_limit` que define la cantidad máxima de memoria que un script puede asignar.

Por otra parte, la carga solo es posible si la directiva de configuración `file_uploads` está en `on`.

Ejemplo de formulario completo

```
<form action="entrada.php" method="post" enctype="multipart/form-data">
<div>
  Archivo:
  <input type="file" name="archivo" />
  <input type="submit" name="ok" value="OK" />
</div>
</form>
```

Cuando se envía un archivo con un formulario, la información acerca de este archivo está disponible en el script PHP gracias a la variable `$_FILES`; y el valor introducido por el usuario ya no está disponible en `$_POST`.

$_FILES es una matriz asociativa multidimensional; la primera clave es igual al nombre del campo de tipo file del formulario (archivo en nuestro ejemplo) y la matriz asociativa correspondiente presenta cinco líneas:

Clave	Valor
name	Nombre del archivo (sin ruta de acceso).
type	Tipo MIME del archivo (suministrado por el navegador).
size	Tamaño del archivo en bytes.
tmp_name	Nombre del archivo temporal creado en el servidor (ruta completa).
error	Código de error. Una de las constantes siguientes: UPLOAD_ERR_OK (0): ningún error. UPLOAD_ERR_INI_SIZE (1): tamaño del archivo superior al tamaño definido por la directiva de configuración upload_max_filesize. UPLOAD_ERR_FORM_SIZE (2): tamaño del archivo superior al tamaño definido por la opción MAX_FILE_SIZE del formulario. UPLOAD_ERR_PARTIAL (3): el archivo se ha cargado parcialmente. UPLOAD_ERR_NO_FILE (4): no se ha introducido ningún archivo. UPLOAD_ERR_NO_TMP_DIR (6): ningún directorio temporal. UPLOAD_ERR_CANT_WRITE (7): error al escribir el archivo en el disco. UPLOAD_ERR_EXTENSION (8): transferencia detenida por la extensión.
full_path	Ruta completa al archivo proporcionado por el navegador. Apareció en la **versión 8.1**.

Observación

El código de error 5 no existe.

En el servidor, el archivo transferido es un archivo temporal con un nombre de tipo php*.tmp, ubicado en el directorio definido por la directiva de configuración upload_tmp_dir.

La estructura de $_FILES permite tener varios campos de tipo file en el formulario y de este modo se permite la carga de varios archivos.

Ejemplo

El formulario contiene dos campos de tipo `file` llamados `archivo1` y `archivo2`.

archivo1	name	Foto.png
	full_path	Foto.png
	type	image/png
	tmp_name	/tmp/phpYmGTDe
	size	2376
archivo2	name	cv.pdf
	full_path	cv.pdf
	type	application/pdf
	tmp_name	/tmp/phpmoIRXV
	name	52147

Si el archivo temporal creado en el servidor no se explota (nombrar/copiar/mover) por el script PHP que procesa el formulario, se elimina automáticamente al final del script. En el script PHP, por lo tanto, debe manejarse el archivo temporal según las necesidades de la aplicación.

Ejemplo completo

```
<?php
// Inclusión del archivo que contiene las funciones generales.
include('funciones.inc');
// Inicialización de la variable de mensaje.
$mensaje = '';
// Procesamiento del formulario.
if (isset($_POST['ok'])) {
  // Recuperar la información sobre el archivo.
  $información = $_FILES["archivo"];
  // Extrayendo:
  //    - su nombre
  $nombre = $información['name'];
  //    - su tipo MIME.
  $tipo_mime = $información['type'];
  //    - su tamaño.
  $tamaño = $información['size'];
  //    - la ubicación del archivo temporal.
  $archivo_temporal = $información['tmp_name'];
  //    - el código de error.
  $código_error = $información['error'];
  // Controles y procesamiento.
```

```
switch ($código_error) {
case UPLOAD_ERR_OK:
  // Archivo recibido.
  // Determinar su destino final.
  $destino = "/app/documentos/$nombre";
  // Copiar el archivo temporal (probar el resultado).
  if (copy($archivo_temporal,$destino)) {
    // Copia OK => mostrar un mensaje de confirmación.
    $mensaje  = "Transferencia finalizada - Archivo = $nombre - ";
    $mensaje .= "Tamaño = $tamaño bytes - ";
    $mensaje .= "Tipo MIME = $tipo_mime.";
  } else {
    // Problema al copiar => mostrar un mensaje de error.
    $mensaje = 'Problema al copiar al servidor.';
  }
  break;
case UPLOAD_ERR_NO_FILE:
  // No se ha introducido ningún archivo.
  $mensaje = 'El archivo introducido no existe.';
  break;
case UPLOAD_ERR_INI_SIZE:
  // Tamaño archivo > upload_max_filesize.
  $mensaje  = "Archivo '$nombre' no transferido ";
  $mensaje .= ' (tamaño > upload_max_filesize).';
  break;
case UPLOAD_ERR_FORM_SIZE:
  // Tamaño archivo > MAX_FILE_SIZE.
  $mensaje  = "Archivo '$nombre' no transferido ";
  $mensaje .= ' (tamaño > MAX_FILE_SIZE).';
  break;
case UPLOAD_ERR_PARTIAL:
  // Archivo parcialmente transferido.
  $mensaje  = "Archivo '$nombre' no transferido ";
  $mensaje .= ' (se produjo un problema durante la transferencia).';
  break;
case UPLOAD_ERR_NO_TMP_DIR:
  // ningún directorio temporal.
  $mensaje  = "Archivo '$nombre' no transferido ";
  $mensaje .= ' (ningún directorio temporal).';
  break;
case UPLOAD_ERR_CANT_WRITE:
  // Error al escribir el archivo en el disco.
  $mensaje  = "Archivo '$nombre' no transferido ";
  $mensaje .= ' (error al escribir el archivo en el disco).';
  break;
case UPLOAD_ERR_EXTENSION:
  // Transferencia detenida por la extensión.
```

```
      $mensaje  = "Archivo '$nombre' no transferido ";
      $mensaje .= ' (transferencia detenida por la extensión).';
      break;
    default:
      // ¡Error inesperado!
      $mensaje  = "Archivo no transferido ";
      $mensaje .= " (error desconocido: $código_error ).";
  }
}
?>
<!DOCTYPE html>
<html xmlns="http://www.w3.org/1999/xhtml" lang="es">
  <head>
    <meta charset=UTF-8" />
    <title>Upload</title>
  </head>
  <body>
    <form action="upload.php" method="post"
                  enctype="multipart/form-data">
    <div>
      Archivo:
      <input size="100" type="file" name="archivo" />
      <input type="submit" name="ok" value="OK" /><br />
      <?php echo hacia_pagina($mensaje); ?>
    </div>
    </form>
  </body>
</html>
```

Resultado

- Vista inicial del formulario y selección de un archivo (usando el botón **Examinar**):

- Resultado al hacer clic en el botón **OK**:

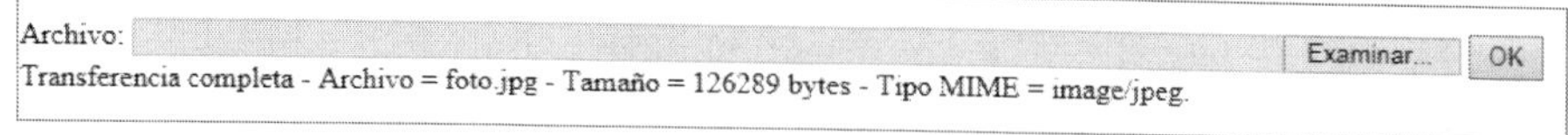

En este ejemplo, el archivo se copia en un directorio en el servidor.

8.3 Descargar un archivo desde el servidor (download)

Para descargar un archivo desde el servidor, es posible utilizar el método clásico, que consiste en utilizar un vínculo (etiqueta `<a>`).

Ejemplo

```
<a href="cv.pdf">Descargar</a>
```

Esta técnica puede causar problemas:

- Es el navegador el que decide ofrecer al usuario un diálogo para guardar o mostrar el documento directamente, si sabe cómo.
- Los archivos que son interpretados por el servidor (`.php`, por ejemplo) o por el navegador (`.htm`, por ejemplo) no se pueden cargar de esta manera.

Es posible utilizar otra técnica, si desea forzar al navegador a que ofrezca al usuario un diálogo para guardar el archivo y que lo haga para cualquier tipo de documento.

Esta técnica consiste en enviar algunos encabezados específicos usando la función `header`, seguida del documento propiamente dicho.

Los encabezados mínimos que hay que enviar son los siguientes:

`Content-Disposition: attachment; filename=...`	Este encabezado sugiere al navegador procesar el documento como un archivo adjunto (`attachment`) y ofrecer al usuario guardarlo con el nombre definido `filename`.
`Content-Type: ...`	Este encabezado comunica al navegador el tipo MIME del documento.

Además, después del encabezado puede enviarse:

`Content-Length: ...`	Este encabezado comunica al navegador el tamaño en bytes del documento.

Algunos tipos MIME comunes:

Tipo MIME	Naturaleza del documento
`application/msword`	Documento de Microsoft Word
`application/octet-stream`	Genérico
`application/pdf`	Documento PDF
`application/vnd.ms-excel`	Documento de Microsoft Excel
`application/vnd.ms-powerpoint`	Documento de Microsoft PowerPoint

Tipo MIME	Naturaleza del documento
`application/zip`	Documento Zip
`image/bmp`	Imagen en formato de mapa de bits
`image/gif`	Imagen en formato GIF
`image/jpeg`	Imagen en formato JPEG
`image/tiff`	Imagen en formato TIFF
`image/png`	Imagen en formato PNG
`text/html`	Documento HTML
`text/plain`	Documento de texto

Al poner cualquier cosa como tipo MIME (`x/y` por ejemplo), el navegador normalmente debe arreglárselas con la extensión del documento.

Después de enviar los encabezados, solo queda enviar el documento «directamente» a la página, bien mediante una lectura (`fread`) seguida de un echo, o más sencillamente mediante la función `readfile`, que lee un archivo y lo envía directamente a la salida (véase el capítulo Utilizar las funciones PHP - Manipular los archivos en el servidor).

Esta técnica se ilustrará con la ayuda de un script `download.php` que ofrece una lista de documentos para descargar. Presentamos dos ejemplos: un ejemplo que utiliza un formulario y un ejemplo que utiliza enlaces.

En ambos casos, la lista de documentos que se pueden descargar está codificada en el script. En una aplicación real, esta lista de documentos provendría sin duda de una base de datos (véase el capítulo Acceder a las bases de datos).

Utilización de un formulario

En este primer ejemplo, el script genera un formulario que tiene un botón de tipo "image" (`type="imagen"`). Para cada archivo propuesto para su descarga, el nombre del botón es igual al número del documento.

Como vimos en el capítulo Gestionar formularios y enlaces, recuperamos en `$_POST` dos variables `n_x` y `n_y` dando respectivamente la posición relativa horizontal y vertical del clic en el interior de la imagen (n es el nombre de la imagen donde se hace clic, en nuestro caso un número).

Ejemplo

```
<?php
// Lista de documentos (procedente sin duda de una
// base de datos en una aplicación real).
$documentos = array('cv.pdf','foto.png');
```

```
// Procesamiento del formulario si $_POST no está vacío.
if (! empty($_POST)) {
  // Recuperar el número del documento.
  // Tomar la clave de la primera línea de $_POST
  // (normalmente del tipo n_x, n siendo el número del documento).
  list($número) = each($_POST);
  // Convertir la cadena en entero => solo queda el n°.
  $número = (integer) $número;
  // Deduciendo el nombre del documento.
  $nombre_archivo = $documentos[$número];
  // Enviar el encabezado de adjunto.
  $header  = "Content-Disposition: attachment; ";
  $header .= "filename=$nombre_archivo\n" ;
  header($header);
  // Enviar el encabezado del tipo MIME (aquí, "desconocido").
  header("Content-Type: x/y\n");
  // Enviar el documento.
    readfile($nombre_archivo);
}
?>
<!DOCTYPE>
<html xmlns="http://www.w3.org/1999/xhtml" lang="es">
  <head>
    <meta charset=UTF-8" />
    <title>Download</title>
    <style>
    table { border-collapse: collapse; }
    table, td, th { border: 1px solid black; }
    td, th { padding: 4px; }
    </style>
  </head>
  <body>
    <form action="Download.php" method="post">
    <table>
    <tr>
      <th>documento</th><th>descargar</th>
    </tr>
    <?php
    // Una pequeña porción de código PHP para generar las líneas de la
    // matriz que presenta la lista de documentos.
    // Examinar la lista de documentos y utilizar el nombre
    // para la visualización y el número como nombre de la imagen.
    foreach($documentos as $número => $documento) {
      echo sprintf
          (
          "<tr><td>%s</td><td style=\"text-align:center\">%s</td></tr>\n",
          $documento,
          "<input type=\"image\" name=\"$número\"
```

```
        alt=\"download\" src=\"download.png\" />"
        );
    }
    ?>
    </table>
    </form>
  </body>
</html>
```

Resultado (en Firefox)

Presentación inicial de la página:

documento	descargar
cv.pdf	
foto.png	

Después de hacer clic en la imagen asociada al documento `cv.pdf`:

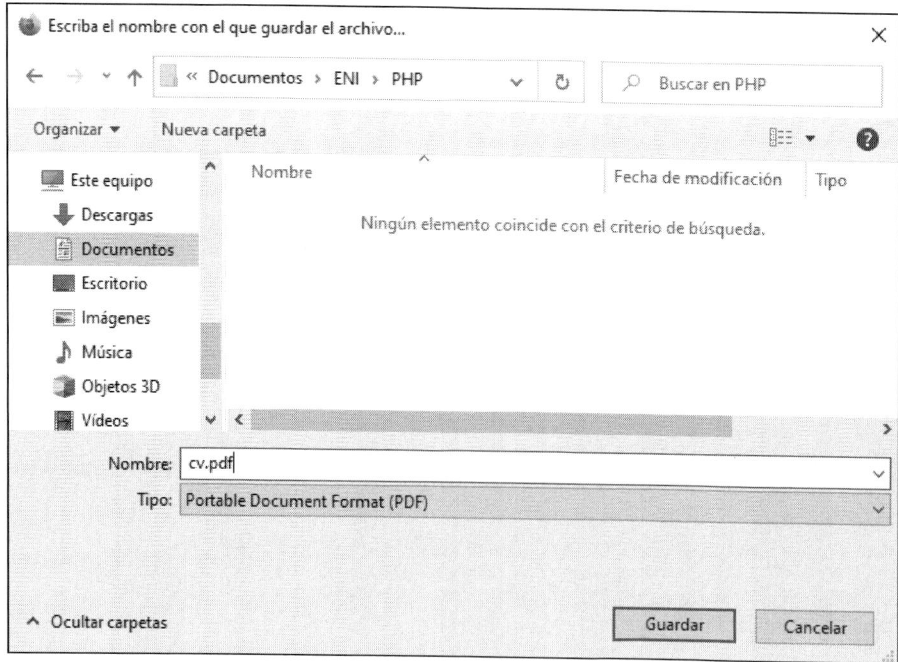

Observación

El comportamiento depende del navegador y de su configuración.

Utilización de vínculos

En este segundo ejemplo, el script genera una matriz que incluye un enlace para cada archivo propuesto para su descarga. El enlace llama de nuevo al script pasando el número del documento como un parámetro en la URL.

Ejemplo

```
<?php
// Lista de documentos (procedente sin duda de una
// base de datos en una aplicación real).
$documentos = array('cv.pdf','foto.png');
// Procesamiento del formulario si $_GET no está vacío.
if (! empty($_GET)) {
  // Recuperar el número del documento.
  $número = $_GET['no'];
  // Deduciendo el nombre del documento.
  $nombre_archivo = $documentos[$número];
  // Enviar el encabezado de adjunto.
  $header  = "Content-Disposition: attachment; ";
  $header .= "filename=$nombre_archivo\n" ;
  header($header);
  // Enviar el encabezado del tipo MIME (aquí, "desconocido").
  header("Content-Type: x/y\n");
  // Enviar el documento.
  readfile($nombre_archivo);
}
?>
<!DOCTYPE html>
<html xmlns="http://www.w3.org/1999/xhtml" lang="es">
  <head>
    <meta charset=UTF-8" />
    <title>Download</title>
     <style>
    table { border-collapse: collapse; }
    table, td, th { border: 1px solid black; }
    td, th { padding: 4px; }
    </style>
  </head>
  <body>
     <table>
    <tr><th>documento</th></tr>
    <?php
    // Una pequeña porción de código PHP para generar las líneas de la
    // matriz que presenta la lista de documentos.
    // Examinar la lista de documentos y utilizar el nombre
    // para la visualización y el número en la URL.
```

```
    foreach($documentos as $número => $documento) {
      echo sprintf
          (
          "<tr><td>%s</td></tr>\n",
          "<a href=\"download.php?no=$número\">$documento</a>"
          );
    }
    ?>
    </table>
  </body>
</html>
```

Resultado (en Firefox)

Presentación inicial de la página:

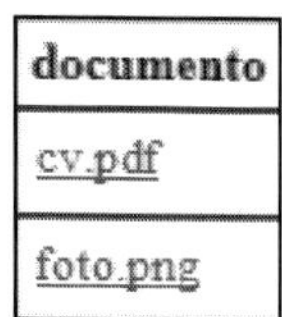

documento
cv.pdf
foto.png

Después de hacer clic en el enlace asociado al documento `foto.png`:

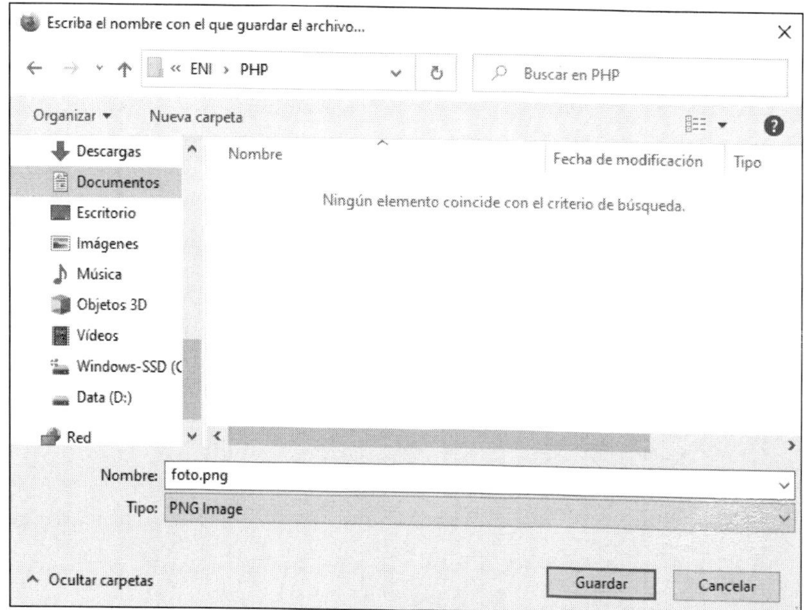

Capítulo 7
Acceder a las bases de datos

1. Introducción

1.1 Información general

La utilización de una base de datos SQL es a menudo esencial para implementar un sitio web dinámico. De hecho, se trata de una forma estándar de almacenamiento de datos útiles para el sitio web:

- Lista de usuarios con sus preferencias.
- Catálogo de productos.
- Seguimiento de las transacciones realizadas.

PHP ofrece soporte integrado para muchas bases de datos, como MySQL, Oracle, Microsoft SQL Server, Informix, Sybase. Asimismo, PHP es compatible con ODBC (*Open DataBase Connectivity*) y, por tanto, puede acceder a cualquier base de datos compatible con ODBC.

Además, PHP viene con SQLite, una biblioteca que implementa un motor de base de datos SQL. SQLite se puede utilizar para almacenar datos en una base de datos SQL sin tener que realizar la parte del servidor de la base de datos (como es el caso de MySQL, Oracle, etc.).

En este capítulo estudiaremos MySQL y Oracle.

Normalmente, cuando se utiliza una base de datos, el script PHP necesita llevar a cabo una o varias de las siguientes tareas:

– Conectarse y desconectarse.
– Leer los datos (una o varias líneas).
– Actualizar los datos (adición, modificación o supresión).

Estas diferentes tareas se tratan en este capítulo.

Observación

Se requieren conocimientos mínimos de SQL para abordar este capítulo.

Para los ejemplos que aquí se presentan, suponemos la existencia de una base de datos que contiene una tabla `ARTÍCULOS` que presenta la siguiente estructura:

Columna	Contenido
`identificador`	Identificador del artículo (suministrado automáticamente por el servidor).
`texto`	Texto del artículo.
`precio`	Precio del artículo.

El contenido de esta tabla `ARTÍCULOS` es el siguiente:

identificador	texto	precio
1	Albaricoques	35.5
2	Cerezas	48.9
3	Fresas	29.95
4	Melocotones	37.2

1.2 El concepto de fetch (recuperar)

Independientemente de la base de datos utilizada, la instrucción de ejecución de una consulta SELECT (para la lectura de datos) simplemente ejecuta la consulta; no se devuelven datos. Después de ejecutar la consulta, es necesario extraer las líneas del resultado: este es el concepto de «fetch».

Para resumir el funcionamiento, la instrucción de ejecución de una consulta SELECT identifica un resultado y coloca un puntero interno en la primera línea de este resultado:

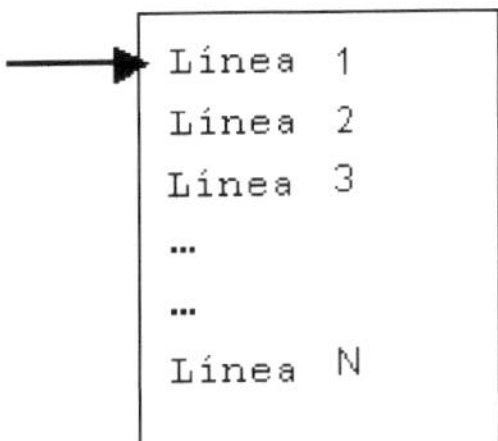

La instrucción FETCH permite leer la línea actual del resultado, devolver los valores a las variables PHP y mover el puntero a la siguiente línea:

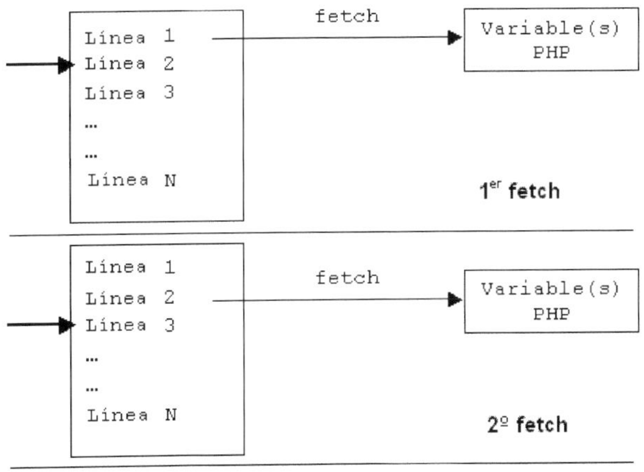

2. Utilizar MySQL

2.1 Preámbulo

La extensión MySQL: MySQLi (prefijo `mysqli_`) permite acceder a una base de datos.

Esta extensión se puede usar ya sea como procedimiento o bien en forma de objeto.

En su forma orientada a objeto, la extensión MySQLi ofrece tres clases principales:

`mysqli`	Conexión entre PHP y MySQL.
`mysqli_stmt`	Consulta preparada.
`mysqli_result`	Resultado de la ejecución de una consulta.

Estas diferentes clases ofrecen métodos que permiten efectuar las distintas acciones (ejecución de una consulta, recuperación del resultado, etc.).

En su forma de procedimiento, la extensión MySQLi ofrece funciones que permiten efectuar las mismas acciones. De manera transparente, varias de estas funciones devuelven o aceptan como parámetros objetos de tipo `mysqli` o `mysqli_result`.

En este libro, presentamos únicamente la forma de procedimiento de la extensión MySQLi.

La extensión MySQLi permite usar las consultas preparadas.

Una consulta preparada es una consulta que contiene parámetros representados por un signo de interrogación (`?`).

Ejemplos

```
SELECT * FROM artículo WHERE id = ?
INSERT INTO artículo(texto,precio) VALUES(?,?)
```

Por el contrario, una consulta no preparada es una consulta en la que se especifican todos los valores.

Ejemplos

```
SELECT * FROM artículo WHERE id = 1
INSERT INTO artículo(texto,precio) VALUES('Plátanos',10.5)
```

Más adelante en este capítulo, veremos cómo ejecutar consultas de lectura y de actualización, primero con consultas no preparadas (véase la sección Utilizar consultas no preparadas) y luego con consultas preparadas (véase la sección Utilizar consultas preparadas).

2.2 Conexión y desconexión

2.2.1 Conexión

La función mysqli_connect permite establecer una conexión con una base de datos MySQL.

Sintaxis

```
objeto mysqli_connect([cadena host [, cadena usuario
[, cadena contraseña] [, cadena nombre_base [,entero puerto[,
cadena socket]]]]]])
```

Donde

host	Nombre (o dirección IP) del host al que debe conectarse (máquina local predefinida).
usuario	Nombre del usuario que se utiliza para establecer la conexión. Valor predeterminado: el propietario del proceso del servidor web.
contraseña	Contraseña que se utilizará para establecer la conexión. Valor predeterminado: cadena vacía (sin contraseña).
nombre_base	Base de datos MySQL seleccionada como predefinida (ninguna está predefinida).
puerto	Número del puerto para la conexión al servidor MySQL (puerto estándar 3306 predefinido).
socket	Socket (canal) o *named pipe* que se va a utilizar.

La función mysqli_connect devuelve un identificador de conexión (objeto mysqli) o, en caso de error, el valor FALSE acompañado de un aviso enviado a la pantalla (véase el capítulo Gestionar los errores en un script PHP, para manejar correctamente esta situación).

Varias directivas de configuración permiten definir los valores predefinidos para los diferentes parámetros de la función mysqli_connect (véase la documentación).

Las conexiones abiertas en un script se cierran automáticamente al final del script, salvo por desconexión explícita con la función mysqli_close (véase más abajo).

Anteponer el nombre o la dirección IP del host por p: permite obtener un funcionamiento diferente y establecer una conexión «permanente» que no se cerrará al final del script y podrá reutilizarse en este script o en otro posterior.

La directiva de configuración `mysqli.allow_persistent` debe estar en `on` para poder abrir conexiones permanentes. Por otra parte, las directivas `mysqli.max_persistent` y `mysqli.max_links` permiten respectivamente limitar el número de conexiones permanentes y el número total de conexiones.

2.2.2 Desconexión

La función `mysqli_close` permite cerrar una conexión en curso de script.

Sintaxis

```
booleano mysqli_close(objeto conexión)
```

`conexión` Identificador de conexión devuelto por la función `mysqli_connect`.

La función `mysqli_close` devuelve `TRUE` en caso de éxito y `FALSE` en caso de error (acompañado de una alerta).

2.2.3 Obtener información sobre el servidor MySQL

Las funciones `mysqli_get_host_info` y `mysqli_get_server_info` permiten obtener información sobre el servidor MySQL.

Sintaxis

```
cadena mysqli_get_host_info(objeto conexión)
cadena mysqli_get_server_info(objeto conexión)
```

`conexión` Identificador de conexión devuelto por la función `mysqli_connect`.

La función `mysqli_get_host_info` devuelve información sobre el tipo de conexión utilizada.

La función `mysqli_get_server_info` devuelve la versión del servidor MySQL.

2.2.4 Definir el juego de caracteres del cliente

Las funciones `mysqli_character_set_name` y `mysqli_set_charset` permiten, respectivamente, averiguar y definir el juego de caracteres utilizado para los intercambios con el servidor MySQL.

Sintaxis

```
cadena mysqli_character_set_name(objeto conexión)
booleano mysqli_set_charset(objeto conexión, cadena juego)
```

`conexión`	Identificador de conexión devuelto por la función `mysqli_connect`.
`juego`	Conjunto de caracteres para utilizar. Valores habituales usados: `utf8`, `latin1`.

La función `mysqli_set_charset` devuelve `TRUE` en caso de éxito y `FALSE` en caso de error.

2.2.5 Obtener información en caso de error de conexión

Las funciones `mysqli_connect_errno` y `mysqli_connect_error` permiten recuperar información sobre el posible error de la última conexión efectuada con la función `mysqli_connect`.

Sintaxis

```
entero mysqli_connect_errno()
cadena mysqli_connect_error()
```

La función `mysqli_connect_errno` devuelve un número de error (0 si no hay ningún error), y la función `mysqli_connect_error`, el mensaje asociado (cadena vacía si no hay error).

2.2.6 Forma de notificar errores

La función `mysqli_report` permite configurar la forma en que se notifican los errores de MySQL.

Sintaxis

```
booleano mysqli_report(entero forma)
```

`forma`	Forma en que se notifica un error.

La forma puede especificarse usando una de las siguientes combinaciones de constantes:

`MYSQLI_REPORT_OFF`	No señalar los errores.
`MYSQLI_REPORT_ERROR`	Señalar los errores en forma de error de nivel `E_WARNING`.
`MYSQLI_REPORT_STRICT`	Genera una excepción `mysqli_sql_exception` en lugar de un error de nivel `E_WARNING`.
`MYSQLI_REPORT_INDEX`	Informa si no se utilizó un índice o se usó un índice incorrecto para una consulta.

`MYSQLI_REPORT_ALL` Señala todo.

La función `mysqli_report` devuelve siempre `TRUE`.

Versión 8

A partir de la **versión 8.1**, la forma predefinida es `MYSQLI_REPORT_ERROR | MYSQLI_REPORT_STRICT`. Antes de la versión 8.1, esta era `MYSQLI_REPORT_OFF`, salvo para los errores de conexión, con los que se usaba `MYSQLI_REPORT_ERROR` (los errores de conexión se señalan siempre). La consecuencia es la siguiente: a partir de la versión 8.1, los errores se notifican por defecto en forma de excepción, lo que cambia la forma en que se gestionan los errores. A partir de la versión 8.1, si desea seguir tratando los errores de la misma manera que antes, deberá utilizar la siguiente llamada en sus scripts:

```
mysqli_report(MYSQLI_REPORT_OFF);
```

En este capítulo, la extensión MySQLi se presenta en su forma de procedimiento. Por ello, los errores también se tratarán en forma procedimental desactivando el informe de errores.

2.2.7 Ejemplo

En este ejemplo, utilizamos el operador @ para evitar que se muestren las alertas generadas por las funciones en caso de error (véase el capítulo Gestionar los errores en un script PHP - Las funciones de gestión de errores).

```
<?php
// Definición de una pequeña función que abre una conexión.
function conectar($host=NULL,$usuario=NULL,$contraseña=NULL) {
 if (func_num_args() == 0) {
    $conexion = @mysqli_connect();
  } else {
    $conexion = @mysqli_connect($host,$usuario,$contraseña);
}
  if ($conexion) {
    echo 'Conexión con éxito.<br />';
    echo 'Información sobre el servidor: ',
         mysqli_get_host_info($conexion),'<br />';
    echo 'Versión del servidor: ',
         mysqli_get_server_info($conexion),'<br />';
  } else {
    printf(
      'Error %d: %s.<br />',
      mysqli_connect_errno(),mysqli_connect_error());
  }
```

```
  return $conexion;
}
// Definición de una pequeña función que cierra una conexión.
function desconectar($conexion) {
  if ($conexion) {
    $ok = @mysqli_close($conexion);
    if ($ok) {
      echo 'Desconexión con éxito.<br />';
    } else {
      echo 'Error al desconectar. <br />';
    }
  } else {
      echo 'Conexión no abierta.<br />';
  }
}
// Primera prueba de conexión/desconexión.
echo '<b>Primera prueba</b><br />';
$conexion = conectar();
desconectar($conexion);
// Segunda prueba de conexión/desconexión.
echo '<b>Segunda prueba</b><br />';
$conexion = conectar('localhost','desconocido','desconocido');
desconectar($conexion);
?>
```

Resultado

```
Primera prueba
Conexión con éxito.
Información sobre el servidor: Localhost via UNIX socket
Versión del servidor = 8.0.23
Desconexión con éxito.
Segunda prueba
Error 2054 : The server requested authentication method unknown
to the client.
Conexión no abierta.
```

2.3 Seleccionar una base de datos

La función `mysqli_connect` presentada anteriormente permite seleccionar una base de datos desde la conexión (cuarto parámetro de la función).

La función `mysqli_select_db` permite seleccionar o modificar la base de datos que se va a utilizar para una conexión determinada.

Sintaxis

booleano `mysqli_select_db (`*objeto*`_conexión, ` *cadena* `nombre_base)`

Donde

`conexión`	Identificador de conexión devuelto por la función `mysqli_connect`.
`nombre_base`	Nombre de la base de datos.

La función `mysqli_select_db` devuelve `TRUE` en caso de éxito y `FALSE` en caso de error. La función `mysqli_select_db` no genera ninguna alerta en caso de error.

Ejemplo

```
<?php
// Conexión (utilizar valores predefinidos).
$conexion = mysqli_mysqli_connect();
if (! $conexion {
  exit('Error de conexión.');
}
echo 'Conexión con éxito.<br />';
// Selección de la base de datos.
$ok = mysqli_select_db($conexion, 'diane');
if ($ok) {
  echo 'Base de datos seleccionada.<br />';
} else {
  echo 'No se pudo seleccionar la base de datos.';
}
// Desconexión.
$ok = mysqli_close($conexion);
if ($ok) {
  echo 'Desconexión con éxito.';
} else {
  echo 'Error de desconexión.';
}
?>
```

Resultado

```
Conexión con éxito.
Base de datos seleccionada.
Desconexión con éxito.
```

2.4 Utilizar consultas no preparadas

2.4.1 Resumen general

Los pasos para utilizar una consulta no preparada son los siguientes:

<table>
<tr><th>Consulta de lectura
(<code>SELECT</code>)</th><th>Consulta de actualización
(<code>INSERT, UPDATE, DELETE</code>)</th></tr>
<tr><td colspan="2">Ejecutar la consulta = mysqli_query</td></tr>
<tr><td>Conocer el número de líneas del resultado = mysqli_num_rows</td><td rowspan="2">Conocer el número de líneas procesadas = mysqli_affected_rows
Conocer el valor del último identificador generado para una columna que tenga el tipo AUTO_INCREMENT = mysqli_insert_id</td></tr>
<tr><td>Extraer las líneas del resultado = mysqli_fetch_array o mysqli_fetch_assoc o mysqli_fetch_object o mysqli_fetch_row o mysqli_fetch_all</td></tr>
</table>

Además, las funciones `mysqli_errno` y `mysqli_error` permiten recuperar información sobre el posible error de la última operación realizada en una sesión.

2.4.2 Ejecutar una consulta

La función `mysqli_query` permite ejecutar una consulta en una base de datos.

Sintaxis

```
objeto mysqli_query(objeto conexión, cadena consulta, [,entero modo])
```

Donde

`conexión` Identificador de conexión devuelto por la función `mysqli_connect`.

`consulta` Texto de la consulta que se va a ejecutar.

`modo` Indica si el resultado debe ponerse en el búfer (constante `MYSQLI_STORE_RESULT`, valor predeterminado) o no (constante `MYSQLI_USE_RESULT`).

En el caso de una consulta SQL que devuelve un resultado (como `SELECT`, `SHOW` o `DESCRIBE`), la función `mysqli_query` devuelve un identificador de resultado de consulta en caso de éxito (objeto `mysqli_result`), y `FALSE` en caso de error. Para el resto de las sentencias SQL, esta función devuelve `TRUE` en caso de éxito y `FALSE` en caso de error. La función `mysqli_query` no genera ninguna alerta en caso de error.

Ejemplo

```
<?php
...
// Definición de la consulta.
$consulta = 'SELECT * FROM artículos WHERE precio > 40';
// Ejecución de la consulta.
$resultado = mysqli_query($conexion,$consulta);
...
?>
<?php
...
// Definición de la consulta.
$consulta = "INSERT INTO artículos(texto,precio) VALUES('Manzanas',24.5)";
// Ejecución de la consulta.
$ok = mysqli_query($conexion,$consulta);
...
?>
```

En el caso de una consulta SQL que devuelve un resultado, la función `mysqli_query` ejecuta la consulta, indica si la consulta se ha ejecutado con éxito, pero no devuelve datos. Es necesario extraer las líneas del resultado.

El tercer parámetro de la función `mysqli_query` indica si el resultado de la consulta se almacena en el búfer (constante `MYSQLI_STORE_RESULT`, valor predeterminado) o no (`MYSQLI_USE_RESULT`). Para consultas grandes, el uso de `MYSQLI_USE_RESULT` consume mucha menos memoria y permite extraer la primera línea mucho más rápido: no hay necesidad de esperar a que todo el resultado se almacene en el búfer. Sin embargo, después de ejecutar la consulta con `MYSQLI_USE_RESULT`, no es posible conocer el número de líneas del resultado, ni ejecutar otra consulta antes de haber extraído todas las líneas o haber liberado el resultado (utilizando la función `mysqli_free_result`).

Sintaxis

```
mysqli_free_result(objeto resultado)
```

`resultado`	Identificador del resultado de la consulta devuelto por la función `mysqli_query`.

La función `mysqli_free_result` no devuelve ningún valor.

2.4.3 Conocer el número de líneas del resultado de una consulta de lectura

La función `mysqli_num_rows` permite conocer el número de líneas del resultado.

Sintaxis

```
entero mysqli_num_rows(objeto resultado)
```

Donde

`resultado`	Identificador de resultado de consulta devuelto por la función `mysql_query`.

Esta función se utiliza solo para las consultas que devuelven un resultado (como `SELECT`, `SHOW` o `DESCRIBE`) y para las cuales el resultado se ha almacenado en búfer (véase la función `mysqli_query`).

Ejemplo

```
<?php
// Conexión (usando valores predefinidos).
$conexion = mysqli_connect();
if (! $conexion) {
  exit('Error de conexion.');
}
// Selección de la base de datos.
$ok = mysqli_select_db($conexion, 'diane');
if (! $ok) {
  exit('No se pudo seleccionar la base de datos.');
}
// Ejecución de una consulta SELECT.
$consulta = mysqli_query($conexion, 'SELECT * FROM artículos');
if ($consulta === FALSE) {
  echo 'Error de ejecución de la consulta.','<br />';
} else {
  // Visualización del número de líneas del resultado.
  echo 'Número de artículos: ',mysqli_num_rows($consulta) ,'<br />';
}
// Ejecución de otra consulta SELECT.
$consulta =
  mysqli_query($conexion'SELECT * FROM artículos WHERE precio > 40');
if ($consulta === FALSE) {
  echo 'Error de ejecución de la consulta.','<br />';
} else {
  // Visualización del número de líneas del resultado.
  echo
    'Número de artículos cuyo precio es superior a 40: ',
```

```
    mysqli_num_rows($consulta),
    '<br />';
}
// Desconexión.
$ok = mysqli_close($conexion);
?>
```

Resultado

```
Número de artículos: 4
Número de artículos cuyo precio es superior a 40: 1
```

2.4.4 Extraer el resultado de una consulta de lectura

El resultado de la ejecución de una consulta que devuelve un resultado (como `SELECT`, `SHOW` o `DESCRIBE`) se puede leer con las funciones `mysqli_fetch_array`, `mysqli_fetch_assoc`, `mysqli_fetch_object` o `mysqli_fetch_row` y `mysqli_fetch_all`.

Las funciones `mysqli_fetch_array`, `mysqli_fetch_assoc`, `mysqli_fetch_object` y `mysqli_fetch_row` leen la línea actual del resultado y avanzan el puntero a la línea siguiente (véase la introducción). Estas funciones se diferencian en el tipo de datos utilizado para devolver el resultado.

Sintaxis

```
matriz mysqli_fetch_array(objeto resultado [, entero tipo])
matriz mysqli_fetch_assoc(objeto resultado)
objeto mysqli_fetch_object(objeto resultado)
matriz mysqli_fetch_row(objeto resultado)
```

Donde

`resultado`	Identificador de resultado de consulta devuelto por la función `mysqli_query`.
`tipo`	Tipo de resultado idéntico a una de las siguientes constantes: `MYSQLI_ASSOC`, `MYSQLI_NUM`, `MYSQLI_BOTH` (valor predeterminado).

Las funciones `mysqli_fetch_array`, `mysqli_fetch_assoc` y `mysqli_fetch_row` devuelven la línea actual del resultado en forma de una matriz; cada línea de la matriz corresponde a una columna del resultado. La función `mysqli_fetch_object` devuelve la línea actual en forma de un objeto.

Si no hay ninguna línea que leer en el resultado, estas funciones devuelven `NULL`.

Para la función mysqli_fetch_assoc, la matriz es una matriz asociativa cuya clave es el nombre de la columna. Para la función mysqli_fetch_row, se trata de una matriz con índices enteros; el índice 0 corresponde a la primera columna, el índice 1 a la segunda, etc. Por último, para la función mysqli_fetch_array, el tipo de la matriz depende del segundo parámetro:

MYSQLI_NUM	Matriz con índices enteros (como la función mysqli_fetch_row).
MYSQLI_ASSOC	Matriz asociativa (como la función mysqli_fetch_assoc).
MYSQLI_BOTH (valor predeterminado)	Cada columna está presente dos veces, una vez con un índice entero correspondiente a su posición y una vez con una clave correspondiente a su nombre.

Ejemplo

Consulta	SELECT * FROM artículos		
Columnas	identificador	texto	precio
1.ª línea del resultado	1	Albaricoques	35.5

Resultado de un fetch (lectura con diferentes funciones)

mysqli_fetch_row o mysqli_fetch_array (..., MYSQL_NUM)		mysqli_fetch_assoc o mysqli_fetch_array (..., MYSQL_ASSOC)		mysqli_fetch_array (..., MYSQL_BOTH)	
Clave	**Valor**	**Clave**	**Valor**	**Clave**	**Valor**
0	1	identificador	1	identificador	1
1	Albaricoques	texto	Albaricoques	0	1
2	35.5	precio	35.5	texto	Albaricoques
				1	Albaricoques
				precio	35.5
				2	35.5

La función mysqli_fetch_object devuelve un objeto, con un atributo por columna; el nombre del atributo corresponde al nombre de la columna. Esta función ofrece parámetros adicionales que permiten precisar el nombre de la clase que se va a instanciar y pasar parámetros al constructor de la clase (véase la documentación).

Ejemplo

Atributo	Valor
identificador	1
texto	Albaricoques
precio	35.5

En caso de utilización de un alias de columna en la consulta `SELECT` (ejemplo `SELECT AVG(precio)` **`precio_medio`** `FROM artículos`), es el alias de columna el que se utiliza como clave o nombre de atributo.

Ejemplo

```
<?php
// Inclusión del archivo que contiene la definición de
// la función 'mostrar_matriz'.
require('funciones.inc');
// Conexion (utilización de los valores predefinidos).
$conexion = mysqli_connect();
if (! $conexion) {
  exit('Error de conexión.');
}
// Selección de la base de datos.
$ok = mysqli_select_db($conexion, 'diane');
if (! $ok) {
  exit('No se pudo seleccionar la base de datos.');
}
// Ejecución de una consulta SELECT.
$sql = 'SELECT * FROM artículos';
$consulta = mysqli_query($conexion, $sql);
// Primer fetch con mysqli_fetch_row.
$línea = mysqli_fetch_row($consulta);
mostrar_matriz($línea,'mysqli_fetch_row');
// Segundo fetch con mysqli_fetch_assoc.
$línea = mysqli_fetch_assoc($consulta);
mostrar_matriz($línea,'mysqli_fetch_assoc');
// Tercer fetch con mysqli_fetch_array:
// -> sin segundo parámetro = MYSQLI_BOTH.
$línea = mysqli_fetch_array($consulta);
mostrar_matriz($línea,'mysqli_fetch_array');
// Cuarto fetch con mysqli_fetch_object.
$línea = mysqli_fetch_object($consulta);
echo "<p /><b>mysqli_fetch_object</b><br />";
echo "\$línea->identificador = $línea->identificador<br />";
echo "\$línea->texto = $línea->texto<br />";
```

```
echo "\$línea->precio = $línea->precio<br />";
// Quinto fetch de nuevo con mysqli_fetch_row:
// -> normalmente, más línea.
$línea = mysqli_fetch_row($consulta);
if ($línea === NULL) {
     echo '<p /><b>Quinto fetch: nada más</b>';
}
// Desconexión.
$ok = mysqli_close($conexion);
?>
```

Resultado

```
mysqli_fetch_row
0 = 1
1 = Albaricoques
2 = 35.5

mysqli_fetch_assoc
identificador = 2
texto = Cerezas
precio = 48.9

mysqli_fetch_array
0 = 3
identificador = 3
1 = Fresas
texto = Fresas
2 = 29.95
precio = 29.95

mysqli_fetch_object
$línea->identificador = 4
$línea->texto = Melocotones
$línea->precio = 37.2

Quinto fetch: nada más
```

Este ejemplo permite observar:

- Los diferentes modos de recuperación de una línea de resultado.
- El hecho de que, con cada `fetch`, el puntero interno avanza, y que el `fetch` siguiente devuelve la siguiente línea, hasta haber pasado por todas las líneas.

La función `mysqli_fetch_all` lee todas las líneas del resultado en una matriz.

Sintaxis

matriz mysqli_fetch_all(*objeto* resultado[, *entero* tipo])

Donde

resultado	Identificador de resultado de la consulta devuelto por la función mysqli_query.
tipo	Tipo de resultado igual a una de las siguientes constantes: MYSQLI_ASSOC, MYSQLI_NUM (valor predeterminado), MYSQLI_BOTH.

La función mysqli_fetch_all devuelve una matriz multidimensional. La matriz principal es una matriz con índices enteros que contiene una línea para cada línea del resultado. La matriz secundaria contiene los valores de las columnas; el tipo de esta matriz depende del segundo parámetro:

MYSQLI_NUM	Matriz con índices enteros.
MYSQLI_ASSOC	Matriz asociativa.
MYSQLI_BOTH	Cada columna se presenta dos veces, una vez con un índice entero correspondiente a su posición y otra con una clave correspondiente a su nombre.

Ejemplo

```
<?php
// Inclusión del archivo que contiene la definición de
// la función 'mostrar_matriz'.
require('funciones.inc');
// Conexión (utilización de los valores predeterminados).
$conexion = mysqli_connect();
if (! $conexion) {
  exit('Error de conexión.');
}
// Selección de la base de datos.
$ok = mysqli_select_db($conexion,'diane');
if (! $ok) {
  exit('No se pudo seleccionar la base de datos.');
}
// Ejecución de una consulta.
$sql = 'SELECT * FROM artículos';
$consulta = mysqli_query($conexion,$sql);
// Fetch de todas las líneas:
// - parámetros predeterminados = MYSQLI_NUM
$resultado = mysqli_fetch_all($consulta);
mostrar_matriz($resultado,'mysqli_fetch_all($consulta)');
```

```
// Determinación del número de líneas leídas.
$número = mysqli_num_rows($consulta);
echo "$número líneas en el resultado";
// Nueva ejecución de la consulta.
$consulta = mysqli_query($conexion,$sql);
// Fetch de todas las líneas:
// - MYSQLI_ASSOC
$resultado = mysqli_fetch_all($consulta,MYSQLI_ASSOC);
mostrar_matriz($resultado,'mysqli_fetch_all($consulta,MYSQLI_ASSOC)');
// Determinación del número de líneas leídas.
$número = mysqli_num_rows($consulta);
echo "$número líneas en el resultado";
// Nueva ejecución de la consulta.
$consulta = mysqli_query($conexion,$sql);
// Fetch de todas las líneas:
// - MYSQLI_BOTH
$resultado = mysqli_fetch_all($consulta,MYSQLI_BOTH);
mostrar_matriz($resultado,'mysqli_fetch_all($consulta,MYSQLI_BOTH)');
// Determinación del número de líneas leídas.
$número = mysqli_num_rows($consulta);
echo "$número líneas en el resultado";
// Desconexión.
$ok = mysqli_close($conexion);
?>
```

Resultado

```
mysqli_fetch_all($consulta)
0 =
  0 = 1
  1 = Albaricoques
  2 = 35.5
1 =
  0 = 2
  1 = Cerezas
  2 = 48.9
2 =
  0 = 3
  1 = Fresas
  2 = 29.95
3 =
  0 = 4
  1 = Melocotones
  2 = 37.2
4 líneas en el resultado

mysqli_fetch_all($consulta,MYSQLI_ASSOC)
```

```
0 =
  identificador = 1
  texto = Albaricoques
  precio = 35.5
1 =
  identificador = 2
  texto = Cerezas
  precio = 48.9
2 =
  identificador = 3
  texto = Fresas
  precio = 29.95
3 =
  identificador = 4
  texto = Melocotones
  precio = 37.2
4 líneas en el resultado
```

mysqli_fetch_all($consulta,MYSQLI_BOTH)

```
0 =
  0 = 1
  identificador = 1
  1 = Albaricoques
  texto = Albaricoques
  2 = 35.5
  precio = 35.5
1 =
  0 = 2
  identificador = 2
  1 = Cerezas
  texto = Cerezas
  2 = 48.9
  precio = 48.9
2 =
  0 = 3
  identificador = 3
  1 = Fresas
  texto = Fresas
  2 = 29.95
  precio = 29.95
3 =
  0 = 4
  identificador = 4
  1 = Melocotones
  texto = Melocotones
  2 = 37.2
```

```
  precio = 37.2
4 líneas en el resultado
```

Desde la **versión 8.1**, también existe una función `mysqli_fetch_column`, que lee una sola columna del resultado y, por tanto, es especialmente útil si el resultado de la columna solo contiene una columna.

Sintaxis

mixta `mysqli_fetch_column(`*objeto* `resultado[,` *entero* `columna])`

`resultado`	Identificador del resultado de la consulta devuelto por la función `mysqli_query`.
`colonne`	Número de la columna a leer (en el orden de las columnas de la consulta, predefinido a 0, es decir, la primera columna).

La función devuelve el valor de la columna solicitada para la fila actual del resultado o `FALSE` si no hay más filas que leer en el resultado.

Ejemplo

```
<?php
// Conexión (utilizando los valores predefinidos).
$conexión = mysqli_connect();
if (! $conexión) {
  exit('Falló la conexión.');
}
// Seleccionar la base de datos.
$ok = mysqli_select_db($conexión,'diana');
if (! $ok) {
  exit('Fallo en la selección de la base de datos.');
}
// Ejecutar la consulta de la selección.
$conexión = "SELECT texto FROM artículos ORDER BY texto";
$resultado = mysqli_query($conexión,$consulta);
// Leer y mostrar el resultado
while ($texto = mysqli_fetch_column($resultado)) {
  echo $texto,'<br />';
}
// Cerrar la sesión.
$ok = mysqli_close($conexión);
?>
```

Resultado

```
Albaricoques
Cerezas
Fresas
Melocotones
```

En caso de usar un identificador de resultado no válido, las diferentes funciones `mysqli_fetch_*` generan una excepción `TypeError` que provoca un error fatal si no se gestiona:

```
Fatal error: Uncaught TyperError: mysqli_fetch_assoc(): Argument #1
($result) must be of type mysqli_result, bool given in ...
```

¿Qué método utilizar?

Para leer una sola línea, las funciones `mysqli_fetch_array`, `mysqli_fetch_assoc` y `mysqli_fetch_row` son válidas desde el punto de vista del rendimiento. Las funciones `mysqli_fetch_assoc` y `mysqli_fetch_object` permiten utilizar el nombre de las columnas de la consulta y hacer el código más legible.

Para leer todas las líneas, se puede utilizar la función `mysqli_fetch_all` si desea pasar por una matriz y la estructura de la matriz le sirve. Pero, si no es el caso, puede utilizar una de las otras funciones `mysqli_fetch_*` y un bucle.

Ejemplo de código para la lectura de una línea

Un primer tipo de lectura consiste a menudo en leer una sola línea de información en una matriz o varias matrices con uniones: obtención de información sobre el usuario que acaba de conectarse, ficha de descripción de un artículo...

Ejemplo

```
<?php
// Identificador del artículo que se va a leer.
$identificador = 1;
// Conexión y selección de la base de datos
$conexion = mysqli_connect();
$ok = mysqli_select_db($conexion,'diane') ;
// Ejecución de la consulta de selección.
$consulta = "SELECT * FROM artículos " .
           "WHERE identificador = $identificador";
$resultado = mysqli_query($conexion,$consulta);
// Lectura y visualización del resultado
$artículo = mysqli_fetch_assoc($resultado);
echo $artículo['identificador'],' - ',$artículo['texto'],
     ' - ',$artículo['precio'],'<br />';
// Desconexión.
$ok = mysqli_close($conexion);
?>
```

Resultado

```
Albaricoques - 35.5
```

Ejemplo de código para la lectura de todas las líneas

Un segundo tipo de lectura consiste a menudo en mostrar una lista de elementos extraídos de la base (lista de usuarios, lista de artículos...).

Ejemplo

```
<?php
// Conexión y selección de la base de datos
$conexion = mysqli_connect();
$ok = mysqli_select_db($conexion, 'diane');
// Ejecución de la consulta de selección.
$consulta = 'SELECT identificador,texto FROM artículos';
$resultado = mysqli_query($conexion, $consulta;
// Lectura y visualización del resultado
While ($articulo = mysqli_fetch_assoc($resultado)) {
  echo $artículo['identificador'],' - ',$artículo['texto'],'<br />';
}
// Desconexión.
$ok = mysqli_close($conexion);
?>
```

Resultado

```
1 - Albaricoques
2 - Cerezas
3 - Fresas
4 - Melocotones
```

2.4.5 Obtener información sobre el resultado de una consulta de actualización

Como hemos indicado anteriormente, actualizar los datos consiste en ejecutar las consultas `INSERT` (creación), `UPDATE` (modificación) o `DELETE` (eliminación) con la ayuda de la función `mysqli_query`, como para una consulta `SELECT`.

Además, dos funciones interesantes son: `mysqli_affected_rows` y `mysqli_insert_id`.

La función `mysqli_affected_rows` permite conocer el número de líneas afectadas (insertadas, modificadas o eliminadas) por la última consulta `INSERT`, `UPDATE` o `DELETE` ejecutada en una sesión.

Sintaxis

```
entero mysqli_affected_rows(objeto conexión)
```

Donde

`conexión` Identificador de conexión devuelto por la función `mysqli_connect`.

Si la última consulta ha fallado, la función `mysqli_affected_rows` devuelve -1.

Observación

Para una consulta de selección, la función `mysqli_affected_rows` da el mismo resultado que la función `mysqli_num_rows`.

En el caso de una sentencia `UPDATE`, `mysqli_affected_rows`, no cuenta las líneas no modificadas cuando los valores antes y después son los mismos.

La función `mysqli_insert_id` devuelve el valor del último identificador generado por una columna con el tipo `AUTO_INCREMENT` por una consulta `INSERT` en una sesión.

Sintaxis

```
entero mysqli_insert_id(objeto conexión)
```

`conexión` Identificador de conexión devuelto por la función `mysqli_connect`.

Si no se ha generado ningún identificador automáticamente por la última consulta, la función `mysqli_insert_id` devuelve 0.

Ejemplo

```
<?php
// Definición de una pequeña función para mostrar la lista
// de artículos.
function mostrar_artículos($conexion) {
  $sql = 'SELECT * FROM artículos';
  $consulta = mysqli_query($conexion,$sql);
    echo '<b>Lista de artículos:</b><br />';
while($línea = mysqli_fetch_assoc($consulta)) {
      echo  $línea['identificador'],' - ',$línea['texto'],' - ',
         $línea['precio'],'<br />";
  }
}
// Conexión (utilizando los valores predeterminados).
$conexion = mysqli_connect();
if (! $conexion) {
   exit('Error de conexión.');
}
// Selección de la base de datos.
```

```
$ok = mysqli_select_db ($conexion, 'diane');
if (! $ok) {
   exit('No se pudo conectar a la base de datos.');
}
// Visualización de control.
mostrar_artículos($conexion);
// Actualizaciones.
echo '<b>Actualizaciones:</b><br />';
// Consulta INSERT.
$consulta = "INSERT INTO artículos(texto,precio)
            VALUES('Peras',29.9)";
$resultado = mysqli_query($conexion, $consulta);
// Recuperación del identificador.
$identificador = mysqli_insert_id($conexion);
echo "Identificador del nuevo artículo = $identificador.<br />";
// Consulta UPDATE.
$consulta = 'UPDATE artículos SET precio = ROUND(precio * 1.1,2)
            WHERE precio < 40';
$resultado = mysqli_query($conexion, $consulta);
// Recuperación del número de líneas modificadas.
$número = mysqli_affected_rows($conexion);
echo "$número artículo(s) añadido(s).<br />";
// Consulta DELETE.
$consulta = 'DELETE FROM artículos WHERE precio > 40';
$resultado = mysqli_query($conexion, $consulta);
// Recuperación del número de líneas eliminadas.
$número = mysqli_affected_rows($conexion);
echo "$número artículo(s) eliminado(s).<br />";
// Visualización de control.
mostrar_artículos($conexion);
// Desconexión.
$ok = mysqli_close($conexion);
?>
```

Resultado

Lista de artículos:
1 - Albaricoques - 35.5
2 - Cerezas - 48.9
3 - Fresas - 29.95
4 - Melocotones - 37.2
Actualizaciones:
Identificador del nuevo artículo = 5.
4 artículo(s) añadido(s).
2 artículo(s) eliminado(s).
Lista de artículos:
1 - Albaricoques - 39.05

```
3 - Fresas - 32.95
5 - Peras - 32.89
```

2.4.6 Gestionar los errores

Las funciones `mysqli_errno` y `mysqli_error` permiten recuperar información sobre el posible error de la última operación realizada en una sesión.

Sintaxis

```
entero mysqli_errno(objeto conexión)
cadena mysqli_error(objeto conexión)
```

Donde

`conexión` Identificador de conexión devuelto por la función `mysql_connect`.

La función `mysqli_errno` devuelve un número de error (o ningún error en su caso) y la función `mysqli_error`, el mensaje asociado (cadena vacía si no hay ningún error).

Ejemplo

```
<?php
// Desactivar informe de errores.
mysqli_report(MYSQLI_REPORT_OFF);
// Conexión.
$conexion = mysqli_connect();
If (! $conexion) {
  exit('Error de conexión.');
}
// Selección de una base de datos incorrecta.
$ok = mysqli_select_db($conexion, 'hermes');
echo '1: ',mysqli_errno($conexion),' - ',
           mysqli_error($conexion),'<br />';
// Selección de la base de datos correcta.
$ok = mysqli_select_db($conexion, 'diane');
echo '2: ',mysqli_errno($conexion),' - ',
           mysqli_error($conexion),'<br />';
// Una consulta correcta para comenzar.
$consulta = 'SELECT * FROM artículos';
$resultado = mysqli_query($conexion, $consulta);
echo '3: ',mysqli_errno($conexion),' - ',
           mysqli_error($conexion),'<br />';
// Consulta sobre una tabla que no existe.
$consulta = 'SELECT * FROM artículo';
$resultado = mysqli_query($conexion, $consulta);
```

```
echo '4: ',mysqli_errno($conexion),' - ',
          mysqli_error($conexion),'<br />';
// Intento de fetch con un resultado erróneo.
try
$línea = mysqli_fetch_assoc($resultado);
}  catch (Error $e) {
   echo '5: ',$e::class,' - ',$e->getMessage(),'<br >';
echo '5: ',mysqli_errno($conexion),'-',
          mysqli_error($conexion),'<br />';
}
// Consulta INSERT que viola una clave primaria.
$consulta = "INSERT INTO artículos(identificador,texto,precio)" .
          "VALUES(1,'Peras',29.9)";
$resultado = mysqli_query($conexion, $consulta);
echo '6: ',mysqli_errno($conexion),' - ',
          mysqli_error($conexion),'<br />';
?>
```

Resultado

```
1: 1049 - Unknown database 'hermes'
2 : 0 -
3 : 0 -
4: 1146 - Table 'diane.artículo' doesn't exist
5: TypeError - mysqli_fetch_assoc(): Argument #1 ($result) must be of type
mysqli_result, bool given
5: 1146 - Table 'diane.artículo' doesn't exist
6: 1062 - Duplicate entry '1' for key 'artículos.PRIMARY'
```

En este ejemplo, se ha desactivado la notificación de errores (no se muestra ningún error, no se genera ninguna excepción). Si se informara de los errores mediante excepciones (que es lo predeterminado desde la versión 8.1), habría que adaptar el código para que gestionara las excepciones correctamente (bloque `try () catch () {}`).

El punto 5 muestra que los errores relacionados con el uso de un recurso (de resultado) no válido genera una excepción `TypeError` que se ha gestionado correctamente en este ejemplo. En este caso, el error no es un error de MySQL y las funciones `mysqli_errno` o `mysqli_error` no se restablecen y, por lo tanto, no devuelven ningún error específico: el mensaje del punto 5 es de hecho el del punto 4.

En la práctica, las funciones `mysqli_errno` y `mysqli_error` se utilizan después de la ejecución de las consultas.

Veremos cómo utilizar estas funciones en la sección Ejemplos de integración en formularios.

2.5 Utilizar consultas preparadas

2.5.1 Información general

La extensión MySQLi permite utilizar el concepto de consulta preparada o parametrizada, de MySQL.

Una consulta preparada es una consulta que contiene parámetros representados por un signo de interrogación (?).

Ejemplos

```
SELECT * FROM artículos WHERE identificador = ?
INSERT INTO artículos(texto,precio) VALUES(?,?)
```

Observación

Un parámetro no puede sustituir un nombre de tabla, un número de columna o cualquier parte de la consulta.

Ejemplos incorrectos

```
SELECT * FROM ?
SELECT * FROM artículos WHERE ?
```

Lo interesante es poder reutilizar varias veces la misma consulta, con valores de parámetros diferentes, sin tener que prepararla de nuevo.

Los pasos para utilizar una consulta preparada son:

<table>
<tr><th>Consulta de lectura
(SELECT)</th><th>Consulta de actualización
(INSERT, UPDATE, DELETE)</th></tr>
<tr><td colspan="2">Preparar la consulta = mysqli_prepare</td></tr>
<tr><td colspan="2">Asociar variables PHP a los parámetros de la consulta =
mysqli_stmt_bind_param</td></tr>
<tr><td colspan="2">Ejecutar la consulta = mysqli_stmt_execute</td></tr>
<tr><td>Conocer el número de líneas en el resultado = mysqli_num_rows</td><td rowspan="3">Conocer el número de líneas procesadas = mysqli_stmt_affected_rows
Conocer el valor del último identificador para una columna que tenga el tipo AUTO_INCREMENT = mysqli_stmt_insert_id</td></tr>
<tr><td>Asociar variables PHP a las columnas del resultado = mysqli_stmt_bind_result</td></tr>
<tr><td>Extrer las líneas del resultado = mysqli_stmt_fetch</td></tr>
<tr><td colspan="2">Cerrar la consulta preparada = mysqli_stmt_close</td></tr>
</table>

En el caso de una consult

a de tipo SELECT, es posible almacenar en un búfer el resultado completo de la ejecución de una consulta preparada. En este caso, son útiles las siguientes funciones:

mysqli_stmt_store_result	Almacena en un búfer el resultado completo de una consulta preparada de tipo SELECT.
mysqli_stmt_num_rows	Devuelve el número de líneas seleccionadas por una consulta preparada de tipo SELECT, cuyo resultado se ha almacenado previamente con mysqli_stmt_store_result.
mysqli_stmt_free_result	Libera el resultado de una consulta preparada de tipo SELECT, cuyo resultado se ha almacenado previamente con mysqli_stmt_store_result.

Además, las funciones mysqli_stmt_errno y mysqli_stmt_error permiten recuperar información sobre el posible error de la última ejecución de una consulta preparada.

En cada ejecución de la consulta preparada, se utiliza el valor actual de las variables PHP asociadas a los parámetros. El interés reside en utilizar varias veces la misma consulta con diferentes valores de parámetros sin necesidad de volver a analizar la consulta, lo cual mejora el rendimiento.

2.5.2 Preparar una consulta

La función mysqli_prepare prepara una consulta para la ejecución.

Sintaxis

objeto mysqli_prepare(*objeto* conexión, *cadena* consulta)

conexión	Identificador de conexión devuelto por la función mysqli_connect.
consulta	Texto de la consulta SQL.

La función mysqli_prepare devuelve un recurso de consulta preparada (objeto mysqli_stmt) o FALSE en caso de error.

Ejemplo

```
<?php
...
// Preparación de la consulta.
$sql = 'SELECT * FROM artículos WHERE precio < ?';
$consulta = mysqli_prepare($conexion, $sql);
...
?>
<?php
...
// Preparación de la consulta.
$sql = 'INSERT INTO artículos(texto,precio) VALUES(?,?)';
$consulta = mysqli_prepare($conexion, $sql);
...
?>
```

Observación

Las funciones `mysqli_stmt_init` y `mysqli_stmt_prepare` permiten hacer lo mismo, pero en dos pasos.

2.5.3 Asociar variables PHP a los parámetros de la consulta

La función `mysqli_stmt_bind_param` asocia variables a los parámetros de una consulta preparada.

Sintaxis

```
booleano mysqli_stmt_bind_param(objeto consulta, cadena types,
mixta variable[, ...])
```

`consulta`	Recurso de consulta preparada devuelta por la función `mysqli_prepare` (o `mysqli_stmt_init`).
`types`	Cadena de caracteres que contiene uno o varios caracteres que especifican el tipo de datos de la variable que se va a asociar: `i` = variable de tipo entero `d` = variable de tipo número decimal `s` = variable de tipo cadena de caracteres `b` = variable de tipo blob
`variable`	Variable que se asociará a un parámetro.

La función `mysqli_stmt_bind_param` devuelve `TRUE` en caso de éxito o `FALSE` en caso de error.

La asociación es posicional (primera variable para el primer `?`, etc.). Debe tener exactamente el mismo número de variables y, por tanto, de caracteres en el parámetro `types` que de parámetros en la consulta; si no es el caso, se produce una excepción `ArgumentCountError` que provoca un error fatal si no se gestiona.

Ejemplo de mensaje

```
Fatal error: Uncaught ArgumentCountError: The number of elements in the
type definition string must match the number of bind variables in ...
```

No hay necesidad de definir las variables asociadas en el momento de la llamada a la función `mysqli_stmt_bind_param`.

Ejemplo

```
?php
...
// Preparación de la consulta.
$sql = 'SELECT * FROM artículos WHERE precio < ?';
$consulta = mysqli_prepare($conexion, $sql);
// Asociación de parámetros.
$ok = mysqli_stmt_bind_param($consulta,'d',$precio);
...
?>
<?php
...
// Preparación de la consulta.
$sql = 'INSERT INTO artículos(texto,precio) VALUES(?,?)';
$consulta = mysqli_prepare($conexion, $sql);
// Asociación de parámetros.
$ok = mysqli_stmt_bind_param($consulta,'sd',$texto,$precio);
...
?>
```

Los parámetros se pueden asociar con líneas de una matriz o con los atributos de un objeto. En los dos casos, `mysqli_stmt_bind_param` crea la matriz o instancia el objeto, si no existe ya. En este caso, no es necesario crear de nuevo la matriz o instanciar el objeto después de la llamada a `mysqli_stmt_bind_param`, ya que, de otra manera, se podría «romper» la asociación.

Ejemplo

```
<?php
...
// Asociación de parámetros.
// Con las líneas de una matriz.
$ok = mysqli_stmt_bind_param
        ($consulta,'sd',
         $artículo['texto'],$artículo['precio']);
```

```
...
?>
<?php
...
// Asociación de parámetros.
// Con los atributos de un objeto.
$ok = mysqli_stmt_bind_param
        ($consulta,'sd',
         $artículo->texto,$artículo->precio);
...
?>
```

En el caso de utilizar un identificador de consulta no válido, la función `mysqli_stmt_bind_param` genera una excepción `TypeError` que provoca un error fatal si no se gestiona:

```
Fatal error: Uncaught TypeError: mysqli_execute(): Argument #1
($statement) must be of type mysqli_stmt, bool given in ...
```

2.5.4 Ejecutar la consulta preparada

La función `mysqli_stmt_execute` ejecuta una consulta preparada.

Sintaxis

booleano `mysqli_stmt_execute(`*objeto* `consulta)`

`consulta`	Recurso de consulta preparada devuelta por la función `mysqli_prepare` (o `mysqli_stmt_init`).
`parámetros`	Tabla que contiene tantos elementos como parámetros vinculados haya en la consulta SQL. Permite vincular los parámetros en tiempo de ejecución. Todos los valores se tratan como cadenas de caracteres. Aparece en la versión 8.1.

La función `mysqli_execute` devuelve `TRUE` en caso de éxito o `FALSE` en caso de error.

Ejemplo

```
<?php
...
// Preparación de la consulta.
$sql = 'SELECT * FROM artículos WHERE precio < ?';
$consulta = mysqli_prepare($conexion, $sql);
// Asociación de parámetros.
$ok = mysqli_stmt_bind_param($consulta,'d',$precio);
// Ejecución de la consulta.
$precio = 20;
```

```
$ok = mysqli_stmt_execute($consulta);
// Nueva ejecución de la consulta.
$precio = 30;
$ok = mysqli_stmt_execute($consulta);
...
?>
<?php
...
// Preparar la consulta.
$sql = 'INSERT INTO artículos(texto,precio) VALUES(?,?)';
$consulta = mysqli_prepare($conexion, $sql);
// Asociación de parámetros.
$ok = mysqli_stmt_bind_param($consulta,'sd',$texto,$precio);
// Ejecución de la consulta.
$texto = 'Manzanas';
$precio = 24.50;
$ok = mysqli_stmt_execute($consulta);
// Nueva ejecución de la consulta.
$texto = 'Plátanos';
$precio = 15.35 ;
$ok = mysqli_stmt_execute($consulta);
...
?>
<?php
...
// Preparar la consulta.
$sql = 'INSERT INTO usuarios(identificador,contraseña) VALUES(?,?)';
$consulta = mysqli_prepare($conexion, $sql);
// Ejecutar consulta vinculando parámetros.
$identificador = 'hugo';
$contraseña = 'victor';
$ok = mysqli_stmt_execute($consulta,[$identificador,$contraseña]););
...
?>
```

La consulta se puede ejecutar varias veces, con valores diferentes, sin necesidad de prepararla de nuevo.

Si se utiliza un identificador de consulta no válido, la función `mysqli_stmt_execute` genera una excepción `TypeError` que provoca un error fatal si no se gestiona:

```
Fatal error: Uncaught TypeError: mysqli_stmt_bind_result(): Argument #1
($statement) must be of type mysqli_stmt, bool given in ...
```

2.5.5 Vincular variables PHP con las columnas del resultado de una consulta de lectura

La función `mysqli_stmt_bind_result` asocia variables PHP a las columnas del resultado de una consulta preparada de tipo `SELECT`.

Sintaxis

booleano `mysqli_stmt_bind_result(`*objeto* `consulta,` *mixto* `variable [, ...])`

`consulta`	Recurso de consulta preparada devuelta por la función `mysqli_prepare` (o `mysqli_stmt_init`).
`variable`	Variable que se asociará a una columna del resultado.

La función `mysqli_stmt_bind_result` devuelve `TRUE` en caso de éxito o `FALSE` en caso de error.

Debe tener exactamente el mismo número de variables que de columnas en el resultado. La asociación es posicional (primera variable para la primera columna, etc.); si no es el caso, se genera una excepción `ArgumentCountError` que provoca un error fatal si no se gestiona.

Ejemplo de mensaje

```
Fatal error: Uncaught ArgumentCountError: Number of bind variables
doesn't match number of fields in prepared statement in ...
```

La llamada a la función `mysqli_stmt_bind_result` es necesaria para todas las consultas que devuelven un resultado (`SELECT`, `SHOW`, `DESCRIBE`).

Ejemplo

```
<?php
...
// Preparar consulta.
$sql = 'SELECT texto,precio FROM artículos WHERE precio < ?';
$consulta = mysqli_prepare($conexion, $sql);
// Asociar parámetros.
$ok = mysqli_stmt_bind_param($consulta,'d',$precio_max);
// Vincular las columnas del resultado.
$ok = mysqli_stmt_bind_result($consulta,$texto,$precio);
...
?>
```

Las columnas del resultado se pueden vincular con líneas de una matriz o los atributos de un objeto. En los dos casos, `mysqli_stmt_bind_result` crea la matriz o instancia el objeto, si no existen ya. En este caso, no es necesario crear de nuevo la matriz o instanciar el objeto después de la llamada a `mysqli_stmt_bind_result`, ya que se podría «romper» el vínculo.

Ejemplo

```
<?php
...
// Vincular las columnas del resultado.
// Con una matriz.
$ok = mysqli_stmt_bind_result
        ($consulta,$artículo['texto'],$artículo['precio']);
...
?>

<?php
...
// Vincular las columnas del resultado.
// Con una matriz, dejando que PHP asigne los índices.
$ok = mysqli_stmt_bind_result
        ($consulta,$artículo[],$artículo[]);
...
?>

<?php
...
// Vincular las columnas del resultado.
// Con los atributos de un objeto.
$ok = mysqli_stmt_bind_result
        ($consulta,$artículo->texto,$artículo->precio);
...
?>
```

En el caso de utilizar un identificador de consulta no válido, la función `mysqli_stmt_bind_result` genera una excepción `TypeError` que provoca un error fatal si no se gestiona:

```
Fatal error: Uncaught TypeError: mysqli_stmt_bind_result(): Argument #1
($statement) must be of type mysqli_stmt, bool given in ...
```

2.5.6 Extraer el resultado de una consulta de lectura

La función `mysqli_stmt_fetch` lee una línea de resultado de una consulta preparada de tipo `SELECT` (`SELECT`, `SHOW`, `DESCRIBE`).

Sintaxis

```
booleano mysqli_stmt_fetch(objeto consulta)
```

`consulta` Recurso de consulta preparada devuelta por la función `mysqli_prepare` (o `mysqli_stmt_init`).

La función `mysqli_stmt_fetch` devuelve `TRUE` en caso de éxito, `FALSE` en caso de error y `NULL` si no hay ninguna línea que leer.

La línea se extrae en las variables PHP vinculadas previamente al resultado.

Ejemplo

```
<?php
// Conexion (utilización de los valores predeterminados).
$conexion = mysqli_connect();
if (! $conexion) {
 exit('Error de conexin.');
}
// Selección de la base de datos.
$ok = mysqli_select_db($conexion,'diane');
if (! $ok) {
  exit('No se pudo seleccionar la base de datos.');
}
// Preparar la consulta.
$sql = 'SELECT texto,precio FROM artículos WHERE precio < ?';
$consulta = mysqli_prepare($conexion, $sql);
// Asociar parámetros.
$ok = mysqli_stmt_bind_param($consulta,'d',$precio_max);
// Vincular las columnas del resultado.
$ok = mysqli_stmt_bind_result($consulta,$texto,$precio);
// Ejecución de la consulta.
$precio_max = 35;
$ok = mysqli_stmt_execute($consulta);
// Lectura del resultado.
Echo "<b>Artículos cuyo precio es < $precio_max </b><br />";
while (mysqli_stmt_fetch($consulta)) {
  echo "$texto - $precio<br />";
}
// Nueva ejecución y lectura del resultado
// (es inútil rehacer los vínculos).
$precio_max = 40;
$ok = mysqli_stmt_execute($consulta);
echo "<b>Artículos cuyo precio es < $precio_max </b><br />";
while (mysqli_stmt_fetch($consulta)) {
  echo "$texto - $precio<br />";
}
// Desconexión.
$ok = mysqli_close($conexion);
?>
```

Resultado

```
Artículos cuyo precio es < 35
Fresas - 32.95
Peras - 32.89
Artículos cuyo precio es < 40
Albaricoques - 39.05
Fresas - 32.95
Peras - 32.89
```

En el caso de utilizar un identificador de consulta no válido, la función `mysqli_stmt_fetch` genera una excepción `TypeError` que provoca un error fatal si no se gestiona:

```
Fatal error: Uncaught TypeError: mysqli_stmt_fetch(): Argument #1
($statement) must be of type mysqli_stmt, bool given in ...
```

2.5.7 Utilizar un resultado almacenado

En el caso de una consulta de tipo `SELECT`, es posible almacenar en un búfer el resultado completo de la ejecución de una consulta preparada. En este caso, las siguientes funciones son útiles:

`mysqli_stmt_store_result`	Almacena en un búfer el resultado completo de una consulta preparada de tipo `SELECT`.
`mysqli_stmt_num_rows`	Devuelve el número de líneas seleccionadas por una consulta preparada de tipo `SELECT`, cuyo resultado se ha almacenado previamente con `mysqli_stmt_store_result`.
`mysqli_stmt_free_result`	Libera el resultado de una consulta preparada de tipo `SELECT` cuyo resultado se ha almacenado previamente con `mysqli_stmt_store_result`.

El único interés de almacenar el resultado es poder conocer inmediatamente el número de líneas en el resultado (con la función `mysqli_stmt_num_rows`). Por el contrario, almacenar el resultado de una consulta que devuelve un gran número de líneas consume memoria (del lado del cliente).

La función `mysqli_stmt_fetch` presentada anteriormente permite leer el resultado almacenado (sin diferencia de sintaxis).

mysqli_stmt_store_result

La función `mysqli_stmt_store_result` almacena en un búfer el resultado completo de una consulta preparada de tipo `SELECT` (`SELECT`, `SHOW`, `DESCRIBE`).

Sintaxis

```
booleano mysqli_stmt_store_result(objeto consulta)
```

`consulta`	Recurso de consulta preparada devuelta por la función `mysqli_prepare` (o `mysqli_stmt_init`).

La función `mysqli_stmt_store_result` devuelve `TRUE` en caso de éxito y `FALSE` en caso de error.

mysqli_stmt_num_rows

La función `mysqli_stmt_num_rows` devuelve el número de líneas seleccionadas por una consulta preparada de tipo `SELECT` cuyo resultado se ha almacenado previamente con la función `mysqli_stmt_store_result`.

Sintaxis

```
entero mysqli_stmt_num_rows(objeto consulta)
```

`consulta`	Recurso de consulta preparada devuelta por la función `mysqli_prepare` (o `mysqli_stmt_init`).

La función `mysqli_stmt_bind_result` siempre devuelve 0 si el resultado no se ha almacenado previamente con la función `mysqli_stmt_store_result`.

mysqli_stmt_free_result

La función `mysqli_stmt_free_result` libera el resultado de una consulta preparada de tipo `SELECT` cuyo resultado se ha almacenado previamente con la función `mysqli_stmt_store_result`.

Sintaxis

```
mysqli_stmt_free_result(objeto consulta)
```

`consulta`	Recurso de consulta preparada devuelta por la función `mysqli_prepare` (o `mysqli_stmt_init`).

La función `mysqli_stmt_free_result` no hace nada si el resultado no se ha almacenado previamente con la función `mysqli_stmt_store_result`.

Ejemplo

```
<?php
// Conexión (utilización de los valores predeterminados).
$conexion = mysqli_connect();
if (! $conexion) {
  exit('Error de conexion.');
}
// Selección de la base de datos.
$ok = mysqli_select_db($conexion,'diane');
if (! $ok) {
  exit('No se pudo seleccionar la base de datos.');
}
// Preparación de la consulta.
$sql = 'SELECT texto FROM artículos WHERE precio < ?';
$consulta = mysqli_prepare($conexion, $sql);
// Asociación de parámetros.
$ok = mysqli_stmt_bind_param($consulta,'d',$precio_max);
// Vincular las columnas del resultado.
$ok = mysqli_stmt_bind_result($consulta,$texto);
// Ejecución de la consulta.
$precio_max = 30;
$ok = mysqli_stmt_execute($consulta);
echo '<b>Antes de la llamada a mysqli_stmt_store_result</b><br />',
     'Número de líneas seleccionadas = ',
     mysqli_stmt_num_rows($consulta),'<br />';
$ok = mysqli_stmt_store_result($consulta);
echo '<b>Después de la llamada a mysqli_stmt_store_result</b><br />',
     'Número de líneas seleccionadas = ',
     mysqli_stmt_num_rows($consulta),'<br />';
// Lectura del resultado.
echo "<b>Artículos cuyo precio es < $precio_max </b><br />";
while (mysqli_stmt_fetch($consulta)) {
  echo "$texto<br />";
}
// Desconexión.
$ok = mysqli_close($conexion);
?>
```

Resultado

Antes de la llamada a mysqli_stmt_store_result
Número de líneas seleccionadas = 0
Después de la llamada a mysqli_stmt_store_result
Número de líneas seleccionadas = 2
Artículos cuyo precio es < 35
Fresas
Peras

En el caso de utilizar un identificador de consulta no válido, las diferentes funciones que se presentan aquí generan una excepción `TypeError` que provoca un error fatal si no se gestiona.

2.5.8 Obtener información sobre el resultado de una consulta de actualización

Las funciones `mysqli_stmt_affected_rows` y `mysqli_stmt_insert_id` se pueden utilizar para obtener información sobre el resultado de una consulta de actualización.

La función `mysqli_stmt_affected_rows` devuelve el número de líneas actualizadas por una consulta preparada.

Sintaxis

`entero mysqli_stmt_affected_rows(objeto consulta)`

`consulta`	Recurso de consulta preparada devuelto por la función `mysqli_prepare` (o `mysqli_stmt_init`).

Si la consulta falla, o si no es una consulta de actualización, la función `mysqli_stmt_affected_rows` devuelve -1.

La función `mysqli_stmt_insert_id` devuelve el valor del último identificador generado para una columna que tenga el tipo `AUTO_INCREMENT` por una consulta preparada `INSERT`.

Sintaxis

`entero mysqli_stmt_insert_id(objeto consulta)`

`consulta`	Recurso de consulta preparada devuelto por la función `mysqli_prepare` (o `mysqli_stmt_init`).

Si no se ha generado ningún identificador automáticamente por la última consulta, la función `mysqli_stmt_insert_id` devuelve 0.

Ejemplo

```
<?php
// Definición de una pequeña función para mostrar la lista
// de artículos.
// Esta función utiliza una consulta preparada que se
// preparará solo una vez, en la primera llamada.
// La variable que almacena el resultado de la preparación así como
// la matriz utilizada para la asociación son variables estáticas
// cuyos valores se conservan de una llamada a otra.
function mostrar_artículos($conexion) {
```

```
  static $consulta;
  static $línea = array();
  if (! isset($consulta)) { // $consulta no definida = primera llamada
    $sql = 'SELECT * FROM artículos';
    $consulta = mysqli_prepare($conexion,$sql);
    $ok = mysqli_stmt_bind_result($consulta,$línea[],$línea[],$línea[]);

  }
  $ok = mysqli_stmt_execute($consulta);
  echo '<b>Lista de artículos:</b><br />';
  while (mysqli_stmt_fetch($consulta)) {
    echo $línea[0],' - ',$línea[1],' - ',$línea[2],'<br />';
  }
}
// conexión (utilización de los valores predeterminados).
$conexion = mysqli_connect();
if (! $conexion) {
  exit('Error de conexión.');
}
// Selección de la base de datos.
$ok = mysqli_select_db($conexion,'diane');
if (! $ok) {
  exit('No se pudo seleccionar la base de datos.');
}
// Visualización de control.
mostrar_artículos($conexion);
// Actualizaciones.
echo '<b>Actualizaciones:</b><br />';
// consulta INSERT.
// Preparación de la consulta.
$sql = 'INSERT INTO artículos(texto,precio) VALUES(?,?)';
$consulta = mysqli_prepare($conexion, $sql);
// Asociación de los parámetros.
$ok = mysqli_stmt_bind_param($consulta,'sd',$texto,$precio);
// Ejecución de la consulta.
$texto = 'Manzanas';
$precio = 24.5;
$ok = mysqli_stmt_execute($consulta);
// Recuperación del identificador.
$identificador = mysqli_stmt_insert_id($consulta);
echo "Identificador del nuevo artículo = $identificador.<br />";
// Ahora es posible dar otros valores a las variables
// y ejecutar de nuevo la consulta.
$texto = 'Plátanos';
$precio = 15.35;
$ok = mysqli_stmt_execute($consulta);
$identificador = mysqli_stmt_insert_id($consulta);
echo "Identificador del nuevo artículo = $identificador.<br />";
```

```
// Consulta UPDATE.
// Preparación de la consulta.
$sql = 'UPDATE artículos SET precio = ROUND(precio * ?,2) ' .
       'WHERE precio < ?';
$consulta = mysqli_prepare($conexion, $sql);
// Asociación de los parámetros.
$ok = mysqli_stmt_bind_param($consulta,'dd',$aumento,$precio);
// Ejecución de la consulta.
$aumento = 1.10;
$precio = 40;
$ok = mysqli_stmt_execute($consulta);
// Recuperación del número de líneas modificadas.
$número = mysqli_stmt_affected_rows($consulta);
echo "$número artículo(s) aumentado(s).<br />";
// Consulta DELETE.
// Preparación de la consulta.
$sql = 'DELETE FROM artículos WHERE precio > ?';
$consulta = mysqli_prepare($conexion, $sql);
// Asociación de los parámetros.
$ok = mysqli_stmt_bind_param($consulta,'d',$precio);
// Ejecución de la consulta.
$precio = 40;
$ok = mysqli_stmt_execute($consulta);
// Recuperación del número de líneas eliminadas.
$número = mysqli_stmt_affected_rows($consulta);
echo "$número artículo(s) eliminado(s).<br />";
// Visualización de control.
mostrar_artículos($conexion);
// Desconexión.
$ok = mysqli_close($conexion);
?>
```

Resultado

```
Lista de artículos:
1 - Albaricoques - 39.05
3 - Fresas - 32.95
5 - Peras - 32.89
Actualizaciones:
Identificador del nuevo artículo = 6.
Identificador del nuevo artículo = 7.
5 artículo(s) aumentado(s).
1 artículo(s) eliminado(s).
Lista de artículos:
3 - Fresas - 36.25
5 - Peras - 36.18
6 - Manzanas - 26.95
7 - Plátanos - 16.89
```

2.5.9 Gestionar los errores

Las funciones `mysqli_stmt_errno` y `mysqli_stmt_error` permiten recuperar información sobre el posible error de la <u>última</u> ejecución de una consulta preparada.

Sintaxis

```
entero mysqli_stmt_errno(objeto consulta)
cadena mysqli_stmt_error(objeto consulta)
```

`consulta`	Recurso de consulta preparada devuelta por la función `mysqli_prepare` (o `mysqli_stmt_init`).

La función `mysqli_stmt_errno` devuelve un número de error (0 si no hay ningún error), y la función `mysqli_stmt_error`, el mensaje asociado (cadena vacía en caso de no haber error).

Para poder utilizar estas dos funciones, es necesario parametrar un recurso de consulta preparada válido. Esto significa que la consulta debe haberse preparado correctamente con la función `mysqli_prepare`. Para obtener información sobre un error de preparación, es necesario utilizar las funciones `mysqli_errno` o `mysqli_error` presentadas anteriormente.

Ejemplo

```
<?php
// Desactivar reporte de errores.
mysqli_report(MYSQLI_REPORT_OFF);
// Conexión (utilizar valores predeterminados).
$conexion = mysqli_connect();
if (! $conexion) {
  exit('Error de conexion.');
}
// Selección de la base de datos.
$ok = mysqli_select_db($conexion,'diane');
if (! $ok) {
  exit('No se pudo seleccionar la base de datos.');
}
// Preparación de una consulta sobre una tabla que no existe.
$sql = 'SELECT * FROM artículo';
$consulta = mysqli_prepare($conexion, $sql);
// Utilizar mysqli_errno y mysqli_error en esta fase.
echo '1 : ',mysqli_errno($conexion),' - ',
            mysqli_error($conexion),'<br />';
// Preparar consulta (sobre una tabla que no existe).
$sql = 'INSERT INTO artículos(identificador,texto) VALUES(?,?)';
$consulta = mysqli_prepare($conexion, $sql);
// Asociar parámetros.
```

```
$ok = mysqli_stmt_bind_param($consulta,'is',$identificador,$texto);
// Ejecución de la consulta (viola una clave única).
$identificador = 3;
$texto = 'Kiwis';
$ok = mysqli_stmt_execute($consulta);
echo '2 : ',mysqli_stmt_errno($consulta),' - ',
           mysqli_stmt_error($consulta),'<br />';
// Desconexión.
$ok = mysqli_close($conexion);
?>
```

Resultado

```
1 : 1146 - Table 'diane.artículo' doesn't exist
2 : 1062 - Duplicate entry '3' for key 1 'artículos PRIMARY'
```

Aquí nuevamente, en este ejemplo, se ha desactivado la señalización de errores (no se muestra ningún error, no se genera ninguna excepción). Si se informara de los errores mediante excepciones (que es lo predeterminado desde la **versión 8.1**), habría que adaptar el código para que gestionara las excepciones correctamente (bloque `try () catch () {}`).

Veremos cómo utilizar estas funciones en la sección Ejemplos de integración en formularios.

2.5.10 Cerrar una consulta preparada

La función `mysqli_stmt_close` cierra una consulta preparada.

Sintaxis

`*booleano* mysqli_stmt_close(*objeto* consulta)`

`consulta`	Recurso de consulta preparada devuelta por la función `mysqli_prepare` (o `mysqli_stmt_init`).

La función `mysqli_stmt_close` devuelve `TRUE` en caso de éxito o `FALSE` en caso de error.

Observación

Se recomienda cerrar una consulta preparada antes de reutilizar la variable para otra consulta.

2.6 Gestionar las transacciones

De forma complementaria, MySQL permite gestionar las transacciones, pero solo para el tipo de tabla InnoDB.

Por defecto, MySQL funciona en «auto `COMMIT`»: si la sentencia de actualización tiene éxito, se aplica la acción COMMIT automáticamente. Para gestionar una transacción compuesta de varias sentencias SQL, conviene ejecutar las sentencias sucesivamente sin el modo «auto `COMMIT`» y ejecutar, al final, una sentencia `COMMIT` o `ROLLBACK`.

Se pueden utilizar dos funciones para desactivar el modo «auto `COMMIT`» y permitir así gestionar las transacciones: `mysqli_begin_transaction` o `mysqli_autocommit`.

Sintaxis simplificada

```
booleano mysqli_begin_transaction(recurso conexión)
booleano mysqli_autocommit(recurso conexión, booleano modo)
```

`conexión`	Identificador de conexión devuelto por la función `mysqli_connect`.
`modo`	`TRUE` para activar el modo «auto `COMMIT`», `FALSE` para desactivarlo.

Estas dos funciones devuelven `TRUE` en caso de éxito o `FALSE` en caso de error.

Para ejecutar una sentencia `COMMIT` o `ROLLBACK`, dos métodos están disponibles:

- El primero consiste en ejecutar estas sentencias, como el resto de las sentencias SQL, utilizando las funciones `mysqli_query` (consulta no preparada) o `mysqli_stmt_execute` (consulta preparada).
- La segunda consiste en utilizar las funciones `mysqli_commit` y `mysqli_rollback`.

Sintaxis simplificada

```
booleano mysqli_commit(recurso conexión)
booleano mysqli_rollback(recurso conexión)
```

`conexión`	Identificador de conexión devuelto por la función `mysqli_connect`.

Estas dos funciones devuelven `TRUE` en caso de éxito o `FALSE` en caso de error.

Ejemplo

```
<?php
// Definición de una pequeña función para mostrar la lista
// de artículos.
// Esta función utiliza una consulta preparada que se
// preparará solo una vez, en la primera llamada.
// La variable que almacena el resultado de la preparación así como
// la matriz utilizada para la asociación son variables estáticas
// cuyos valores se conservan de una llamada a otra.
function mostrar_artículos($conexion) {
  static $consulta;
  static $línea = array();
  if (! isset($consulta)) { // $consulta no definida = primera llamada
    $sql = 'SELECT * FROM artículos';
    $consulta = mysqli_prepare($conexion,$sql);
    $ok = mysqli_stmt_bind_result($consulta,$línea[],$línea[],$línea[]);
  }
  $ok = mysqli_stmt_execute($consulta);
  echo '<b>Lista de artículos:</b><br />';
  while (mysqli_stmt_fetch($consulta)) {
    echo $línea[0],' - ',$línea[1],' - ',$línea[2],'<br />';
  }
}
// conexión (utilización de los valores predeterminados).
$conexion = mysqli_connect();
if (! $conexion) {
  exit('Error de conexión.');
}
// Selección de la base de datos.
$ok = mysqli_select_db($conexion,'diane');
if (! $ok) {
  exit('No se pudo seleccionar la base de datos.');
}
// Visualización de control.
mostrar_artículos($conexion);
// Iniciar una transacción.
$ok = mysqli_begin_transaction($conexion);
// Consulta INSERT (con parámetros).
$sql = 'INSERT INTO artículos(texto,precio) VALUES(?,?)';
$consulta = mysqli_prepare($conexion, $sql);
$ok = mysqli_stmt_bind_param($consulta,'sde,$texto,$precio);
$texto = 'Mangos';
$precio = 24.5;
$ok = mysqli_stmt_execute($consulta);
// Consulta UPDATE (con parámetros).
$sql = 'UPDATE artículos SET precio = ? WHERE identificador = ?';
$consulta = mysqli_prepare($conexion, $sql);
$ok = mysqli_stmt_bind_param($consulta,'di',$precio,$identificador);
```

```
$identificador = 3;
$precio = 29.9;
$ok = mysqli_stmt_execute($consulta);
// COMMIT.
$ok = mysqli_commit($conexion);
// Desactivar el COMMIT automático.
$ok = mysqli_autocommit($conexion,FALSE);
// Consulta DELETE de todos los artículos (¡Ups!).
$sql = 'DELETE FROM artículos ';
$consulta = mysqli_query($conexion, $sql);
// ROLLBACK (¡Uff!).
$ok = mysqli_rollback($conexion);
// Visualización de control.
mostrar_artículos($conexion);
// Desconexión.
$ok = oci_rollback($conexion);
?>
```

Resultado

```
Lista de artículos:
3 - Fresas - 36.25
5 - Peras - 36.18
6 - Manzanas - 26.95
7 - Plátanos - 16.89
Lista de artículos:
3 - Fresas - 29.9
5 - Peras - 36.18
6 - Manzanas - 26.95
7 - Plátanos - 16.89
8 - Mangos - 24.5
```

2.7 Llamar un programa almacenado

2.7.1 Procedimiento almacenado

Para llamar un procedimiento almacenado, es necesario ejecutar la sentencia SQL `CALL nombre_procedimiento(...)` utilizando las funciones `mysqli_query` o `mysqli_stmt_execute`.

Si el procedimiento almacenado devuelve un resultado directamente (utilización de una sentencia `SELECT`, por ejemplo), este último debe leerse utilizando funciones de fetch adaptadas.

Si el procedimiento almacenado posee un parámetro `OUT`, es necesario utilizar una variable MySQL (`@variable`) en la sentencia SQL `CALL`, y luego ejecutar una consulta `SELECT @variable` para recuperar el resultado en el script PHP.

Primer ejemplo: procedimiento con parámetro OUT

En este primer ejemplo, llamaremos un procedimiento almacenado que permite crear un nuevo artículo y que devuelve el identificador del nuevo artículo en un parámetro OUT.

Código fuente del procedimiento almacenado

```
CREATE PROCEDURE ps_crear_artículo
  (
  -- Texto del nuevo artículo.
  IN p_texto VARCHAR(25),
  -- Precio del nuevo artículo.
  IN p_precio DECIMAL(5,2),
  -- Identificador del nuevo artículo.
  OUT p_identificador INT
  )
BEGIN
  /*
  ** Insertar el nuevo artículo y
  ** recuperar el identificador asignado.
  */
  INSERT INTO artículos (texto,precio)
  VALUES (p_texto,p_precio);
  SET p_identificador = LAST_INSERT_ID();
END;
```

Script PHP (consulta no preparada)

```
<?php
// Conexión (utilización de los valores predeterminados).
$conexion = mysqli_connect();
if (! $conexion) {
  exit('Error de conexión.');
}
// Selección de la base de datos.
$ok = mysqli_select_db($conexion,'diane');
if (! $ok) {
  exit('No se pudo seleccionar la base de datos.');
}
// Definición de las características del nuevo artículo.
$texto = 'Piña';
$precio = 19.90;
// Ejecución de la consulta de llamada del procedimiento.
// El parámetro OUT del procedimiento se recupera en la
// variable MySQL @identificador.
$sql = "CALL ps_crear_artículo('$texto',$precio,@identificador)";
$consulta = mysqli_query($conexion,$sql);
```

```
// Ejecución de la consulta que lee el contenido de la
// variable MySQL @identificador.
$sql='SELECT @identificador';
$consulta = mysqli_query($conexion,$sql);
$línea = mysqli_fetch_assoc($consulta);
// Visualización del resultado.
echo 'Identificador del nuevo artículo = ',
     $línea['@identificador'],'<br />';
// Ejecución de una consulta que elimina el nuevo artículo.
$sql = "DELETE FROM artículos WHERE identificador =
{$línea['@identificador']}";
$consulta = mysqli_query($conexion,$sql);
// Desconexión.
$ok = mysqli_close($conexion);
?>
```

Resultado

```
Identificador del nuevo artículo = 9
```

Script PHP (consulta preparada)

```
<?php
// Conexión (utilización de los valores predeterminados).
$conexion = mysqli_connect();
if (! $conexion) {
  exit('Error de conexión.');
}
// Selección de la base de datos.
$ok = mysqli_select_db($conexion,'diane');
if (! $ok) {
  exit('No se pudo seleccionar la base de datos.');
}
// Definición de las características del nuevo artículo.
$texto = 'Piña';
$precio = 19.90;
// Ejecución de la consulta de llamada del procedimiento.
// El parámetro OUT del procedimiento se recupera en la
// variable MySQL @identificador.
$sql = "CALL ps_crear_artículo(?,?,@identificador)";
$consulta = mysqli_prepare($conexion,$sql);
$ok = mysqli_stmt_bind_param($consulta,'sd',$texto,$precio);
$ok = mysqli_stmt_execute($consulta);
mysqli_stmt_close($consulta);
// Ejecución de la consulta que lee el contenido de la
// variable MySQL @identificador.
$sql='SELECT @identificador';
$consulta = mysqli_prepare($conexion,$sql);
```

```
$ok = mysqli_stmt_bind_result($consulta,$identificador);
$ok = mysqli_stmt_execute($consulta);
$ok = mysqli_stmt_fetch($consulta);
mysqli_stmt_close($consulta);
// Visualización del resultado.
echo "Identificador del nuevo artículo = $identificador";
// Ejecución de una consulta que elimina el nuevo artículo.
$sql = 'DELETE FROM artículos WHERE identificador = ?';
$consulta = mysqli_prepare($conexion,$sql);
$ok = mysqli_stmt_bind_param($consulta,'d',$identificador);
$ok = mysqli_stmt_execute($consulta);
// Desconexión.
$ok = mysqli_close($conexion);
?>
```

Resultado

```
Identificador del nuevo artículo = 10
```

Segundo ejemplo: procedimiento que devuelve un resultado directamente

En este segundo ejemplo, llamaremos un procedimiento almacenado que devuelve la lista de artículos cuyo precio es inferior a un importe determinado pasado como parámetro.

Código fuente del procedimiento almacenado

```
CREATE PROCEDURE ps_leer_artículos
  (
  -- Precio máximo.
  IN p_precio_max DECIMAL(5,2)
  )
BEGIN
  /*
  ** Seleccionar los artículos cuyo precio es
  ** inferior al importe pasado como parámetro.
  */
  SELECT
    texto
  FROM
    artículos
  WHERE
    precio < p_precio_max;
END;
```

Script PHP (consulta no preparada)

```
<?php
$conexion = mysqli_connect();
if (! $conexion) {
  exit('Error de conexión.');
}
// Selección de la base de datos.
$ok = mysqli_select_db($conexion,'diane');
if (! $ok) {
  exit('No se pudo seleccionar la base de datos.');
}
// Precio máximo.
$precio_max = 30;
// Ejecución de la consulta de llamada del procedimiento.
$sql = "CALL ps_leer_artículos($precio_max)";
$consulta = mysqli_query($conexion,$sql);
while ($línea = mysqli_fetch_assoc($consulta)) {
  echo $línea['texto'],'<br />';
}
// Desconexión.
$ok = mysqli_close($conexion);
?>
```

Script PHP (consulta preparada)

```
<?php
$conexion = mysqli_connect();
if (! $conexion) {
  exit('Error de conexión.');
}
// Selección de la base de datos.
$ok = mysqli_select_db($conexion,'diane');
if (! $ok) {
  exit('No se pudo seleccionar la base de datos.');
}
// Precio máximo.
$precio_max = 30;
// Ejecución de la consulta de llamada del procedimiento.
$sql = "CALL ps_leer_artículos(?)";
$consulta = mysqli_prepare($conexion,$sql);
$ok = mysqli_stmt_bind_param($consulta,'d',$precio_max);
$ok = mysqli_stmt_execute($consulta);
// Importante hacer el bind del resultado después de la ejecución
// ya que la estructura del resultado no se conoce antes.
$ok = mysqli_stmt_bind_result($consulta,$texto);
while (mysqli_stmt_fetch($consulta)) {
  echo $texto,'<br />';
```

```
}
// Desconexión.
$ok = mysqli_close($conexion);
?>
```

Resultado (en ambos casos)

```
Fresas
Manzanas
Plátanos
Mangos
```

2.7.2 Función almacenada

Para llamar una función almacenada, es necesario ejecutar la sentencia SQL `SELECT nombre_función(...)` utilizando las funciones `mysqli_query` o `mysqli_stmt_execute` y luego leer el resultado utilizando funciones de fetch adaptadas.

En el ejemplo, llamaremos una función almacenada que devuelve el número de artículos cuyo precio es inferior a un importe determinado pasado como parámetro.

Código fuente de la función almacenada

```
CREATE FUNCTION fs_número_artículos
  (
  -- Precio máximo.
  p_precio_max DECIMAL(5,2)
  )
  RETURNS INT
  READS SQL DATA
BEGIN
  /*
  ** Contar el número de artículos cuyo precio es
  ** inferior al importe pasado como parámetro.
  */
  DECLARE v_resultado INT;
  SELECT
    COUNT(*)
  INTO
    v_resultado
  FROM
    artículos
  WHERE
    precio < p_precio_max;
  RETURN v_resultado;
END;
```

Script PHP (consulta no preparada)

```
<?php
$conexion = mysqli_connect();
if (! $conexion) {
  exit('Error de conexión.');
}
// Selección de la base de datos.
$ok = mysqli_select_db($conexion,'diane');
if (! $ok) {
  exit('No se pudo seleccionar la base de datos.');
}
// Precio máximo.
$precio_max = 30;
// Ejecución de la consulta que llama a la función
// (la expresión que llama a la función se llama con
// un alias de columna).
$sql = "SELECT fs_número_artículos($precio_max) nb";
$consulta = mysqli_query($conexion,$sql);
$línea = mysqli_fetch_assoc($consulta);
echo 'Número de artículos = ',$línea['nb'];
// Desconexión.
$ok = mysqli_close($conexion);
?>
```

Script PHP (consulta preparada)

```
<?php
$conexion = mysqli_connect();
if (! $conexion) {
  exit('Error de conexion.');
}
// Selección de la base de datos.
$ok = mysqli_select_db($conexion,'diane');
if (! $ok) {
  exit('No se pudo seleccionar la base de datos.');
}
// Precio máximo.
$precio_max = 30;
// Ejecución de la consulta que llama a la función
// (la expresión que llama a la función se llama con
// un alias de columna).
$sql = "SELECT fs_número_artículos(?) nb";
$consulta = mysqli_prepare($conexion,$sql);
$ok = mysqli_stmt_bind_param($consulta,'d',$precio_max);
$ok = mysqli_stmt_execute($consulta);
$ok = mysqli_stmt_bind_result($consulta,$nb);
$ok = mysqli_stmt_fetch($consulta);
```

```
echo 'Número de artículos = ',$nb;
// Desconexión.
$ok = mysqli_close($conexion);
?>
```

Resultado (en ambos casos)

```
Número de artículos = 4
```

2.8 Ejercicio 12: utilizar MySQL

En este ejercicio, vamos a desarrollar una pequeña aplicación de dos páginas que permita gestionar los autores en una base de datos MySQL.

Para este ejercicio, debe disponer de un acceso a una base de datos MySQL y crear la siguiente tabla:

```
CREATE TABLE autores (
 apellido VARCHAR(40) NOT NULL,
 nombre VARCHAR(40) NOT NULL,
 PRIMARY KEY (nombre,apellido)
);
```

Paso 1

Vamos a empezar creando una página que permita guardar nuevos autores en la base de datos.

Indicaciones:

- En un nuevo directorio, copie el script `introducir.php` desarrollado en el ejercicio 11.
- Al inicio del script, inserte una instrucción que permita ocultar la visualización de los errores PHP (durante la fase de pruebas, puede modificar esta instrucción para mostrar todos los mensajes de error) y una instrucción para desactivar el informe de errores de MySQL.
- En la estructura de control que prueba el resultado del filtro de verificación de la introducción de datos, inicialice una variable `$ok` a `FALSE` en caso de error y `TRUE` en caso de éxito. En caso de éxito, recupere los valores introducidos en las variables `$apellido` y `$nombre`.
- Si la introducción de datos es correcta (prueba de la variable `$ok`), inserte las instrucciones que van a permitir guardar el nuevo autor en la base de datos:
  - conexión y selección de la base de datos;
  - preparación de la consulta de inserción;
  - unión de los argumentos (con las variables `$apellido` y `$nombre`);
  - ejecución de la consulta preparada.

- En el código anterior, en cada etapa compruebe el resultado de la instrucción, asigne la variable `$ok` en consecuencia y ejecute la siguiente instrucción solo en caso de éxito.
- Cuando termine el registro del nuevo autor en la base de datos, compruebe que todo haya ido bien. En caso de éxito, prepare un mensaje del tipo «*nombre apellido* guardado con éxito.» en la variable `$mensaje` y reinicialice las variables `$apellido` y `$nombre`. En caso de error, recupere el mensaje de error MySQL y prepare un mensaje del tipo «Error durante la ejecución de la consulta (*texto del error MySQL*).» en la variable `$mensaje`.
- Se ha podido producir un error eventual durante la conexión, durante la preparación de la consulta o después; para recuperar el mensaje de error, debe determinar en qué étapa se produjo el error, por ejemplo probando el valor del identificador de conexión y de la consulta, para llamar la función adaptada.
- En la página HTML, al final, muestre el contenido de la variable `$mensaje` y después añada un enlace llamado «Ver la lista» a la página `inicio.php`.

Resultado esperado (en caso de éxito)

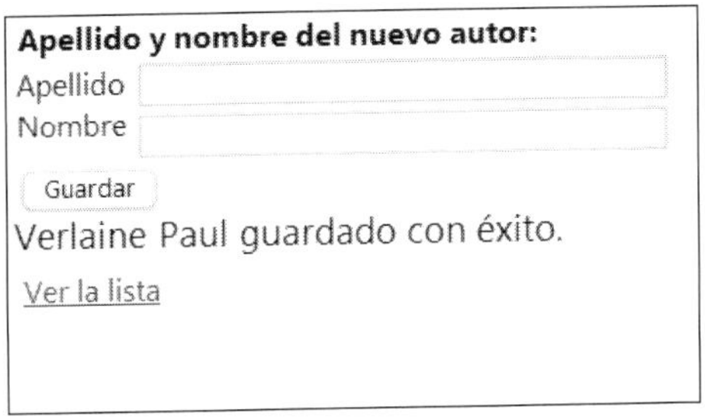

Apellido y nombre del nuevo autor:
Apellido
Nombre
Guardar
Verlaine Paul guardado con éxito.
Ver la lista

Resultado esperado (en caso de error)

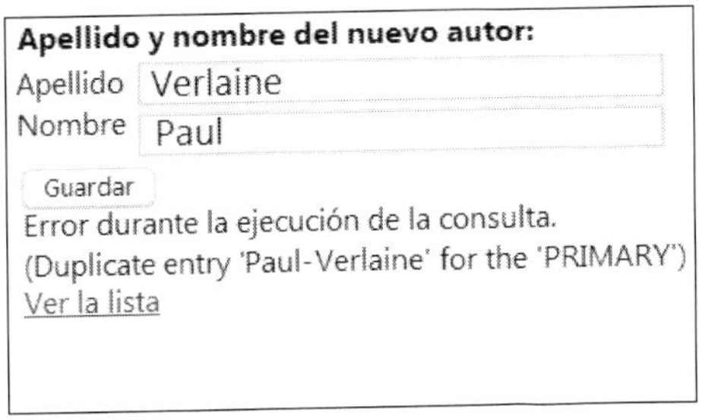

Apellido y nombre del nuevo autor:
Apellido Verlaine
Nombre Paul
Guardar
Error durante la ejecución de la consulta.
(Duplicate entry 'Paul-Verlaine' for the 'PRIMARY')
Ver la lista

Solución

```
<?php
// Sin visualizar mensajes de error PHP.
error_reporting(0);
// Desactivar reporte de errores de MySQL.
mysqli_report(MYSQLI_REPORT_OFF);
// Inicializar las variables utilizadas en el formulario.
$apellido = '';
$nombre = '';
// Probar si el script se llama durante el tratamiento del formulario.
if (isset($_POST['ok'])) { // sí
 // Utilización de un filtro para asegurarse de que la introducción de
datos es correcta.
 $filtro = ['filter'  => FILTER_VALIDATE_REGEXP,
            'options' => ['regexp' => '/^[[:alpha:]- ]{1,40}$/u'],
            'flags'   => FILTER_NULL_ON_FAILURE  ];
 // Utilización de este filtro para verificar el apellido y el nombre.
 $filtros = ['apellido' => $filtro,'nombre' => $filtro];
 $introducir = filter_input_array(INPUT_POST,$filtros);
 // Probar el resultado del filtro.
 if (in_array(NULL, $introducir, true)) { // NULL presente = datos
incorrectos
   $ok = FALSE;
   $mensaje = 'Sus datos no son correctos.';
   // Recuperar los valores y prepararlos para la visualización en el
formulario.
   $apellido = filter_input(INPUT_POST,'apellido',
   FILTER_SANITIZE_SPECIAL_CHARS);
   $nombre = filter_input(INPUT_POST,'nombre',
   FILTER_SANITIZE_SPECIAL_CHARS);
 } else {
   $ok = TRUE;
   // Recuperación de la introducción de datos.
   $apellido = trim($introducir['apellido']);
   $nombre = trim($introducir['nombre']);
 }
 // Guardar en la base de datos si todo está OK.
 if ($ok) {
   // Conexión y selección de la base de datos.
   $ok = (bool) ($conexion = mysqli_connect());
   if ($ok) {
     $ok = mysqli_select_db($conexion,'diane');
   }
   // Ejecución de la consulta de inserción.
   if ($ok) {
     // Texto de la consulta.
     $sql = 'INSERT INTO autores(apellido,nombre) VALUES(?,?)';
```

```
      // Preparación de la consulta.
      $ok = (bool) ($consulta = mysqli_prepare($conexion, $sql));
      // Relación de los argumentos.
      if ($ok) {
        $ok = mysqli_stmt_bind_param($consulta,'ss',$apellido,$nombre);
      }
      // Ejecución de la consulta.
      if ($ok) {
        $ok = mysqli_stmt_execute($consulta);
      }
    }
    // Recuperación de un eventual mensaje de error.
    if (! $ok) { // error
      if (! $conexion) { // error de conexión
        $error = mysqli_connect_error();
      } elseif (! (isset($consulta) and $consulta)) { // error
de preparación
        $error = mysqli_error($conexion);
      } else { // error después de la preparación
        $error = mysqli_stmt_error($consulta);
      }
      $mensaje = "Error durante la ejecución de la consulta ($error).";
    } else { // sin error
      // Mensaje de éxito y reinicialización de las variables.
      $mensaje = "$apellido $nombre guardado con éxito.";
      $apellido = '';
      $nombre = '';
    }
  }
}
?>
<!DOCTYPE html>
<html xmlns="http://www.w3.org/1999/xhtml" lang="es">
 <head>
   <meta charset="utf-8" />
   <title>Introducción de datos</title>
   <style>
   label { display: block; width: 60px; float: left; }
   </style>
 </head>
 <body>
   <!-- Formulario para introducir los datos del autor. -->
   <form action="introducir.php" method="post">
   <div>
     <b>Apellido y nombre del nuevo autor:</b>
     <br /><label>Apellido</label>
     <input type="text" name="apellido" size="40" maxlength="40"
```

```
          value="<?= $apellido ?>" autofocus="autofocus" />
    <br /><label>Nombre</label>
    <input type="text" name="nombre" size="40" maxlength="40"
          value="<?= $nombre ?>" />
    <br />
    <input type="submit" name="ok" value="Guardar" />
  </div>
  </form>
  <!-- Visualización de un eventual mensaje. -->
  <div><?= $mensaje ?? '' ?></div>
  <!-- Enlace para mostrar la lista. -->
  <p><a href="inicio.php">Ver la lista</a></p>
 </body>
</html>
```

Paso 2

Ahora vamos a crear una página que permita mostrar la lista de los autores guardados en la base de datos.

Indicaciones:

- En el directorio del ejercicio, copie el script `inicio.php` desarrollado en el ejercicio 04 y elimine la instrucción que lee la lista de los autores a partir del archivo.
- Al inicio del script, inserte una instrucción que permita ocultar la visualización de los errores PHP (durante la fase de prueba, puede modificar esta instrucción para mostrar todos los mensajes de error) y una instrucción para desactivar el informe de errores de MySQL.
- A continuación añada las instrucciones que van a permitir leer la lista de los autores en la base de datos:
  - conexión y selección de la base de datos;
  - preparación de la consulta de lectura (los autores se deben ordenar por su nombre);
  - unión de las columnas del resultado con las variables `$apellido` y `$nombre`;
  - ejecución de la consulta preparada.
- En el código anterior, en cada etapa, compruebe el resultado de la instrucción y asigne la variable `$ok` en consecuencia, y ejecute la siguiente instrucción solo en caso de éxito.

- Después de la ejecución de la consulta de lectura, compruebe que todo se haya desarrollado correctamente. En caso de error, recupere el mensaje de error MySQL y prepare un mensaje del tipo «Error durante la ejecución de la consulta (*texto del error MySQL*).» en la variable `$mensaje`. Se ha podido producir un eventual error durante la conexión, durante la preparación de la consulta o después; para recuperar el mensaje de error, debe determinar en qué etapa se ha producido el error, por ejemplo probando el valor del identificador de conexión y del identificador de consulta, para llamar la función adaptada.
- En la página HTML, modifique el código PHP que genera los registros de la tabla HTML que muestra la lista de autores:
  - ejecute el código solo si la ejecución inicial de la consulta se ha desarrollado correctamente (variable `$ok`);
  - en el bucle, escriba una instrucción que permita leer los diferentes registros del resultado de la consulta y asigne la variable `$ok` con el resultado de la llamada a la función;
  - en el registro de la tabla, muestre el nombre del autor en forma «nombre (apellido)» (utilice las variables `$apellido` y `$nombre` normalmente relacionado con las columnas del resultado de la consulta);
  - después del bucle de lectura del resultado de la consulta, rellene la variable `$numero_autores` con el número de registros extraídos;
  - en caso de error durante la extracción, prepare un mensaje del tipo «Error durante la lectura de los autores (resultado parcial).» en la variable `$mensaje`;
  - en caso contrario, si la consulta no devuelve ningún registro, prepare un mensaje del tipo «No hay ningún autor en la base de datos.» en la variable `$mensaje`;
- Para terminar, muestre el contenido de la variable `$mensaje` y después añada un enlace llamado «Introducir un nuevo autor» a la página `introducir.php`.
- Adicionalmente, añada el código que permite no mostrar del todo la tabla si está vacía. La dificultad está en que la línea del título de la tabla se muestra antes de que se conozca el resultado. Para resolver este problema, es posible utilizar un poco de código JavaScript.

Resultado esperado (en caso de éxito)

Autores
Baudelaire (Charles)
Hugo (Víctor)
Rimbaud (Arthur)
Verlaine (Paul)

Introducir un nuevo autor

Resultado esperado (visualización de un mensaje)

No hay ningún autor en la base de datos.
Introducir un nuevo autor

Solución

```
<?php
// Sin visualización de los mensajes de error PHP.
error_reporting(0);
// Desactivar reporte de errores de MySQL.
mysqli_report(MYSQLI_REPORT_OFF);
// Conexión y selección de la base de datos.
$ok = (bool) ($conexion = mysqli_connect());
if ($ok) {
 $ok = mysqli_select_db($conexion,'diane');
}
// Ejecución de la consulta de selección.
if ($ok) {
 // Texto de la consulta.
 $sql = 'SELECT apellido,nombre FROM autores ORDER BY nombre';
 // Preparación de la consulta.
 $ok = (bool) ($consulta = mysqli_prepare($conexion, $sql));
 // Relación de las columnas del resultado.
 if ($ok) {
   $ok = mysqli_stmt_bind_result($consulta,$apellido,$nombre);
 }
 // Ejecución de la consulta.
 if ($ok) {
   $ok = mysqli_stmt_execute($consulta);
 }
}
// Recuperación de un eventual mensaje de error.
```

```
if (! $ok) {
 if (! $conexion) { // error de conexión
   $error = mysqli_connect_error();
 } elseif (! (isset($consulta) and $consulta)) { // error de preparación
   $error = mysqli_error($conexion);
 } else { // error
   $error = mysqli_stmt_error($consulta);
 }
 $mensaje = "Error durante la ejecución de la consulta ($error).";
}
?>
<!DOCTYPE html>
<html xmlns="http://www.w3.org/1999/xhtml" lang="es">
 <head>
   <meta charset="utf-8" />
   <title>Inicio</title>
   <style>
   table { border-collapse: collapse; }
   table, td, th { border: 1px solid black; }
   td, th { padding: 4px; }
   </style>
 </head>
 <body>
   <div>
   <!-- Ver la tabla de autores. -->
   <table id="autores">
   <tr><th>Autores</th></tr>
   <?php
   if ($ok) {
     while ($ok = mysqli_stmt_fetch($consulta)) {
       echo "<tr><td>$nombre ($apellido)</td></tr>";
     }
     $numero_autores = mysqli_stmt_num_rows($consulta);
     // En caso de error o si el resultado está vacío, preparar un mensaje.
     if ($ok === FALSE) { // error durante la lectura
       $mensaje = "Error durante la lectura de los autores (resultado
parcial).";
     } elseif ($numero_autores == 0) { // ningún autor
       $mensaje = 'No hay ningún autor en la base de datos.';
     }
   }
   ?>
   </table>
   </div>
   <!-- Visualización de un eventual mensaje. -->
   <div><?= $mensaje ?? '' ?></div>
   <!-- Enlace para introducir  un nuevo autor. -->
```

```
    <p><a href="introducir.php">Introducir un nuevo autor</a></p>
    <script>
    // Ocultar la tabla de autores si está vacía.
    if (document.getElementById("autores").rows.length <= 1)
      { document.getElementById("autores").style.display = "none"; }
    </script>
  </body>
</html>
```

3. Utilizar Oracle

3.1 Preámbulo

La extensión «Oracle OCI8», al contrario de lo que su nombre pueda hacernos pensar, se puede utilizar para acceder a cualquier versión de Oracle. Esta extensión es muy completa y muy potente; permite utilizar los tipos `LOB` y `ROWID` y establecer vínculos entre las variables PHP y las variables en la consulta SQL (concepto de «bind variable»).

3.2 Entorno NLS

El entorno NLS (*National Language Support*), utilizado en la ejecución de las consultas, se define por medio de las variables de entorno habituales colocadas en el servidor que ejecuta PHP:

- `NLS_LANG`
- `NLS_DATE_FORMAT...`

Si estas variables de entorno no se han establecido, se toma el valor predeterminado de Oracle Server.

Esto puede dar lugar a diferencias de funcionamiento de un mismo programa entre dos entornos. Por ejemplo, si recupera en una consulta una columna de tipo `DATE`, se realiza una conversión en cadena automáticamente (ya que PHP no admite el tipo `DATE` como tal) según el parámetro `NLS_DATE_FORMAT` activo; dependiendo de la configuración y el entorno, la cadena recuperada puede tener diferentes formatos (DD/MM/AAAA, DD-MON-YY...).

Problemas similares ocurren con los datos numéricos que también se convierten en una cadena con un separador decimal y un separador de grupo que puede variar en función del entorno.

Si no se controla el entorno, es posible actuar al nivel de código PHP para obtener un código portátil de un entorno a otro:

- bien efectuando sistemáticamente conversiones explícitas en las instrucciones SQL (`TO_CHAR(SYSDATE,'DD/MM/YYYY')`, `TO_DATE('31/08/2001','DD/MM/YYYY')`, `TO_CHAR(precio,'9999.99')`,`TO_NUMBER ('123.45', '999.99')` por ejemplo);
- bien ejecutando, después de cada apertura de sesión, consultas `ALTER SESSION` (`ALTER SESSION SET NLS_DATE_FORMAT = 'DD/MM/YYYY'` o `ALTER SESSION SET NLS_NUMERIC_CHARACTERS = ', '` por ejemplo).

Volveremos a este tema en la sección Ilustración de problemas relacionados con el entorno NLS.

3.3 Conexión y desconexión

3.3.1 Conexión

La función `oci_connect` permite abrir una conexión con una base de datos de Oracle.

Sintaxis simplificada

```
recurso oci_connect(cadena usuario, cadena contraseña,
[, cadena nombre_de_servicio [, cadena juego_caracteres]])
```

Donde

`usuario`	Nombre del usuario que se utiliza para establecer la conexión.
`contraseña`	Contraseña que se utiliza para establecer la conexión.
`nombre_de_servicio`	Nombre de un servicio de red válido, definido en el archivo `tnsnames.ora`, sobre el que establecer la conexión. El método llamado Easy Connect, que apareció en la versión 10 de Oracle, también se puede utilizar (`[//]host[:puerto][/nombre_servicio]`). Si no se especifica, la función `oci_connect` utiliza la variable de entorno `ORACLE_SID` para la conexión a una instancia local, o la variable `TWO_TASK` (Linux) o `LOCAL` (Windows) para la conexión a una instancia remota.
`juego_caracteres`	Juego de caracteres utilizado para la sesión (de forma predefinada se determina desde la variable de entorno `NLS_LANG`).

La función oci_connect devuelve un identificador de conexión en caso de éxito o, en caso de error, el valor FALSE acompañado de un mensaje de alerta enviado a la presentación (véase el capítulo Gestionar los errores en un script PHP).

En el mismo script, llamar dos veces a la función oci_connect con los mismos parámetros no abre dos conexiones diferentes: en la segunda llamada, se devuelve el identificador de la conexión ya abierta. Esto es importante, ya que las instrucciones emitidas en la primera conexión y las emitidas en la segunda se realizan realmente en la misma transacción: un COMMIT o ROLLBACK en una de las dos conexiones tendrá efecto en ambas.

Si es necesario, la función oci_**new**_connect se puede utilizar para abrir dos conexiones independientes en el mismo script con los mismos parámetros. La sintaxis de la función oci_**new**_connect es la misma que la de la función oci_connect.

Ejemplo

```
<?php
// Conexión con un nombre de servicio de red.
$id1 = oci_connect('demeter','demeter','diane');
echo "\$id1 = $id1<br />\n";
// Nueva conexión con los mismos parámetros que 1.
$id2 = oci_connect('demeter','demeter','diane');
echo "\$id2 = $id2 (<b>= \$id1</b>)<br />\n";
// Nueva conexión con los mismos parámetros que 1,
// pero utilizando oci_new_connect.
$id3 = oci_new_connect('demeter','demeter','diane');
echo "\$id3 = $id3 (<b><> \$id1</b>)<br />\n";
?>
```

Resultado

```
$id1 = Resource id #3
$id2 = Resource id #3 (= $id1)
$id3 = Resource id #4 (<> $id1)
```

Las conexiones abiertas en un script se cierran automáticamente al final del script, excepto por desconexión explícita antes con la función oci_close (véase más adelante).

La función oci_**p**connect permite obtener una acción diferente y establecer una conexión «permanente» que no se cerrará al final del script y se podrá reutilizar en este script o en otro posteriormente.

La sintaxis es idéntica a la sintaxis de la función oci_connect.

En la llamada a la función oci_**p**connect en un script, PHP comprueba si ya se ha abierto una conexión permanente con los mismos parámetros (usuario, contraseña y nombre de servicio): en caso afirmativo, se devuelve el identificador de esta conexión; de lo contrario, se establece una nueva conexión (y esta conexión no se cerrará al final del script, lo que permite su reutilización posterior).

3.3.2 Desconexión

La función oci_close permite cerrar una conexión en curso de script.

Sintaxis

booleano oci_close(*recurso* conexión)

Donde

conexión — Identificador de conexión devuelto por las funciones oci_connect u oci_new_connect.

La función oci_close devuelve TRUE en caso de éxito y FALSE en caso de error (acompañado de una alerta).

La función oci_close no tiene efecto sobre una conexión permanente.

Observación

Todas las conexiones no permanentes se cierran automáticamente al final del script. La conexión se cierra realmente por la función oci_close solo si ya no hay ninguna referencia a esta conexión en el script; en última instancia, la conexión se cerrará realmente al final del script.

Ejemplo

```
<?php
// Conexión.
$conexion = oci_connect('demeter','demeter','diane');
echo "\$conexion = $conexion<br />\n";
// Desconexión.
$ok = oci_close($conexion);
echo '$ok = ',var_dump($ok);
?>
```

Resultado

```
$conexion = Resource id #2
$ok = bool(true)
```

3.3.3 Obtener información sobre el servidor Oracle

La función `oci_server_version` permite obtener información sobre la versión del servidor Oracle.

Sintaxis

cadena `oci_server_version(`*objeto* `conexión)`

`conexión` Identificador de conexión devuelto por la función `oci_connect` (u `oci_new_connect` u `oci_pconnect`).

La función `oci_server_version` devuelve la versión del servidor Oracle o `FALSE` en caso de error (acompañado de una alerta).

3.3.4 Obtener información en caso de error de conexión

La función `oci_error`, llamada sin parámetro, permite recuperar información sobre el posible error de la última conexión efectuada con la función `oci_connect` (u `oci_new_connect` u `oci_pconnect`).

Sintaxis

matriz `oci_error()`

La función `oci_error` devuelve una matriz asociativa si la última conexión ha fallado: la línea de clave `code` da el número de error Oracle y la línea de clave `message`, el mensaje asociado. Si la última conexión ha tenido éxito, la función `oci_error` devuelve `FALSE`.

En la sección Gestionar los errores, veremos cómo utilizar la función `oci_error` para recuperar información sobre un error ocurrido durante la ejecución de una consulta (en este contexto, se llamará la función con un parámetro).

3.3.5 Ejemplo

```
<?php
// Definición de una pequeña función que abre una conexión.
function conectar($usuario,$contraseña,$host) {
  $conexion = @oci_connect($usuario,$contraseña,$host);
  if ($conexion) {
    echo 'Conexion con éxito.<br />';
    echo 'Versión del servidor: <br />';
    echo oci_server_version($conexion),'<br />';
  } else {
    $e = oci_error(); // observe la llamada sin parámetro
    printf(
      'Error %d: %s.<br />',
```

```
      $e['code'],$e['message']);
  }
  return $conexion;
}
// Definición de una pequeña función que cierra una conexión.
function desconectar($conexion) {
  if ($conexion) {
    $ok = @oci_close($conexion);
    if ($ok) {
      echo 'Desconexión con éxito.<br />';
    } else {
      echo 'Error en la desconexión. <br />';
    }
  } else {
      echo 'Conexión no abierta.<br />';
  }
}
// Primera prueba de conexión/desconexión.
echo '<b>Primera prueba</b><br />';
$conexion = conectar('demeter','demeter','diane');
desconectar($conexion);
// Segunda prueba de conexión/desconexión.
echo '<b>Segunda prueba</b><br />';
$conexion = conectar('desconocido','desconocido','diane');
desconectar($conexion);
?>
```

Resultado

Primera prueba
Conexión con éxito.
Versión del servidor:
Oracle Database 19c Standard Edition 2 Release 12.0.0.0
Production
Desconexión con éxito.
Segunda prueba
Error 1017: ORA-01017: invalid username/password; logon denied.
Conexión no abierta.

3.4 Ejecutar una consulta

3.4.1 Resumen general

Con Oracle, es posible utilizar las consultas con parámetros, enviarlos para su análisis al servidor y luego asociar un parámetro de la consulta a una variable de PHP (concepto de «bind»). En cada ejecución, se utiliza el valor actual de la variable de PHP.

El interés reside en poder reutilizar varias veces la misma consulta, con diferentes valores de parámetros, sin analizar de nuevo la consulta. Además, la utilización de variables «bind» mejora el intercambio de consultas en la memoria de Oracle (en la «shared pool»).

Al nivel de la consulta, un parámetro es un identificador precedido del carácter dos puntos (:).

Ejemplo

```
SELECT * FROM artículos WHERE identificador = :p1
```

Observación

Un parámetro no puede remplazar un nombre de tabla, un nombre de columna o una parte de la consulta.

Ejemplos de incorrecciones

```
SELECT * FROM :p1
SELECT * FROM artículos WHERE :p1
```

Los pasos para ejecutar una consulta son los siguientes:

Consulta de lectura (SELECT)	**Consulta de actualización (INSERT, UPDATE, DELETE)**
Analizar (preparar) la consulta = `oci_parse`	
Vincular las variables de PHP a los parámetros de la consulta (en caso de haberlos) = `oci_bind_by_name`	
Ejecutar la consulta = `oci_execute`	
Extraer las líneas del resultado = `oci_fetch_array` o `oci_fetch_assoc` o `oci_fetch_object` o `oci_fetch_row` o `oci_fetch_all`	Conocer el número de líneas procesadas =`oci_num_rows` Gestionar las transacciones = `oci_commit` o `oci_rollback`
Cerrar la consulta = `oci_free_statement`	

Además, otras funciones serán útiles en determinadas situaciones:

- `oci_new_descriptor` y `oci_free_descriptor` para asignar y liberar descriptores hacia los datos de tipo `LOB` (*Large OBject*) o de tipo `ROWID`;
- `oci_new_cursor` y `oci_free_cursor` para asignar y liberar cursores (en el sentido de `REF CURSOR` de Oracle).

3.4.2 Analizar una consulta

La función `oci_parse` permite enviar una consulta para su análisis en el servidor.

Sintaxis

recurso `oci_parse(`*recurso* `conexión,` *cadena* `consulta)`

Donde

`conexión`	Identificador de conexión devuelto por la función `oci_connect` (u `oci_new_connect` u `oci_pconnect`).
`consulta`	Texto de la consulta que se va a analizar.

La función `oci_parse` devuelve un identificador de cursor en caso de éxito o `FALSE` en caso de error. La función devuelve un identificador de cursor incluso aunque el cursor no sea válido a causa de una consulta incorrecta; un cursor no válido no se detecta hasta el momento de la ejecución (véase más adelante).

Ejemplo

```
<?php
// Conexión.
$conexion = oci_connect('demeter','demeter','diane');
// Definición de la consulta.
$consulta = 'SELECT * FROM artículos';
// Análisis de la consulta.
$cursor1 = oci_parse($conexion,$consulta);
echo "\$cursor1 = $cursor1<br />\n";
// Definición de una consulta incorrecta (tabla inexistente).
$consulta = 'SELECT * FROM artículo WHERE precio < 40';
// Análisis de la consulta.
$cursor2 = oci_parse($conexion,$consulta);
echo "\$cursor2 = $cursor2 (no genera ningún error)<br />\n";
// Ejemplo con una consulta con parámetros.
$consulta = 'SELECT * FROM artículos WHERE identificador = :p1';
// Análisis de la consulta.
$cursor3 = oci_parse($conexion,$consulta);
echo "\$cursor3 = $cursor3<br />\n";
// Desconexión.
$ok = oci_close($conexion);
?>
```

Resultado

```
$cursor1 = Resource id #3
$cursor2 = Resource id #4 (no provoca error)
$cursor3 = Resource id #5
```

3.4.3 Vincular las variables de PHP a los parámetros de la consulta

La función `oci_bind_by_name` permite establecer el vínculo entre un parámetro de la consulta y una variable de PHP.

Sintaxis

```
booleano oci_bind_by_name(recurso cursor, cadena parámetro,
mixto variable[, entero longitud[, entero tipo]])
```

`cursor`	Identificador del cursor anteriormente analizado.
`parámetro`	Nombre del parámetro en la consulta (con el carácter `:`). Ejemplo: `:p1`
`variable`	Variable PHP asociada.
`longitud`	Longitud máxima del espacio utilizado para el enlace. Valor predeterminado: `-1` (ver las consecuencias a continuación).
`tipo`	Indica al servidor Oracle qué tipo de datos debe utilizarse: `SQLT_BFILEE` (u `OCI_B_BFILE`), para los `BFILE`. `SQLT_CFILEE` (u `OCI_B_BFILE`), para los `CFILE`. `SQLT_CLOB` (u `OCI_B_CLOB`), para los `CLOB`. `SQLT_BLOB` (u `OCI_B_BLOB`), para los `BLOB`. `SQLT_RDD` (u `OCI_B_ROWID`), para los `ROWID`. `SQLT_NTY` (u `OCI_B_NTY`), para los tipos de datos con nombre. `SQLT_INT` (u `OCI_B_INT`), para los enteros. `SQLT_CHR` (predefinida), para los `VARCHAR`. `SQLT_BIN` (u `OCI_B_BIN`), para las columnas `RAW`. `SQLT_LNG`, para las columnas `LONG`. `SQLT_LBI`, para las columnas `LONG RAW`. `SQLT_RSET` (u `OCI_B_CURSOR`), para los cursores. `SQLT_BOL` (u `OCI_B_BOL`), para los booleanos (necesita una versión 12c o más de Oracle y una versión 2.0.7 o más de la biblioteca OCI8).

La función `oci_bind_by_name` devuelve `TRUE` si se ha podido llevar a cabo la asociación y `FALSE` en caso contrario (acompañado de una alerta).

En el caso de utilizar un identificador de cursor no válido, la función `oci_bind_by_name` genera una excepción `TypeError` que provoca un error fatal si no se gestiona:

```
Fatal error: Uncaught TypeError: oci_bind_by_name(): Argument #1
($statement) must be of type resource, null given in...
```

Si no se vinculan todos los parámetros, se produce un error durante la ejecución de la consulta.

Ejemplo de mensaje

```
Warning: oci_execute(): ORA-01008: not all variables bound
in /app/scripts/index.php on line 15.
```

No es necesario definir las variables vinculadas en el momento de la llamada a la función `oci_bind_by_name`.

La unidad del parámetro `longitud` no está definida claramente en la documentación. Al utilizarse, parece que sea un número de caracteres para un dato de tipo cadena (`SQLT_CHR`) y que la longitud sea ignorada por un dato de tipo entero (`SQLT_INT`); en este último caso, se utiliza el tamaño innato de un entero. Si este parámetro es igual a `0` o `-1` (ya sea explícitamente o de manera predeterminada cuando no se especifica), la longitud se define por el contenido de la variable cuando se llama a la función; si la variable no está definida, la longitud es teóricamente igual a `1`, pero al utilizarse parece que no sea el caso y que la longitud sea más grande.

Sea lo que sea, este parámetro `longitud` debe colocarse con cuidado (especialmente para el tipo `SQLT_BIN`), ya que los datos pueden truncarse durante la ejecución si la longitud de la variable en este punto es mayor que la longitud tomada en cuenta en el momento de la llamada a `oci_bind_by_name`. En versiones anteriores, los datos no se truncaban, pero se producía un error durante la ejecución de la consulta.

Ejemplo de mensaje

```
Warning: OCI_Execute(): ORA-01460: solicita una conversión no
implementada o poco realista in /app/scripts/index.php on line 15.
```

Una solución para evitar problemas es llamar sistemáticamente a la función `oci_bind_by_name` sin el parámetro `longitud` justo antes de cada llamada a la función `oci_execute`. De esta manera, se puede estar seguro de tomar la longitud actual de la variable. Otro método es colocar un valor con un amplio margen de seguridad (pero no demasiado, para no consumir demasiada memoria).

El parámetro `type` es importante porque especifica el tipo de datos que se va a utilizar para la conexión. Si es preciso, Oracle convertirá los datos entre este tipo y el de la columna de la base de datos (o de la variable PL/SQL); si no es posible realizar la conversión, se producirá un error durante la ejecución de la consulta.

Ejemplo de mensaje

```
Warning: oci_execute(): ORA-00932: inconsistent datatypes:
expected NUMBER got DATE in /app/scripts/index.php on line 15.
```

Para intercambiar datos de tipo fecha o de tipo número decimal, es necesario utilizar el tipo `SQLT_CHR` en la llamada a la función `oci_bind_by_name` teniendo cuidado con los problemas relacionados con la conversión que dará como resultado (véase la sección Ilustración de problemas relacionados con el entorno NLS).

El parámetro `type` también permite gestionar tipos de datos particulares, en el caso de los diferentes tipos `LOB` (`BLOB`, `CLOB` y `BFILE`) y el tipo `ROWID`, los tipos de datos definidos por el usuario y los cursores. Si se especifica este parámetro, se debe establecer el parámetro `longitud` en `-1`.

Ejemplo

```
<?php
...
// Análisis de la consulta.
$consulta = 'SELECT * FROM artículos WHERE identificador = :p1';
$cursor = oci_parse($conexion,$consulta);
// Vinculación de los parámetros.
$ok = oci_bind_by_name($cursor,':p1',$identificador,-1,SQLT_INT);
...
?>
<?php
...
// Análisis de la consulta.
$consulta = 'INSERT INTO artículos(texto,precio) VALUES(:p1,:p2)';
$cursor = oci_parse($conexion,$consulta);
// Vinculación de los parámetros.
$ok = oci_bind_by_name($cursor,':p1',$texto,40,SQLT_CHR);
$ok = oci_bind_by_name($cursor,':p2',$precio,10,SQLT_CHR);
...
?>
```

Los parámetros se pueden enlazar con las líneas de una matriz o los atributos de un objeto. En ambos casos, `oci_bind_by_name` crea la matriz o instancia el objeto, si todavía no existen. En este caso, no es necesario volver a crear o instanciar el objeto después de la llamada a `oci_bind_by_name`; de lo contrario podría «romper» el vínculo.

Ejemplo

```
<?php
...
// Vinculación de los parámetros.
// Con las líneas de una matriz.
$ok = oci_bind_by_name($cursor,':p1',$artículo['texto']);
$ok = oci_bind_by_name($cursor,':p2',$artículo['precio']);
...
?>
<?php
...
// Vinculación de los parámetros.
// Con los atributos de un objeto.
$ok = oci_bind_by_name($cursor,':p1',$artículo->texto);
$ok = oci_bind_by_name($cursor,':p2',$artículo->precio);
...
?>
```

Los tipos de datos `BLOB`, `CLOB`, `BFILE` y `ROWID` se manipulan en PHP en forma de objetos; la función `oci_new_descriptor` permite crear estos objetos en caso de ser necesario.

3.4.4 Ejecutar una consulta

La función `oci_execute` permite ejecutar una consulta anteriormente enviada para su análisis en el servidor.

Sintaxis

booleano `oci_execute(`*recurso* `cursor[,` *entero* `modo])`

`cursor` Identificador del cursor que se va a ejecutar.

`modo` Indica si se debe ejecutar un `COMMIT` automático o no (sin objeto para una consulta `SELECT` (véase la sección Actualizar los datos y gestionar las transacciones).

La función `oci_execute` devuelve `TRUE` en caso de éxito y `FALSE` en caso de error (acompañado de una alerta).

En el caso de utilizar un identificador de cursor no válido, la función `oci_execute` genera una excepción `TypeError` que provoca un error fatal si no se gestiona:

```
Fatal error: Uncaught TypeError: oci_execute(): Argument #1 ($statement)
must be of type resource, null given in...
```

Ejemplo

```
<?php
...
// Definición de la consulta.
$consulta = 'SELECT * FROM artículos WHERE precio > 40';
// Análisis de la consulta.
$cursor1 = oci_parse($conexion,$consulta);
// Ejecución de la consulta.
$ok = oci_execute($cursor);
...
?>
<?php
...
// Definición de la consulta.
$consulta = "INSERT INTO artículos(texto,precio)
VALUES('Manzanas',24.5)";
// Análisis de la consulta.
$cursor1 = oci_parse($conexion,$consulta);
// Ejecución de la consulta.
$ok = oci_execute($cursor);
...
?>
```

En la consulta con parámetros, la consulta se puede ejecutar varias veces, con valores diferentes, sin necesidad de analizarla de nuevo.

```
<?php
...
// Análisis de la consulta.
$consulta = 'INSERT INTO artículos(texto,precio) VALUES(:p1,:p2)';
$cursor = oci_parse($conexion,$consulta);
// Vinculación de los parámetros.
$ok = oci_bind_by_name($cursor,':p1',$texto,40,SQLT_CHR);
$ok = oci_bind_by_name($cursor,':p2',$precio,10,SQLT_CHR);
// Ejecución de la consulta.
$texto = 'Manzanas';
$precio = 24.50;
$ok = oci_execute($consulta);
// Nueva ejecución de la consulta.
$texto = 'Plátanos';
$precio = 15.35;
$ok = oci_execute ($consulta);
...
?>
```

3.4.5 Extraer el resultado de la consulta de lectura

El resultado de la ejecución (con éxito) de una consulta `SELECT` puede ser leído por las funciones `oci_fetch_array`, `oci_fetch_assoc`, `oci_fetch_object`, `oci_fetch_row` y `oci_fetch_all`.

Las funciones `oci_fetch_array`, `oci_fetch_assoc`, `oci_fetch_object` y `oci_fetch_row` leen una línea de resultado y hacen avanzar el puntero a la línea siguiente; estas funciones se diferencian en el tipo de datos utilizado para devolver el resultado. Tienen una sintaxis muy similar a la de las funciones equivalentes de MySQL.

Sintaxis

```
matriz oci_fetch_array(recurso cursor [, entero tipo])
matriz oci_fetch_assoc(recurso cursor)
objeto oci_fetch_object(recurso cursor)
matriz oci_fetch_row(recurso cursor)
```

Donde

`cursor`	Identificador del cursor anteriormente ejecutado.

`tipo`	Tipo de resultado definido por una combinación de las siguientes constantes:
	`OCI_BOTH` (valor predefinido)
	`OCI_ASSOC`
	`OCI_NUM`
	`OCI_RETURN_NULLS`
	`OCI_RETURN_LOBS`

El valor predefinido es `OCI_BOTH+OCI_RETURN_NULLS`.

Las funciones `oci_fetch_array`, `oci_fetch_assoc` y `oci_fetch_row` devuelven la línea actual del resultado en forma de una matriz; cada línea de la matriz corresponde a una columna del resultado. La función `oci_fetch_object` devuelve la línea actual en forma de un objeto.

Si no hay ninguna línea que leer en el resultado, estas funciones devuelven `FALSE`.

Para la función `oci_fetch_assoc`, se trata de una matriz asociativa cuya clave es el nombre de la columna (en mayúsculas). Para la función `oci_fetch_row`, se trata de una matriz con índices enteros; el índice 0 corresponde a la primera columna, el índice 1 a la segunda, etc. Por último, para la función `oci_fetch_array`, el tipo del matriz depende del segundo parámetro:

`OCI_NUM`	Matriz con índices enteros (como la función `oci_fetch_row`).
`OCI_ASSOC`	Matriz asociativa (como la función `oci_fetch_assoc`).

`OCI_BOTH`	Las dos a la vez (valor predefinido). Cada columna está presente dos veces. Equivalente a `OCI_NUM + OCI_ASSOC`.

Por defecto, las cuatro funciones hacen figurar en el resultado las columnas que tienen un valor `NULL`. Este comportamiento se puede modificar en el caso de la utilización de la función `oci_fetch_array` no implementando la constante `OCI_RETURN_NULLS` en el valor pasado en el parámetro `tipo`. En este caso, las columnas con un valor `NULL` no figuran en el resultado (pero los índices se conservan en caso de que se utilice una matriz con índices enteros).

Las constantes se pueden añadir para precisar varios comportamientos. Por ejemplo, `OCI_ASSOC + OCI_RETURN_NULLS` permite obtener una matriz asociativa con conservación de los valores `NULL`.

Ejemplo

Consulta	**`SELECT * FROM artículos`**		
Columnas	**identificador**	**texto**	**precio**
1.ª línea del resultado	1	Albaricoques	

Resultado de una llamada a oci_fetch_array con:

`OCI_NUM + OCI_RETURN_NULLS`		**`OCI_ASSOC + OCI_RETURN_NULLS`**		**`OCI_BOTH + OCI_RETURN_NULLS`**	
Índice/Clave	**Valor**	**Índice/Clave**	**Valor**	**Índice/Clave**	**Valor**
0	1	IDENT4IFICADOR	1	0	1
1	Albaricoques	TEXTO	Albaricoques	IDENTIFICADOR	1
2		PRECIO		1	Albaricoques
				TEXTO	Albaricoques
				2	
				PRECIO	

Observación

Utilizar `OCI_RETURN_NULLS` solo vuelve a utilizar `OCI_BOTH + OCI_RETURN_NULLS`.

En caso de utilización de un alias de columna en la consulta `SELECT` (ejemplo: `SELECT AVG(precio)` **`precio_medio`** `FROM artículos`), es el alias de columna (en mayúsculas, excepto si se especifica entre comillas, en cuyo caso se respetan las mayúsculas y minúsculas) el que se utiliza como clave o nombre de atributo.

No hay ningúna forma, antes de la lectura, de conocer el número de líneas en el resultado.

Sin embargo, durante la lectura, la función `oci_num_rows` permite conocer el número total de líneas leídas en este punto.

Sintaxis

`entero oci_num_rows(recurso cursor)`

`cursor`	Identificador del cursor en el cual se ha ejecutado la consulta.

Si la ejecución de la consulta falla, la función `oci_num_rows` devuelve cero.

Ejemplo

```
<?php
// Inclusión del archivo que contiene la definición de
// mostrar_matriz.
require('funciones.inc');
// Conexión.
$conexion = oci_connect('demeter','demeter','diane');
// Definición de la consulta.
$consulta = 'SELECT * FROM artículos';
// Análisis de la consulta.
$cursor = oci_parse($conexion,$consulta);
// Ejecución de la consulta.
$ok = oci_execute($cursor);
// Determinación del número de líneas leídas en este punto.
$número = oci_num_rows($cursor);
echo "$número línea leída en este punto";
// Primer fetch con oci_fetch_row.
$línea = oci_fetch_row($cursor);
mostrar_matriz($línea,'oci_fetch_row');
// Determinación del número de líneas leídas en este punto.
$número = oci_num_rows($cursor);
echo "$número línea leída en este punto";
// Segundo fetch con oci_fetch_assoc.
$línea = oci_fetch_assoc($cursor);
mostrar_matriz($línea,'oci_fetch_assoc');
// Determinación del número de líneas leídas en este punto.
$número = oci_num_rows($cursor);
```

```
echo "$número líneas leídas en este punto";
// Tercer fetch con oci_fetch_array:
// - sin segundo parámetro = OCI_BOTH.
$línea = oci_fetch_array($cursor);
mostrar_matriz($línea,'oci_fetch_array');
// Determinación del número de líneas leídas en este punto.
$número = oci_num_rows($cursor);
echo "$número líneas leídas en este punto";
// Cuarto fetch con oci_fetch_object.
$línea = oci_fetch_object($cursor);
echo "<br /><b>oci_fetch_object</b><br />";
echo "\$línea->IDENTIFICADOR = $línea->IDENTIFICADOR<br />";
echo "\$línea->TEXTO = $línea->TEXTO<br />";
echo "\$línea->PRECIO = $línea->PRECIO<br />";
// Determinación del número de líneas leídas en este punto.
$número = oci_num_rows($cursor);
echo "$número líneas leídas en este punto";
// Quinto fetch de nuevo sin parámetros:
//  - normalmente, ninguna línea.
$línea = oci_fetch_array($cursor);
if (! $línea) {
  echo "<br><b>Quinto fetch: nada más</b><br />";
}
// Determinación del número de líneas leídas en este punto.
$número = oci_num_rows($cursor);
echo "$número líneas leídas en este punto";
// Desconexión.
$ok = oci_close($conexion);
?>
```

Resultado (suponiendo que la columna precio esté siempre rellenada)

```
0 línea leída en este punto
oci_fetch_row
0 = 1
1 = Albaricoques
2 = 35,5
1 línea leída en este punto
oci_fetch_assoc
IDENTIFICADOR = 2
TEXTO = Cerezas
PRECIO = 48,9
2 líneas leídas en este punto
oci_fetch_array
0 = 3
IDENTIFICADOR = 3
1 = Fresas
```

```
TEXTO = Fresas
2 = 29,95
PRECIO = 29,95
3 líneas leídas en este punto
oci_fetch_object
$línea->IDENTIFICADOR = 4
$línea->TEXTO = Melocotones
$línea->PRECIO = 37,2
4 líneas leídas en este punto
Quinto fetch: nada más
4 líneas leídas en este punto
```

Este ejemplo permite ver:

- Los diferentes modos de recuperación de una línea de resultado.
- El hecho de que, a cada `fetch`, el puntero interno avance, y que el `fetch` siguiente devuelva, por tanto, la siguiente línea, hasta haber pasado por todas las líneas.

En el caso de utilizar un identificador de cursor no válido, las funciones `oci_fetch_*` y `oci_num_rows` generan una excepción `TypeError` que provoca un error fatal si no se administra:

```
Fatal error: Uncaught TypeError: oci_fetch_row(): Argument #1
$statement) must be of type resource, null given in...
```

Las funciones devuelven `FALSE` y muestran una alerta en los siguientes casos:

- Cursor no ejecutado (sin llamada a la función `oci_execute`).

```
Warning: oci_fetch_array(): ORA-24374: define not done before fetch or
execute and fetch in ...
```

- Cursor ejecutado con error (la función `oci_execute` ejecutada anteriormente ya habrá mostrado un error con un mensaje explícito).

```
Warning: oci_fetch_array(): ORA-24374: define not done before fetch or
execute and fetch in ...
```

La función `oci_fetch_all` lee todas las líneas del resultado en una matriz.

Sintaxis

```
entero oci_fetch_all(recurso cursor, matriz resultado, [entero ignorar[,
entero número[, entero tipo]]])
```

Donde

`cursor`	Identificador del cursor anteriormente ejecutado.
`resultado`	Variable que contendrá el resultado de retorno. El contenido inicial de la variable se sobrescribe.
`ignorar`	Número de líneas del inicio del resultado que no se devuelven. 0 predefinido: el resultado comienza en la primera línea.

`número`	Número de líneas que se han de devolver, a partir de la primera línea devuelta. -1 predefinido: se devuelven todas las líneas.

`tipo`	Tipo de resultado definido por una combinación de las siguientes constantes:
	`OCI_FETCHSTATEMENT_BY_ROW`
	`OCI_FETCHSTATEMENT_BY_COLUMN` (valor predeterminado)
	`OCI_ASSOC` (valor predeterminado)
	`OCI_NUM`

La función `oci_fetch_all` devuelve el número de líneas del resultado (0 si el resultado no devuelve ninguna línea o `FALSE` en caso de error (acompañado de una alerta). Si se produce un error durante la lectura de la enésima línea, se puede devolver un resultado parcial. En ese caso, la función no devuelve `FALSE`, sino el número de líneas que se han extraído antes del error y muestra una alerta. Independientemente de la alerta, en el código, para saber si se ha producido un error, hay que llamar a la función `oci_error` (véase más adelante el apartado Gestionar los errores)

Observación

¡Atención! Las líneas ignoradas, incluso si no están presentes en el resultado, se extraen igualmente (`fetch`). Sin embargo, la función `oci_num_rows` devuelve el número total de líneas extraídas. En consecuencia, cuando se ignoran las líneas en `oci_fetch_all`, el resultado devuelto por `oci_fetch_all` y `oci_num_rows` es diferente (la diferencia es igual al número de líneas ignoradas).

La matriz devuelta en `resultado` por la función `oci_fetch_all` es una matriz multidimensional. De forma predefinida, la matriz principal es una matriz asociativa que contiene una línea para cada columna de la consulta: la clave es igual al nombre de la columna, en mayúsculas, y el valor es una matriz con índices enteros que contiene los valores de la columna para el conjunto de líneas del resultado (índice 0 para la 1.ª línea, 1 para la 2.ª, etc.).

La estructura de la matriz se puede cambiar especificando una o varias de las siguientes constantes por el parámetro tipo:

`OCI_FETCHSTATEMENT_BY_ROW`	La matriz principal contiene una línea para cada línea de la consulta; esta matriz es obligatoriamente con índices enteros. La matriz secundaria contiene una línea para cada columna de la consulta.

OCI_FETCHSTATEMENT_BY_COLUMN (valor predeterminado)	La matriz principal contiene una línea para cada columna de la consulta. La matriz secundaria contiene una línea para cada línea de la consulta; esta matriz es obligatoriamente con índices enteros.
OCI_ASSOC (valor predeterminado)	La matriz de las columnas es una matriz asociativa.
OCI_NUM	La matriz de las columnas es una matriz con índices enteros.

No es posible combinar entre ellas las constantes OCI_FETCHSTATEMENT_BY_ROW y OCI_FETCHSTATEMENT_BY_COLUMN, ni OCI_ASSOC y OCI_NUM.

La función oci_fetch_all devuelve los valores NULL.

En caso de utilización de un alias de columna en la consulta SELECT (ejemplo: SELECT AVG(precio) **precio_medio** FROM artículos), es el alias de columna (en mayúsculas, excepto si se especifica entre comillas, en cuyo caso se respetan las diferencias entre mayúsculas y minúsculas) el que se utiliza como clave.

Ejemplo

```
<?php
// Inclusión del archivo que contiene la definición de
// mostrar_matriz.
require('funciones.inc');
// Conexión.
$conexion = oci_connect('demeter','demeter','diane');
// Definición de la consulta.
$consulta = 'SELECT * FROM artículos';
// Análisis de la consulta.
$cursor = oci_parse($conexion,$consulta);
// Ejecución de la consulta.
$ok = oci_execute($cursor);
// Fetch de todas las líneas:
// - parámetros predefinidos.
$número = oci_fetch_all($cursor,$resultado);
mostrar_matriz($resultado,
  'oci_fetch_all($cursor,$resultado)');
echo ($número)?"$número líneas en el resultado":'FALSE';
// Otra determinación del número de líneas leídas.
$número = oci_num_rows($cursor);
echo "<br />$número líneas en el resultado";
// Ejecución de la consulta.
$ok = oci_execute($cursor);
```

```
// Fetch de todas las líneas:
// - resultado parcial: ignorar la 1a línea
//                      dos líneas en total.
$número = oci_fetch_all($cursor,$resultado,1,2);
mostrar_matriz($resultado,
  'oci_fetch_all($cursor,$resultado,1,2)');
echo ($número)?"$número líneas en el resultado":'FALSE';
// Otra determinación del número de líneas leídas.
$número = oci_num_rows($cursor);
echo "<br />$número líneas en el resultado";
// Ejecución de la consulta.
$ok = oci_execute($cursor);
// Fetch de todas las líneas:
// - resultado parcial: dos líneas en total;
// - presentación por línea.
$número = oci_fetch_all($cursor,$resultado,
      0,2,OCI_FETCHSTATEMENT_BY_ROW);
mostrar_matriz($resultado,
  'oci_fetch_all($cursor,$resultado,'.
    '0,2,OCI_FETCHSTATEMENT_BY_ROW)');
echo ($número)?"$número líneas en el resultado":'FALSE';
// Otra determinación del número de líneas leídas.
$número = oci_num_rows($cursor);
echo "<br />$número líneas en el resultado";
// Ejecución de la consulta.
$ok = oci_execute($cursor);
// Fetch de todas las líneas:
// - resultado parcial: dos líneas en total;
// - presentación por línea;
// - matriz numérica para las columnas.
$número = oci_fetch_all($cursor,$resultado,
      0,2,OCI_FETCHSTATEMENT_BY_ROW+OCI_NUM);
mostrar_matriz($resultado,
  'oci_fetch_all($cursor,$resultado,'.
    '0,2,OCI_FETCHSTATEMENT_BY_ROW+OCI_NUM)');
echo ($número)?"$número líneas en el resultado":'FALSE';
// Otra determinación del número de líneas leídas.
$número = oci_num_rows($cursor);
echo "<br />$número líneas en el resultado";
// Definición de una consulta que no devuelve ninguna línea.
$consulta = "SELECT * FROM artículos WHERE 0=1";
// Análisis de la consulta.
$cursor = oci_parse($conexion,$consulta);
// Ejecución de la consulta.
$ok = oci_execute($cursor);
// Fetch de todas las líneas:
```

```
// - parámetros predefinidos.
$número = oci_fetch_all($cursor,$resultado);
mostrar_matriz($resultado,'Ningún resultado: por columna');
echo ($número)?"$número líneas en el resultado":'FALSE';
// Otra determinación del número de líneas leídas.
$número = ociRowCount($cursor);
echo "<br />$número línea en el resultado";
// Ejecución de la consulta.
$ok = oci_execute($cursor);
// Fetch de todas las líneas:
// - presentación por línea.
$número = oci_fetch_all($cursor,$resultado,0,-
1,OCI_FETCHSTATEMENT_BY_ROW);
mostrar_matriz($resultado,'Ningún resultado: por línea');
echo ($número)?"$número líneas en el resultado":'FALSE';
// Otra determinación del número de líneas leídas.
$número = ociRowCount($cursor);
echo "<br />$número línea en el resultado";
echo "{$línea['IDENTIFICADOR']} - {$línea['TEXTO']}<br />";
// Desconexión.
$ok = oci_close($conexion);
?>
```

Resultado

```
oci_fetch_all($cursor,$resultado)
IDENTIFICADOR =
  0 = 1
  1 = 2
  2 = 3
  3 = 4
TEXTO =
  0 = Albaricoques
  1 = Cerezas
  2 = Fresas
  3 = Melocotones
PRECIO =
  0 = 35.5
  1 = 48.9
  2 = 29.95
  3 = 37.2
4 líneas en el resultado
4 líneas en el resultado
oci_fetch_all($cursor,$resultado,1,2)
IDENTIFICADOR =
  0 = 2
  1 = 3
TEXTO =
```

```
  0 = Cerezas
  1 = Fresas
PRECIO =
  0 = 48.9
  1 = 29.95
2 líneas en el resultado
3 líneas en el resultado
oci_fetch_all($cursor,$resultado,0,2,OCI_FETCHSTATEMENT_BY_ROW)
0 =
  IDENTIFICADOR = 1
  TEXTO = Albaricoques
  PRECIO = 35.5
1 =
  IDENTIFICADOR = 2
  TEXTO = Cerezas
  PRECIO = 48.9
2 líneas en el resultado
2 líneas en el resultado
oci_fetch_all($cursor,$resultado,0,2,OCI_FETCHSTATEMENT_BY_ROW+OCI_NUM)
0 =
  0 = 1
  1 = Albaricoques
  2 = 35.5
1 =
  0 = 2
  1 = Cerezas
  2 = 48.9
2 líneas en el resultado
2 líneas en el resultado
Ningún resultado: por columna
IDENTIFICADOR =
TEXTO =
PRECIO =
FALSE
0 línea en el resultado
Ningún resultado: por línea
FALSE
0 línea en el resultado
```

El segundo ejemplo muestra la diferencia de resultado entre `oci_fetch_all` y `oci_num_rows` cuando se ignoran líneas en `oci_fetch_all`.

Los dos últimos ejemplos muestran lo que ocurre cuando la consulta no devuelve ninguna línea. Durante una presentación por columnas (predefinida), la matriz se inicializa con la lista de columnas. Durante una presentación por líneas, la matriz está vacía.

La función oci_fetch_all se comporta como las otras funciones oci_fetch_* en caso de error.

¿Qué método utilizar?

Para leer una sola línea, las funciones oci_fetch_array, oci_fetch_assoc, oci_fetch_object y oci_fetch_row se pueden utilizar indistintamente. Es sobre todo una cuestión de gusto personal y no hay diferencia de rendimiento entre las distintas funciones. Personalmente, tenemos una ligera preferencia por el uso de la matriz asociativa.

Para leer todas las líneas, puede utilizar la función oci_fetch_all si desea pasar por una matriz y la estructura de la matriz le parece correcta. Si no desea pasar por una matriz o la estructura no es la adecuada para usted, puede utilizar una de las otras funciones oci_fetch_* y un bucle.

Ejemplo de código para la lectura de una línea

Un primer tipo de lectura consiste a menudo en leer una sola línea de información en una matriz o varias matrices con uniones: obtención de información sobre el usuario que acaba de conectarse, ficha de descripción de un artículo, etc.

Ejemplo

```
<?php
// Identificador del artículo que se va a leer.
$identificador = 1;
// Conexión.
$conexion = oci_connect('demeter','demeter','diane');
// Definición de la consulta.
$consulta = 'SELECT * FROM artículos WHERE identificador = :p1';
// Análisis de la consulta.
$cursor = oci_parse($conexion,$consulta);
// Vinculación de los parámetros.
$ok = oci_bind_by_name($cursor,':p1',$identificador,1,OCI_B_INT);
// Ejecución de la consulta.
$ok = oci_execute($cursor);
// Lectura y visualización del resultado
$artículo = oci_fetch_assoc($cursor);
echo $artículo['IDENTIFICADOR'],' - ',$artículo['TEXTO'],
     ' - ',$artículo['PRECIO'],'<br />';
// Desconexión.
$ok = oci_close($conexion);
?>
```

Resultado

```
Albaricoques - 35.5
```

Ejemplo de código para la lectura de todas las líneas

Un segundo tipo de lectura consiste a menudo en mostrar una lista de elementos extraídos de la base (lista de usuarios, lista de artículos, etc.).

Ejemplo

```
<?php
// Conexión.
$conexion = oci_connect('demeter','demeter','diane');
// Definición de la consulta.
$consulta = 'SELECT identificador,texto FROM artículos';
// Análisis de la consulta.
$cursor = oci_parse($conexion,$consulta);
// Ejecución de la consulta.
$ok = oci_execute($cursor);
// Lectura y visualización del resultado
while ($artículo = oci_fetch_assoc($cursor)) {
  echo $artículo['IDENTIFICADOR'],' - ',$artículo['TEXTO'],'<br />';
}
// Desconexión.
$ok = oci_close($conexion);
?>
```

Resultado

```
1 - Albaricoques
2 - Cerezas
3 - Fresas
4 - Melocotones
```

Ejemplo de código para el uso de consultas con parámetros

Este ejemplo ilustra el uso de las consultas con parámetros y la posibilidad de seleccionar los `ROWID`.

Ejemplo

```
<?php
// Conexión.
$conexion = oci_connect('demeter','demeter','diane');
// Definición de una primera consulta con parámetros.
$consulta = 'SELECT * FROM artículos WHERE identificador = p1';
// Análisis de la consulta.
$cursor = oci_parse($conexion,$consulta);
// Asociación entre el parámetro y la variable PHP
oci_bind_by_name($cursor,':p1',$identificador,-1,SQLT_INT);
// Ejecución de la consulta con un primer valor
// de la variable.
$identificador = 1;
$ok = oci_execute($cursor);
```

```
// Leer el resultado.
$línea = oci_fetch_assoc($cursor);
echo "{$línea['IDENTIFICADOR']} - {$línea['TEXTO']}<br />";
// Ejecución de la consulta con una segundo valor
// de la variable (utilización del mismo cursor).
$identificador = 2;
$ok = oci_execute($cursor);
// Leer el resultado.
$línea = oci_fetch_assoc($cursor);
echo "{$línea['IDENTIFICADOR']} - {$línea['TEXTO']}<br />";
// Definición de una consulta que selecciona las ROWID de dos formas.
$consulta = 'SELECT ROWID,ROWIDTOCHAR(ROWID) rowid_cadena FROM artículos';
// Análisis de la consulta.
$cursor = oci_parse($conexion,$consulta);
// Ejecución de la consulta.
$ok = oci_execute($cursor);
// Recuperación de la primera línea.
$línea = oci_fetch_assoc($cursor);
$rowid = $línea['ROWID'];
$rowid_cadena = $línea['ROWID_CADENA'];
echo '$rowid = ',gettype($rowid),'<br />';
echo '$rowid_cadena = ',$rowid_cadena,'<br />';
// Definición de una consulta con parámetros utilizando el ROWID.
$consulta = 'SELECT * FROM artículos WHERE ROWID =:p1';
// Análisis de la consulta.
$cursor = oci_parse($conexion,$consulta);
// Asociación entre el parámetro y la variable PHP.
oci_bind_by_name($cursor,':p1',$rowid,-1,SQLT_RDD);
// Ejecución de la consulta con el primer ROWID
//(actualmente en $rowid).
$ok = oci_execute($cursor);
// Leer el resultado.
$línea = oci_fetch_assoc($cursor);
echo "{$línea['IDENTIFICADOR']} - {$línea['TEXTO']}<br />";
// Definición de una consulta con parámetros utilizando el ROWID
// cadena.
$consulta = 'SELECT * FROM artículos WHERE ROWID = CHARTOROWID(:p1)';
// Análisis de la consulta.
$cursor = oci_parse($conexion,$consulta);
// Asociación entre el parámetro y la variable PHP.
oci_bind_by_name($cursor,':p1',$rowid_cadena);
// Ejecución de la consulta con el primer ROWID
//(actualmente en $rowid_cadena).
$ok = oci_execute($cursor);
// Leer el resultado.
$línea = oci_fetch_assoc($cursor);
echo "{$línea['IDENTIFICADOR']} - {$línea['TEXTO']}<br />";
// Desconexión.
```

```
$ok = oci_close($conexion);
?>
```

Resultado

```
1 - Albaricoques
2 - Cerezas
$rowid = object
$rowidchar = AAAPTaAB/AAAACOAAA
1 - Albaricoques
1 - Albaricoques
```

Como muestra este ejemplo, se puede utilizar un `ROWID` nativo (objeto) como parámetro en una consulta utilizando el tipo `SQLT_RDD`. En caso necesario, el `ROWID` se puede convertir en la consulta en cadena (función SQL `ROWIDTOCHAR`) y recíprocamente (función SQL `CHARTOROWID`); entonces, es muy fácil de manipular (por ejemplo, para colocarlo en un campo de formulario oculto). Puede encontrar un ejemplo más completo de utilización del `ROWID` en la siguiente sección: Actualizar los datos y gestionar las transacciones.

3.4.6 Actualizar los datos y gestionar las transacciones

Como hemos indicado anteriormente, actualizar los datos consiste en ejecutar consultas `INSERT` (creación), `UPDATE` (modificación) o `DELETE` (eliminación).

La ejecución de este tipo de consulta se lleva a cabo con las funciones `oci_parse` y `oci_execute`, como para una consulta `SELECT`, con la misma posibilidad de utilizar consultas con parámetros.

Además, es posible gestionar las transacciones.

Por defecto, la función `oci_execute` actúa en «auto `COMMIT`»: si la sentencia de actualización tiene éxito, se le aplica la acción `COMMIT` de manera inmediata. Para gestionar una transacción compuesta de varias sentencias SQL, conviene ejecutar las sentencias individuales en el modo «auto `COMMIT`» y ejecutar, al final, una sentencia `COMMIT` o `ROLLBACK`.

La función `oci_execute` acepta un segundo parámetro que permite indicar el funcionamiento deseado con respecto a `COMMIT`.

Este segundo parámetro puede tomar dos valores:

`OCI_COMMIT_ON_SUCCESS` (valor por defecto)	`COMMIT` automático si la sentencia de actualización se ejecuta correctamente.
`OCI_NO_AUTO_COMMIT`	No se hace `COMMIT` automático.

Para ejecutar una sentencia COMMIT o ROLLBACK, hay dos métodos disponibles:

- El primero consiste en ejecutar estas sentencias, como el resto de las sentencias SQL, utilizando las funciones oci_parse y oci_execute.
- El segundo consiste en utilizar las funciones oci_commit y oci_rollback.

Sintaxis

```
booleano oci_commit(recurso conexión)
booleano oci_rollback(recurso conexión)
```

conexión	Identificador de la conexión en la cual ejecutar la sentencia SQL COMMIT o ROLLBACK.

Estas dos funciones devuelven TRUE en caso de éxito o FALSE en caso de error.

Ejemplo

```
<?php
// Conexión.
$conexion = oci_connect('demeter','demeter','diane');
// Primer método
$ok = oci_execute(oci_parse($conexion,'COMMIT'));
$ok = oci_execute(oci_parse($conexion,'ROLLBACK'));
// Segundo método
$ok = oci_commit($conexion);
$ok = oci_rollback($conexion);
?>
```

La biblioteca «Oracle OCI8» no ofrece equivalente a la función mysqli_insert_id, pero es posible utilizar la cláusula RETURNING de las sentencias SQL INSERT, UPDATE o DELETE (véase más adelante).

Además, la función oci_num_rows, estudiada anteriormente, permite conocer el número de líneas afectadas por la última consulta INSERT, UPDATE o DELETE ejecutada en un cursor.

En las consultas INSERT, UPDATE y DELETE, Oracle permite colocar al final de la instrucción una cláusula RETURNING que permite recuperar el valor de una o varias columnas después de la inserción y la modificación, o antes de la eliminación. Para recuperar estos valores en el código PHP, basta con utilizar parámetros y asociarlos a variables con la función oci_bind_by_name.

Sintaxis

```
RETURNING columna[, ...] INTO :parámetro[, ...]
```

Ejemplo

```
<?php
// Definición de una pequeña función para mostrar la lista
// de artículos.
// Esta función utiliza un cursor que solo se analizará
// una vez, durante la primera llamada.
// La variable que almacena el identificador del cursor es una
// variable estática cuyo valor se conserva de una llamada
// a otra.
function mostrar_artículos ($conexion) {
  static $cursor;
  if (! isset($cursor)) { // $cursor no definido = primera llamada
$consulta = 'SELECT * FROM artículos';
   $cursor = oci_parse($conexion,$consulta);
  }
  $ok = oci_execute($cursor);
    echo '<b>Lista de artículos:</b><br />';
 while ($artículo = oci_fetch_assoc($cursor)) {
      echo $artículo['IDENTIFICADOR'],' - ',$artículo ['TEXTO'],' - ',
$artículo ['PRECIO'],'<br />';
  }
}
// Conexión.
$conexion = oci_connect('demeter','demeter','diane');
// Visualización de control.
mostrar_artículos($conexion);
// Consulta INSERT (con parámetros).
$consulta = 'INSERT INTO artículos(texto,precio)
            VALUES(:p1,: p2)
            RETURNING identificador, ROWID, ROWIDTOCHAR(ROWID)
            INTO:r1,:r2,:r3';
// Análisis.
$cursor = oci_parse($conexion,$consulta);
// Creación de una variable para el ROWID.
$rowid = oci_new_descriptor($conexion,OCI_D_ROWID);
// Asociación entre las variables y los parámetros.
oci_bind_by_name($cursor,':p1',$texto,50);
oci_bind_by_name($cursor,':p2',$precio,32);
oci_bind_by_name($cursor,':r1',$identificador,32);
oci_bind_by_name($cursor,':r2',$rowid,-1,SQLT_RDD);
oci_bind_by_name($cursor,':r3',$rowid_cadena,32);
// Ejecución de la consulta.
$texto = 'Pera'; // valor del texto (sin s)
$precio = 0; // valor del precio (0 por ahora)
$ok = oci_execute($cursor); // COMMIT automático
echo "Identificador del nuevo artículo = $identificador.<br />";
```

```
echo
  'ROWID del nuevo artículo = ',gettype($rowid), '<br />';
echo "ROWID del nuevo artículo = $rowid_cadena (cadena) <br />";
// Consulta UPDATE con parámetros utilizando el ROWID objeto.
$consulta = 'UPDATE artículos SET precio = :p1
            WHERE ROWID =p2';
// Análisis.
$cursor = oci_parse($conexion,$consulta);
// Asociación entre las variables y los parámetros.
oci_bind_by_name($cursor,':p1',$precio,32);
oci_bind_by_name($cursor,':p2',$rowid,-1,SQLT_RDD);
// Ejecución de la consulta.
$precio = 29.9; // valor del precio ($rowid ya inicializado)
$ok = oci_execute($cursor); // COMMIT automático
// Consulta UPDATE con parámetros utilizando el ROWID cadena.
$consulta = 'UPDATE artículos SET texto = :p1
            WHERE ROWID = CHARTOROWID(:p2)';
// Análisis.
$cursor = oci_parse($conexion,$consulta);
// Asociación entre las variables y los parámetros.
oci_bind_by_name($cursor,':p1',$texto,50);
oci_bind_by_name($cursor,':p2',$rowid_cadena,32);
// Ejecución de la consulta.
$texto = 'Peras'; // valor del texto (con una s)
                  // $rowid_cadena ya inicializada
$ok = oci_execute($cursor); // COMMIT automático
// Consulta UPDATE (sin parámetros).
$consulta = 'UPDATE artículos SET precio = precio * 1.1
            WHERE precio < 40';
// Análisis.
$cursor = oci_parse($conexion,$consulta);
// Ejecución de la consulta.
$ok = oci_execute($cursor); // COMMIT automático
$número = oci_num_rows($cursor);
echo "$número artículo(s) añadido(s).<br />";
// Consulta DELETE (sin parámetros).
$consulta = 'DELETE FROM artículos WHERE precio > 40';
// Análisis.
$cursor = oci_parse($conexion,$consulta);
// Ejecución de la consulta.
$ok = oci_execute($cursor); // COMMIT automático
$número = oci_num_rows($cursor);
echo "$número artículo(s) eliminado(s).<br />";
// Visualización de control.
mostrar_artículos($conexion);
// Desconexión.
```

```
$ok = oci_close($conexion);
?>
```

Resultado

```
Lista de artículos:
1 - Albaricoques - 35.5
2 - Cerezas - 48.9
3 - Fresas - 29.95
4 - Melocotones - 37.2
Identificador del nuevo artículo = 5.
ROWID del nuevo artículo = object.
ROWID del nuevo artículo = AAAPTaAB/AAAACOAAA (cadena).
4 artículo(s) añadido(s).
2 artículo(s) eliminado(s).
Lista de artículos:
1 - Albaricoques - 39.05
3 - Fresas - 32.945
5 - Peras - 32.89
```

Este ejemplo ilustra de nuevo las dos técnicas de utilización del `ROWID`:

- Utilización de un objeto `ROWID` inicialmente creado con la función `oci_new_descriptor`.
- Utilización en forma de una cadena de caracteres.

Ejemplo de transacción

```
<?php
// Definición de una pequeña función para mostrar la lista
// de artículos.
// Esta función utiliza un cursor que solo se analizará
// una vez, en la primera llamada.
// La variable que almacena el identificador del cursor es una
// variable estática cuyo valor se conserva de una llamada
// a otra.
function mostrar_artículos ($conexion) {
  static $cursor;
  if (! isset($cursor)) { // $cursor no definido = primera llamada
    $consulta = 'SELECT * FROM artículos';
    $cursor = oci_parse($conexion,$consulta);
  }
  $ok = oci_execute($cursor);
  echo '<b>Lista de artículos:</b><br />';
  while ($artículo = oci_fetch_assoc($cursor)) {
      echo $artículo['IDENTIFICADOR'],' - ',$artículo['TEXTO'],' - ',
           $artículo['PRECIO'],'<br />';
  }
}
// Conexión.
```

```
$conexion = oci_connect('demeter','demeter','diane');
// Visualización de control.
mostrar_artículos($conexion);
// Consulta INSERT (con parámetros).
$consulta = 'INSERT INTO artículos(texto,precio) VALUES(:p1,:p2)';
// Análisis.
$cursor = oci_parse($conexion,$consulta);
// Asociación entre las variables y los parámetros.
oci_bind_by_name($cursor,':p1',$texto,50);
oci_bind_by_name($cursor,':p2',$precio,32);
// Ejecución de la consulta.
$texto = 'Plátanos';
$precio = 15.45;
$ok = oci_execute($cursor,FALSE); // Sin COMMIT automático
// Consulta UPDATE (con parámetros).
$consulta = 'UPDATE artículos SET precio = :p1 WHERE identificador = :p2';
// Análisis.
$cursor = oci_parse($conexion,$consulta);
// Asociación entre las variables y los parámetros.
oci_bind_by_name($cursor,':p1',$precio,32);
oci_bind_by_name($cursor,':p2',$identificador,-1,SQLT_INT);
// Ejecución de la consulta.
$identificador = 1;
$precio = 29.9;
$ok = oci_execute($cursor,FALSE); // Sin COMMIT automático
// COMMIT.
$ok = oci_commit($conexion);
// Consulta DELETE de todos los artículos (¡Ups!).
$consulta = 'DELETE FROM artículos';
// Análisis.
$cursor = oci_parse($conexion,$consulta);
// Ejecución de la consulta.
$ok = oci_execute($cursor,FALSE); // Sin COMMIT automático
// ROLLBACK (¡Uff!).
$ok = oci_rollback($conexion);
// Visualización de control.
mostrar_artículos($conexion);
// Desconexión.
$ok = oci_rollback($conexion);
?>
```

Resultado

Lista de artículos:
1 - Albaricoques - 39.05
3 - Fresas - 32.95
5 - Peras - 32.89
Lista de artículos:
1 - Albaricoques - 29.9

```
3 - Fresas - 32.95
5 - Peras - 32.89
6 - Plátanos - 15.45
```

3.4.7 Cerrar un cursor

La función `oci_free_statement` libera los recursos asociados a un cursor.

Sintaxis

```
booleano oci_free_statement(recurso cursor)
```

`cursor` Identificador del cursor devuelto por la función `oci_parse` o devuelto por Oracle.

La función `oci_free_statement` devuelve `TRUE` en caso de éxito o `FALSE` en caso de error.

Observación

El cierre de una conexión con la función `oci_close` (que no hace nada) no cierra los cursores; ¡estos se pueden seguir utilizando aunque la conexión se haya cerrado teóricamente!

3.5 Llamar un procedimiento almacenado

La biblioteca «Oracle OCI8» permite muy fácilmente ejecutar bloques PL/SQL anónimos o llamar a procedimientos o funciones almacenados y paquetes. Los procedimientos, funciones y paquetes pueden tener parámetros de entrada (`IN`) y de salida (`OUT`).

El principio general consiste en enviar un bloque PL/SQL o una instrucción SQL `CALL` para su análisis y ejecución a través de las funciones `oci_parse` y `oci_execute`. La llamada a la función `oci_bind_by_name` permite, además, asociar variables PHP a los eventos con parámetros del bloque PL/SQL.

Si uno de los parámetros es un cursor (en el sentido `REF CURSOR` Oracle), se debe utilizar una variable PHP de un tipo adaptado; la función `oci_new_cursor` permite crear tal variable.

Sintaxis

```
recurso oci_new_cursor(recurso conexión)
```

`conexión` Identificador de la conexión en la que el cursor debe crearse.

La función `oci_new_cursor` devuelve un identificador de cursor o `FALSE` en caso de error.

Para asociar un parámetro de tipo cursor y una variable de tipo cursor, se debe utilizar la constante `SQLT_RSET` (o `OCI_B_CURSOR`) como último parámetro de la función `oci_bind_by_name` (con una longitud igual a -1).

Después de la ejecución del bloque, la variable de tipo cursor contiene un identificador de cursor que se debe ejecutar (función `oci_execute`) antes de poder leer las líneas (función `oci_fetch_*`).

Vamos a ilustrar estas diferentes características utilizando el siguiente paquete de Oracle:

```
CREATE OR REPLACE PACKAGE pkg_artículos IS
  TYPE cursor IS REF CURSOR;
  PROCEDURE crear(
             p_texto IN VARCHAR2,
             p_precio IN NUMBER,
             p_identificador OUT NUMBER);
  FUNCTION contar RETURN NUMBER;
  PROCEDURE leer(
             p_identificador IN NUMBER,
             p_cursor OUT cursor);
END pkg_artículos;
/
CREATE OR REPLACE PACKAGE BODY pkg_artículos IS
  -- procedimiento de inserción en la tabla artículos
  -- devuelve el identificador del nuevo artículo
  -- en p_identificador
  PROCEDURE crear(
             p_texto IN VARCHAR2,
             p_precio IN NUMBER,
             p_identificador OUT NUMBER)
  IS
  BEGIN
    INSERT INTO artículos(identificador,texto,precio)
    VALUES(s_artículos.NEXTVAL,p_texto,p_precio)
    RETURNING identificador INTO p_identificador;
    COMMIT;
  END;
  -- función de recuento de artículos
  FUNCTION contar RETURN NUMBER
  IS
    v_número NUMBER(9):= 0;
  BEGIN
    SELECT COUNT(identificador) INTO v_número
    FROM artículos;
    RETURN v_número;
  END;
  -- procedimiento de lectura de un artículo (si p_identificador > 0)
```

```
  -- o de todos los artículos (si p_identificador = 0)
  -- el resultado se devuelve en forma de un cursor
  PROCEDURE leer(
            p_identificador IN NUMBER,
            p_cursor OUT cursor)
  IS
  BEGIN
      IF p_identificador = 0 THEN
        OPEN p_cursor FOR
          SELECT * FROM artículos;
      ELSE
        OPEN p_cursor FOR
          SELECT * FROM artículos
          WHERE identificador = p_identificador;
      END IF;
  END;
END pkg_artículos;
/
```

Fuente PHP

```
<?php
// Conexión.
$conexion = oci_connect('demeter','demeter','diane');
// Inserción utilizando el paquete:
//    - el procedimiento se llama en un bloque PL/SQL.
$consulta = 'BEGIN pkg_artículos.crear(:p1,:p2,:r1); END;';
//    - el procedimiento se llama en una instrucción SQL CALL
// $consulta = 'CALL pkg_artículos.crear(:p1,:p2,:r1)';
// Análisis.
$cursor = oci_parse($conexion,$consulta);
// Asociación parámetros/variables.
oci_bind_by_name($cursor,':p1',$texto,50);
oci_bind_by_name($cursor,':p2',$precio,32);
oci_bind_by_name($cursor,':r1',$identificador,32);
// Ejecución con valores determinados.
$texto = 'Manzanas';
$precio = 10;
// Sin COMMIT automático de oci_execute (el paquete
// se carga).
$ok = oci_execute($cursor,OCI_DEFAULT);
// Visualización del identificador del nuevo artículo.
echo "Identificador del nuevo artículo = $identificador.<br />";
// Recuento utilizando el paquete:
//    - la función se llama en un bloque PL/SQL.
$consulta = 'BEGIN:r1:= pkg_artículos.contar; END;';
//    - la función se llama en una instrucción SQL CALL
```

```
// $consulta = 'CALL pkg_artículos.contar() INTO :r1';
// Análisis.
$cursor = oci_parse($conexion,$consulta);
// Asociación parámetros/variables.
oci_bind_by_name($cursor,':r1',$número,32);
// Ejecución.
$ok = oci_execute($cursor,OCI_DEFAULT);
echo "$número artículo(s) en la base.<br />";
// Lectura de un artículo utilizando el paquete:
//    - el procedimiento se llama en un bloque PL/SQL.
$consulta = 'BEGIN pkg_artículos.leer(:p1,:r1); END;';
//    - el procedimiento se llama en una instrucción SQL CALL
// $consulta = 'CALL pkg_artículos.leer(:p1,:r1)';
// Análisis.
$cursor = oci_parse($conexion,$consulta);
// Creación de un cursor para el resultado.
$cursor_resultado = oci_new_cursor($conexion);
// Asociación parámetros/variables.
oci_bind_by_name($cursor,':p1',$identificador,32);
oci_bind_by_name($cursor,':r1',$cursor_resultado,
                 -1,SQLT_RSET );
// Ejecución con el valor actual de $identificador.
// => lectura del artículo insertado anteriormente
$ok = oci_execute($cursor,OCI_DEFAULT);
// Ejecución del cursor del resultado.
$ok = oci_execute($cursor_resultado,OCI_DEFAULT);
// Fetch.
$artículo =
oci_fetch_array($cursor_resultado,OCI_ASSOC+OCI_RETURN_NULLS);
echo "Nuevo: {$artículo['TEXTO']} - {$artículo['PRECIO']}<br />";
// Lectura de todos los artículos utilizando el paquete:
//    - el cursor $cursor se puede reutilizar;
//    - en cambio, $cursor_resultado es "cerrado": es necesario
//      volverlo a crear y a asociar.
oci_free_statement($cursor_resultado); // liberación del primer
$cursor_resultado = oci_new_cursor($conexion);
oci_bind_by_name($cursor,':r1',$cursor_resultado,
                 -1,SQLT_RSET);
// Ejecución con $identificador = 0.
$identificador = 0;
$ok = oci_execute($cursor,OCI_DEFAULT);
// Ejecución del cursor de resultado.
$ok = oci_execute($cursor_resultado,OCI_DEFAULT);
// Fetch de todas las líneas.
echo "Lista: <br />";
while ($artículo = oci_fetch_array($cursor_resultado,
```

```
                                    OCI_ASSOC+OCI_RETURN_NULLS)) {
  echo "   {$artículo['TEXTO']} - {$artículo['PRECIO']}<br />";
}
?>
```

Resultado

```
Identificador del nuevo artículo = 5.
5 artículo(s) en la base.
Nuevo: Manzanas - 10
Lista:
  Albaricoques - 29.9
  Fresas - 32.95
  Peras - 32.89
  Plátanos - 15.45
  Manzanas - 10
```

Los recursos utilizados por los cursores se liberan automáticamente al final del script. Si es necesario, se puede llamar a la función `oci_free_statement` para una liberación anticipada.

Desde la versión 12c de Oracle, un procedimiento almacenado puede devolver un cursor de forma implícita, directamente en el código del procedimiento con la ayuda de la función `DBMS_SQL.RETURN_RESULT`, sin pasar por un parámetro. En este caso, es posible utilizar la función `oci_get_implicit_resultset` para recuperar el cursor devuelto de esta manera.

Sintaxis

recurso `oci_get_implicit_resultset(`*recurso* `cursor)`

`cursor` Identificador del cursor utilizado para ejecutar el procedimiento almacenado. Este cursor debe haber sido anteriormente analizado (`oci_parse`) y ejecutado (`oci_execute`).

La función devuelve un identificador de cursor o `FALSE` si no hay (o no queda) ningún cursor implícito para leer.

Un procedimiento almacenado puede devolver varios cursores implícitos; en este caso, la función `oci_get_implicit_resultset` se puede llamar varias veces para recuperar todos los cursores unos tras otros, hasta que devuelva `FALSE`.

Vamos a ilustrar esta nueva funcionalidad de Oracle 12c con la ayuda del procedimiento almacenado siguiente:

```
CREATE OR REPLACE PROCEDURE ler_cursor_implícito
-- procedimiento que devuelve un resultado en forma
-- de un cursor implícito (novedad de Oracle 12c)
-- este procedimiento no funcionará en una
-- versión anterior a Oracle 12c
```

```
IS
  rc SYS_REFCURSOR;
BEGIN
  OPEN rc FOR
    SELECT * FROM artículos;
  DBMS_SQL.RETURN_RESULT(rc);
END leer_cursor_implícito;
/
```

Fuente PHP

```
<?php
// Conexión.
$conexion = oci_connect('demeter','demeter','diane');
// El procedimiento se llama en un bloque PL/SQL.
$consulta = 'BEGIN leer_cursor_implícito(); END;';
// Análisis.
$cursor = oci_parse($conexion,$consulta);
// Ejecución.
$ok = oci_execute($cursor,OCI_DEFAULT);
// Recuperación del cursor implícito.
$cursor_resultado = oci_get_implícito_resultset($cursor);
// Fetch de todas las líneas.
while ($artículo = oci_fetch_array($cursor_resultado,
                              OCI_ASSOC+OCI_RETURN_NULLS)) {
  echo "{$artículo['TEXTO']} - {$artículo['PRECIO']}<br />";
}
?>
```

Resultado

```
Albaricoques - 29.9
Fresas - 32.95
Peras - 32.89
Plátanos - 15.45
Manzanas - 10
```

3.6 Ilustración de problemas relacionados con el entorno NLS

En esta sección vamos a ilustrar la naturaleza de los problemas que pueden producirse con el entorno NLS y estudiaremos sus diferentes soluciones.

Ejemplo

```
<?php
// Conexión.
$conexion = oci_connect('demeter','demeter','diane');
// Recuperación de la fecha del servidor.
```

```
$consulta = 'SELECT SYSDATE FROM dual';
$cursor = oci_parse($conexion,$consulta);
$ok = oci_execute($cursor);
$línea = oci_fetch_assoc($cursor);
echo "SYSDATE = {$línea['SYSDATE']}<br />";
// Aumento de los precios utilizando una consulta con parámetros.
$consulta = 'UPDATE artículos SET precio = precio *:p1';
$cursor = oci_parse($conexion,$consulta);
oci_bind_by_name($cursor,':p1',$coeficiente,32);
$coeficiente = 1.05; // 5% de aumento
$ok = oci_execute($cursor);
echo oci_num_rows($cursor),' líneas modificadas.';
?>
```

Resultado en un determinado entorno NLS

```
SYSDATE = 08-MAR-24
5 líneas modificadas.
```

Resultado en otro entorno NLS

```
SYSDATE = 08/03/24

Warning: oci_execute() ORA-01722: Número no válido
in /app/scripts/index.php on line 16
0 líneas modificadas.
```

¿Qué ha pasado entre los dos entornos?

El parámetro `NLS_TERRITORY` simplemente ha sido cambiado de `américa` a `españa` (y de paso el parámetro `NLS_LANGUAGE` se ha cambiado de `americano` a `español`). Y este parámetro regula, entre otras cosas, el comportamiento respecto a los formatos de fecha y los formatos de número.

Se pueden producir dos problemas:

- Un dato esperado según un formato determinado, y manipulado en el código según este formato, puede cambiar de formato en función del entorno y, por lo tanto, plantear problemas en el código.
- Una consulta se puede ejecutar con éxito en un entorno, pero no en otro.

El error en la segunda consulta está relacionado con el hecho de que, en un entorno español, el separador de decimales es una coma (no un punto) y el coeficiente de incremento del parámetro utiliza el punto como separador decimal. La biblioteca parece pasar los datos numéricos en forma de cadena, causando un problema potencial de conversión.

En caso de que no se controle el entorno y se desee escribir código portátil, estos problemas pueden tratarse de dos maneras:

- caso por caso, en cada consulta,
- globalmente, colocando la sesión en un entorno adaptado.

Ejemplo con la primera solución

```
<?php
// Conexión
$conexion = oci_connect('demeter','demeter','diane');
// Recuperación de la fecha del servidor:
//    - el formato esperado se obtiene por una
//      conversión explícita.
$consulta = "SELECT TO_CHAR(SYSDATE, 'DD/MM/YYYY') d
             FROM dual";
$cursor = oci_parse($conexion,$consulta);
$ok = oci_execute($cursor);
$línea = oci_fetch_assoc($cursor);
echo "SYSDATE = {$línea['D']}<br />"; // utilización del alias
// Aumento de los precios utilizando una consulta con parámetros.
//    - la cadena implícitamente parametrada se
//      convierte explícitamente utilizando el formato correcto.
$consulta = "UPDATE artículos
             SET precio = precio * TO_NUMBER(:p1,'9.99')";
$cursor = oci_parse($conexion,$consulta);
oci_bind_by_name($cursor,':p1',$coeficiente,32);
$coeficiente = 1.05; // 5% de aumento
$ok = oci_execute($cursor);
echo oci_num_rows($cursor),' líneas modificadas.';
?>
```

Resultado, independientemente del entorno

```
SYSDATE = 08/03/24
5 líneas modificadas.
```

Ejemplo con la segunda solución

```
<?php
// Conexión.
$conexion = oci_connect('demeter','demeter','diane');
// Definición del entorno deseado por
// dos consultas ALTER SESSION.
$consulta = "ALTER SESSION SET NLS_DATE_FORMAT='DD/MM/YYYY'";
$ok = oci_execute(oci_parse($conexion,$consulta));
$consulta = "ALTER SESSION SET NLS_NUMERIC_CHARACTERS='.,'";
$ok = oci_execute(oci_parse($conexion,$consulta));
// Recuperación de la fecha del servidor.
```

```
$consulta = 'SELECT SYSDATE FROM duel;
$cursor = oci_parse($conexion,$consulta);
$ok = oci_execute($cursor);
$línea = oci_fetch_assoc($cursor);
echo "SYSDATE = {$línea['SYSDATE']}<br />";
// Aumento de los precios utilizando una consulta con parámetros.
$consulta = 'UPDATE artículos SET precio = precio *:p1';
$cursor = oci_parse($conexion,$consulta);
oci_bind_by_name($cursor,':p1',$coeficiente,32);
$coeficiente = 1.05; // 5% de aumento
$ok = oci_execute($cursor);
echo oci_num_rows($cursor),' líneas modificadas.';
?>
```

Resultado, independientemente del entorno

```
SYSDATE = 08/03/24
5 líneas modificadas.
```

3.7 Gestionar errores

La función `oci_error` llamada con un parámetro permite recuperar información sobre el posible error de la última operación efectuada en una sesión.

Sintaxis

`matriz oci_error(recurso identificador)`

`identificador` Identificador del cursor o de la conexión.

La función `oci_error` devuelve una matriz asociativa si la última operación efectuada en una sesión ha generado un error. El contenido de esta matriz es el siguiente.

Clave	Contenido
`code`	Número del error de Oracle.
`message`	Mensaje de error de Oracle.
`sqltext`	Texto de la consulta SQL correspondiente.
`offset`	Posición del error en el texto de la consulta SQL.

Si la última operación efectuada en una sesión no ha generado ningún error, la función `oci_error` devuelve `FALSE`.

■ Observación

Recuerde que la función `oci_error` se llama sin parámetros; devuelve información sobre el posible error encontrado en la última conexión efectuada en el script.

Ejemplo

```
<?php
// Conexión incorrecta.
$conexion = oci_connect('demeter','ContrasenaIncorrecta','diane');
$e = oci_error(); // Llamada sin parámetros
echo '1: ',($e?"{$e['código']} - {$e['mensaje']}":'OK'),'<br />';
// Conexión.
$conexion = oci_connect('demeter','demeter','diane');
// Una consulta correcta para comenzar.
$consulta = 'SELECT * FROM artículos';
$cursor = oci_parse($conexion,$consulta);
$ok = oci_execute($cursor);
$e = oci_error($cursor);
echo '<p>2: ',($e?"{$e['código']} - {$e['mensaje']}":'OK'),'<br />';
// Error de sintaxis.
$consulta = "SELECT ' FROM artículos";
$cursor = oci_parse($conexion,$consulta);
$e = oci_error($conexion); // Llamada con el identificador de la conexión
echo '<p>3: ',($e?"{$e['code']} - {$e['mensaje']}":'OK'),'<br />';
// Consulta sobre una tabla que no existe.
$consulta = 'SELECT * FROM artículo';
$cursor = oci_parse($conexion,$consulta);
$e = oci_error($conexion); // Llamada con el identificador de la conexión
echo '<p>4.a: ',($e?"{$e['código']} - {$e['mensaje']}":'OK'),'<br />';
$ok = oci_execute($cursor);
$e = oci_error($cursor); // Llamada con el identificador de cursor
echo '4.b: ',($e?"{$e['código']} - {$e['mensaje']}":'OK'),'<br />';
// Consulta UPDATE que viola una clave principal.
$consulta = 'UPDATE artículos SET identificador = 1';
$cursor = oci_parse($conexion,$consulta);
$ok = oci_execute($cursor);
$e = oci_error($cursor);
echo '<p>5: ',($e?"{$e['código']} - {$e['mensaje']}":'OK'),'<br />';
// Intento de fetch sobre un resultado incorrecto.
$consulta = 'SELECT * FROM artículo';
$cursor = oci_parse($conexion,$consulta);
$ok = oci_execute($cursor);
$e = oci_error($cursor);
echo '<p>6.a: ',($e?"{$e['código']} - {$e['mensaje']}":'OK'),'<br />';
$línea = oci_fetch_assoc($cursor);
$e = oci_error($cursor);
```

```
echo '6.b: ',($e?"{$e['código']} - {$e['mensaje']}":'OK'),'<br />';
?>
```

Resultado

```
Warning: oci_connect(): ORA-01017:
invalid username/password; logon denied in
/app/scripts/index.php on line 3
1: 1017 - ORA-01017: invalid username/password; logon denied
2: OK
Warning: oci_parse(): ORA-01756: quoted string not properly terminated
in /app/scripts/index.php on line 16
3: 1756 - ORA-01756: quoted string not properly terminated
4.a: OK
Warning: oci_execute(): ORA-00942:
table or view does not exist in /app/scripts/index.php on
line 24
4.b: 942 - ORA-00942: table or view does not exist
Warning: oci_execute(): ORA-00001:
unique constraint (DEMETER.ARTICLES$PK) violated in
/app/scripts/index.php on line 30
5: 1 - ORA-00001: unique constraint (DEMETER.ARTICLES$PK) violated
Warning: oci_execute(): ORA-00942:
table or view does not exist in /app/scripts/index.php on
line 36
6.a: 942 - ORA-00942: table or view does not exist
Warning: oci_fetch_assoc(): ORA-24374:
define not done before fetch or execute and fetch in
/app/scripts/index.php on line 39
6.b: 24374 - ORA-24374: define not done before fetch or
execute and fetch
```

Cualquiera que sea el error, se mostrará una alerta (véase el capítulo Gestionar los errores en un script PHP, para eliminar la visualización de estas alertas).

Estos diferentes ejemplos muestran cómo llamar a la función `oci_error` en función de la naturaleza del error.

Naturaleza del error	Llamada
Error de conexión (después de las funciones `oci_connect`, `oci_new_connect` o `oci_pconnect`)	Sin parámetro: `oci_error()`
Error de análisis (después de la función `oci_parse`)	Con un identificador de conexión: `oci_error($conexion)`

Naturaleza del error	Llamada
Error de ejecución o de fetch (tras las funciones `oci_execute` o `oci_fetch_*`)	Con un identificador de cursor: `oci_error($curseur)`

El resultado 4 muestra que la función `oci_parse`, en una consulta incorrecta, no genera sistemáticamente un error (a diferencia del resultado 2): la función `oci_parse` no devuelve `FALSE` y la función `oci_error` devuelve `FALSE` (es decir, no hay error). En este caso, el error se detectará únicamente durante la ejecución.

Veremos cómo utilizar estas funciones en la sección Ejemplos de integración en formularios.

3.8 Ejercicio 13: utilizar Oracle

En este ejercicio, vamos a desarrollar una pequeña aplicación de dos páginas que permita gestionar los autores en una base de datos Oracle.

Para este ejercicio, debe disponer de un acceso a una base de datos Oracle y crear la siguiente tabla:

```
CREATE TABLE autores (
 apellido VARCHAR2(40) NOT NULL,
 nombre VARCHAR2(40) NOT NULL,
 CONSTRAINT autores$pk PRIMARY KEY (nombre,apellido)
);
```

Paso 1

Vamos a empezar creando una página que permita guardar nuevos autores en la base de datos.

Indicaciones:

- En un nuevo directorio, copie el script `introducir.php` desarrollado en el ejercicio 11. Si ha realizado el ejercicio 12, también puede copiar el script `introducir.php` desarrollado en este ejercicio y adaptarlo a Oracle.
- Al inicio del script, inserte una instrucción que permita ocultar la visualización de los errores PHP (durante la fase de prueba, puede modificar esta instrucción para mostrar todos los mensajes de error).
- En la estructura de control que comprueba el resultado del filtro de verificación de la introducción de datos, inicialice una variable `$ok` a `FALSE` en caso de error y `TRUE` en caso de éxito. En caso de éxito, recupere los valores introducidos en las variables `$apellido` y `$nombre`.

- Si la introducción de datos es correcta (prueba de la variable `$ok`), inserte las instrucciones que van a permitir guardar el nuevo autor en la base de datos:
  - conexión a la base de datos;
  - analice la consulta de inserción;
  - unión de los argumentos (con las variables `$apellido` y `$nombre`);
  - ejecución de la consulta.
- En el código anterior, en cada etapa, compruebe el resultado de la instrucción y asigne la variable `$ok` en consecuencia, y ejecute la siguiente instrucción solo en caso de éxito.
- Al final del registro del nuevo autor en la base de datos, compruebe que todo se haya desarrollado correctamente. En caso de éxito, prepare un mensaje del tipo «*nombre apellido* guardado con éxito.» en la variable `$mensaje` y reinicialice las variables `$apellido` y `$nombre`. En caso de error, recupere el mensaje de error Oracle y prepare un mensaje del tipo «Error durante la ejecución de la consulta (*texto del error Oracle*).» en la variable `$mensaje`. Se ha podido producir un eventual error durante la conexión, durante el análisis de la consulta o después; para recuperar el mensaje de error, debe determinar en qué etapa se ha producido el error, por ejemplo, probando el valor del identificador de conexión y del identificador de consulta, para llamar a la función adaptada.
- En la página HTML, al final, muestre el contenido de la variable `$mensaje` y después añada un enlace llamado «Ver la lista» a la página `inicio.php`.

Resultado esperado (en caso de éxito)

Apellido y nombre del nuevo autor:
Apellido
Nombre
Guardar
Paul Verlaine guardado con éxito.
Ver la lista

Resultado esperado (en caso de error)

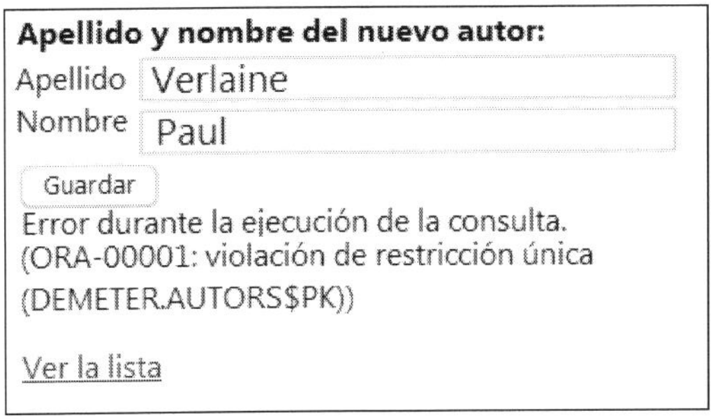

Apellido y nombre del nuevo autor:
Apellido Verlaine
Nombre Paul
Guardar
Error durante la ejecución de la consulta.
(ORA-00001: violación de restricción única
(DEMETER.AUTORS$PK))

Ver la lista

Solución

```
<?php
// Sin visualización de los mensajes de error PHP.
error_reporting(0);
// Initializar las variables utilizadas en el formulario.
$apellido = '';
$nombre = '';
// Comprobar si el script se llama durante el tratamiento del formulario.
if (isset($_POST['ok'])) { // sí
 // Utilización de un filtro para asegurarse de  que la introducción de
datos es correcta.
 $filtro = ['filter'  => FILTER_VALIDATE_REGEXP,
            'options' => ['regexp' => '/^[[:alpha:] -]{1,40}$/u'],
            'flags'   => FILTER_NULL_ON_FAILURE  ];
 // Utilización de este filtro para verificar el apellido y el nombre.
 $filtros = ['apellido' => $filtro,'nombre' => $filtro];
 $introducir = filter_input_array(INPUT_POST,$filtros);
 // Probar el resultado del filtro.
 if (in_array(NULL, $introducir, true)) { // NULL presente = datos incorrectos
   $ok = FALSE;
   $mensaje = 'Sus datos no son correctos.';
   // Recuperar los valores y prepararlos para la visualización en el
formulario.
   $apellido = filter_input(INPUT_POST,'apellido',
   FILTER_SANITIZE_SPECIAL_CHARS);
   $nombre = filter_input(INPUT_POST,'nombre',FILTER_SANITIZE_SPECIAL_CHARS);
 } else {
   $ok = TRUE;
   // Recuperación de la introducción de datos.
   $apellido = trim($introducir['apellido']);
   $nombre = trim($introducir['nombre']);
 }
 // Guardar en la base de datos si todo está OK.
```

```
 if ($ok) {
   // Conexión.
   $ok = (bool)
          ($conexion = oci_connect('demeter','demeter','diane','AL32UTF8'));
   // Ejecución de la consulta de inserción.
   if ($ok) {
     // Texto de la consulta.
     $sql = 'INSERT INTO autores(apellido,nombre) VALUES(:p1,:p2)';
     // Análisis de la consulta.
     $ok = (bool) ($consulta = oci_parse($conexion,$sql));
     // Relación de los argumentos.
     if ($ok) {
       $ok =    oci_bind_by_name($consulta,':p1',$apellido,40)
             && oci_bind_by_name($consulta,':p2',$nombre,40);
     }
     // Ejecución de la consulta.
     if ($ok) {
       $ok = oci_execute($consulta);
     }
   }
   // Recuperación de un eventual mensaje de error.
   if (! $ok) { // error
     if (! $conexion) { // error de conexión
       $error = oci_error()['mensaje'];
     } elseif (! (isset($consulta) and $consulta)) { // error durante
el análisis
       $error = oci_error($conexion)['mensaje'];
     } else { // error después del análisis
       $error = oci_error($consulta)['mensaje'];
     }
     $mensaje = "Error durante la ejecución de la consulta ($error).";
   } else { // sin error
     // Mensaje de éxito y reinicialización de las variables.
     $mensaje = "$apellido $nombre guardado con éxito.";
     $apellido = '';
     $nombre = '';
   }
 }
}
?>
<!DOCTYPE html>
<html xmlns="http://www.w3.org/1999/xhtml" lang="es">
 <head>
   <meta charset="utf-8" />
   <title>Introducción de datos</title>
   <style>
   label { display: block; width: 60px; float: left; }
```

```
  </style>
</head>
<body>
  <!-- Formulario para introducir los datos del autor. -->
  <form action="introducir.php" method="post">
  <div>
    <b>Apellido y nombre del nuevo autor:</b>
    <br /><label>Apellido</label>
    <input type="text" name="apellido" size="40" maxlength="40"
           value="<?= $apellido ?>" autofocus="autofocus" />
    <br /><label>Nombre</label>
    <input type="text" name="nombre" size="40" maxlength="40"
           value="<?= $nombre ?>" />
    <br />
    <input type="submit" name="ok" value="Guardar" />
  </div>
  </form>
  <!-- Visualización de un eventual mensaje. -->
  <div><?= $mensaje ?? '' ?></div>
  <!-- Enlace para mostrar la lista. -->
  <p><a href="inicio.php">Ver la lista</a></p>
</body>
</html>
```

Paso 2

Ahora vamos a crear una página que permita mostrar la lista de autores guardados en la base de datos.

Indicaciones:

- En el directorio del ejercicio, copie el script `inicio.php` desarrollado en el ejercicio 4 y elimine la instrucción que lee la lista de autores a partir del archivo. Si ha hecho el ejercicio 12, también puede copiar el script `inicio.php` desarrollado en este ejercicio y adaptarlo a Oracle.
- Al inicio del script, inserte una instrucción que permita ocultar la visualización de los errores PHP (durante la fase de prueba, puede modificar esta instrucción para mostrar todos los mensajes de error).
- Añada las instrucciones que van a permitir leer la lista de los autores en la base de datos:
  - conexión a la base de datos;
  - análisis de la consulta de lectura (los autores se deben ordenar por su nombre);
  - ejecución de la consulta.

- En el código anterior, en cada etapa, compruebe el resultado de la instrucción y asigne la variable `$ok` en consecuencia, y ejecute la siguiente instrucción solo en caso de éxito.
- Después de la ejecución de la consulta de lectura, compruebe que todo se haya desarrollado correctamente. En caso de error, recupere el mensaje de error Oracle y prepare un mensaje del tipo «Error durante la ejecución de la consulta (*texto del error Oracle*).» en la variable `$mensaje`. Se ha podido producir un eventual error durante la conexión, durante el análisis de la consulta o después; para recuperar el mensaje de error, debe determinar en qué etapa se ha producido el error, por ejemplo, probando el valor del identificador de conexión y del identificador de consulta, para llamar a la función adaptada.
- En la página HTML, modifique el código PHP que genera los registros de la tabla HTML que muestra la lista de los autores:
  - ejecute el código solo si la ejecución inicial de la consulta se ha desarrollado correctamente (variable `$ok`);
  - en el bucle, escriba una instrucción que permita leer los diferentes registros del resultado de la consulta;
  - en la línea de la tabla, muestre el nombre del autor en forma «nombre (apellido)» (utilice el resultado de la llamada a la función de extracción de los registros);
  - después del bucle de lectura del resultado de la consulta, compruebe si se ha producido un error durante la extracción y asigne la variable `$ok` en consecuencia, a continuación rellene la variable `$numero_autores` con el número de registros extraídos;
  - en caso de error durante la extracción, prepare un mensaje del tipo «Error durante la lectura de los autores (resultado parcial).» en la variable `$mensaje`;
  - en caso contrario, si la consulta no devuelve ninguna línea, prepare un mensaje del tipo «No hay ningún autor en la base de datos.» en la variable `$mensaje`;
- Al final, muestre el contenido de la variable `$mensaje` y después añada un enlace llamado «Introducir un nuevo autor» a la página `introducir.php`.
- Adicionalmente, añada el código que permita no mostrar del todo la tabla si está vacía. La dificultad es que la línea de título de la tabla se muestra antes de que se conozca el resultado. Para resolver este problema, es posible utilizar un poco de código JavaScript.

Resultado esperado (en caso de éxito)

Autores
Baudelaire (Charles)
Hugo (Víctor)
Rimbaud (Arthur)
Verlaine (Paul)

Introducir un nuevo autor

Resultado esperado (visualización de un mensaje)

No hay ningún autor en la base de datos.
Introducir un nuevo autor

Solución

```
<?php
// Sin visualización de los mensajes de error PHP.
error_reporting(0);
// Conexión.
$ok = (bool) ($conexion = oci_connect('demeter','demeter','diane',
'AL32UTF8'));
// Ejecución de la consulta de selección.
if ($ok) {
 // Texto de la consulta.
 $sql = 'SELECT apellido,nombre FROM autores ORDER BY nombre';
 // Análisis de la consulta.
 $ok = (bool) ($consulta = oci_parse($conexion, $sql));
 // Ejecución de la consulta.
 if ($ok) {
   $ok = oci_execute($consulta);
 }
}
// Recuperación de un eventual mensaje de error.
if (! $ok) {
 if (! $conexion) { // error de conexión
   $error = oci_error()['mensaje'];
 } elseif (! (isset($consulta) and $consulta)) { // error durante
el análisis
   $error = oci_error($conexion)['mensaje'];
 } else { // error después del análisis
```

```
    $error = oci_error($consulta)['mensaje'];
  }
  $mensaje = "Error durante la ejecución de la consulta ($error).";
}
?>
<!DOCTYPE html>
<html xmlns="http://www.w3.org/1999/xhtml" lang="es">
  <head>
    <meta charset="utf-8" />
    <title>Inicio</title>
    <style>
    table { border-collapse: collapse; }
    table, td, th { border: 1px solid black; }
    td, th { padding: 4px; }
    </style>
  </head>
  <body>
    <div>
    <!-- Ver la tabla de los autores. -->
    <table id="autores">
    <tr><th>Autores</th></tr>
    <?php
    if ($ok) {
      while ($autor = oci_fetch_array($consulta)) {
        echo "<tr><td>{$autor['NOMBRE']} ({$autor['APELLIDO]})</td>
</tr>";
      }
      $ok = (oci_error($consulta) === FALSE);
      $numero_autores = oci_num_rows($consulta);
      // En caso de error o si el resultado es vacío, preparar un mensaje.
      if (! $ok) { // error durante la lectura
        $mensaje = 'Error durante la lectura de los autores (resultado
parcial).';
      } elseif ($numero_autores == 0) { // ningún autor
        $mensaje = 'No hay ningún autor en la base de datos.';
      }
    }
    ?>
    </table>
    </div>
    <!-- Visualización de un eventual mensaje. -->
    <div><?= $mensaje ?? '' ?></div>
    <!-- Enlace para rellenar un nuevo autor. -->
    <p><a href="introducir.php">Introducir un nuevo autor</a></p>
    <script>
    // Ocultar la tabla de los autores si está vacía.
```

```
    if (document.getElementById("autores").rows.length <= 1)
      { document.getElementById("autores").style.display = "none"; }
    </script>
  </body>
</html>
```

4. PHP Data Objects (PDO)

PHP Data Objects (PDO) es una extensión, que define una interfaz uniforme para acceder a las bases de datos en PHP. El acceso a una base de datos a través de PDO se efectúa por medio de un controlador que expone las características de la base de datos.

Cabe señalar que PDO no proporciona una capa de abstracción de la base de datos, sino una capa de abstracción del acceso a las bases de datos. Las consultas que escriba deben respetar la sintaxis de la base de datos que utiliza; PDO no reescribe consultas SQL y no emula las características que faltan (a excepción de las consultas con parámetros, si fuera necesario).

Muchas bases de datos disponen de un controlador PDO, como MySQL y Oracle.

PDO es una extensión orientada a objetos compuesta de tres clases:

- `PDO`: conexión entre PHP y la base de datos,
- `PDOStatement`: consulta preparada y, después de la ejecución, resultado asociado,
- `PDOException`: excepción planteada por PDO.

En este capítulo, presentaremos esta extensión utilizando un sencillo ejemplo comentado:

```
<?php
// Definición de los parámetros de conexión.
// La sintaxis de la fuente (Data Source Name o DSN)
// es específica a cada controlador.
// El número del caso para probar se pasa en la URL con la
// variable 'test'.
// Recuperar el valor de la variable $test para comprobar
// diferentes bases de datos (por defecto, 1 = MySQL).
$test = filter_input(INPUT_GET,'test',FILTER_VALIDATE_INT)?:1;//
switch ($test) {
  case 1: // MySQL
  default:
    $fuente = 'mysql:host=localhost;dbname=diane';
    $usuario = 'root';
    $contraseña = '';
    break;
  case 2: // Oracle
    $fuente = 'oci:dbname=diane';
```

```
    $usuario = 'demeter';
    $contraseña = 'demeter';
    break;
}
// Definición de dos consultas de prueba.
// Tener en cuenta que la consulta de inserción tiene parámetros (es
// de hecho la única característica que emula PDO,
// si no se admite de manera nativa por la base de
// datos).
$sql_select = 'SELECT * FROM artículos ORDER BY identificador';
$sql_insert = 'INSERT INTO artículos(texto,precio) VALUES(:p1,:p2)';
// Todas las operaciones se efectúan en un bloque
// 'try' para recuperar las excepciones planteadas por PDO.
Try {
  // Conexión a la base de datos.
  $db = new PDO($fuente, $usuario, $contraseña);
  // Modificación de los parámetros de la conexión para
  // solicitar que se planteen excepciones en caso de error.
  $db->setAttribute(PDO::ATTR_ERRMODE,PDO::ERRMODE_EXCEPTION);
  // Preparar una consulta para la inserción.
  $st = $db->prepare($sql_insert);
  // Enlazar los parámetros.
  $st->bindParam(':p1',$nombre);
  $st->bindParam(':p2',$precio);
  // Asignar un valor a las variables.
  $nombre = 'Manzanas';
  $precio = 30.5;
  // Ejecutar la consulta.
  // Para las bases de datos que admiten las transacciones,
  // se pueden utilizar los métodos beginTransaction(), commit() y
  // rollback() de los objetos PDO.
  $st->execute();
  // Preparar una consulta para la selección.
  $st = $db->prepare($sql_select);
  // Ejecutar la consulta.
  $st->execute();
  // Recuperar el resultado.
  // Hay disponibles varios métodos para recuperar
  // el resultado: fetch(), fetchObject(), fetchAll().
  // El método fetch() dispone de un parámetro que permite
  // especificar el tipo de resultado (matriz, objeto, etc.).
  while ($línea = $st->fetch()) {
    echo "$línea[1] - $línea[2]<br />\n";
  }
  // Liberar los recursos.
  $st = null;
```

```
  $db = null;
} catch (PDOException $e) {
  // Gestionar las excepciones.
  echo '<b>Error</b><br />',$e->getMensaje(),'<br />';
  die();
}
?>
```

Resultado (depende de la base de datos y de las operaciones realizadas anteriormente)

```
Albaricoques - 35.5
Cerezas - 48.9
Fresas - 29.95
Melocotones - 37.2
Manzanas - 30.5
```

5. Gestionar los apóstrofos en el texto de las consultas

En el caso del uso de consultas no preparadas, puede plantearse un problema si una cadena de caracteres literal presente en una consulta contiene un apóstrofo.

Ejemplo (inserción en la base de un dato que contiene un apóstrofo)

```
<?<?php
// Dato que supone un problema (puede introducirse sin querer
// en un formulario).
$texto = "Pomme d'api";
$precio = 10;
// Consulta.
$consulta = "INSERT INTO artículos(texto,precio)" .
            "VALUES('$texto',$precio)";
echo "$consulta<br />";
// Ejecución con MySQL.
echo "<p><b>MySQL</b><br />";
mysqli_report(MYSQLI_REPORT_OFF); // Desactivar reporte de errores
$conexion = mysqli_connect();
$ok = mysqli_select_db($conexion, 'diane');
$resultado = mysqli_query($conexion, $consulta);
echo mysqli_error($conexion),'<br />';
// MySQL no genera ninguna alerta
// Ejecución con Oracle.
echo "<p><b>Oracle</b><br />";
$conexion = oci_connect('demeter','demeter','diane');
if ($cursor = oci_parse($conexion,$consulta)) {
```

```
   $resultado = oci_execute($cursor);
}
?> >
```

Resultado

```
INSERT INTO artículos(texto,precio) VALUES('Pomme d'api',10)

MySQL
You have an error in your SQL syntax; check the manual that
corresponds to your MySQL server version for the right syntax
to use near 'api',10)' at line 1

Oracle
Warning: oci_parse(): ORA-01756: quoted
string not properly terminated in /app/scripts/index.php on line 19
```

En SQL, el delimitador de cadena de caracteres es el apóstrofo: si una consulta envía la cadena 'Pomme d'api' a la base de datos, esta última interpretará 'Pomme d' como una cadena y no sabrá qué hacer con el resto (api').

Para resolver este problema, se debe indicar a la base de datos que los apóstrofos dentro de la cadena no son delimitadores, generalmente colocando antes del apóstrofo un carácter "mágico" (de escape): el carácter de barra invertida (\) para MySQL o el apóstrofo (') para MySQL y otras bases de datos como Oracle.

Ejemplo

```
<?php
// Dato corregido (válido para todas las bases de datos).
$texto = "Pomme d''api";
$precio = 10;
// Consulta.
$consulta = "INSERT INTO artículos(texto,precio)" .
            "VALUES('$texto',$precio)";
echo "$consulta<br />";
// Ejecución con MySQL.
echo "<p><b>MySQL</b><br />";
$conexion = mysqli_connect();
$ok = mysqli_select_db($conexion, 'diane');
$resultado = mysqli_query($conexion, $consulta);
echo mysqli_error($conexion),'<br />'; // MySQL no genera ninguna alerta
// Ejecución con Oracle.
echo "<p><b>Oracle</b><br />";
$conexion = oci_connect('demeter','demeter','diane');
$resultado = oci_execute(oci_parse($conexion,$consulta));
?>
```

Resultado

```
INSERT INTO artículos(texto,precio) VALUES('Pomme d''api',10)
MySQL
Oracle
```

En cuanto a MySQL, la codificación con el carácter barra invertida (\) también funciona (pero no con otras bases de datos).

```
$texto = "Pomme d\'api";
```

Asegúrese de que todos los datos de tipo "texto" tienen el carácter de escape adaptado (\ o ' para MySQL, ' para las bases de datos de otro tipo) antes de cada apóstrofo.

Se pueden utilizar las funciones `addslashes` y `mysqli_real_escape_string` para ello.

Sintaxis

```
cadena addslashes(cadena valor)
cadena mysqli_real_escape_string(objeto conexión, cadena valor)
```

Donde

`conexión`	Identificador de conexión devuelto por la función <`mysqli_connect`.
`valor`	Cadena de caracteres que se han de escapar.

La función `mysqli_real_escape_string` agrega una barra invertida (\) delante de todos los caracteres apóstrofo ('), comillas (") y barra invertida (\), `NUL` (ASCII 0), retorno de línea (`\n`) y retorno de carro (`\r`) encontrados en la cadena `valor`.

La función `addslashes` agrega una barra invertida (\) delante de todos los caracteres apóstrofo ('), comillas ("), barra invertida (\) y `NUL` (ASCII 0) encontrados en la cadena `valor`.

Observación

El parámetro `valor` ya no necesita ser escapado.

Ejemplo

```
<?php
$valor = " ' \ \" "; // es para probar...
// addslashes
echo addslashes($valor),'<br />';
// mysqli_real_escape_string
$conexion ) mysqli_connect();
echo mysqli_real_escape_string($conexion,$valor),'<br />';
?>
```

Resultado

```
\' \\ \"
\' \\ \"
```

Si trabaja específicamente con una base de datos MySQL, se recomienda utilizar la función específica de esta base de datos.

Si desea tener un código que funcione con todas las bases de datos, y en particular en Oracle, la solución es escribir su propia función.

Ejemplo

```
<?php
function hacia_base($valor) {
  // El único carácter que supone verdaderamente un problema es el apóstrofo (');
  // por tanto, es el único que se escapa por esta función.
  // Una solución válida para todas las bases de datos consiste en
  // escaparlo por sí mismo => reemplazando ' por ''.
  return str_replace("'","''",$valor);
}
$valor = "Pomme d'api";
echo hacia_base($valor);
?>
```

Resultado

```
Pomme d''api
```

Esta función se puede llamar durante la construcción de una consulta.

Ejemplo

```
<?php
function hacia_base($valor) {
  // El único carácter que supone verdaderamente un problema es el apóstrofo (');
  // por tanto, es el único que se escapa por esta función.
  // Una solución válida para todas las bases de datos consiste en
  // escaparlo por sí mismo => reemplazando ' por ''.
  return str_replace("'","''",$valor);
}
$texto = "Pomme d'api";
$precio = 10;
// La utilización del sprintf hace más legible la construcción
// de la consulta.
$consulta = sprintf(
  "INSERT INTO artículos(texto,precio) VALUES('%s',%s)",
  hacia_base($texto),
  $precio);
echo $consulta;
?>
```

Resultado

```
INSERT INTO artículos(texto,precio) VALUES('Pomme d''api',10)
```

También es posible escribir una función genérica con el mismo espíritu que la función `sprintf`, marcando la ubicación de los parámetros por una secuencia `%n`, donde n es 1 para el primer parámetro, 2 para el segundo... Esta función acepta un número variable de parámetros; el primero es la estructura de la consulta, y los siguientes, los valores de los parámetros en orden de numeración.

Ejemplo

```
<?php
function construir_consulta($sql) {
  // Recuperar el número de parámetros.
  $número_param = func_num_args();
  // Hacer bucle para todos los parámetros a partir del segundo
  // (el primero contiene la consulta de base).
  for($i=1;$i<$número_param;$i++) {
    // Recuperar el valor del parámetro.
    $valor = func_get_arg($i);
    // Si es una cadena, escaparla.
    if (is_string($valor)) {
      $valor = str_replace("'","''",$valor);
    }
    // Colocar el valor en su ubicación %n (n = $i).
    $sql = str_replace("%$i",$valor,$sql);
  }
  // Devolver la consulta.
  return $sql;
}
// Las variables contienen valores que provienen de alguna parte...
$texto = "Manzana d'api";
$precio = 10;
// Construcción de la consulta.
$consulta = construir_consulta(
  "INSERT INTO artículos(texto,precio) VALUES('%1',%2)",
  $texto,
  $precio);
echo $consulta;
?>
```

Resultado

```
INSERT INTO artículos(texto,precio) VALUES('Pomme d''api',10)
```

Observación

No hay tal problema cuando se realizan consultas con parámetros; es una razón más para utilizar esta característica.

Ejemplo con Oracle

```
<?php
// Conexión.
$conexion = oci_connect('demeter','demeter','diane');
// consulta INSERT (con parámetros).
$consulta = 'INSERT INTO artículos(texto,precio)
            VALUES(:p1,:p2)';
// Análisis.
$cursor = oci_parse($conexion,$consulta);
// Asociación entre las variables y los parámetros.
oci_bind_by_name($cursor,':p1',$texto,50);
oci_bind_by_name($cursor,':p2',$precio,32);
// Ejecución de la consulta.
$texto = "Pomme d'api"; // ningún problema con d'api
$precio = 10;
$ok = oci_execute($cursor); // COMMIT automático
$número = oci_num_rows($cursor);
echo "$número artículo insertado.";
?>
```

Resultado

```
1 artículo insertado.
```

6. Ejemplos de integración en formularios

6.1 Resumen general

Para concluir este capítulo, presentamos algunos ejemplos de acceso a las bases de datos de formularios.

Se proponen cuatro ejemplos:

- la construcción de una lista de selección en un formulario;
- un formulario que muestra una lista;
- un formulario que permite introducir datos en una lista;
- un formulario de búsqueda y de introducción de datos de tipo «página».

Por motivos de concisión, en estos ejemplos, el control de la introducción de datos está prácticamente ausente, y el formato es muy simple.

Los ejemplos están diseñados para funcionar del mismo modo con MySQL y Oracle. Para ello, el acceso a las bases de datos se realiza utilizando varias funciones que se implementan en una biblioteca específica para cada producto. Para hacer funcionar un ejemplo en una base de datos particular, basta con incluir la biblioteca correspondiente.

Las funciones utilizadas para el acceso a las bases de datos son las siguientes:

`conexión`	Conexión a la base de datos.
`seleccionar_artículos`	Selección de todos los artículos.
`leer_artículo_siguiente`	Lectura del artículo siguiente en el resultado de la consulta de selección de todos los artículos.
`seleccionar_un_artículo`	Selección de un artículo cuyo identificador se pasa como parámetro.
`guardar_artículo`	Guardar los cambios de un artículo.
`guardar_artículos`	Guardar las actualizaciones (creación, modificación, eliminación) de una lista de artículos (en asociación con el formulario de publicación de lista).

Sintaxis

```
booleano conexión(&$conexion,&$error)
booleano seleccionar_artículos($conexion,&$consulta,&$error)
mixto leer_artículo_siguiente($conexion,$consulta,&$artículo,&$error)
booleano seleccionar_un_artículo($conexion,$identificador,&$artículo,&$error)
booleano guardar_artículo($conexion,$artículo,&$error)
mixto guardar_artículos($conexion,$líneas,&$error)
```

Donde:

`$conexion`	Identificador de la conexión devuelto por la función `conexión` (parámetro pasado por referencia) y utilizado como entrada para el resto de las funciones (parámetro pasado por valor).
`$error`	Mensaje devuelto en caso de error (parámetro pasado por referencia).
`$consulta`	Identificador de la consulta de selección de todos los artículos devuelto por la función `seleccionar_artículos` (parámetro pasado por referencia) y utilizado como entrada por la función `leer_artículo_siguiente` (parámetro pasado por valor).

`$artículo`	Matriz que contiene un elemento devuelto por las funciones `leer_artículo_siguiente` y `seleccionar_un_artículo` (parámetro pasado por valor) y utilizado como entrada por la función `guardar_artículo` (parámetro pasado por valor).
`$identificador`	Identificador del artículo que se va a leer.
`$líneas`	Matriz que contiene la lista de artículos que se van a actualizar en la base de datos.

Estas funciones devuelven `TRUE` en caso de éxito y `FALSE` en caso de error, con el caso particular de las funciones `leer_artículo_siguiente` y `guardar_artículos`, que devuelven también `NULL` respectivamente si no se devuelve ninguna línea o si no había ninguna actualización que realizar. En caso de error, se devuelve el mensaje correspondiente en el parámetro `$error` pasado por referencia.

Además, cada biblioteca define tres constantes, `IDENTIFICADOR`, `TEXTO` y `PRECIO`, que almacenan los nombres de las columnas de la tabla `ARTÍCULOS` tal y como aparecen en la lectura de una línea (en mayúsculas o en minúsculas según la base de datos).

Para el desarrollo de las distintas funciones, se adoptaron los siguientes principios:

- gestión de los errores ocultando las alertas que pudieran mostrar las funciones (uso del operador `@`);
- uso de consultas con parámetros;
- uso de una transacción para la introducción en la lista.

Observación

Para fines educativos, en caso de error, el texto del mensaje de error original se incorpora en el mensaje devuelto al usuario. Para un sitio en producción, no se recomienda hacer lo mismo.

La gestión de errores hace que el código sea algo más pesado, pero es fundamental para un desarrollo profesional.

La implementación de la biblioteca para cada base de datos es la siguiente:

MySQL

```
<?php

// Desactivar reporte de errores.
mysqli_report(MYSQLI_REPORT_OFF);

// Constantes para los diferentes nombres de columnas.
const IDENTIFICADOR='identificador';
const TEXTO='texto';
```

```
const PRECIO='precio';

// Función para la conexión a la base de datos.
function conexión(&$conexion,&$error) {
  // Conectarse y seleccionar la base de datos.
  $ok = (bool) ($conexion = @mysqli_connect());
  if ($ok) { // conexión OK
    $ok = @mysqli_select_db($conexion,'diane');
  }
  // Probar si todo está pasado correctamente.
  if (! $ok) { // error
    // Recuperar el mensaje de error.
    if (! $conexion) { // error de conexión
      $error = @mysqli_connect_error();
    } else { // otro error
      $error = @mysqli_error($conexion);
    }
  }
  return $ok;
}

// Función para la selección de los artículos.
function seleccionar_artículos($conexion,&$consulta,&$error) {
  // Texto de la consulta.
  $sql = 'SELECT identificador,texto,precio FROM artículos ORDER BY texto';
  // Preparar la consulta.
  $ok = (bool) ($consulta = mysqli_prepare($conexion,$sql));
  // Ejecutar la consulta.
  if ($ok) {
    $ok = mysqli_stmt_execute($consulta);
  }
  // Probar si todo está pasado correctamente.
  if (! $ok) { // error en alguna parte
    if (! $consulta) { // error en la preparación
      $error = @mysqli_error($conexion);
    } else { // error en otra parte
      $error = @mysqli_stmt_error($consulta);
    }
  }
  return $ok;
}

// Función para la lectura del artículo siguiente en
// el resultado de una consulta.
function leer_artículo_siguiente($conexion,$consulta,&$artículo,&$error) {
  // Vincular las columnas del resultado.
  $ok = @mysqli_stmt_bind_result($consulta,$artículo[IDENTIFICADOR],
                              $artículo[TEXTO],$artículo[PRECIO]
```

```
  // Leer el resultado.
  if ($ok) {
    $ok = @mysqli_stmt_fetch($consulta);
  }
  // Probar si todo está pasado correctamente.
  if ($ok === FALSE) { // error en alguna parte
    $error = @mysqli_stmt_error($consulta);
  }
  return $ok;
}

// Función para la selección de un artículo cuyo identificador
// se ha pasado como parámetro.
function seleccionar_un_artículo($conexion,$identificador,
                                 &$artículo,&$error) {
  // Texto de la consulta.
  $sql = 'SELECT identificador,texto,precio FROM artículos '.
         'WHERE identificador = ?';
  // Preparar la consulta.
  $ok = (bool) ($consulta = @mysqli_prepare($conexion,$sql));
  // Vincular los parámetros.
  if ($ok) {
    $ok = @mysqli_stmt_bind_param($consulta,'i',$identificador);
  }
  // Vincular las columnas del resultado.
  if ($ok) {
    $ok = @mysqli_stmt_bind_result($consulta,$artículo[IDENTIFICADOR],
                                   $artículo[TEXTO],$artículo[PRECIO]);
  }
  // Ejecutar la consulta.
  if ($ok) {
    $ok = @mysqli_stmt_execute($consulta);
  }
  // Leer el resultado.
  if ($ok) {
    $ok = @mysqli_stmt_fetch($consulta);
    if ($ok === NULL) { // ningún resultado
      $ok = TRUE; // = ningún error
      $artículo = NULL; // pero resultado vacío
    }
  }
  // Probar si todo está pasado correctamente.
  if (! $ok) { // error en alguna parte
    if (! $consulta) { // error en la preparación
      $error = @mysqli_error($conexion);
    } else { // error en otra parte
      $error = @mysqli_stmt_error($consulta);
    }
```

```
  }
  return $ok;
}

// Función para guardar un artículo.
function guardar_artículo($conexion,$artículo,&$error) {
  // Texto de la consulta.
  $sql = 'UPDATE artículos SET texto = ?, precio = ? ' .
         'WHERE identificador = ?';
  // Preparar la consulta.
  $ok = (bool) ($consulta = @mysqli_prepare($conexion,$sql));
  // Vincular los parámetros.
  if ($ok) {
    $ok = @mysqli_stmt_bind_param
            (
            $consulta,
            'sdi',
            $artículo['texto'],
            $artículo['precio'],
            $artículo['identificador']
            );
  }
  // Ejecutar la consulta.
  if ($ok) {
    $ok = @mysqli_stmt_execute($consulta);
  }
  // Probar si todo está pasado correctamente.
  if (! $ok) { // error en alguna parte
    if (! $consulta) { // error en la preparación
      $error = @mysqli_error($conexion);
    } else { // error en otra parte
      $error = @mysqli_stmt_error($consulta);
    }
  }
  return $ok;
}

// Función para guardar una lista de artículos (en asociación
// con el formulario de entrada con lista).
function guardar_artículos($conexion,$líneas,&$error) {
  // Inicializar las variables utilizadas para los cursores con parámetros.
  $reqINS = NULL;
  $reqUPD = NULL;
  $reqDEL = NULL;
  // Inicializar el indicador de éxito.
  $ok = NULL; // NULL = no se ha realizado ninguna actualización.
  // Examinar el resultado de la entrada.
  foreach($líneas as $identificador => $línea) {
```

```
// Recuperar los valores.
$texto = $línea['texto'];
$precio = $línea['precio'];
// Definir la consulta que se va a ejecutar.
// para cada acción, la consulta es diferente.
$consulta = NULL;
if ($identificador < 0 and $texto.$precio != '') {
  // identificador negativo y algo introducido = creación = INSERT
  if ($reqINS == NULL) {
    // La primera vez, preparar la consulta.
    $sql = 'INSERT INTO artículos(texto,precio) VALUES(?,?)';
    $ok = (bool) ($reqINS = @mysqli_prepare($conexion,$sql));
    if ($ok) {
      $ok = @mysqli_stmt_bind_param($reqINS,'sd',$texto,$precio);
    }
  }
  $consulta = $reqINS;
} elseif (isset($línea['eliminar'])) {
  // Casilla "eliminar" seleccionada = eliminación = DELETE
  if ($reqDEL == NULL) {
    // La primera vez, preparar la consulta.
    $sql = 'DELETE FROM artículos WHERE identificador = ?';
    $ok = (bool) ($reqDEL = @mysqli_prepare($conexion,$sql));
    if ($ok) {
      $ok = @mysqli_stmt_bind_param($reqDEL,'i',$identificador);
    }
  }
  $consulta = $reqDEL;
} elseif (! empty($línea['modificar'])) {
  // Zona "modificar" no vacía = modificación = UPDATE
  if ($reqUPD == NULL) {
    // La primera vez, preparar la consulta.
    $sql = 'UPDATE artículos SET texto = ?, precio = ? '.
           'WHERE identificador = ?';
    $ok = (bool) ($reqUPD = @mysqli_prepare($conexion,$sql));
    if ($ok) {
      $ok = @mysqli_stmt_bind_param($reqUPD,'sdi',
                                   $texto,$precio,$identificador);
    }
  }
  $consulta = $reqUPD;
}
// En caso de error, interrumpir el procesamiento.
if ($ok === FALSE) {break;}
// Si se ha determinado una consulta, ejecutarla.
// Antes de eso, iniciar una transacción si todavía
// no se ha hecho.
if ($consulta != NULL) {
```

```
      if (! isset($transacción)) {
        $ok = @mysqli_begin_transacción($conexion);
        $transacción = TRUE;
      }
      if ($ok) {
        $ok = @mysqli_stmt_execute($consulta);
      }
      // En caso de error, interrumpir el procesamiento.
      if (! $ok) {break;}
    }
  } // foreach
  // Si todo está pasado correctamente, validar la transacción.
  if ($ok) {
    $ok = @mysqli_commit($conexion);
  }
  // En caso de problemas, recuperar el mensaje de error y cancelar
  // la transacción.
  if (! $ok) {
    if (! $consulta) { // error en la preparación
      $error = @mysqli_error($conexion);
    } else { // error en otra parte
      $error = @mysqli_stmt_error($consulta);
    }
    @mysqli_rollback($conexion);
  }
  return $ok;
}
?>
```

Oracle

```
<?php

// Constantes para los diferentes nombres de columnas.
const IDENTIFICADOR='IDENTIFICADOR';
const TEXTO='TEXTO';
const PRECIO='PRECIO';

// Función para la conexion a la base de datos.
function conexión(&$conexion,&$error) {
  $conexion = @oci_connect('demeter','demeter','diane','UTF8');
  // Probar si la conexión se ha pasado correctamente.
  if ($conexion === FALSE) { // error
    // Recuperar el mensaje de error.
     $error = @oci_error()['mensaje'];
     $ok = FALSE;
  } else {
    $ok = TRUE;
  }
```

```
  return $ok;
}

// Función para la selección de los artículos.
function seleccionar_artículos($conexion,&$consulta,&$error) {
  // Texto de la consulta.
  $sql = 'SELECT identificador,texto,precio FROM artículos ORDER BY texto';
  // Analizar la consulta.
  $ok = (bool) ($consulta = @oci_parse($conexion,$sql));
  // Ejecutar la consulta.
  if ($ok) {
    $ok = @oci_execute($consulta);
  }
  // Probar si todo está pasado correctamente.
  if (! $ok) { // error en alguna parte
    // Recuperar el mensaje de error.
    if (! $consulta) { // error en el análisis
      $error = @oci_error($conexion)['mensaje'];
    } else { // error en otra parte
      $error = @oci_error($consulta)['mensaje'];
    }
  }
  return $ok;
}

// Función para la lectura del artículo siguiente en
// el resultado de una consulta.
function leer_artículo_siguiente($conexion,$consulta,&$artículo,&$error) {
  $ok = (bool) ($artículo = @oci_fetch_array($consulta));
  // Si oci_fetch_array devuelve FALSE, verificar si es
  // a causa de un error o no.
  if (! $ok) {
    $e = @oci_error($consulta);
    if ($e === FALSE) { // ningún error
      $ok = NULL; // devolver NULL en lugar de FALSE
    } else { // error => Recuperar el mensaje de error
      $error = $e['mensaje'];
    }
  }
  return $ok;
}

// Función para la selección de un artículo cuyo identificador
// está pasado como parámetro.
function seleccionar_un_artículo($conexion,$identificador,
                                 &$artículo,&$error) {
  // Texto de la consulta.
  $sql = 'SELECT identificador,texto,precio FROM artículos '.
         'WHERE identificador = :p1';
```

```
  // Analizar la consulta.
  $ok = (bool) ($consulta = @oci_parse($conexion,$sql));
  // Vincular el parámetro.
  if ($ok) {
    $ok = (bool) @oci_bind_by_name($consulta,':p1',
                                   $identificador,-1,SQLT_INT);
  }
  // Ejecutar la consulta.
  if ($ok) {
    $ok = @oci_execute($consulta);
  }
  // Leer el resultado.
  if ($ok) {
    $artículo = @oci_fetch_array($consulta);
    $ok = (bool) (! @oci_error($consulta));
  }
  // Probar si todo está pasado correctamente.
  if (! $ok) { // error en alguna parte
    if (! $consulta) { // error en el análisis
      $error = @oci_error($conexion)['mensaje'];
    } else { // error en otra parte
      $error = @oci_error($consulta)['mensaje'];
    }
  }
  return $ok;
}

// Función para guardar un artículo.
function guardar_artículo($conexion,$artículo,&$error) {
  // Texto de la consulta.
  $sql = 'UPDATE artículos SET texto = :p1, precio = :p2 ' .
         'WHERE identificador = :p3';
  // Analizar la consulta.
  $ok = (bool) ($consulta = @oci_parse($conexion,$sql));
  // Vincular los parámetros.
  if ($ok) {
    $ok =    @oci_bind_by_name($consulta,':p1',$artículo['texto'])
          && @oci_bind_by_name($consulta,':p2',$artículo['precio'])
          && @oci_bind_by_name($consulta,':p3',$artículo['identificador'],
                                                              -1,SQLT_INT);
  }
  // Ejecutar la consulta.
  if ($ok) {
    $ok = @oci_execute($consulta);
  }
  // Probar si todo está pasado correctamente.
  if (! $ok) { // error en alguna parte
    if (! $consulta) { // error en el análisis
      $error = @oci_error($conexion)['mensaje'];
```

```
      } else { // error en otra parte
        $error = @oci_error($consulta)['mensaje'];
      }
    }
    return $ok;
  }

  // Función para guardar una lista de artículos (en asociación
  // con el formulario de entrada con lista).
  function guardar_artículos($conexion,$líneas,&$error) {
    // Inicializar las variables utilizadas para las consultas con parámetros.
    $reqINS = NULL;
    $reqUPD = NULL;
    $reqDEL = NULL;
    // Inicializar el indicador de éxito.
    $ok = NULL; // NULL = no se ha realizado ninguna actualización.
    // Examinar el resultado de la entrada.
    foreach($líneas as $identificador => $línea) {
      // Recuperar los valores.
      $texto = $línea['texto'];
      $precio = $línea['precio'];
      // Definir la consulta que se va a ejecutar.
      // para cada acción, la consulta es diferente.
      $consulta = NULL;
      if ($identificador < 0 and $texto.$precio != '') {
        // identificador negativo y algo introducido = creación = INSERT
        if ($reqINS == NULL) {
          // La primera vez, preparar la consulta.
          $sql = 'INSERT INTO artículos(texto,precio) VALUES(:p1,:p2)';
          $ok = (bool) ($reqINS = @oci_parse($conexion,$sql));
          if ($ok) {
            $ok = @oci_bind_by_name($reqINS,':p1',$texto,40)
                && @oci_bind_by_name($reqINS,':p2',$precio,32);
          }
        }
        $consulta = $reqINS;
      } elseif (isset($línea['eliminar'])) {
        // Casilla "eliminar" oculta = eliminación = DELETE
        if ($reqDEL == NULL) {
          // La primera vez, preparar la consulta.
          $sql = 'DELETE FROM artículos WHERE identificador = :p1';
          $ok = (bool) ($reqDEL = @oci_parse($conexion,$sql));
          if ($ok) {
            $ok = @oci_bind_by_name($reqDEL,':p1',$identificador,-1,SQLT_INT);
          }
        }
        $consulta = $reqDEL;
      } elseif (! empty($línea['modificar'])) {
        // Campo "modificar" no vacío = modificación = UPDATE
```

```
      if ($reqUPD == NULL) {
        // La primera vez, preparar la consulta.
        $sql = 'UPDATE artículos SET texto = :p1, precio = :p2 '.
               'WHERE identificador = :p3';
        $ok = (bool) ($reqUPD = @oci_parse($conexion,$sql));
        if ($ok) {
          $ok = @oci_bind_by_name($reqUPD,':p1',$texto,40)
             && @oci_bind_by_name($reqUPD,':p2',$precio,32)
             && @oci_bind_by_name($reqUPD,':p3',$identificador,-1,SQLT_INT);
        }
      }
      $consulta = $reqUPD;
    }
    // En caso de error, interrumpir el procesamiento.
    if ($ok === FALSE) {break;}
    // Si se ha determinado una consulta, ejecutarla.
    if ($consulta != NULL) {
      // Sin COMMIT automático.
      $ok = @oci_execute($consulta,OCI_DEFAULT);
      // En caso de error, interrumpir el procesamiento.
      if (! $ok) {break;}
    }
  } // foreach
  // Si todo está pasado correctamente, validar la transacción.
  if ($ok) {
    $ok = @oci_commit($conexion);
  }
  // En caso de problemas, recuperar el mensaje de error y cancelar
  // la transacción.
  if (! $ok) {
    if (! $consulta) { // error en el análisis
      $error = @oci_error($conexion)['mensaje'];
    } else { // error en otra parte
      $error = @oci_error($consulta)['mensaje'];
    }
    @oci_rollback($conexion);
  }
  return $ok;
}
?>
```

6.2 Crear una lista de selección en un formulario

En este primer ejemplo, el objetivo es crear una lista `<select>` en un formulario.

Presentación del formulario

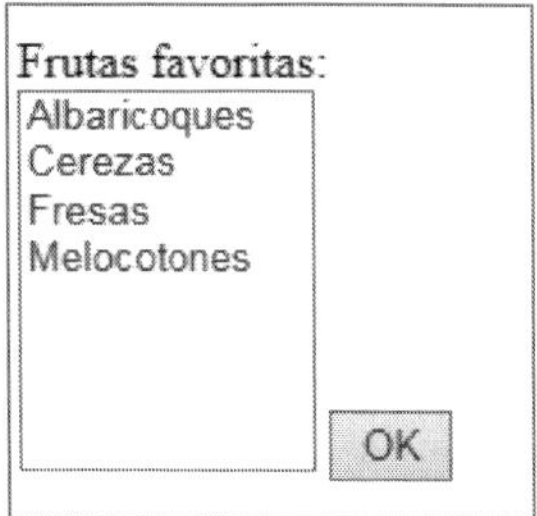

Código fuente

```
<?php
// Incluir un archivo que contiene las diferentes funciones generales.
require('../../include/fonctions.inc.php');
// El número del caso que se va a probar se pasa en la URL con la variable
'prueba'.
// Recuperar la valor de la variable (1 predefinido = MySQL).
$prueba = filter_input(INPUT_GET,'test',FILTER_VALIDATE_INT)?:1;
switch ($prueba) {
  case 1: // MySQL
  default:
    require('./mysql.inc.php');
    break;
  case 2: // Oracle
    require('./oracle.inc.php');
    break;
 }
// Inicializar la variable de mensaje.
$mensaje = '';
// Conectarse.
$ok = conexión($conexion,$error);
if (! $ok) {
  $mensaje = "Error de conexión a la base de datos ($error).";
}
// Seleccionar los artículos.
if ($ok) {
  $ok = seleccionar_artículos($conexion,$resultado,$error);
  if (! $ok) {
    $mensaje = "Error en la selección de los artículos ($error).";
```

```
  }
}
// Mostrar la página ...
?>
<!DOCTYPE html>
<html xmlns=http://www.w3.org/1999/xhtml"> lang="es">
  <head>
    <meta charset=utf-8" />
    <title>Lista de selección</title>
  </head>
  <body>
    <?php if ($ok): ?>
    <!-- si todo está pasado correctamente, crear el formulario -->
    <form action="<?= $_SERVER['REQUEST_URI'] ?>" method="post">
    <div>
    Frutas favoritas:<br />
    <select name="fruta[]" multiple size="8">
    <?php
    // Código PHP que genera la parte dinámica del formulario.
    // Examinar la lista que se va a mostrar.
    $número_artículos = 0;
    while ($ok = leer_artículo_siguiente($conexion,$resultado,
                                         $artículo,$error)) {
      $número_artículos++;
      // Dar formato a los datos.
      $identificador = $artículo[identificador];
      $texto = vers_formulario($artículo[TEXTO]);
      // Generar la etiqueta 'option' con el identificador
      // para el atributo 'value' y la etiqueta para el texto
      // mostrado en la lista.
      printf("<option value=\"%s\">%s\n",$identificador,$texto);
    }
    // En caso de error o si el resultado está vacío, preparar
un mensaje.
    if ($ok === FALSE) { // error en la lectura
      $mensaje = "Error en la lectura de los artículos ($error).";
    } elseif ($número_artículos == 0) { // ningún artículo
      $mensaje = 'Ningún artículo en la base de datos.';
    }
    ?>
    </select>
    <input type="submit" name="ok" value="OK" /><br />
    </div>
    </form>
    <?php endif; ?>
    <!-- mostrar un posible mensaje -->
```

```
    <div><?= hacia_página($mensaje) ?></div>
  </body>
</html>
```

6.3 Visualizar una lista

En este segundo ejemplo, el objetivo es mostrar la lista de artículos. Para permitir al usuario actuar en la lista, se han anidado un formulario y enlaces con la tabla HTML.

Presentación del formulario

– Presentación inicial de la página:

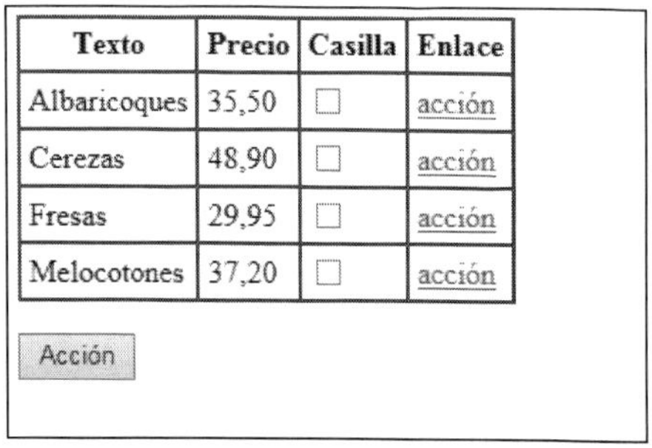

Texto	Precio	Casilla	Enlace
Albaricoques	35,50	☐	acción
Cerezas	48,90	☐	acción
Fresas	29,95	☐	acción
Melocotones	37,20	☐	acción

Acción

– Después de hacer clic en el enlace de la línea «Albaricoques»:

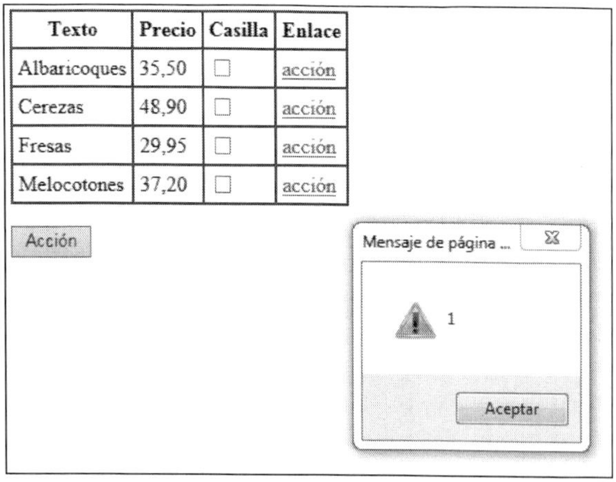

Texto	Precio	Casilla	Enlace
Albaricoques	35,50	☐	acción
Cerezas	48,90	☐	acción
Fresas	29,95	☐	acción
Melocotones	37,20	☐	acción

Acción

Mensaje de página ...

1

Aceptar

– Después de la selección de la casilla de las líneas «Albaricoques» y «Fresas», a continuación haga clic en el botón **Acción**:

Texto	Precio	Casilla	Enlace
Albaricoques	35,50	☐	acción
Cerezas	48,90	☐	acción
Fresas	29,95	☐	acción
Melocotones	37,20	☐	acción

Acción

Identificador(es) seleccionado(s): 1+3

Código fuente

```
<?php
// Incluir un archivo que contiene las diferentes funciones generales.
require('../../include/funciones.inc.php');
// El número del caso que se va a probar se pasa en la URL con la variable 'prueba'.
// Recuperar la valor de la variable (1 predefinido = MySQL).
$prueba = filter_input(INPUT_GET,'prueba',FILTER_VALIDATE_INT)?:1;
switch ($prueba) {
  case 1: // MySQL
  default:
    require('./mysql.inc.php');
    break;
  case 2: // Oracle
    require('./oracle.inc.php');
    break;
 }
// Inicializar la variable de mensaje.
$mensaje = '';
// Conectarse.
$ok = conexión($conexion,$error);
if (! $ok) {
  $mensaje = "Error de conexión a la base de datos ($error).";
}
// Seleccionar los artículos.
if ($ok) {
  $ok = seleccionar_artículos($conexion,$resultado,$error);
  if (! $ok) {
    $mensaje = "Error en la selección de los artículos ($error).";
  }
}
// Mostrar la página ...
?>
<!DOCTYPE html>
```

```
<html xmlns=http://www.w3.org/1999/xhtml lang="es">
  <head>
    <meta charset=utf-8" />
    <title>Lista de artículos</title>
    <style>
    table { border-collapse: collapse; }
    table, td, th { border: 1px solid black; }
    td, th { padding: 4px; }
    </style>
  </head>
  <body>
    <?php if ($ok): ?>
    <!-- si todo está pasado correctamente, crear una tabla HTML
    ++++ en el interior de un formulario  -->
    <form action="<?= $_SERVER['REQUEST_URI'] ?>" method="post">
    <table>
    <!-- línea de título -->
    <tr>
    <th>Texto</th><th>Precio</th><th>Casilla</th><th>Enlace</th>
    </tr>
    <?php
    // Código PHP que genera las líneas de la matriz.
    // Examinar la lista de artículos que se van a mostrar.
    $número_artículos = 0;
    while ($ok = leer_artículo_siguiente($conexion,$resultado,
                                  $artículo,$error)) {
      $número_artículos++;
      // Dar formato a los datos.
      $identificador = $artículo[IDENTIFICADOR];
      $texto = hacia_página($artículo[TEXTO]);
      $precio = hacia_página(number_format($artículo[PRECIO],2,',' ,' '));
      // Generar la línea de la tabla HTML:
      // - una casilla de verificación en una columna
      // - un enlace en otra columna
      printf(
      "<tr><td>%s</td><td>%s</td><td>%s</td><td>%s</td></tr>\n",
      $texto,
      $precio,
      "<input type=\"checkbox\" name=\"opción[]\" value=\"$identificador\"/>",
      "<a href=\"javascript:alert($identificador)\">action</a>");
    } // while
    // En caso de error o si el resultado está vacío, preparar un mensaje.
    if ($ok === FALSE) { // error en la lectura
      $mensaje = "Error en la lectura de artículos ($error).";
    } elseif ($número_artículos == 0) { // ningún artículo
      $mensaje = 'Ningún artículo en la base de datos.';
    }
    ?>
```

```
    </table>
    <p><input type="submit" name="acción" value="Acción" /></p>
    </form>
    <?php
    // Procesar el formulario.
    // Presentación simple de los identificadores seleccionados.
    if (isset($_POST['action'])) {
      if (isset($_POST['opción'])) {
        echo 'Identificador(es) oculto(s): ',
              implode('+',$_POST['opción']);
      }
    }
    ?>
    <?php endif; ?>
    <!-- mostrar un posible mensaje -->
    <div><?= hacia_página($mensaje) ?></div>
  </body>
</html>
```

En el enlace, en lugar del código JavaScript, es posible poner una URL verdadera y concatenar otra página (véase el capítulo Gestionar formularios y enlaces).

En cuanto al procesamiento del formulario, todo es posible.

6.4 Formulario de entrada con lista

En este tercer ejemplo, vamos a crear un formulario que permita realizar una entrada con lista.

Presentación del formulario

Identificador	Texto	Precio	Eliminar
1	Albaricoques	35,50	☐
2	Cerezas	48,90	☐
3	Fresas	29,95	☐
4	Melocotones	37,20	☐

Guardar

El formulario ofrece el contenido actual de la tabla que se puede cambiar (introducción directa en los campos) o eliminar (a través de casillas de verificación), además de cinco líneas en blanco que permiten introducir nuevos valores. En ninguno de estos casos se puede introducir el identificador; es la base de datos la que debe asignarlo.

Cada línea de la matriz contiene cuatro cuadros de formulario que se denominan (atributo `name` de la etiqueta `<input>`) de la siguiente manera:

Columna	Nombre
Identificador	`entrada[i][modificar]`
Texto	`entrada[i][texto]`
Precio	`entrada[i][precio]`
Eliminar	`entrada[i][eliminar]`

El índice `i` es el identificador del artículo para las líneas existentes y un número entre -1 y -5 para las líneas en blanco. El campo de la columna **Identificador** es un campo oculto (`type="hidden"`), que se utiliza para identificar las líneas en las que el usuario ha realizado alguna modificación.

Con este proceso de nombrado, todos los datos introducidos se recuperan en el script PHP en forma de una matriz multidimensional llamada `$líneas`. Cada línea de la matriz corresponde a una línea del formulario y la clave equivale al identificador (o -1 a -5 para las líneas nuevas) y el valor equivale a una matriz asociativa que proporciona los elementos introducidos.

Para identificar las líneas cambiadas por el usuario, los campos de entrada del texto y del precio de las líneas existentes contienen el pequeño fragmento de código JavaScript siguiente:

```
onChange="documento.formulario[$n].value=1"
```

Este código JavaScript tiene el efecto, cada vez que se cambia el campo en cuestión, de colocar un 1 en el campo oculto asociado a la línea. El formulario se llama `formulario` (`<form name = "formulario"...`), la expresión `documento.formulario[n]` designa el enésimo campo del formulario `formulario` del documento actual; el primer campo del formulario tiene el número `0`. En el código fuente, la variable `$n` se calcula para cada línea `$i` del formulario, por la fórmula `$n = 4 * ($i - 1)`: el campo oculto de la línea 1 tiene el número 0 (es el primero del formulario); el de la línea 2, el número 4, y así sucesivamente.

Este ejemplo puede (debe) mejorarse para controlar la introducción de datos por parte del usuario.

Observación

Para fines educativos, la introducción de datos en este formulario se gestiona en forma de una transacción (véase el código del procedimiento `guardar_artículos`). Si se produce un error durante la actualización de una línea, se cancelan todos los datos introducidos. Para mejorar la usabilidad de cara al usuario, probablemente sería más adecuado validar individualmente la actualización de cada línea.

Código fuente

```
<?php
// Incluir un archivo que contiene las diferentes funciones generales.
require('../../include/fonctions.inc.php');
// El número del caso que se va a probar se pasa en la URL con la variable
'prueba'.
// Recuperar el valor de la variable (1 predefinido = MySQL).
$prueba = filter_input(INPUT_GET,'test',FILTER_VALIDATE_INT)?:1;
switch ($prueba) {
  case 1: // MySQL
  default:
    require('./mysql.inc.php');
    break;
  case 2: // Oracle
    require('./oracle.inc.php');
    break;
}
// Inicializar la variable de mensaje (en forma de una matriz
// para poder almacenar varios mensajes).
$mensajes = [];
// Conectarse.
$ok = conexión($conexion,$error);
if (! $ok) {
  $mensajes[] = "Error de conexión a la base de datos ($error).";
}
// Procesamiento del formulario.
if ($ok and isset($_POST['ok'])) {
  // Recuperar la matriz que contiene la entrada.
  $líneas = $_POST['entrada'];
  // Limpiar la entrada.
  // Para el precio, reemplazar la coma por un punto
  // y eliminar los espacios.
  // En este punto, se deberían comprobar un poco mejor los datos
introducidos ...
  // Consejo: el valor de la matriz se recupera por referencia
  //          (&$línea) para poder modificarse directamente.
  foreach($líneas as &$línea) {
    $línea['texto'] = trim($línea['texto']);
    $línea['precio'] = str_replace([',',' '],['.',''],$línea['precio']);
  }
  // Realizar la actualización.
```

```
    $ok_maj = guardar_artículos($conexion,$líneas,$error);
  // Definir el mensaje.
  if (is_null($ok_maj)) {
    $mensajes[] = 'No se ha realizado ninguna actualización.';
  } elseif ($ok_maj) {
    $mensajes[] = 'Actualización terminada con éxito.';
  } else {
    $mensajes[] = "Error en la actualización ($error).";
  }
}
// Recargar los artículos.
if ($ok) {
  $ok = seleccionar_artículos($conexion,$resultado,$error);
  if (! $ok) {
    $mensajes[] = "Error en la carga de los artículos ($error).";
  }
}
// Visualización de la página ...
?>
<!DOCTYPE>
<html xmlns=http://www.w3.org/1999/xhtml lang="es">
  <head>
    <meta charset=utf-8" />
    <title>Gestión de los artículos</title>
  <style>
    table { border-collapse: collapse; }
    table, td, th { border: 1px solid black; }
    td, th { padding: 4px; }
    </style>
  </head>
  <body>
    <?php if ($ok): ?>
    <!-- si todo está pasado correctamente, crear una tabla HTML
    ++++ en el interior de un formulario  -->
    <form name="formulario" action="<?= $_SERVER['REQUEST_URI'] ?>"
          method="post">
    <table>
    <!-- línea de título -->
    <tr>
    <th>Identificador</th><th>Texto</th><th>Precio</th>
                <th>Eliminar</th>
    </tr>
    <?php
    // Código PHP que genera las líneas de la matriz.
    // Inicializar el contador de líneas.
    $i = 0;
    // Examinar la lista de artículos que se van a mostrar.
    while ($ok = leer_artículo_siguiente($conexion,$resultado,
                                  $artículo,$error)) {
```

```
      // Incremento del contador de líneas.
      $i++;
        // Cálculo del número de sentencias en el formulario del
        // campo oculto correspondiente al identificador.
      $n = 4 * ($i - 1);
      // Dar formato a los datos.
      $identificador = $artículo[IDENTIFICADOR];
      $texto = hacia_formulario($artículo[TEXTO]);
      $precio = hacia_formulario(@number_format
($artículo[PRECIO],2,',' ,' '));
      // Generar la línea de la tabla HTML insertando las
      // etiquetas INPUT del formulario.
      printf(
      "<tr><td>%s%s</td><td>%s</td><td>%s</td><td>%s</td></tr>",
      $identificador,
      "<input type=\"hidden\" name=\"entrada[$identificador][modificar]\"/>",
      "<input type=\"text\" name=\"entrada[$identificador][texto]\"
        value=\"$texto\" onchange=\"documento.formulario[$n].value=1\" />",
      "<input type=\"text\" name=\"entrada[$identificador][precio]\"
        value=\"$precio\" onchange=\"documento.formulario[$n].value=1\" />",
      "<input type=\"checkbox\" name=\"entrada[$identificador][eliminar]\"
        value=\"$identificador\" />");
    } // while
    // En caso de error o si el resultado está vacío, preparar un mensaje.
    if ($ok === FALSE) { // error en la lectura
      $mensajes[] = "Error en la lectura de artículos ($error).";
    } elseif ($i == 0) { // ningún artículo
      $mensajes[] = 'Ningún artículo en la base de datos.';
    }
    // Se añaden 5 líneas vacías para la creación
    // (sin identificador, sin casilla de eliminación).
    for($i=1;$i<=5;$i++) {
      printf(
      "<tr><td>%s</td><td>%s</td><td>%s</td><td>%s</td></tr>",
      "",
      "<input type=\"text\" name=\"entrada[-$i][texto]\" value=\"\" />",
      "<input type=\"text\" name=\"entrada[-$i][precio]\" value=\"\" />",
      "");
    } // for

    ?>
    </table>
    <p><input type="submit" name="ok" value="GUARDAR" /></p>
    </form>
    <?php endif; ?>
    <!-- mostrar los posibles mensajes -->
    <div><?= hacia_página(implode("\n",$mensajes)) ?></div>
  </body>
</html>
```

6.5 Formulario de búsqueda y de introducción de datos

En este cuarto y último ejemplo, vamos a crear una página que permita al usuario buscar un artículo para su edición.

Presentación del formulario

– Presentación inicial de la página:

Identificador: [ ] Cargar

– Después de introducir un número de artículo y hacer clic en el botón **Cargar**:

Identificador: [1] Cargar

Texto: [Albaricoques]
Precio: [35,50]
Guardar

El pequeño formulario que se muestra en la parte superior de la página permite introducir el identificador del artículo que debe modificarse; cuando el usuario hace clic en el botón **Cargar**, este artículo se carga en un formulario de publicación.

El botón **Guardar** permite guardar los cambios en la base de datos. Una vez guardado, el artículo se vuelve a cargar en el formulario para su comprobación y se muestra un mensaje de confirmación.

Código fuente

```
<?php
// Incluir un archivo que contiene las diferentes funciones generales.
require('../../include/fonctions.inc.php');
// El número del caso que se va a probar se pasa en la URL con la variable
'prueba'.
// Recuperar el valor de la variable (1 predefinido = MySQL).
$prueba = filter_input(INPUT_GET,'test',FILTER_VALIDATE_INT)?:1;
switch ($prueba) {
  case 1: // MySQL
  default:
    require('./mysql.inc.php');
    break;
  case 2: // Oracle
    require('./oracle.inc.php');
    break;
}
```

```
// Variables que indican si un artículo debe cargarse y/o
// si un artículo debe guardarse.
$cargar_artículo = FALSE;
$guardar_artículo = FALSE;
// Inicializar la variable de mensaje (en forma de una matriz
// para poder almacenar varios mensajes).
$mensajes = [];
// Probar si se ha llamado al script en el procesamiento de un formulario.
if (isset($_POST['Cargar']) OR isset($_POST['ok'])) { // sí
  // Recuperar el identificador del artículo.
  // Utilización de un filtro para asegurarse de que el valor
  // recuperado es un entero.
  $identificador =
filter_input(INPUT_POST,'identificador',FILTER_VALIDATE_INT);
  // Falta el identificador o no es válido => mensaje.
  // De lo contrario, determinar la acción que se va a realizar.
  if ($identificador === FALSE OR $identificador === NULL) {
    $mensajes[] = 'Falta el identificador o no es válido.';
  } else {
    $guardar_artículo = isset($_POST['ok']);
    $cargar_artículo = // guardar => recargar
      (isset($_POST['cargar']) OR $guardar_artículo);
  }
}
// Conectarse si es necesario.
if ($cargar_artículo OR $guardar_artículo) {
  $ok = conexión($conexion,$error);
  // En caso de error, se detiene todo.
  if (! $ok) {
    $mensajes[] = "Error de conexión a la base de datos ($error).";
    $cargar_artículo = FALSE;
    $guardar_artículo = FALSE;
  }
}
// Si hay un artículo para guardar...
if ($guardar_artículo) {
  // Recuperar le contenido del formulario.
  $artículo = $_POST;
  // Eliminar la línea correspondiente al botón Guardar.
  unset($artículo['ok']);
  // Limpiar la entrada.
  $artículo['texto'] = trim($artículo['texto']);
  // Para el precio, reemplazar la coma por un punto
  // y eliminar los espacios.
  $artículo['precio'] = str_replace([',',' '],['.',''],$artículo['precio']);
  // En este punto, se deberían comprobar un poco mejor los datos
  // introducidos...
  // Guardar el artículo.
  $ok = Guardar_artículo($conexion,$artículo,$error);
  // Definir el mensaje.
```

```
    if ($ok) {
      $mensajes[] = 'Artículo guardado con éxito.';
    } else {
      $mensajes[] = "Error al guardar el artículo ($error).";
    }
  }
  // Si hay un artículo para cargar...
  if ($cargar_artículo) {
    // Cargar la información en la matriz asociativa $artículo.
    $ok = seleccionar_un_artículo($conexion,$identificador,$artículo,$error);
    // Definir el posible mensaje de error.
    if ($ok) { // ningún error
      if ($artículo) { // hay un artículo
        // Dar formato a los datos.
        $texto = hacia_formulario($artículo[TEXTO]);
        $precio = hacia_formulario(@number_format($artículo[PRECIO], 2,',' ,' '));
      } else { // ningún artículo => mensaje
        $mensajes[] = 'No se ha encontrado ningún artículo.';
        unset($artículo);
      }
    } else  { // error
      $mensajes[] = "Error al cargar el artículo ($error).";
      unset($artículo);
    }
  }
  // Visualización de la página ...
  ?>
  <?php echo '<?xml version="1.0" encoding="utf-8"?>',"\n"; ?>
  <!DOCTYPE html>
  <html xmlns=http://www.w3.org/1999/xhtml lang="es">
    <head>
      <meta charset=utf-8" />
      <title>Modificar un artículo</title>
    </head>
    <body>
      <!-- Formulario de entrada del identificador. -->
      <form action="<?= $_SERVER['REQUEST_URI'] ?>" method="post">
      <div>
      Identificador:
      <input type="text" name="identificador" size="6"
         value="<?= $identificador??'' ?>" />
      <input type="submit" name="cargar" value="Cargar" />
      </div>
      </form>
      <?php if (isset($artículo)): ?>
      <!-- Formulario de publicación del artículo (se muestra solo si
           se ha cargado un artículo con éxito) -->
      <form action="<?= $_SERVER['REQUEST_URI'] ?>" method="post">
      <div>
        <br />Texto:
```

```
      <input type="text" name="texto" size="40" maxlength="40"
       value="<?= $texto ?>" />
      <br />Precio:
      <input type="text" name="precio" size="10" maxlength="10"
       value= "<?= $precio ?>" />
      <input type="hidden" name="identificador"
       value="<?= $identificador ?>" />
      <br />
      <input type="submit" name="ok" value="Guardar" />
    </div>
    </form>
    <?php endif; ?>
    <!-- mostrar los posibles mensajes -->
    <div><?= hacia_página(implode("\n",$mensajes)) ?></div>
  </body>
</html>
```

El formulario actual solo permite modificar un artículo existente. Puede modificarse fácilmente para permitir la publicación de un nuevo artículo.

Capítulo 8
Gestionar sesiones

1. Descripción del problema

El protocolo HTTP (*HyperText Transfer Protocol*) es un protocolo "sin estado". Es decir, no hay nada que permita identificar que el mismo usuario que ha estado previamente en la página A ahora está accediendo a la página B.

En cuanto a PHP, ahora sabemos que una variable tiene un ámbito de aplicación igual al script en el que está definida y que existe solo durante el tiempo de ejecución del script.

Sin embargo, un sitio interactivo que no se limita a mostrar las páginas una tras otra a menudo necesita el punto de vista de la lógica de aplicación para identificar a un usuario de una página a otra y mantener información relativa a este usuario de una página a otra (por lo general, un carro de la compra realizada por el usuario en una página siempre debe estar definido en la página de pago).

El término "sesión" designa el período de tiempo correspondiente a la navegación continua de un usuario en un sitio. «Gestionar sesiones» significa, por lo tanto, ser capaz de identificar el momento en que un nuevo usuario accede a una página del sitio y conservar la información relativa a ese usuario hasta que sale del sitio. El usuario no tiene por qué ser un usuario autenticado por medio de un nombre y una contraseña; puede ser perfectamente un usuario «anónimo», no referenciado por el sitio, que realiza una compra. Muchos sitios interactivos ofrecen características de identificación (miembro, suscriptor...), ya que permiten mantener información sobre el usuario de una visita a otra (por ejemplo, las preferencias).

Esta posibilidad también se estudia en este capítulo, pero desde la perspectiva del concepto de sesión; la visita del usuario el viernes corresponderá a una sesión diferente de su visita del lunes, aunque parte de la información introducida el lunes es probable que se retome el viernes.

Este capítulo tiene como objetivo presentar las diferentes técnicas que permiten, por una parte, identificar a un usuario y, por otra, «seguir» a ese usuario y los datos asociados a él, de una página a otra.

En primer lugar, veremos cómo autenticar a un usuario.

Por último, concluiremos este capítulo evocando las técnicas que permiten conservar información de una visita a otra.

Observación

En el capítulo Gestionar formularios y enlaces, hemos visto cómo pasar información de una página a otra utilizando un formulario (con la posibilidad de emplear campos ocultos si es preciso) o de una URL. Estas técnicas se pueden usar para gestionar sesiones, pero son un poco «artesanales»; es preferible utilizar las características nativas de PHP para gestionar sesiones.

2. Autenticar

2.1 Información general

Algunos sitios necesitan autenticar a los usuarios que acceden a él para comprobar si están registrados.

Esta autenticación normalmente consta de dos pasos:

- Introducción de las credenciales de usuario, por lo general un nombre y una contraseña.
- Verificación de que las credenciales introducidas correspondan a un usuario registrado.

2.2 Introducir las credenciales de identificación

Las credenciales de identificación se pueden introducir de dos formas:

- A través de un formulario previsto a tal efecto.
- A través de las funciones de autenticación HTTP.

2.2.1 Identificación por formulario

Es muy sencillo crear un pequeño formulario que permita al usuario introducir un nombre y una contraseña.

Ejemplo de script PHP (login.php) que muestra este formulario (función de verificación de que el usuario existe, por el momento sin definir)

```
<?php
// Inclusión del archivo que contiene las funciones generales.
include('funciones.inc');
// Función que verifica que las credenciales de identificación
// introducidas son correctas.
function usuario_existe($identificador,$contraseña) {
   // Aleatoria, esperando algo mejor...
   return (bool) rand(0,1);
}
// Inicialización de las variables.
$identificador = '';
$contraseña = '';
$mensaje = '';
// Procesamiento del formulario.
if (isset($_POST['conexión'])) {
   // Recuperar la información introducida.
   $identificador = $_POST['identificador'];
   $contraseña = $_POST['contraseña'];
   // Verificar que el usuario existe.
   if (usuario_existe($identificador,$contraseña)) {
      // El usuario existe...
      // Ir a otra página y detener
      // el script.
      header('location: inicio.php');
      exit;
   } else {
      // El usuario no existe...
      // Mostrar un mensaje y proponer de
      // nuevo la identificación.
      $mensaje = 'Identificación incorrecta. ';
      $mensaje .= 'Vuelva a intentarlo.';
      // Dejar que el formulario se muestre de nuevo...
   }
}
?>
<!DOCTYPE html>
<html xmlns="http://www.w3.org/1999/xhtml"lang="es">
  <head>
  <meta charset="utf-8" />
  <title>MiSitio.com</title>
```

```
  </head>
  <body>
    <form action="login.php" method="post">
    <table>
    <tr>
      <td style="text-align:right">Identificador:</td>
      <td><input type="text" name="identificador" value=
           "<?php echo hacia_formulario($identificador); ?>" /></td>
    </tr>
    <tr>
      <td align="right">Contraseña:</td>
      <td><input type="password" name="contraseña" value=
           "<?php echo hacia_formulario($contraseña); ?>" /></td>
    </tr>
    <tr>
      <td></td>
      <td style="text-align:right"><input type="submit" name="conexión"
                         value="Conexión" /></td>
    </tr>
    </table>
    <p style="color:red"><?php echo $mensaje; ?></p>
    </form>
  </body>
</html>
```

Resultado

– Presentación inicial:

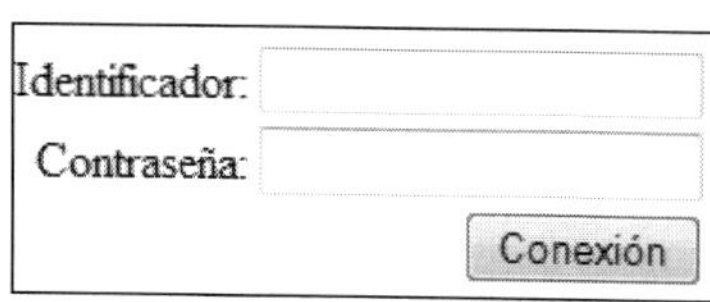

– Entrada:

Identificador: heurtel
Contraseña: •••••••
Conexión

– Resultado si la identificación es errónea:

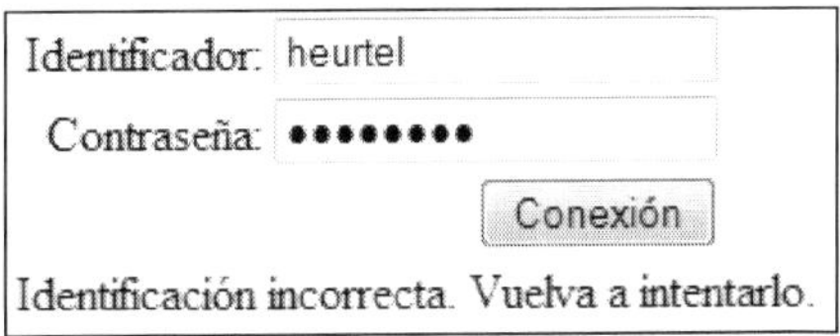
Identificador: heurtel
Contraseña: ••••••••
Conexión
Identificación incorrecta. Vuelva a intentarlo.

La utilización de un campo de tipo `password` permite ocultar los datos introducidos de la contraseña.

Si los datos introducidos no son correctos, la página se vuelve a proponer. De lo contrario, se muestra una página de inicio.

2.2.2 Identificación a través de autenticación HTTP

Mediante la función `header` (véase el capítulo Utilizar las funciones PHP - Manipular los encabezados HTTP), es posible hacer que el navegador muestre un cuadro de diálogo que invite al usuario a que introduzca un nombre y una contraseña. El mensaje de encabezado que se ha de enviar es:

`WWW-Authenticate: Basic realm="xxxxx"`

Con

`xxxxx` = nombre que se muestra (nombre de la organización, por ejemplo)

Si el usuario hace clic en el botón **Conexión**, el script se llama de nuevo con los valores introducidos disponibles en las variables predefinidas: `$PHP_AUTH_USER` y `$PHP_AUTH_PW`, accesibles en la matriz asociativa `$_SERVER`.

Ejemplo (script login.php con esta técnica)

```
<?php
// Inclusión del archivo que contiene las funciones generales.
include('funciones.inc');
// Función que verifica que las credenciales de identificación
// introducidas son correctas.
function usuario_existe($identificador,$contraseña) {
   // Aleatoria, esperando algo mejor...
  return (bool) rand(0,1);
}
// Función que muestra la autenticación HTTP.
function autenticación($mensaje) {
  header("WWW-Authenticate: Basic realm=\"$mensaje\"");
  // Si el usuario hace clic en el botón Cancelar,
  // se ejecutan las líneas siguientes (de lo contrario, el script se
  // llama de nuevo, pero con PHP_AUTH_USER rellenado
```

```
    // y el script no pasará ya por aquí).
    // Mostrar un mensaje y proponer al usuario
    // volver a intentarlo.
    echo 'Debe introducir un nombre y una contraseña ',
         'para acceder al sitio.<br />';
    echo '<a href="login.php">Volver a intentarlo</a>';
    exit;
  }
  if (! isset($_SERVER['PHP_AUTH_USER'])) {
    // Ninguna variable $PHP_AUTH_USER = primera llamada del script.
    // Solicitud de identificación.
    autenticación('MiSitio.com');
  } else {
    // Variable PHP_AUTH_USER existe = llamada después de entrada.
    // Recuperar la información introducida.
    $identificador = $_SERVER['PHP_AUTH_USER'];
    $contraseña = $_SERVER['PHP_AUTH_PW'];
    // Verificar que el usuario existe.
    if (usuario_existe($identificador,$contraseña)) {
        // El usuario existe...
        // Ir a otra página y detener el script.
        header('location: inicio.php');
        exit;
     } else {
        // El usuario no existe...
      // Intentar de nuevo.
      autenticación('MiSitio.com: identificación incorrecta');
    }
  }
  ?>
```

Resultado

- Presentación inicial (Safari):

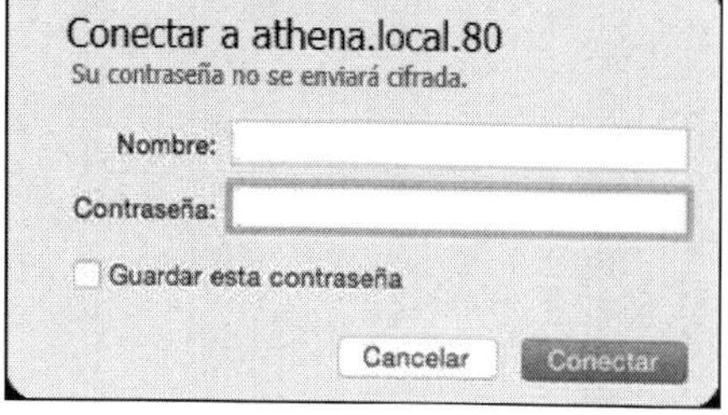

– Haga clic en el botón **Cancelar**:

Debe introducir un nombre y una contraseña para acceder al sitio.
Volver a intentarlo

– Nueva presentación (por el enlace) y entrada:

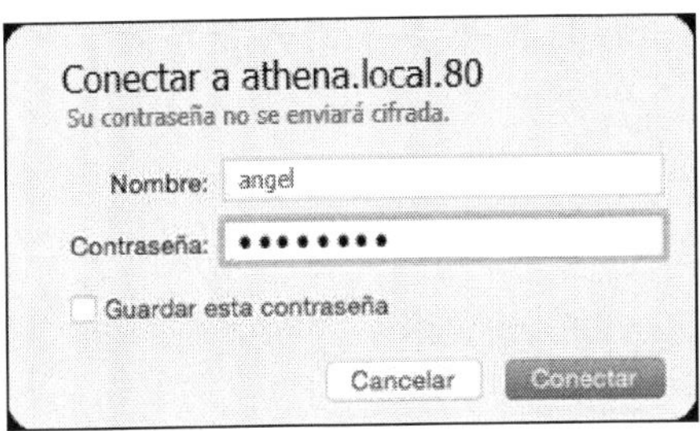

– Nueva presentación si la identificación es incorrecta:

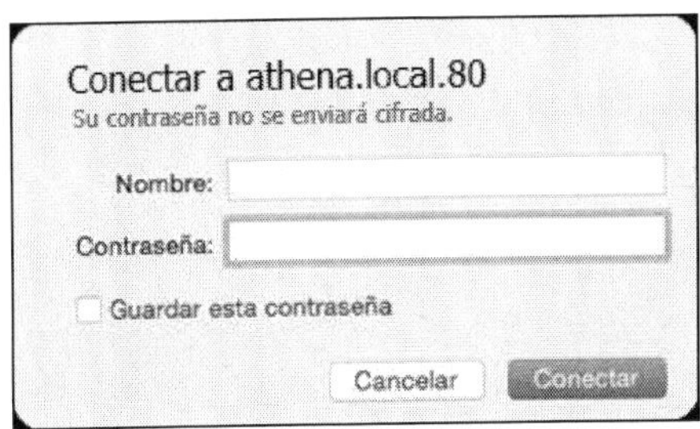

Si la identificación es correcta, se muestra una página de inicio.

Por ahora, en los dos ejemplos, el acceso a la página de inicio no está protegido: un usuario que solicita acceso a esta página puede acceder sin problemas.

2.3 Verificar las credenciales de identificación introducidas

Sea cual sea el método de identificación utilizado en el punto anterior, a continuación, debe verificar que la información introducida corresponda con un usuario «conocido».

Por lo general, este control se realiza utilizando una base de datos que contiene la lista de usuarios y probablemente otra información.

Vamos a tomar como hipótesis de trabajo que utilizamos una base de datos MySQL y, en esta base, la existencia de una tabla `usuarios` con dos columnas, `identificador` y `contraseña`.

Ejemplo

```
<?php
// Función que verifica que las credenciales de identificación
// introducidas son correctas.
function usuario_existe($identificador,$contraseña) {
  // Conexión y selección de la base de datos.
  $conexión = mysqli_connect();
  mysqli_select_db($conexión,'diane');
  // Definición y ejecución de una consulta preparada.
  $sql  = 'SELECT 1 FROM usuarios ';
  $sql .= 'WHERE identificador = ? AND contraseña = ?';
  $consulta = mysqli_stmt_init($conexión);
  $ok = mysqli_stmt_prepare($consulta,$sql);
  $ok = mysqli_stmt_bind_param
          ($consulta,'ss',$identificador,$contraseña);
  $ok = mysqli_stmt_execute($consulta);
  mysqli_stmt_bind_result($consulta,$existe);
  $ok = mysqli_stmt_fetch($consulta);
  mysqli_stmt_free_result($consulta);
  // La identificación tiene éxito si la consulta devuelve
  // una línea (el usuario existe y la contraseña
  // es correcta).
  // Si este es el caso $existe contiene 1, de lo contrario está
  // vacía. Basta con devolverla como un valor booleano.
  return (bool) $existe;
}
?>
```

Es posible utilizar otros métodos de autenticación que no dependen de una base de datos (un simple archivo, por ejemplo).

3. Utilizar cookies

3.1 Principio

Una cookie (rastreador) es un pequeño archivo depositado por un sitio en el equipo del usuario que puede contener información.

Las cookies se reenvían automáticamente al servidor web por el navegador cuando el usuario navega por las páginas del sitio.

PHP permite recuperar muy fácilmente, en las variables, los datos almacenados en la cookie.

La función `setcookie` permite depositar una cookie en el equipo del usuario.

Sintaxis 1

```
booleano setcookie(cadena nombre [, cadena valor [, entero vencimiento [,
cadena ruta [, cadena dominio [, booleano asegurado[,
booleano http_únicamente]]]]]])
```

Donde

`nombre`	Nombre de la cookie.
`valor`	Valor almacenado en la cookie.
`vencimiento`	Fecha de caducidad de la cookie (timestamp Unix).
`ruta`	Ruta de acceso en el servidor donde está disponible la cookie. Colocar / para hacer que la cookie esté disponible en todo el dominio o `/rep/` para que la cookie esté disponible en el directorio `/rep/` del dominio y todos sus subdirectorios. De forma predeterminada, igual al directorio desde donde se envió la cookie.
`dominio`	Dominio al que se reenvía la cookie. `.miSitio.com` (con un punto al principio) permite, por ejemplo, hacer que la cookie esté disponible para todos los subdominios de `miSitio.com`.
`asegurado`	Incluir `TRUE` para indicar que la cookie debe transmitirse únicamente en una conexión segura (por defecto, `FALSE`).
`http_únicamente`	Incluir `TRUE` para indicar que la cookie debe transmitirse únicamente por el protocolo HTTP (por defecto, `FALSE`).

Sintaxis 2

booleano `setcookie(`*cadeena* `nombre [,` *cadena* `valor [,` *mmatriz* `opciones]])`

`nombre` Nombre de la cookie.

`valor` Valor almacenado en la cookie.

`opciones` Matriz asociativa que permite pasar las opciones de la cookie. Las claves permitidas son `expires` (fecha de expiración), `path` (ruta en el servidor donde la cookie está disponible), `domain` (dominio al que se envía la cookie), `secure` (indica si la cookie solo debe enviarse a través de una conexión segura), `httponly` (indica si la cookie solo debe transmitirse para el protocolo HTTP) y `samesite`. Los valores permitidos para la clave `samesite` son `Strict` (la cookie solo se reenvía al mismo sitio), `Lax` (la cookie también se envía en consultas de tipo `GET`) o `None` (ninguna restricción). En la primera sintaxis, no hay un parámetro equivalente a `samesite`.

Si la función solo se llama con el parámetro `nombre`, la cookie que lleva este nombre se elimina del equipo del usuario. Si los parámetros `dominio` y `ruta` se han especificado durante el envío de la cookie, debe especificarlos de manera idéntica para eliminar la cookie (poner fecha de caducidad en el pasado).

Si se especifica el parámetro `valor`, se envía una cookie con el nombre `nombre` que contiene el valor `valor` al equipo del usuario; si ya existe una cookie con este nombre, esta última se actualiza con el nuevo valor.

El parámetro `vencimiento` permite determinar la fecha de vencimiento de la cookie (y por lo tanto la fecha de su eliminación del equipo del usuario); si este parámetro no se especifica (o es igual a 0), la cookie expira al final de la sesión (cuando se cierra el navegador).

Las cookies se envían en el encabezado de la página. Al igual que la función `header`, la función `setcookie` debe llamarse antes de cualquier instrucción (PHP o HTML); esta última tiene el efecto de iniciar la construcción de la página HTML. En caso de problema, se muestra un mensaje del siguiente tipo:

```
Warning: Cannot modify header information - headers already sent by (output
started at /app/scripts/index.php:2) in /app/scripts/index.php on line 6
```

La función `setcookie` devuelve `TRUE` si la instrucción se ha podido ejecutar (no se ha transmitido todavía ningún dato) y `FALSE` en caso contrario. En cambio, el código de retorno de la función no da ninguna información sobre el hecho de que la cookie haya podido realmente depositarse en el equipo del usuario: si este último rechaza las cookies, la función `setcookie` devuelve al menos `TRUE`, aunque la cookie no se haya depositado.

Observación

El sitio gestiona las cookies. Dos cookies de sitios distintos pueden tener el mismo nombre. La cookie se deposita en el equipo del usuario por la función `setcookie` y luego se reenvía durante la visita a cualquier página del sitio.

Ejemplo

```
<?php
// Envío de una cookie llamada "nombre" que contiene
// el valor "Olivier" y expira al final de
// la sesión.
$ok = setcookie('nombre','Olivier');
// Ídem pero expira en la fecha (time() en segundos)
// más 30 veces 24 veces 3600 segundos (es decir 30 días).
$ok = setcookie('nombre','Olivier',time()+(30*24*3600));
// Eliminación de la cookie llamada 'nombre'.
$ok = setcookie('nombre');
?>
```

Cuando la cookie se reenvía al servidor web por el navegador, a petición de una página PHP, el valor de la cookie está disponible en una variable de PHP como un mecanismo idéntico al aplicado para los formularios y URL.

El valor de cada cookie enviada por el navegador se registra automáticamente en la matriz asociativa `$_COOKIE`: la clave de la matriz es igual al nombre de la cookie.

Observación

Las variables de cookie también están disponibles en la matriz asociativa `$_REQUEST` si la configuración de PHP lo permite (véase la sección Breve resumen de las variables Get/Post/Cookie/Session, en este capítulo).

Ejemplo

- Script `pagina1.php` que deposita dos cookies:

```
<?php
// La primera cookie expira al final de la sesión.
$ok1 = setcookie('nombre','Olivier');
// Segunda cookie expira en 30 días.
$ok2 = setcookie('apellido','HEURTEL',time()+(30*24*3600));
// Resultado.
if ($ok1 and $ok2) {
   $mensaje = 'Cookies depositadas (al menos, a priori)';
   } else {
   $mensaje = 'Una de las cookies no se ha podido depositar';
}
?>
<!DOCTYPE html>
<html xmlns="http://www.w3.org/1999/xhtml" lang="es">
```

```
  <head>< meta charset="utf-8" />title>Página 1</title>
  </head>
  <body>
    <div>
    <?php echo $mensaje;?><br />
    <!-- enlace hacia la página 2 -->
    <a href="pagina2.php">Página 2</a>
    </div>
  </body>
</html>
```

– Script `pagina2.php` que muestra el valor de las dos cookies:

```
<!DOCTYPE html>
<html xmlns="http://www.w3.org/1999/xhtml" lang="es">
  <head><meta charset="utf-8" /><title>Página 2</title>
  </head>
  <body>
    <div>
    <?php
    if ( isset($_COOKIE["nombre"]) ) {
      echo "\$_COOKIE[\"nombre\"] = {$_COOKIE['nombre']}<br>";
    } else {
      echo "\$_COOKIE[\"nombre\"] = <BR>";
    }
    if ( isset($_COOKIE["apellido"]) ) {
      echo "\$_COOKIE[\"apellido\"] = {$_COOKIE['apellido']}<br>";
    } else {
      echo "\$_COOKIE[\"apellido\"] = <br>";
    }
    ?>
    </div>
  </body>
</html>
```

Resultado

– Presentación de la página 1:

```
Cookies depositadas (al menos, a priori)
Página 2
```

– Resultado al hacer clic en el enlace

```
$_COOKIE["nombre"] = Olivier
$_COOKIE["apellido"] = HEURTEL
```

– Resultado de un regreso, antes de 30 días, a la página 2 del mismo sitio:

```
$_COOKIE["nombre"] =
$_COOKIE["apellido"] = HEURTEL
```

La cookie de duración igual a la sesión ya no existe después de abandonar la sesión y la información se pierde; la información almacenada en la otra cookie sigue estando disponible (dentro de los límites de su vida útil).

Es posible almacenar cualquier cadena en la cookie sin tener que preocuparse por una posible codificación/decodificación: la codificación y decodificación se realizan automáticamente.

La cookie se deposita en el equipo del usuario mediante la función `setcookie`. A continuación, se reenvía posteriormente al visitar cualquier página del sitio (en función del valor de los parámetros `ruta` y `dominio`); la cookie no está inmediatamente disponible en la página que la envía.

Ejemplo

```
<?php
// Valor de la cookie antes.
$antes = (isset($_COOKIE ['hora']))?$_COOKIE ['hora']:'';
// Depósito de la cookie que expira al final de la sesión.
$ok = setcookie('hora',date('H:i:s'));
// Valor de la cookie después.
$después = (isset($_COOKIE ['hora']))?$_COOKIE ['hora']:'';
// Hora actual.
$actual = date('H:i:s');
// Visualización.
echo "Actual: $actual<br />";
echo "Antes: $antes<br />";
echo "Después: $después<br />";
?>
```

Resultado de la primera llamada

```
Actual: 14:53:18
Antes:
Después:
```

En la primera llamada, la cookie no existe antes (esto es normal) y todavía no existe después, ya que simplemente se ha enviado, pero aún no tiene efecto (formas imaginativas de decirlo).

Resultado de la segunda llamada (en la misma sesión)

```
Actual: 14:53:30
Antes: 14:53:18
Después: 14:53:18
```

En la segunda llamada, el valor de la cookie está disponible desde el comienzo del script (la cookie se devuelve con la solicitud para la página) y tiene un valor que corresponde con el momento en que se envió; en contraposición, su valor después no refleja inmediatamente la realidad (mismo principio que para el depósito inicial: la cookie todavía no es «efectiva»).

Una consecuencia de este modo es que no es posible, inmediatamente después de haber depositado la cookie, comprobar si ha sido aceptada o no por el equipo.

Para determinar si un equipo acepta las cookies, debe depositar una cookie y volver a cargar una página en la que la presencia o ausencia de estas determine si el equipo las acepta.

Ejemplo de script probar_cookie.php que permite realizar esta comprobación

```
<?php
// Comprobar si es la segunda llamada de la página.
if (! isset($_GET['vuelta'])) {
  // No...
  // Depositar la cookie.
  setcookie('prueba','prueba');
  // Y volver a cargar la página con una información en
  // la URL indicando que es la segunda vez que se pasa.
  header('Location: probar_cookie.php?vuelta=1');
} else {
  // Sí...
  // Comprobar si la cookie es "efectiva".
  if (isset($_COOKIE['prueba'])) { // sí...
    echo 'Cookie aceptada';
  } else { // no...
    echo 'Cookie rechazada';
  }
}
?>
```

Es posible recuperar una matriz como valor de la cookie, a reserva de utilizar una notación de tipo matriz en el depósito de la cookie.

Ejemplo (basado en el ejemplo anterior)

```
<?php
// Inclusión del archivo que contiene las funciones generales.
include('funciones.inc');
// Comprobar si es la segunda llamada de la página.
if (! isset($_GET['vuelta'])) {
  // No...
  // Depositar la cookie.
  setcookie('prueba[0]','cero');
  setcookie('prueba[1]','uno');
```

```
  // Y volver a cargar la página con una información en
  // la URL indicando que es la segunda vez que se pasa.
  header('Location: probar_cookie.php?vuelta=1');
} else {
  // Sí...
  // Comprobar si la cookie es "efectiva".
  if (isset($_COOKIE['prueba'])) { // sí...
    echo 'Cookie aceptada<br />';
    mostrar_matriz($_COOKIE['prueba']);
  } else { // no...
    echo 'Cookie rechazada';
  }
}
?>
```

Resultado

```
Cookie aceptada
0 = cero
1 = uno
```

En la práctica, en realidad hay varias cookies depositadas en el ordenador del usuario, pero los valores se recuperan desde el script PHP en forma de una matriz. Para depositar una sola cookie que contenga varios valores, puede proceder por concatenación o utilizar una función como `implode` (y `explode` al devolver la cookie).

3.2 Aplicación a la gestión de sesiones

Las cookies presentan la gran ventaja, sobre las técnicas descritas hasta ahora, de ser totalmente independientes de la etiqueta de navegación `<a href=...>` y de la gestión de formularios: gestionar sesiones utilizando cookies permite superar las desventajas asociadas con los otros dos métodos.

Tienen, en contraposición, una gran desventaja: pueden ser rechazadas por los internautas, su número por dominio está limitado por los navegadores y su tamaño también está limitado.

Una gestión de sesiones, en la cual se transmite un identificador de sesión de una página a otra (el resto de la información se almacena en el servidor), se puede implementar con relativa facilidad mediante el uso de cookies, si el usuario las acepta, y utilizando la URL en el caso contrario. Esto es exactamente lo que propone la administración de sesiones de PHP que vamos a ver ahora: por lo tanto, no nos entretendremos en reconstruir lo que ya existe.

También veremos en este capítulo (véase la sección Conservar la información de una visita a otra) que la cookie es una buena herramienta (sujeta a la aceptación del usuario) para almacenar información de una sesión a otra (utilizando una cookie con un tiempo de vida especificado en su creación).

4. Utilizar la gestión de sesiones de PHP

4.1 Principios

PHP ofrece un conjunto de funciones que facilitan la gestión de sesiones. Los principios son los siguientes:

- Un identificador único se asigna automáticamente a cada sesión.
- Este identificador único se transmite de una página a otra, bien mediante una cookie (si el equipo acepta cookies) o a través de la URL, en caso contrario; en cualquier caso, es PHP quien elige automáticamente el enfoque correcto y garantiza esta transferencia (con algunas reservas en relación con la configuración).
- Los datos cuyo valor desea conservar de una página a otra mientras dure la sesión se indican a PHP, que se encarga automáticamente de devolver los valores al comienzo del script y guardarlos al final de este.

En resumen, PHP se encarga de toda la gestión.

4.2 Implementación

Las principales funciones del módulo de gestión de sesiones son las siguientes:

Nombre	Función
`session_start`	Abre una nueva sesión o reactiva la sesión actual.
`session_id`	Devuelve (o modifica) el identificador de la sesión.
`session_name`	Devuelve (o modifica) el nombre de la variable utilizada para almacenar el identificador de la sesión.
`session_abort`	Anula las modificaciones efectuadas en los datos de sesión y termina la sesión.
`session_reset`	Reinicializa los datos de sesión a sus valores iniciales.
`session_destroy`	Elimina la sesión.
`session_status`	Devuelve el estado actual de una sesión.

Además, la matriz `$_SESSION` permite manipular muy fácilmente los datos de sesión.

session_start

Sintaxis

booleano `session_start([`*matriz* `options])`

`opciones`	Matriz asociativa que permite definir las opciones que reemplazarán a las directivas de configuración relativas a las sesiones (las claves son iguales a los nombres de las directivas sin el prefijo `session.`).

La función `session_start` pregutará al entorno para detectar si el usuario actual ya ha iniciado una sesión. En caso afirmativo, las variables almacenadas en la sesión se restituyen. De lo contrario, se abre una nueva sesión con la asignación de un identificador.

La función `session_start` devuelve `TRUE` si se ha podido crear la sesión con éxito y `FALSE` en caso contrario.

Cualquier script que participe en la gestión de sesiones debe llamar a `session_start` para acceder a las variables de sesión.

Si todavía no se ha iniciado la sesión, la función `session_start` tratará de depositar en el ordenador del usuario una cookie que contiene el identificador de sesión: por lo tanto, es importante, como para las funciones `header` y `setcookie`, que el principio de la página todavía no se haya enviado al navegador. En caso de problema, se muestra un mensaje del siguiente tipo:

Warning: `session_start(): Session cannot be started after headers have already been sent in` **/app/scripts/index.php** `on line` **3**

Ejemplo

```
<?php
// Abrir/reactivar la sesión.
session_start();
?>
```

Ejemplo especificando una opción durante la llamada

```
<?php
// Abrir/reactivar la sesión.
session_start(['cache_limiter' => 'private']);
?>
```

Aparte de las directivas de configuración normales (véase en este capítulo la sección Algunas directivas de configuración adicionales), puede utilizar la opción `read_and_close`. Si esta opción está establecida en `TRUE`, la sesión se cerrará inmediatamente después de haber sido leída, evitando así bloqueos innecesarios si los datos de la sesión no se cambian en el script.

Ejemplo

```
<?php
// Abrir/reactivar la sesión.
session_start(['read_and_close' => TRUE]);
?>
```

session_id

Sintaxis

```
cadena session_id([cadena nuevo_valor])
```

`nuevo_valor` Nuevo valor asignado al identificador de sesión.

Llamada sin parámetros, la función `session_id` devuelve el valor del identificador de sesión. Este valor siempre estará vacío si en el script no se llama a `session_start`.

Llamada con un parámetro, la función `session_id` modifica el valor asignado al identificador de sesión. En la práctica, en la mayoría de los casos, esto no es de mucho interés.

Ejemplo

```
<?php
// Recuperar el valor de session_id antes.
$antes = session_id();
// Abrir/reactivar la sesión.
session_start();
// Recuperar el valor de session_id después.
$después = session_id();
// Visualización.
$actual = date("H:i:s");
echo "Hora: $actual<br />";
echo "Antes: $antes<br />";
echo "Después: $después<br />";
?>
```

Resultado

– Primera llamada

```
Hora: 20:59:50
Antes:
Después: osam3sadodqdllh90t3kkadsm7
```

– Segunda llamada, sin salir del sitio (misma sesión)

```
Hora: 21:00:24
Antes:
Después: osam3sadodqdllh90t3kkadsm7
```

– Tercera llamada, después de salir del sitio (nueva sesión)

```
Hora: 21:01:39
Antes:
Después: pbjp5i5malu35alb2i9e781uhq
```

Los tres ejemplos muestran que, antes de llamar a la función `session_start`, la función `session_id` devuelve una cadena vacía, incluso si ya se ha iniciado la sesión (caso de la segunda llamada).

En la tercera llamada, el identificador de sesión es nuevo porque es una nueva sesión.

session_name

Sintaxis

cadena `session_name([`*cadena* `nuevo_valor])`

`nuevo_valor`	Nuevo valor asignado al nombre de la variable que almacena el identificador de sesión.

Llamada sin parámetros, la función `session_name` devuelve el nombre de la variable en la que se almacena el identificador de sesión. La función `session_name` devuelve un resultado, incluso si en el script no se ha llamado a la función `session_start`.

Llamada con un parámetro, la función `session_name` cambia el nombre de la variable. En este caso, es necesario llamar a `session_name()` antes que a `session_start()`. En la práctica, en la mayoría de los casos, esto no presenta un gran interés (de todas formas, se remite a su valor predefinido al final del script).

Ejemplo

```
<?php
// Recuperar el valor de session_name antes.
$antes = session_name();
// Abrir/reactivar la sesión.
session_start();
// Recuperar el valor de session_name después.
$después = session_name();
```

```
// Visualización.
echo "Antes: $antes<br />";
echo "Después: $después<br />";
?>
```

Resultado

```
Antes: PHPSESSID
Después: PHPSESSID
```

El nombre de la variable se define por la directiva de configuración `session.name`. Puede modificar esta directiva para utilizar otro nombre.

Manipular los datos registrados en la sesión

Después de llamar a la función `session_start`, los datos de sesión se pueden manipular directamente en la matriz asociativa `$_SESSION`. Todas las entradas almacenadas en la matriz `$_SESSION` se guardan automáticamente como datos de sesión.

Para guardar un nuevo dato en la sesión, basta con almacenar estos datos en la matriz `$_SESSION`, con la clave de su elección.

Para leer o editar un dato de sesión guardado previamente, basta con acceder a la matriz `$_SESSION` utilizando la clave correcta.

Observación

Recuerde que debe llamar a la función `session_start` para poder manipular los datos de sesión utilizando la matriz `$_SESSION`.

Ejemplo

– Script `pagina1.php` que abre una sesión y guarda los datos en la sesión.

```
<?php
// Abrir/reactivar la sesión.
session_start();
// Guardar dos informaciones en la sesión.
$_SESSION['nombre'] = 'Olivier';
$_SESSION['información'] =  // es una matriz...
      array('nombre'=>'Olivier','apellido'=>'HEURTEL');
?>
<!DOCTYPE html>
<html xmlns="http://www.w3.org/1999/xhtml" lang="es">
  <head>
    <meta charset="utf-8" />
    <title>Pagina 1</title>
  <head>
   <meta http-equiv="Content-type" content="text/html;charset=UTF-8" />
   <title>Página 1</title>
  </head>
  <body>
```

```
    <div><a href="pagina2.php">Página 2</a></div>
  </body>
</html>
```

– Script `pagina2.php` que muestra el valor de las variables de sesión:

```
<?php
// Llamada a session_start.
session_start();
// Visualización.
echo '$_SESSION[\'nombre\'] = ',
     isset($_SESSION['nombre'])?$_SESSION['nombre']:'',
     '<br />';
echo '$_SESSION[\'información\'][\'apellido\'] = ',
     isset($_SESSION['información']['apellido'])?
                 $_SESSION['información']['apellido']:'',
     '<br />';
?>
```

Resultado en la página 2 después de mostrar la página 1 y hacer clic en el enlace

```
$_SESSION['nombre'] = Olivier
$_SESSION['información']['apellido'] = HEURTEL
```

Observación

No hay codificación sobre los datos almacenados en la sesión.

La matriz `$_SESSION` es una variable «superglobal»: está disponible en todo el script, incluso dentro de las funciones, sin necesidad de declararla global (`global $_SESSION` no es necesario).

Como se muestra en el ejemplo anterior, la función `isset` se puede utilizar para comprobar si los datos se almacenan en la sesión.

Si desea eliminar un dato de sesión, puede utilizar la función `unset` para eliminar la entrada en la matriz `$_SESSION`: `unset($_SESSION['nombre'])`.

Para eliminar de un solo golpe todos los datos de sesión, puede asignar una matriz vacía (`array()`) a la matriz `$_SESSION`.

Observación

En ambos casos, no elimine la totalidad de la variable `$_SESSION` (`unset($_SESSION)`).

session_abort

Sintaxis

```
session_abort()
```

La función `session_abort` anula las modificaciones efectuadas en los datos de sesión desde la apertura y la finalización de la sesión.

Esta función devuelve `TRUE` en caso de éxito y `FALSE` en caso de fracaso (por ejemplo, si la sesión no estaba abierta).

Esta función no anula las modificaciones inmediatamente en el script en curso. Para ello, puede llamar a la función `session_reset`.

Ejemplo

– Script `pagina1.php`:

```
<?php
// Abrir /reactivar la sesión.
session_start();
// Guardar una información en la sesión.
$_SESSION['nombre'] = 'Olivier';
?>
<!DOCTYPE html>
<html xmlns="http://www.w3.org/1999/xhtml" lang="es">
  <head>
   <meta charset="utf-8" />
   <title>Página 1</title>
  <head>
   <meta charset="utf-8" />
   <title>Página 1</title>
  </head>
  <body>
    <div>
    <b>Página 1</b><br />
    <?php
    // Mostrar los datos de la sesión.
    echo 'nombre = ',$_SESSION['nombre'],'<br />';
    ?>
    <a href="pagina2.php">Página 2</a><br />
    </div>
  </body>
</html>
```

– Script `pagina2.php`:

```
<?php
// Abrir/reactivar la sesión.
session_start();
?>
<html xmlns="http://www.w3.org/1999/xhtml" lang="es">
  <head>
    <meta charset="utf-8" />
    <title>Página 2</title>
```

```
  </head>
  <body>
    <div>
    <b>Página 2</b><br />
    <?php
    // Mostrar los datos de la sesión.
    echo 'nombre = ',$_SESSION['nombre'],'<br />';
    // Modificar los datos de la sesión.
    $_SESSION['nombre'] = '?';
    // Anular la sesión.
    session_abort();
    // Mostrar los datos de la sesión.
    echo 'nombre = ',$_SESSION['nombre'],'<br />';
    ?>
    <a href="pagina3.php">Página 3</a><br />
    </div>
  </body>
</html>
```

- Script pagina3.php:

```
<?php
// Abrir/reactivar la sesión.
session_start();
?>
<!DOCTYPE html>
<html xmlns="http://www.w3.org/1999/xhtml" lang="es">
  <head>
   <meta charset="utf-8" />
   <title>Página 3</title>
  </head>
  <body>
    <div>
    <b>Página 3</b><br />
    <?php
    // Mostrar los datos de la sesión.
    echo 'nombre = ',$_SESSION['nombre'],'<br />';
    ?>
    </div>
  </body>
</html>
```

Resultado

- Página 1

Página 1
nombre = Olivier
Página 2

– Página 2

```
Página 2
nombre = Olivier
nombre = ?
Página 3
```

– Página 3

```
Página 3
nombre = Olivier
```

En este ejemplo se ve claramente que los datos de la sesión se han anulado (Página 3), pero no inmediatamente en el script que ha llevado a cabo la anulación (Página 2).

session_reset

Sintaxis

```
booleano session_reset()
```

La función `session_reset` reinicializa los datos de la sesión a sus valores iniciales.

Esta función devuelve `TRUE` en caso de éxito y `FALSE` en caso de fracaso (por ejemplo, si la sesión no estaba abierta).

A diferencia de la función `session_abort`, esta función anula las modificaciones inmediatamente en el script en curso.

Ejemplo

– Script `pagina1.php`:

```
<?php
// Abrir/reactivar la sesión.
session_start();
// Guardar una información en la sesión.
$_SESSION['nombre'] = 'Olivier';
?>
<!DOCTYPE html>
<html xmlns="http://www.w3.org/1999/xhtml" lang="es">
  <head>
   <meta charset="utf-8" />
   <title>Página 1</title>
  </head>
  <body>
    <div>
    <b>Página 1</b><br />
    <?php
    // Mostrar los datos de la sesión.
    echo 'nombre = ',$_SESSION['nombre'],'<br />';
    ?>
    <a href="pagina2.php">Página 2</a><br />
```

```
    </div>
  </body>
</html>
```

– Script pagina2.php:

```
<?php
// Abrir/reactivar la sesión.
session_start();
?>
!DOCTYPE html>
<html xmlns="http://www.w3.org/1999/xhtml" lang="es">
  <head>
   <meta charset="utf-8" />
   <title>Página 2</title>
  </head>
  <body>
    <div>
    <b>Página 2</b><br />
    <?php
    // Mostrar los datos de la sesión.
    echo 'nombre = ',$_SESSION['nombre'],'<br />';
    // Modificar los datos de la sesión.
    $_SESSION['nombre'] = '?';
    // Reinicializar los datos de la sesión.
    session_reset();
    // Mostrar el dato de la sesión.
    echo 'nombre = ',$_SESSION['nombre'],'<br />';
    ?>
    </div>
  </body>
</html>
```

Resultado

– Página 1

```
Página 1
nombre = _Olivier
Página 2
```

– Página 2

```
nombre = Olivier
nombre = Olivier
```

Los datos de la sesión se han reinicializado inmediatamente.

session_destroy

Sintaxis

`*booleano* session_destroy()`

Después de una llamada a la función `session_destroy`, la sesión ya no existe; una llamada a la función `session_id` devuelve una cadena vacía y una llamada posterior a la función `session_start` abrirá una nueva sesión.

La función `session_destroy` devuelve `TRUE` en caso de éxito y `FALSE` en caso de error.

La función `session_destroy` falla (y por tanto devuelve `FALSE`) y muestra una alerta si se llama antes de la función `session_start`.

La función `session_destroy` no elimina los datos de sesión en el script actual. Para eliminar inmediatamente todos los datos de sesión, puede asignar una matriz vacía a `$_SESSION`.

Del mismo modo, esta función no destruye la cookie de sesión posiblemente utilizada para propagar el identificador de sesión. Para eliminar la cookie de sesión, puede utilizar la función `setcookie`.

Ejemplo

– Script `pagina1.php`

```
<?php
// Abrir/reactivar la sesión.
session_start();
// Guardar una información en la sesión.
$_SESSION['nombre'] = 'Olivier';
?>
<!DOCTYPE html>
<html xmlns="http://www.w3.org/1999/xhtml" lang="es">
  <head>
   <meta charset="utf-8" />
   <title>Página 1</title>
  </head>
  <body>
   <div>
   <b>Página 1</b><br />
   <?php
   echo 'Hola ',$_SESSION['nombre'],'<br />';
   echo 'session_id() = ',session_id(),'<br />';
   ?>
   <a href="pagina2.php">Página 2</a><br />
   </div>
  </body>
</html>
```

– Script pagina2.php

```
<?php
// Abrir/reactivar la sesión.
session_start();
// Destruir la sesión.
session_destroy();
?>
<!DOCTYPE html>
<html xmlns="http://www.w3.org/1999/xhtml" lang="es">
  <head>
   <meta charset="utf-8" />
   <title>Página 2</title>
 </head>
 <body>
  <div>
  <b>Página 2</b><br />
  <?php
  echo 'Hola ',$_SESSION['nombre'],'<br />';
  echo 'session_id() = ',session_id(),'<br />';
  ?>
  <a href="pagina3.php">Página 3</a><br />
  </div>
 </body>
</html>
```

– Script pagina3.php

```
<?php
// Abrir/reactivar la sesión.
session_start();
?>
!DOCTYPE html>
<html xmlns="http://www.w3.org/1999/xhtml" lang="es">
 <head>
   <meta charset="utf-8" />
   <title>Página 3</title>
 </head>
 <body>
  <div>
  <b>Página 3</b><br />
  <?php
  echo 'Hola ',$_SESSION['nombre'],'<br />';
  echo 'session_id() = ',session_id(),'<br />';
  ?>
  </div>
 </body>
</html>
```

Resultado

– Página 1

```
Página 1
Hola Olivier
session_id() = ie8qirfale4sneprmg8blo77dh
Página 2
```

– Página 2

```
Página 2
Hola Olivier
session_id() = _
Página 3
```

– Página 3

```
Página 3
Hola
session_id() = ie8qirfale4sneprmg8blo77dh
```

En la segunda página, el dato de sesión todavía no se ha eliminado. En cambio, en la tercera página, el dato está vacío. En realidad, se trata de una nueva sesión, pero se ha reutilizado el mismo identificador, ya que la cookie de sesión no se había eliminado.

Es posible modificar el script `pagina2.php` para que destruya completamente la sesión.

Ejemplo

```
<?php
// Abrir/reactivar la sesión.
session_start();
// Eliminar toda la información de sesión.
$_SESSION = array();
// Eliminar la cookie de la sesión (si se utiliza).
// La cookie lleva el nombre de la variable que almacena
// el identificador de sesión.
if (isset($_COOKIE[session_name()])) {
 setcookie(session_name(),'',time()-1,'/');
}
// Destruir la sesión.
session_destroy();
?>
!DOCTYPE html>
<html xmlns="http://www.w3.org/1999/xhtml" lang="es">
 <head>
  <meta charset="utf-8" />
    <title>Página 2</title>
    <title>Página 2</title>
 </head>
```

```
 <body>
  <div>
  <b>Página 2</b><br />
  <?php
  echo 'Hola ',$_SESSION['nombre'],'<br />';
  echo 'session_id() = ',session_id(),'<br />';
  ?>
  <a href="pagina3.php">Página 3</a><br />
  </div>
 </body>
</html>
```

Resultado

– Página 1

```
Página 1
Hola Olivier
session_id() = 89mt1vv683ifg5htc06g635ug1
Página 2
```

– Página 2

```
Página 2
Hola
session_id() = _
Página 3
```

– Página 3

```
Página 3
Hola
session_id() = m7gttbpcbfbcoemijg1f7jhn66
```

El dato de sesión se elimina correctamente desde la segunda página, y se utiliza un nuevo identificador de sesión en la tercera página.

session_status

Sintaxis

entero `session_status()`

La función `session_status` devuelve una constante que da el resultado actual de la sesión:

`PHP_SESSION_DISABLED`	Las sesiones se desactivan.
`PHP_SESSION_NONE`	Las sesiones se activan, pero no se inicia ninguna sesión.
`PHP_SESSION_ACTIVE`	Las sesiones se activan y se inicia una sesión.

Ejemplo

```
<?php
// Función que devuelve el nombre de la constante
// de estado a partir de su valor.
function texto_estado($valor) {
  switch ($valor) {
    case PHP_SESSION_DISABLED:
        return 'PHP_SESSION_DISABLED';
    case PHP_SESSION_NONE:
        return 'PHP_SESSION_NONE';
    case PHP_SESSION_ACTIVE:
        return 'PHP_SESSION_ACTIVE';
  }
  return '?';
}
$estado1 = texto_ estado(session_status());
session_start();
$estado2 = texto_ estado(session_status());
session_destroy();
$estado3 = texto_ estado(session_status());
echo 'Antes de session_start(): ', $estado1,'<br />';
echo 'Después de session_start(): ', $ estado2,'<br />';
echo 'Después de session_destroy(): ', $ estado3,'<br />';
?>
```

Resultado

```
Antes de session_start(): PHP_SESSION_NONE
Después de session_start(): PHP_SESSION_ACTIVE
Después de session_destroy(): PHP_SESSION_NONE
```

4.3 Autogestión de la transmisión del identificador de sesión

4.3.1 Descripción del problema

Normalmente, el identificador de sesión se transmite automáticamente por PHP, ya sea por cookies o por URL (si el usuario no acepta las cookies).

Sin embargo, tres directivas de configuración controlan este comportamiento:

- `session.use_cookies`
- `session.use_trans_sid`
- `session.use_only_cookies`

Si la directiva `session.use_cookies` es igual a 0, PHP ni siquiera intenta utilizar cookies para transmitir el identificador de sesión. En cambio, si la directiva es igual a 1 (valor predeterminado), PHP intenta utilizar cookies.

Si la directiva `session.use_trans_sid` es igual a 0 (valor predeterminado), PHP no utiliza la URL para transmitir el identificador de sesión. En cambio, si la directiva es igual a 1 y el identificador de sesión no puede transmitirse a través de una cookie (debido a la configuración o la negativa del usuario), entonces PHP utiliza la URL para transmitir el identificador de sesión.

Si la directiva `session.use_only_cookies` está en 1, (valor predefinido) solo se utilizan cookies para transmitir el identificador de sesión.

La principal consecuencia es la siguiente: si la directiva `session.use_trans_sid` es igual a 0 (valor predeterminado) y el identificador de sesión no se puede transmitir a través de una cookie (debido a la configuración o la negativa del usuario), la gestión ya no funciona.

En términos de seguridad, no es aconsejable permitir la transmisión del identificador de sesión en la URL. Es preferible el uso de cookies, pero esto requiere que el usuario las acepte. Los valores predeterminados de las directivas de configuración van en esta dirección.

Ejemplo

– Script `pagina1.php`

```
<?php
// Abrir/reactivar la sesión.
session_start();
// Recuperar el identificador de sesión.
$sesión = session_id();;
// Registrar una información en la sesión.
$_SESSION['nombre'] = 'Olivier';
?>
!DOCTYPE html>
<html xmlns="http://www.w3.org/1999/xhtml" lang="es">
  <head>
    <meta charset="utf-8" />
 <head>
   <title>Página 1</title>
 </head>
 <body>
  <div>
  <b>Página 1</b><br />
  <?php
  // Mostrar el ID de la sesión.
  echo 'session_id() = ',session_id(),'<br />';
  // Mostrar el dato de sesión.
  echo 'nombre = ',
     isset($_SESSION['nombre'])?$_SESSION['nombre']:'','<br />';
  ?>
```

```
  <a href="pagina2.php">Página 2</a><br />
  </div>
 </body>
</html>
```

– Script pagina2.php

```
<?php
// Abrir/reactivar la sesión.
session_start();?>
<!DOCTYPE html>
<html xmlns="http://www.w3.org/1999/xhtml" lang="es">
 <head>
  <meta charset="utf-8" />
  <title>Página 2</title>
 </head>
 <body>
  <div>
  <b>Página 2</b><br />
  <?php
  // Mostrar el ID de la sesión.
  echo 'session_id() = ',session_id(),'<br />';
  // Mostrar el dato de sesión.
  echo 'nombre = ',
     isset($_SESSION['nombre'])?$_SESSION['nombre']:'','<br />';
  ?>
  </div>
 </body>
</html>
```

Resultado (primer caso)

– Presentación inicial de la página 1:

```
Página 1
session_id() = g3jfgkkcjf8nvg3u3utja51n86
nombre = _Olivier
Página 2
```

– Presentación de la página 2 después de hacer clic en el enlace Página 2 (si el usuario rechaza las cookies y si **session.use_trans_sid = 0**):

```
Página 2
session_id() = ghu6ctr1kbss9glcc7112kdgt7
nombre =
```

La información de sesión no se ha transmitido y la llamada a la función session_start ha abierto una nueva sesión.

Resultado (segundo caso)

– Presentación inicial de la página 1:

```
Página 1
session_id() = ukb4oquhoc19mq381hjdv88m14
nombre = _Olivier
Página 2
```

– Presentación de la página 1 después de hacer clic en el enlace Página 2 (si el usuario rechaza las cookies, pero **session.use_trans_sid = 1** y **session.use_only_cookies = 0**):

```
Página 2
session_id() = ukb4oquhoc19mq381hjdv88m14
nombre = Olivier
```

En este caso, la sesión se conserva correctamente.

Observemos la fuente HMTL de la primera página para comprender lo que ha sucedido:

```
<!DOCTYPE html>
<html xmlns="http://www.w3.org/1999/xhtml" lang="es">
 <head>
  <meta charset="utf-8" />
  <title>Página 1</title>
 </head>
 <body>
   <div>
   <b>Página 1</b><br />
   session_id() = ukb4oquhoc19mq381hjdv88m14<br />nombre = Olivier<br />
    <a href="pagina2.php?PHPSESSID=ukb4oquhoc19mq381hjdv88m14">Página
    2</a><br />
   </div>
  </body>
</html>
```

La etiqueta `<a href>` ha sido automáticamente reescrita por PHP para integrar la transmisión del identificador de sesión (llamado `PHPSESSID` por defecto). Si hubiera habido un parámetro en la URL, PHP habría añadido el parámetro `PHPSESSID` en la URL (`&PHPSESSID=...`).

En cambio, se plantea un problema en caso de regreso a la página 1 mediante el botón **Atrás** de su navegador:

```
Página 1
session_id() = mi0c105o7uv4mdsslgf5vpj142
nombre = _Olivier
Página 2
```

Como el identificador de sesión no se transmite cuando se llama a esta página, se abre una nueva sesión.

Del mismo modo, si una página incluye un formulario, PHP agrega automáticamente un campo oculto para transmitir el identificador de sesión al enviar el formulario.

Ejemplo

```
<input type="hidden" name="PHPSESSID"
value="mi0c105o7uv4mdsslgf5vpj142" />
```

En cambio, la información no se transmite al redirigir con la función `header`.

4.3.2 Solución

Si el identificador no se transmite automáticamente por PHP, conviene garantizar esta transmisión; lo más simple es efectuarla a través de la URL (como PHP hace cuando la opción está habilitada).

Una primera posibilidad consiste en utilizar las funciones `session_name` y `session_id` para construir el parámetro que se incluirá en la URL en el formato `nombre_identificador=valor_identificador`.

La segunda posibilidad (más sencilla) consiste en utilizar una constante llamada `SID`, que PHP inicializa automáticamente, con una cadena `nombre_identificador=valor_identificador`.

Ejemplo

```
<?php
//Abrir/reactivar la sesión.
session_start();
//Construir la propia cadena.
echo 'Mi SID: ',session_name(),'=',session_id(),'<br />';
//Mostrar la constante SID.
echo 'SID: ',SID;
?>
```

Resultado

```
Mi SID: PHPSESSID=t4e1re53t1rv1d2a1ki4bgr6a6
SID: PHPSESSID=t4e1re53t1rv1d2a1ki4bgr6a6
```

En ambos casos, si se ha cambiado el nombre de la variable en el archivo `php.ini`, ambas construcciones se tienen en cuenta.

La constante `SID`, tal como se define, se puede utilizar directamente para la construcción de una URL, transmitiendo el valor del identificador de sesión.

Ejemplos

- En una etiqueta `<a href=...>`:
  ```
  <a href="pagina2.php?<?= SID ?>">Página 2</a>
  ```
- En el atributo `action` de la etiqueta `<form>`:
  ```
  <form action="pagina2.php?<?= SID ?>" method="post">
  ```
- En una redirección con la función `header`:
  ```
  header('Location: pagina2.php?'.SID);
  ```

En cambio, en un campo oculto de un formulario, es necesario utilizar las funciones `session_name` y `session_id`.

Ejemplo

```
<input type = "hidden"
 name="<?= session_name() ?>"
 value="<= session_id() ?>" />
```

Observación

La constante `SID` no se rellena si no se acepta la cookie, excepto en el script que acaba de iniciar la sesión (ya que PHP aún no sabe si el cliente acepta o no la cookie). Integrar un `SID` vacío en una URL no es muy elegante, pero no plantea ningún problema (`<a href="pagina2.php?">` es válido). Si integra sistemáticamente el `SID` en la URL y la transmisión automática funciona (ya sea por cookies o por URL), ello tampoco resulta muy elegante, pero no plantea ningún problema.

Por tanto, para escribir código portátil y elegante, conviene incorporar el `SID` en la URL cuando sea necesario.

Una función genérica puede perfectamente asumir esta tarea, probando la directiva de configuración y la constante `SID`.

Ejemplo

```
<?php
function url($url) {
//Si la directiva de configuración session.use_trans_sid
//está en 0 (no se realiza ninguna transmisión automática por URL) y
//si SID no está vacío (el equipo ha rechazado la cookie), entonces
//debemos gestionar la transmisión.
if((get_cfg_var('session.use_trans_sid') == 0)
   and (SID != '')) {
   //Agregar la constante SID detrás de la URL con un ?
   //si todavía no hay ningún parámetro, o con un & en
   //caso contrario.
   $url .= ((strpos($url,'?') === FALSE)?'?':'&').SID;
   }
   return $url;
```

```
}
//Abrir/reactivar la sesión.
session_start();
//Algunas pruebas.
echo url('pagina2.php'),'<br />';
echo url('pagina3.php?nombre=Olivier'),'<br />';
?>
```

Resultado

- Si `session.use_trans_id = 0` y la cookie se rechaza:

```
pagina2.php?PHPSESSID=rnug67kreboecedi8r9ohfd414
pagina3.php?nombre=Olivier&PHPSESSID=rnug67kreboecedi8r9ohfd414
```

- Si `session.use_trans_id = 0` y la cookie se acepta (pero 1.ª llamada):

```
pagina2.php?PHPSESSID=7hbp60dtuu1e20d1lda1j45235
pagina3.php?nombre=Olivier&PHPSESSID=7hbp60dtuu1e20d1lda1j45235
```

- Si `session.use_trans_id = 0` y la cookie se acepta (pero 2.ª llamada):

```
pagina2.php
pagina3.php?nombre=Olivier
```

- Si `session.trans_id = 1` y la cookie se rechaza o acepta:

```
pagina2.php
pagina3.php?nombre=Olivier
```

En el último caso, cuando la cookie se rechaza, PHP agrega automáticamente el `SID` en la URL (ya que la directiva `session.trans_id` está en `1`).

Esta función puede llamarse allí donde sea necesario construir una URL susceptible de transmitir el identificador de sesión.

Observación

Sea cual sea la configuración, esta función se debe utilizar cuando se realice una redirección con la función header (ya que PHP no reescribe nunca las URL llamadas por esta función).

4.4 Algunas directivas de configuración adicionales

Además de las ya mencionadas, es bueno conocer las directivas de configuración siguientes:

`session.save_path`	Directorio donde se almacenan los archivos temporales que contienen la información de la sesión.

`session.auto_start`	Si se establece en 1, la función `session_start` se llama automáticamente al principio de cada script (para un código portátil, es preferible llamar explícitamente a la función `session_start`).
`session.cookie_lifetime`	Tiempo de vida de las cookies depositadas en el equipo del usuario. El valor 0 propuesto predefinido se adapta perfectamente para una cookie de sesión.
`session.cookie_path`	Ruta de acceso en el servidor donde está disponible la cookie de sesión (véase la función `setcookie`). Por defecto /.
`session.cookie_domain`	Dominio al que se reenvía la cookie (véase la función `setcookie`). Por defecto vacío.
`session.cookie_secure`	Indica si la cookie se debe transmitir solo a través de una conexión segura (véase la función `setcookie`). Por defecto `0`.
`session.cache_limiter`	Determina el comportamiento en relación con la caché de todas las páginas que participan en la gestión de las sesiones enviadas al navegador. Valores posibles: `nocache`, `private`, `public`. Esta información se transmite en el encabezado de respuesta del servidor web. Valor predefinido a `nocache` (aconsejado).
`session.cache_expire`	Tiempo de vida en minutos de las páginas en la caché. Por defecto 180. No tiene efecto si el valor `nocache` se especifica en `session.cache_limiter`.
`session.use_strict_mode`	Si esta directiva es igual a `1` (predefinido a `0`), el módulo no acepta la utilización de un identificador de sesión no inicializado por el administrador de sesión (problema mencionado anteriormente).

4.5 Ejemplos de aplicación

4.5.1 Principios

El principio fundamental es llamar sistemáticamente a la función `session_start` al principio de cada script, ya sea para abrir una sesión en una primera visita o para reactivar un contexto de sesión en la continuación de la navegación.

Ejemplo (con dos páginas)

– Script `pagina1.php`:

```
<?php
//Inclusión del archivo que contiene las
//funciones generales.
include('funciones.inc');
//Abrir/reactivar la sesión.
session_start();
//Comprobar si la sesión es nueva (es decir, si está abierta por
//la llamada a session_start() a continuación) o es antigua (es decir,
//si fue abierta por una llamada anterior a session_start()).
//Lo mejor es comprobar si una de nuestras variables de sesión
//ya está registrada.
if(! isset($_SESSION['fecha']) ) {
  //Variable "fecha" todavía no registrada.
  //=> nueva sesión.
  //=> iniciar la sesión a nivel de aplicación.
  //Para este ejemplo:
  // - determinar la fecha/hora de apertura de la sesión;
  $fecha = date('\e\l d/m/Y a las H:i:s');
  //  - guardar la fecha/hora de inicio de la sesión;
  $_SESSION['fecha'] = $fecha;
  //  - recuperar el identificador de la sesión (para info);
  $sesión = session_id();
  //  - preparar un mensaje.
  $mensaje = "Nueva sesión: $sesión - $fecha";
} else {
  //Variable "fecha" ya registrada.
  //=> antigua sesión.
  //=> recuperar las variables de sesión utilizadas
  //en este script.
  //Para este ejemplo:
  // - fecha/hora de apertura de la sesión;
  $fecha = $_SESSION['fecha'];
  // - recuperar el identificador de la sesión (para info);
  $sesión = session_id();
  // - preparar un mensaje.
```

```
  $mensaje = "Sesión ya iniciada: $sesión - $fecha";
}
//Determinación de la fecha y de la hora actual (no la
//del inicio de sesión).
$actual = 'Hoy es el día '.date('d/m/Y').
      ' son las '.date('H:i:s');
?>
<!DOCTYPE html>
<html xmlns="http://www.w3.org/1999/xhtml" lang="es">
 <head>
  <meta charset="utf-8" />
  <title>Página 1</title>
 </head>
 <body>
  <div>
  <b>Página 1 - <?php echo $actual; ?></b><br />
  <?php echo $mensaje; ?><br />
  <!-- enlace hacia las otras páginas
      Utilizar nuestra función genérica url() para estar
      seguros de que el identificador de sesión se transmite
      independientemente de las condiciones -->
  <a href="<?php echo url('pagina2.php'); ?>">Página 2</a>
  </div>
 </body>
</html>
```

– Script `pagina2.php` (idéntico a la excepción de la parte HTML):

```
<?php
...
?>
!DOCTYPE html>
<html xmlns="http://www.w3.org/1999/xhtml" lang="es">
 <head>
  <meta charset="utf-8" />
  <title>Página 2</title>
 </head>
 <body>
  <div>
  <b>Página 2 - <?php echo $actual; ?></b><br />
  <?php echo $mensaje; ?><br />
  <!-- enlace hacia las otras páginas -->
  <a href="<?php echo url('pagina1.php'); ?>">Página 1</a>
  </div>
 </body>
</html>
```

Resultado

– Primera llamada de la URL `http://.../pagina1.php`:

```
Página 1 - Hoy es el día 09/03/2024; son las 21:11:53
Nueva sesión: i177j8dbgg03h8ghrumnnmi833 - el 09/03/2024 a las 21:11:53
Página 2
```

– Resultado al hacer clic en el enlace a la Página 2:

```
Página 2 - Hoy es el día 09/03/2024; son las 21:12:27
Sesión ya iniciada: i177j8dbgg03h8ghrumnnmi833 - el 09/03/2024 a las 21:11:53
Página 1
```

– Resultado al hacer clic en el enlace a la Página 1:

```
Página 1 - Hoy es el día 09/03/2024; son las 21:13:39
Sesión ya iniciada: i177j8dbgg03h8ghrumnnmi833 - el 09/03/2024 a las 21:11:53
Página 2
```

– Resultado al hacer clic en el botón **Atrás** del navegador:

```
Página 2 - Hoy es el día 09/03/2024; son las 21:14:32
Sesión ya iniciada: i177j8dbgg03h8ghrumnnmi833 - el 09/03/2024 a las 21:11:53
Página 1
```

El hecho de que esta página se actualice está vinculado a la directiva de configuración `session.cache_limiter`, que es igual a `nocache` en el ejemplo: las páginas que participan en la gestión de las sesiones no se colocan en la caché del navegador y se actualizan automáticamente.

Observación

El código común a todas las páginas se define en una función, llamada a través de los diferentes scripts.

4.5.2 Con autenticación de usuarios

El uso de esta técnica se puede ilustrar en una gestión de sesiones con autenticación de usuarios.

Ejemplo

– Script `login.php` para la autenticación

```
<?php
// Inclusión del archivo que contiene las funciones generales.
include('funciones.inc');
// Función que verifica que las credenciales de identificación
// introducidas son correctas.
function usuario_existe($identificador,$contraseña) {
 // Conexión y selección de la base de datos.
 $conexión = mysqli_connect();
 mysqli_select_db($conexión,'diane');
 // Definición y ejecución de una consulta preparada.
```

```
 $sql  = 'SELECT 1 FROM usuarios ';
 $sql .= 'WHERE identificador = ? AND contraseña = ?';
 $consulta = mysqli_stmt_init($conexión);
 $ok = mysqli_stmt_prepare($consulta,$sql);
 $ok = mysqli_stmt_bind_param
     ($consulta,'ss',$identificador,$contraseña);
 $ok = mysqli_stmt_execute($consulta);
 mysqli_stmt_bind_result($consulta,$existe);
 $ok = mysqli_stmt_fetch($consulta);
 mysqli_stmt_free_result($consulta);
 // La identificación tiene éxito si la consulta devuelve
 // una línea (el usuario existe y la contraseña
 // es correcta).
 // Si este es el caso $existe contiene 1, de lo contrario está
 // vacía. Basta con devolverla como un valor booleano.
 return (bool) $existe;
}
// Inicialización de las variables.
$identificador = '';
$contraseña = '';
$mensaje = '';
//Procesamiento del formulario.
if(isset($_POST['conexión'])) {
  // Recuperar la información introducida.
  $identificador = $_POST['identificador'];
  $contraseña = $_POST['contraseña'];
  // Verificar que el usuario existe.
  if(usuario_existe($identificador,$contraseña)) {
    //El usuario existe...
    //Iniciar una sesión y registrar los datos
    //de sesión.
    session_start();
    $_SESSION['fecha'] = date("\e\l d/m/Y a las H:i:s);
    $_SESSION['identificador'] = $identificador;
    // A continuación, redirigir al usuario a la página de inicio
    // llamando a la función genérica url() para estar
    // seguros de que el identificador de la sesión se transmite
    // independientemente de las condiciones.
    header('location: '.url('inicio.php'));
    exit;
 }else {
   // El usuario no existe...
   // Mostrar un mensaje y proponer de
   // nuevo la identificación.
    $mensaje = 'Identificación incorrecta. ';
    $mensaje .= 'Vuelva a intentarlo.';
```

```
    // Dejar que el formulario se muestre de nuevo...
   }
}
?>
<!DOCTYPE html>
<html xmlns="http://www.w3.org/1999/xhtml" lang="es">
 <head>
  <meta charset="utf-8" />
  <title>Inicio de sesión</title>
 </head>
 <body>
  <form action="login.php" method="post">
  <table>
  <tr>
    <td style="text-align:right">Identificador:</td>
    <td><input type="text" name="identificador" value=
       "<?php echo hacia_formulario($identificador); ?>" /></td>
  </tr>
  <tr>
    <td style="text-align:right">Contraseña:</td>
    <td><input type="password" name="contraseña" value=
    "<?php echo hacia_formulario($contraseña); ?>" /></td>
  </tr>
  <tr>
   <td></td>
  style="text-align:right"><input type="submit" name="conexión"
              value="Conexión" /></td>
  </tr>
  </table>
  <?php echo $mensaje; ?>
  </form>
 </body>
</html>
```

– Script `inicio.php` para la página de inicio del sitio:

```
<?php
//Inclusión del archivo que contiene las funciones generales.
include('funciones.inc');
//Abrir/reactivar la sesión.
session_start();
//Comprobar si la sesión es nueva (está abierta por
//la llamada a session_start() a continuación) o es antigua (abierta
//por una llamada anterior a session_start()).
//Lo mejor es comprobar si uno de nuestros datos de sesión
//ya está registrado.
if(! isset($_SESSION['identificador'])) {
  //Dato "identificador" todavía no registrado:
```

```
  //=> El usuario no está conectado;
  // => redirigir a la página de inicio de sesión.
  header('location: login.php');
  exit;
} else {
  // Dato "identificador" ya registrado:
  // => el usuario está conectado;
  // => recuperar los datos de sesión utilizados en
  // el script.
  $fecha = $_SESSION ['fecha'];
  $identificador = $_SESSION['identificador'];
  // Recuperar el identificador de la sesión (para el ejemplo).
  $sesión = session_id();
  // Preparar un mensaje.
  $mensaje = "Sesión: $sesión - $identificador - $fecha";
}
// Determinación de la fecha y de la hora actual (no la
// del inicio de sesión).
$actual = 'Hoy es el día '.date('d/m/Y').
          '; son las '.date('H:i:s');
?>
<!DOCTYPE html>
<html xmlns="http://www.w3.org/1999/xhtml" lang="es">
 <head>
   <meta charset="utf-8" />
    <title>Página 1</title>
 </head>
 <body>
     <div>
      <b>Inicio - <?php echo $actual; ?></b><br />
      <?php echo $mensaje; ?><br />
      <!-- Enlace hacia otra página.
           Utilizar nuestra función genérica url() para estar seguros
           de que el identificador de sesión se transmite
           independientemente de cuáles sean las condiciones.  -->
      <a href="<?php echo url('accion.php'); ?>">Acción</a>
    </div>
  </body>
</html>
```

La primera llamada de la URL `http://.../inicio.php` provoca la redirección del usuario a la página de identificación; después de haberse identificado con éxito, el usuario vuelve a una página que muestra la siguiente información:

```
Inicio - Hoy es el día 09/03/2024; son las 21:30:18
Sesión: i177j8dbgg03h8ghrumnnmi833 - heurtel - el 09/03/2024 a las
21:30:18
Acción
```

Si actualiza la página un poco más tarde, la hora actual cambia, pero no la hora de apertura de la sesión:

```
Inicio - Hoy es el día 09/03/2024; son las 15:27:03
Sesión: i177j8dbgg03h8ghrumnnmi833 - heurtel - el 09/03/2024 a las
15:25:49 _
Acción
```

4.6 Notas y conclusión

Los usuarios maliciosos o malintencionados

El hecho de pasar el identificador de sesión a través de la URL puede provocar problemas de seguridad.

Consideremos el script `pagina.php` siguiente:

```
<?php
// Abrir/reactivar la sesión.
session_start();
// Mostrar el ID de sesión.
echo 'session_id = ',session_id();
?>
```

Si se llama a la URL `http://.../pagina.php`**`?PHPSESSID=abc`**, y la directiva `session.use_only_cookie` está en 0, obtenemos el siguiente resultado:

```
session_id: abc
```

El valor dado a la variable `PHPSESSID` en la URL se ha tomado como identificador de sesión. Esto podría permitir a un usuario (malicioso o malintencionado) hacer creer a su aplicación que ya ha iniciado la sesión, o utilizar una sesión abierta por otro usuario.

Este fenómeno se produce incluso si la directiva `session.use_trans_id` está en 0, lo cual prohíbe a PHP transmitir el identificador de sesión en la URL, pero no recibirlo.

Para evitar este fenómeno, debemos establecer la directiva de configuración `session.use_only_cookies` en 1, con objeto de forzar el uso de una cookie para transmitir el identificador de sesión. La desventaja es que el usuario puede rechazar las cookies y que este método, de todos modos, no es completamente seguro.

Adicionalmente, también es posible definir la directiva de configuración `session.use_strict_mode` a 1 para prohibir el uso de un identificador de sesión no inicializado por el administrador de sesión.

Independientemente de esto, es relativamente fácil protegerse contra el uso de un falso identificador de sesión, ya sea por el almacenamiento en el servidor de los identificadores de las sesiones abiertas o bien comprobando la existencia de un dato de sesión en `$_SESSION`.

Ejemplo

```
<?php
// Abrir/reactivar la sesión.
session_start();
if (! isset($_SESSION['identificador'])) {
  // Si el dato de sesión 'identificador'
  // no existe, es que la sesión no se
  // ha iniciado realmente por la aplicación.
  // Hacer lo necesario...
  // Para este ejemplo:
  // - mostrar un mensaje;
  echo 'Sesión no abierta','<br />';
  // - simular la apertura aplicativa de la sesión.
  $_SESSION['identificador'] = '123';
} else {
  // Si el dato de sesión 'identificador' existe,
  // es que la sesión ha sido iniciada realmente
  // por la aplicación.
  echo 'Sesión abierta','<br />';
  echo 'identificador= ',$_SESSION['identificador'],'<br />';
}
// Mostrar la ID de sesión.
echo 'session_id = ',session_id(),'<br />';
?>
```

Resultado

– Primera llamada del tipo `http://.../pagina.php`**`?PHPSESSID=abc`**:

```
Sesión no abierta
session_id = abc
```

– Segunda llamada (sin cerrar el navegador):

```
Sesión abierta
identificador = 123
session_id = abc
```

PHP ha conservado el identificador de sesión inicial. Si es preciso, la función `session_regenerate_id` se puede llamar para volver a generar un identificador de sesión.

Ejemplo

```
<?php
// Abrir/reactivar la sesión.
session_start();
if (! isset($_SESSION['identificador'])) {
  // Si el dato de sesión 'identificador'
  // no existe, es que la sesión no se
  // ha iniciado realmente por la aplicación.
  // Hacer lo necesario...
  // Para este ejemplo:
  // - volver a generar un identificador de sesión;
  session_regenerate_id();
  // - mostrar un mensaje;
  echo 'Sesión no abierta','<br />';
  // - simular la apertura aplicativa de la sesión.
  $_SESSION['identificador'] = '123';
} else {
  // Si el dato de sesión 'identificador' existe,
  // es que la sesión ha sido iniciada realmente
  // por la aplicación.
  echo 'Sesión abierta','<br />';
  echo 'identificador= ',$_SESSION['identificador'],'<br />';
}
// Mostrar la ID de sesión.
echo 'session_id = ',session_id(),'<br />';
?>
```

Resultado

– Primera llamada del tipo `http://.../pagina.php`**`?PHPSESSID=abc`**:

```
Sesión no abierta
session_id = qkql5phlcn7lnu8ulcoll02di3
```

– Segunda llamada (sin cerrar el navegador):

```
Sesión no abierta
identificador = 123
session_id = qkql5phlcn7lnu8ulcoll02di3
```

Esta técnica no protege del uso malintencionado por parte de un usuario de un identificador de sesión de otro usuario.

Resultado

– Un primer usuario efectúa una llamada del tipo `http://.../pagina.php`:

```
Sesión no abierta
session_id = 4mm9h2r4nc54ls5h2d75iefae1
```

– Un segundo usuario es capaz de recuperar el identificador de sesión del primer usuario y hace una llamada del tipo:
`http://.../pagina.php`**`?PHPSESSID=4mm9h2r4nc54ls5h2d75iefae1`**

```
Sesión abierta
identificador = 123
session_id = 4mm9h2r4nc54ls5h2d75iefae1
```

Observación

Si necesita un alto nivel de seguridad, deje la directiva `session.use_only_cookie` en `1` y utilice una conexión segura.

Conclusión

Con un poco de rigor en el código, la funcionalidad de gestión de sesiones de PHP es fácil de implementar e independiente de las técnicas de navegación utilizadas (enlaces, formularios). Para necesidades de seguridad avanzada, se puede utilizar fácilmente a través de una conexión segura, en cuyo caso se trata principalmente de un problema de configuración del servidor web y no es necesario hacer nada especial en PHP. Se dedica una sección de la documentación de PHP a la seguridad de las sesiones; no dude en consultarla si le interesa este tema.

4.7 Ejercicio 14: gestionar sesiones

En este ejercicio, vamos a aprender a utilizar la gestión de PHP para mostrar la lista de los tres últimos autores consultados por el usuario.

Paso 1

Vamos a empezar guardando en una sesión la lista de los tres últimos autores consultados por el usuario, en orden inverso de la visita (el último autor visitado está en primer lugar en la lista). Un autor visitado que ya figura en la lista, debe avanzar al primer lugar de la lista y no figurar dos veces. Ejemplo :

Visita	Resultado
Víctor Hugo	Víctor Hugo
Arthur Rimbaud	Arthur Rimbaud - Víctor Hugo
Paul Verlaine	Paul Verlaine - Arthur Rimbaud - Víctor Hugo

Visita	Resultado
Charles Baudelaire	Charles Baudelaire - Paul Verlaine - Arthur Rimbaud
Paul Verlaine	Paul Verlaine - Charles Baudelaire - Arthur Rimbaud

Para obtener este resultado, vamos a utilizar una tabla que utiliza el número del autor como índice y que almacene el timestamp Unix de la última visita. Un autor no presente en la tabla, se añadirá; por el contrario, si el autor ya figura en la tabla, su timestamp se actualizará. En los dos casos, el último autor visitado tendrá el timestamp más elevado en la tabla; ordenando la tabla en sentido decreciente, obtenemos la lista de los autores visitados en orden inverso de la visita. Solo faltará conservar los tres primeros elementos de la tabla.

La tabla almacenada en la variable de sesión (en `$_SESSION`), se llamará `visitas`.

Ejemplo del posible contenido de la tabla $_SESSION

```
$_SESSION =
  visitas =
    3 = 1528723031
    1 = 1528723027
    2 = 1528723021
```

Una sintaxis del tipo `$_SESSIONS['visitas'][n]` permite acceder al autor número *n* almacenado en la tabla de los autores visitados.

Indicaciones:

- En un nuevo directorio, copie los scripts `commun.inc.php`, `inicio.php` y `autor.php` desarrollados en el ejercicio 10.
- En el script `autor.php`, después de haber recuperado el nombre del autor visitado, abra una sesión.
- En la variable de sesión llamada `visitas`, guarde el timestamp UNIX actual para el número del autor visitado.
- Ordene la tabla de los autores visitados en orden decreciente, asegurándose de conservar correctamente las claves.
- Conserve solo los tres primeros elementos de la tabla de autores visitados; para esto, puede utilizar la función `array_slice` (ver la documentación de PHP), también asegurándose de conservar correctamente las claves.

Solución

```
<?php
include_once('commun.inc.php');
$numero = filter_input(INPUT_GET,'numero',FILTER_VALIDATE_INT);
if (is_int($numero) and array_key_exists($numero,$autores)) {
 $autor = $autores[$numero];
 // Abrir la sesión.
 session_start();
 // Memorizar el timestamp UNIX de última visita del autor.
 $_SESSION['visitas'][$numero] = time();
 // Ordenar la tabla de autores visitados en orden decreciente,
 // conservando las claves.
 arsort($_SESSION['visitas']);
 // Mantener los tres primeros elementos de la tabla de autores visitados,
 // conservando las claves.
 $_SESSION['visitas'] = array_slice($_SESSION['visitas'],0,3,TRUE);
}
?>
<!DOCTYPE html>
<html xmlns="http://www.w3.org/1999/xhtml" lang="es">
 <head>
   <meta charset="utf-8" />
   <title>Autor</title>
 </head>
 <body>
   <h1><?= isset($autor)?$autor:'Autor no existe' ?></h1>
   <p><a href="inicio.php">Regresar a la lista</a></p>
 </body>
</html>
```

Paso 2

Ahora vamos a mostrar la lista de los tres últimos autores visitados en la página de inicio.

Indicaciones:

- En el script `inicio.php`, abra una sesión.
- Si la entrada `visitas` dentro de los datos de la sesión, recorra la tabla de los autores visitados recuperando el número del autor (y el timestamp de la última visita que no se utilizará aquí) y forme la lista de los autores visitados en una cadena de caracteres llamada `$autores_visitados`, utilizando el guion como separador.
- En la página HTML, bajo la tabla de autores, muestre un mensaje del tipo «Tres últimos autores consultados: ...», solo si la lista de los autores visitados no está vacía.

Resultado esperado (ningún autor visitado)

Autores
Víctor Hugo
Charles Baudelaire
Arthur Rimbaud
Paul Verlaine

Resultado esperado (un autor visitado)

Autores
Víctor Hugo
Charles Baudelaire
Arthur Rimbaud
Paul Verlaine

Tres últimos autores consultados: Víctor Hugo

Resultado esperado (varios autores visitados)

Autores
Víctor Hugo
Charles Baudelaire
Arthur Rimbaud
Paul Verlaine

Tres últimos autores consultados: Paul Verlaine - Arthur Rimbaud - Víctor Hugo

Solución

```
<?php
include_once('comun.inc.php');
session_start();
if (array_key_exists('visitas',$_SESSION)) {
 $autores_visitados = '';
 foreach ($_SESSION['visitas'] as $numero => $time) {
   $autores_visitados .= $autores[$numero] . ' - ';
 }
 $autores_visitados = rtrim($autores_visitados,' - ');
}
?>
<!DOCTYPE html>
<html xmlns="http://www.w3.org/1999/xhtml" lang="es">
 <head>
   <meta charset="utf-8" />
   <title>Inicio</title>
   <style>
   table { border-collapse: collapse; }
   table, td, th { border: 1px solid black; }
   td, th { padding: 4px; }
   </style>
 </head>
 <body>
   <div>
   <!-- Mostrar la tabla de los autores. -->
   <table>
   <tr><th>Autores</th></tr>
   <?php
   foreach ($autores as $numero => $autor) {
     echo "<tr><td><a href=\"autor.php?numero=$numero\">$autor</a>"
          "</td></tr>";
   }
   ?>
   </table>
   </div>
   <?php if (! empty($autores_visitados)): ?>
   <p>Tres últimos autores consultados: <?= $autores_visitados ?></p>
   <?php endif; ?>
 </body>
</html>
```

Este código se podría modificar muy fácilmente para ofrecer un enlace para cada autor en la lista de autores visitados. Esta lista también se podría mostrar en la página `autores.php`.

5. Conservar la información de una visita a otra

Si desea conservar la información sobre un usuario de una visita a otra (posiblemente muy distantes en el tiempo), hay dos soluciones predominantes:

- Depositar una cookie en su equipo (preferiblemente, con su previo consentimiento).
- Almacenar la información del lado del servidor (la opción más práctica es utilizar una base de datos) y asociar esa información con una identificación (por lo general, un nombre y una contraseña) que el usuario debe introducir en cada visita.

Algunos sitios utilizan una solución intermedia, elegante y fácil de usar; esta solución consiste en ofrecer al usuario depositar en su ordenador una cookie que contiene solo uno o dos datos que permiten el acceso automático al sitio (sin introducir un nombre ni una contraseña); la información adicional se recupera en una base de datos.

Vamos a ilustrar esta solución con la ayuda de dos páginas:

- Una página de personalización (script `personalizar.php`) que permite al usuario activar o desactivar la conexión automática.
- Una página de identificación (script `login.php`) que, según el caso, efectúa la conexión de forma automática o pide al usuario que se conecte.

Cada conexión del usuario es una sesión.

Fuente

- Script `personalizar.php`:

```
<?php
// Inclusión del archivo que contiene las funciones generales.
include('funciones.inc');
// Abrir/reactivar la sesión.
session_start();
// Inicialización de las variables.
$mensaje = '';
// ¿La sesión se ha iniciado al nivel de la aplicación?
if (isset($_SESSION['identificador'])) { // sí
  // Recuperar la información de sesión.
  $identificador = $_SESSION['identificador'];
  $contraseña = $_SESSION['contraseña'];
  // ¿Se llama al script en el procesamiento del formulario?
  if (isset($_POST['activar'])) { // sí
    // Activar la conexión automática.
    // Depositar dos cookies de un tiempo de vida de 30 días,
    // una para el identificador del usuario y una para su
    // contraseña.
    $vencimiento = time()+ (30 * 24 * 3600);
```

```
    setcookie('identificador',$identificador,$vencimiento);
    setcookie('contraseña',$contraseña,$vencimiento);
    // Preparar un mensaje.
    $mensaje = 'Conexión automática activada';
  } elseif (isset($_POST['desactivar'])) { // sí
    // Desactivar la conexión automática.
    // Eliminar las dos cookies.
    setcookie('identificador');
    setcookie('contraseña');
    // Preparar un mensaje.
    $mensaje = 'Conexión automática desactivada';
  }
} else { // Sesión no abierta a nivel de aplicación.
  // Redirigir al usuario a una página de inicio de sesión.
  header('Location: login.php');
  exit;
}
?>
<!DOCTYPE html>
<html xmlns="http://www.w3.org/1999/xhtml" lang="es">
  <head>
   <meta charset="utf-8" />
   <title>MiSitio.com - Personalizar</title>
  </head>
  <body>
    <form action="personalizar.php" method="post">
    <div>
    <input type="submit" name="activar"
           value="Activar la conexión automática" /><br />
    <input type="submit" name="desactivar"
           value="Desactivar la conexión automática" /><br />
    <p><?php echo $mensaje; ?></p>
    </div>
    </form>
  </body>
</html>
```

– Script `login.php` (variante simple de la versión anterior):

```
<?php
// Inclusión del archivo que contiene las funciones generales.
include('funciones.inc');
// Función que verifica que las credenciales de identificación
// introducidas son correctas.
function usuario_existe($identificador,$contraseña) {
  // Conexión y selección de la base de datos.
  $conexión = mysqli_connect();
  mysqli_select_db($conexión,'diane');
```

```
  // Definición y ejecución de una consulta preparada.
  $sql  = 'SELECT 1 FROM usuarios ';
  $sql .= 'WHERE identificador = ? AND contraseña = ?';
  $consulta = mysqli_stmt_init($conexión);
  $ok = mysqli_stmt_prepare($consulta,$sql);
  $ok = mysqli_stmt_bind_param
         ($consulta,'ss',$identificador,$contraseña);
  $ok = mysqli_stmt_execute($consulta);
  mysqli_stmt_bind_result($consulta,$existe);
  $ok = mysqli_stmt_fetch($consulta);
  mysqli_stmt_free_result($consulta);
  // La identificación tiene éxito si la consulta devuelve
  // una línea (el usuario existe y la contraseña
  // es correcta).
  // Si este es el caso $existe contiene 1, de lo contrario está
  // vacía. Basta con devolverla como un valor booleano.
  return (bool) $existe;
}
// Inicialización de las variables.
$identificador = '';
$contraseña = '';
$mensaje = '';
$acción = '';
// ¿Se llama al script en la validación del formulario?
if (isset($_POST['conexión'])) { // sí
  // => conexión manual.
  // Recuperar la información introducida.
  $identificador = ($_POST['identificador']);
  $contraseña = ($_POST['contraseña']);
  // Indicar la acción a realizar a continuación.
  $acción = 'conexión';
  // Preparar un mensaje en caso de problema.
  $mensaje = 'Identificación incorrecta. '.
             "Vuelva a intentarlo".
// De lo contrario, ¿hay una cookie de "identificador"?
} elseif (isset($_COOKIE['identificador'])) { // sí
  // => conexión automática.
  // Recuperar la información de las cookies.
  $identificador = $_COOKIE['identificador'];
  $contraseña = $_COOKIE['contraseña'];
  // Indicar la acción a realizar a continuación.
  $acción = 'conexión';
  // Preparar un mensaje en caso de problema.
  $mensaje = 'Identificación automática incorrecta. '.
             'Inténtelo de forma manual.';
}
// Finalmente, ¿qué hacemos?
```

```
if ($acción == 'conexión') { // intentar una conexión
  // Verificar que el usuario existe.
  if (usuario_existe($identificador,$contraseña)) {
    // El usuario existe...
    // => iniciar la sesión a nivel de aplicación.
    session_start();
    session_regenerate_id(); // en el caso en que...
    $_SESSION['identificador'] = $identificador;
    $_SESSION['contraseña'] = $contraseña;
    // Redirigir al usuario a otra página del sitio
    // (¡solo hay una!).
    header('location: '.url('personalizar.php'));
    exit;
  } // usuario_existe
} // $acción == 'conexión'
// Si es la primera llamada, o si la conexión manual
// o automática ha fallado, dejar que se muestre el formulario.
?>
<!DOCTYPE html>
<html xmlns="http://www.w3.org/1999/xhtml" lang="es">
  <head>
   <meta charset="utf-8" />
   <title>MiSitio.com - Identificación</title>
  </head>
  <body>
   <form action="login.php" method="post">
   <table>
   <tr>
      <td style="text-align:right">Identificador:</td>
      <td><input type="text" name="identificador" value=
           "<?php echo hacia_formulario($identificador); ?>" /></td>
   </tr>
   <tr>
      <td style="text-align:right">Contraseña:</td>
      <td><input type="password" name="contraseña" value=
            "<?php echo hacia_formulario($contraseña); ?>" /></td>
    </tr>
    <tr>
      <td></td>
      <td style="text-align:right"><input type="submit" name="conexión"
      value="Conexión" /></td>
    </tr>
    </table>
    <p><?php echo $mensaje; ?></p
    </form>
  </body>
</html>
```

Resultado

- Primera llamada:

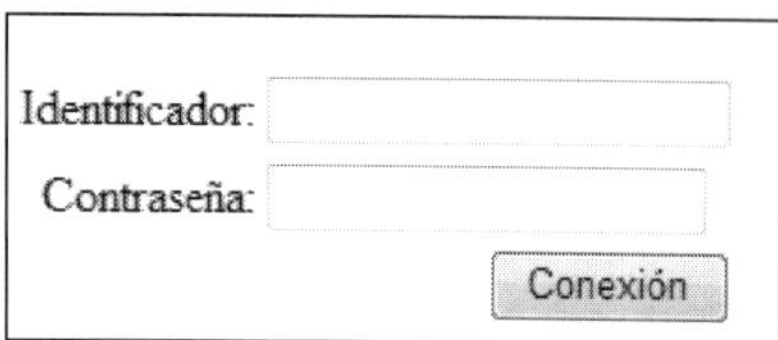

- Error en la conexión manual:

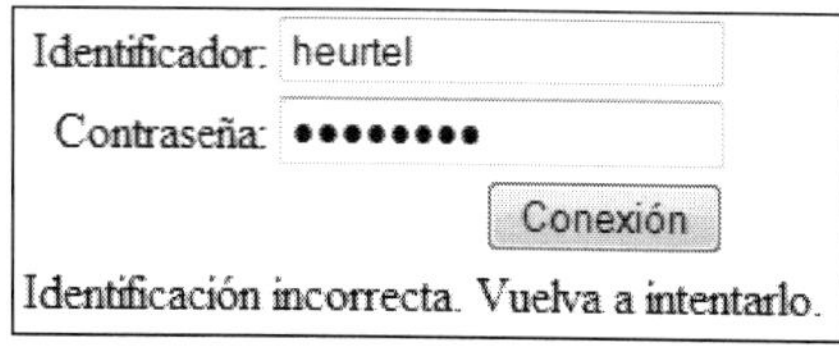

- Después de una conexión exitosa:

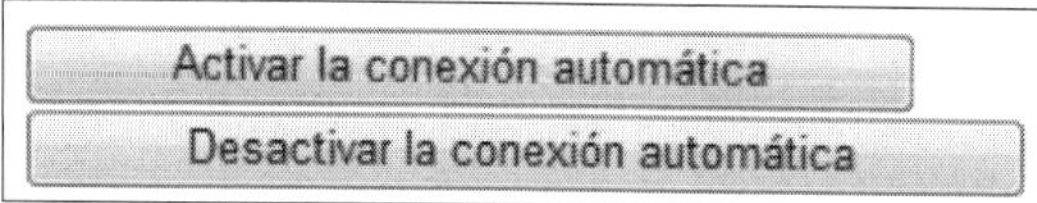

- Haga clic en el botón **Activar**:

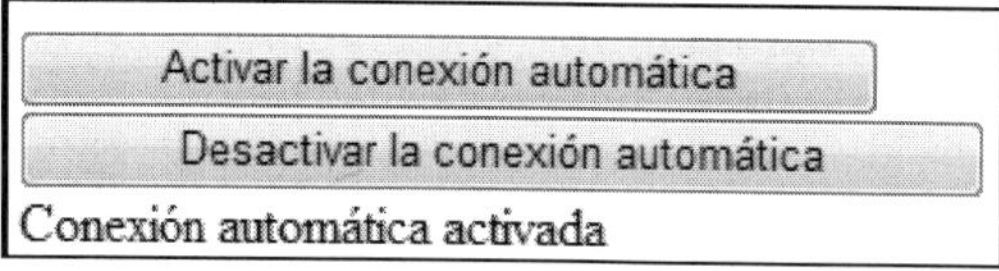

- Salir y volver a una de las dos páginas: llegada directa a la página de personalización (se ha realizado una conexión automática):

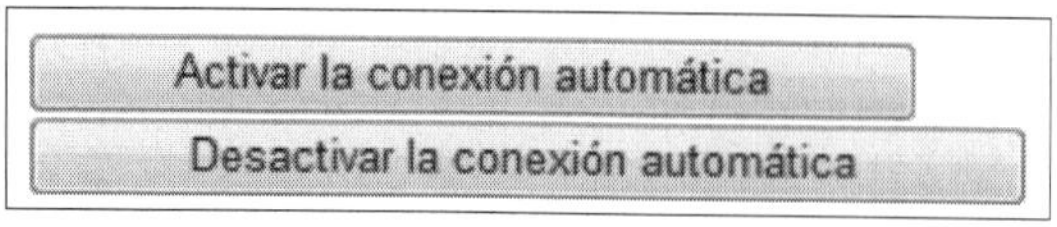

– Haga clic en el botón **Desactivar**:

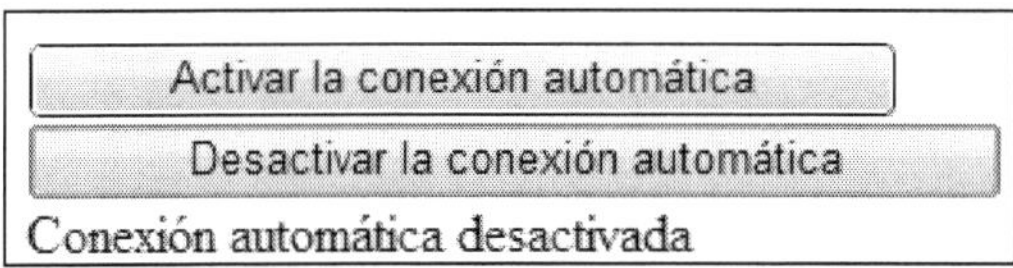

– Salir y volver a una de las dos páginas: se muestra la página de identificación (más conexión automática):

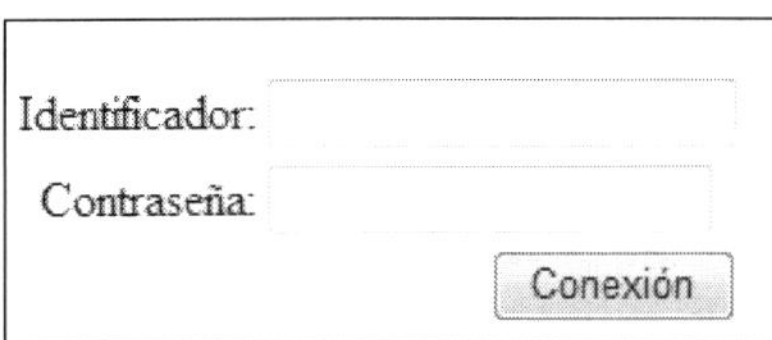

– Repita la secuencia de activación y luego vuelva a una de las dos páginas, después de haber eliminado la cuenta de usuario (la conexión automática falla):

Identificador: heurtel
Contraseña: ••••••
Conexión
Identificación automática incorrecta.
Inténtelo de forma manual.

Observación

Es preferible almacenar la contraseña del usuario en forma cifrada o utilizar un identificador de conexión automático asociado al usuario. De esta manera, en ambos casos, la contraseña del usuario no estará expuesta a miradas indiscretas.

6. Breve resumen de las variables Get/Post/Cookie/Session

Desde el comienzo de este libro, nos hemos encontrado con variables «especiales», relacionadas con datos del formulario, con datos transmitidos a través de una URL, con datos de una cookie o con datos de sesiones.

Hemos visto que estas variables funcionan bajo el mismo principio: son accesibles por medio de matrices asociativas `$_GET`, `$_POST`, `$_COOKIE` y `$_SESSION`. Además, la matriz asociativa `$_REQUEST` reagrupa el contenido de las matrices `$_GET`, `$_POST` y `$_COOKIE`.

La matriz `$_REQUEST` debe utilizarse con precaución, ya que contiene información proporcionada al script a través de varios mecanismos; no estamos necesariamente seguros de que la información leída llega por los medios esperados.

El hecho de que las matrices `$_GET`, `$_POST` y `$_COOKIE` se creen realmente depende de la directiva de configuración `variables_order`.

Esta directiva es una cadena compuesta por los caracteres `G`, `P` y `C`, que corresponden a los tipos ya mencionados, y de otros dos caracteres: `E`, correspondiente a las variables de entorno, y `S`, correspondiente a las variables del servidor HTTP. De forma predeterminada, la directiva `variables_order` es igual a `EGPCS`.

Las variables de entorno del sistema operativo y las variables del servidor HTTP están disponibles en el entorno PHP a través de las matrices asociativas `$_ENV` y `$_SERVER`.

El orden en el que las variables *Get*, *Post* y *Cookie* se definen en la matriz `$_REQUEST` está condicionado por la directiva de configuración `request_order`. Esta directiva es una cadena compuesta por los caracteres `G`, `P` y `C` correspondientes a los tipos ya mencionados. Si esta directiva no se especifica, el contenido de la matriz `$_REQUEST` se ve afectado por la directiva `variables_order`.

Ejemplo

– Script `pagina1.php`:

```
<?php
// Abrir una sesión y registrar una información de
// sesión llamada "x" de valor "SESSION".
session_start();
$_SESSION['x'] = 'SESSION';
// Depositar una cookie llamada "x" de valor "COOKIE".
setcookie('x','COOKIE');
?>
<!DOCTYPE html>
<html xmlns="http://www.w3.org/1999/xhtml" lang="es">
```

```
  <head><meta charset="utf-8" /><title>Página 1</title>
  </head>
  <body>
    <!-- En un formulario, poner una variable dada
         llamada "x" de valor "GET" en la URL del
         atributo "action" -->
    <form action="pagina2.php?x=GET" method="post">
    <!-- Incluir también un campo llamado "x" de
         valor "POST" -->
    <input type="hidden" name="x" value="POST" />
    <!-- Más un botón para ir a la página 2 -->
    <input type="submit" name="ok" value="Página 2">
    </form>
  </body>
</html>
```

– Script pagina2.php:

```
<?php
// Reactivar la sesión.
session_start();
// Mostrar los valores de 'x' a partir de las matrices.
echo '$_GET[\'x\'] = ',
     isset($_GET['x'])?$_GET['x']:'','<br />';
echo '$_POST[\'x\'] = ',
     isset($_POST['x'])?$_POST['x']:'','<br />';
echo '$_COOKIE[\'x\'] = ',
     isset($_COOKIE['x'])?$_COOKIE['x']:'','<br />';
echo '$_SESSION[\'x\'] = ',
     isset($_SESSION['x'])?$_SESSION['x']:'','<br />';
echo '$_REQUEST[\'x\'] = ',
     isset($_REQUEST['x'])?$_REQUEST['x']:'','<br />';
?>
```

En el primer script, varios datos diferentes están asociados con el mismo identificador «x».

Resultado de la presentación de la página 1
después de hacer clic en el botón de Página 2

```
$_GET['x'] = GET
$_POST['x'] = POST
$_COOKIE['x'] = COOKIE
$_SESSION['x'] = SESSION
$_REQUEST['x'] = POST
```

En este ejemplo, la matriz `$_REQUEST` contiene el valor «POST», ya que la directiva `request_order` contiene el valor `GP`. La letra `P` aparece después de la letra `G` y la letra `C` se omite: las variables *Post*, por lo tanto, tienen prioridad sobre las variables *Get*, y las variables *Cookie* no se insertan en la matriz.

Si la directiva `request_order` se modifica en `CPG`, obtenemos el siguiente resultado:

```
$_GET['x'] = GET
$_POST['x'] = POST
$_COOKIE['x'] = COOKIE
$_SESSION['x'] = SESSION
$_REQUEST['x'] = GET
```

La matriz `$_REQUEST` contiene de ahora en adelante el valor «GET».

Por otra parte, si la directiva `request_order` se modifica en `CP`, obtenemos el siguiente resultado:

```
$_GET['x'] =
$_POST['x'] = POST
$_COOKIE['x'] = COOKIE
$_SESSION['x'] = SESSION
$_REQUEST['x'] = POST
```

La matriz `$_GET` ya no se alimenta y la matriz `$_REQUEST` contiene de ahora en adelante el valor «POST».

Observación

Utilizar el mismo nombre para información distinta no es una buena práctica de programación; un desarrollador sensible no se encontrará nunca con este problema. Aparte de esto, debemos ser conscientes de que un usuario (malicioso o malintencionado) puede proporcionar fácilmente un valor por un medio determinado (GPC, por ejemplo) a una variable cuyo origen piensa controlar. Escribir el código cuyo funcionamiento está vinculado a un valor determinado de la directiva `variables_order` *tampoco es probablemente una buena idea desde el punto de vista de la portabilidad y la facilidad de mantenimiento. Lo que recomienda el equipo de desarrollo de PHP es lo siguiente: recupere los valores «EGPCS» para sus matrices asociativas respectivas con objeto de evitar problemas.*

Capítulo 9
Enviar un correo electrónico

1. Información general

Un sitio interactivo a menudo necesita enviar correos electrónicos a los usuarios, por ejemplo, para confirmar una compra, un registro o enviar un boletín de noticias.

La función `mail`, propuesta por PHP, permite responder de manera simple a este tipo de necesidad. En esta sección se explica cómo utilizar esta función; en primer lugar, para enviar mensajes de texto (sin datos adjuntos) y, a continuación, para enviar mensajes en formato MIME (*Multipurpose Internet Mail Extensions*).

Además, PHP ofrece una biblioteca potente, pero más compleja de usar, para gestionar mensajes mediante el protocolo IMAP (*Internet Message Access Protocol*). Esta biblioteca no se tratará en este libro, ya que no es esencial para satisfacer las necesidades descritas anteriormente.

2. Enviar un mensaje de texto sin archivos adjuntos

La función `mail` permite enviar un mensaje de correo electrónico.

Sintaxis

```
booleano mail(cadena destinatario, cadena objeto, cadena mensaje
[, cadena encabezado])
```

`destinatario`	Dirección de correo electrónico del destinatario. Es posible especificar varios destinatarios separados con comas.
`objeto`	Asunto del mensaje.

`mensaje`	Texto del mensaje.
`encabezado`	Encabezados adicionales, en forma de cadena de caracteres o de una tabla.

La función `mail` envía el mensaje caracterizado por los diferentes parámetros a un servidor de correo definido por las directivas de configuración siguientes:

Win32	`SMTP`	Dirección del servidor SMTP (*Simple Mail Transfer Protocol*) al cual enviar el mensaje. Ejemplo: `smtp.wanadoo.es`
	`sendmail_from`	Dirección de correo electrónico del remitente. Ejemplo: `webmaster@misitio.com` Esta directiva debe estar presente, incluso aunque esté vacía.
Unix	`sendmail_path`	Ruta de acceso al ejecutable del servidor de correo (puede incluir parámetros). Ejemplo: `sendmail -t -i`

La función `mail` devuelve `TRUE` si el mensaje se ha podido enviar al servidor (lo cual no garantiza que este último haya podido enviarlo con éxito) y `FALSE` en caso contrario. No hay manera de saber si el mensaje ha sido enviado con éxito; esta verificación debe llevarse a cabo fuera de PHP.

El cuarto parámetro permite especificar información adicional que se envía en el encabezado del mensaje (`From`, `Reply-To`, etc.). El caso de utilizar una cadena de caracteres, la información múltiple se debe separar por la secuencia `\r\n`. En caso de utilización de una tabla, la clave de la tabla contiene el nombre de la directiva y el valor del registro que contiene el valor de la directiva.

Observación

La secuencia que se ha de utilizar como separador de encabezado es a menudo una fuente de problemas. Frecuentemente, solo funciona la secuencia `\n`; a veces, la secuencia `\r\n` no funciona.

Ejemplo de mensaje simple

```
<?php
// Destinatario.
$destinatario = 'contacto@olivier-heurtel.es';
// Asunto.
$asunto = 'Registro a miSitio.com';
// Mensaje.
$mensaje =
```

```
'Señor Heurtel,
Gracias por su registro en nuestro sitio
miSitio.com.
Esperamos que este sitio cumpla con sus expectativas.
El webmaster.';
// Envío.
$ok = mail($destinatario,$asunto,$mensaje);
?>
```

Este ejemplo muestra que el mensaje se puede escribir directamente en varias líneas; también es posible construirlo por concatenación.

Ejemplo de mensaje más complejo

```
<?php
// Dos destinatarios separados por una coma.
$destinatarios = 'olivier@diane.com,xavier@zeus.es';
// Asunto.
$asunto = 'Registro en la maratón';
// Mensaje.
$mensaje .= '';
$mensaje .= "Olivier, Xavier,\n";
$mensaje .= "Confirmamos su registro al\n";
$mensaje .= "maratón del domingo 11 de abril.\n";
$mensaje .= "La salida tendrá lugar a las 8:45.\n\n";
$mensaje .= "La organización.\n";
// Encabezados adicionales.
$encabezados.= '';
$encabezados.= "From: \"Registro\" <contact@maraton.es>\n";
$encabezados.= "Reply-To: \"Registro\"
contact@maraton.es\r\n";
$encabezados.= "X-Priority: 1\r\n";
// Envío.
$ok = mail($destinatarios,$asunto,$mensaje,$encabezados);
?>
```

En caso de utilización de una cadena de caracteres, los encabezados adicionales se especifican con el formato `palabra clave: valor`.

Los encabezados adicionales también se pueden pasar con ayuda de una tabla, utilizando el nombre de la directiva (sin el carácter :) como clave.

Ejemplo

```
<?php
// Dos destinatarios separados por una coma.
$destinatarios = 'olivier@diane.com,xavier@zeus.es';
// Asunto.
$asunto = 'Inscripción al maratón';
```

```
// Mensaje.
$mensaje .= '';
$mensaje .= "Olivier, Xavier,\n";
$mensaje .= "Le confirmamos su inscripción al\n";
$mensaje .= "maratón el domingo 11 de abril.\n";
$mensaje .= "La salida será a las 08:45h.\n\n";
$mensaje .= "Los organizadores.\n";
// encabezados adicionales.
$encabezados['From'] = '"Inscripción" <contacto@maraton.es>';
$encabezados['Reply-To'] = '"Inscripción" <contacto@maraton.es>';
$encabezados['X-Priority'] = '1';
// Envío.
$ok = mail($destinatarios,$objeto,$mensaje,$encabezados);
?>
```

Los encabezados más habituales son los siguientes:

`From:` Origen del mensaje con la forma `["nombre sin formato"] <dirección de correo electrónico>`.

Ejemplos:

`"Olivier HEURTEL" <contacto@olivier-heurtel.es>`
`<contacto@olivier-heurtel.es>`

`To:` Destinatario(s) (mismo formato que el encabezado `From`).

`Reply-To:` Dirección de respuesta (mismo formato que el encabezado `From`).

`X-Priority:` Prioridad del mensaje.

1 = prioridad más alta

2 = prioridad alta

3 = prioridad normal

4 = prioridad baja

Observación

En el parámetro destinatario, no es posible especificar una dirección en la forma `["nombre sin formato"] <dirección de correo electrónico>`. En cambio, es posible indicar las direcciones de esta forma si se envían en el encabezado `To:`, duplicando el parámetro destinatario.

3. Enviar un mensaje en formato MIME

3.1 Preámbulo

En esta sección vamos a explicar cómo enviar mensajes con formato MIME, o más generalmente en formato Multipart MIME.

El formato MIME permite enviar un mensaje con un formato diferente al de texto: HTML, imágenes...

El formato Multipart MIME permite enviar un mensaje compuesto de varias partes, cada una con un formato diferente (texto más una imagen, por ejemplo) y una de las "partes" puede ser un archivo adjunto.

El objetivo de este punto, sin entrar en detalles sobre el formato MIME (se puede encontrar más información en los numerosos RFC que tratan este tema), es mostrar concretamente cómo proceder en dos casos típicos, el envío de un mensaje en formato HTML y el envío de un mensaje con datos adjuntos.

3.2 Mensaje en formato HTML

El caso del envío de un mensaje en formato HTML permite ilustrar el uso del formato MIME simple.

Ejemplo (fuente de un mensaje MIME en formato HTML)

```
From: "Olivier" <olivier@diane.com>
To: "Xavier" <xavier@zeus.es>
Subject: ¡Hola!
Date: Mon, 10 Sep 2001 09:24:13 -0100
Message-ID: <3b9c6a403d9f000b@hermes.diane.com>
MIME-Version: 1.0
Content-Type: text/html; charset=utf-8
Content-Transfer-Encoding: 8bit

<html>
<head><title>¡Hola!</title></head>
<body>
<font color="green">¡Hola!</font>
</body>
</html>
```

Un mensaje MIME simple incluye los encabezados estándar de un mensaje; a continuación, tres líneas de encabezados adicionales (en negrita) que indican que el mensaje está en formato MIME y, finalmente, el cuerpo del mensaje propiamente dicho.

Las tres líneas de encabezados adicionales son las siguientes:

`MIME-Version`	Indica que el mensaje está en formato MIME y especifica la versión.
`Content-Type`	Indica el tipo MIME del contenido.
`Content-Transfer-Encoding`	Indica el tipo de cifrado.

Algunos tipos MIME habituales:

`text/plain`	Texto simple. El juego de caracteres utilizado se puede especificar con la opción `charset` (por ejemplo, iso-8859-1 o UTF-8).
`text/html`	Documento en formato HTML El juego de caracteres utilizado se puede especificar con la opción `charset` (por ejemplo, iso-8859-1 o UTF-8).
`image/jpeg`	Imagen en formato JPEG.
`application/octet-stream`	Datos binarios.

Algunos tipos de cifrado habituales:

`7bit`	Cifrado del texto en 7 bits.
`8bit`	Cifrado del texto en 8 bits (se utiliza para mantener los acentos).
`base64`	Cifrado para los datos binarios (véase la función `base64_encode`).

Convencionalmente, para los tipos MIME `text/*`, se utiliza un tipo de cifrado `7bit` u `8bit` y el cuerpo del mensaje contiene el texto sin formato. También es posible utilizar un cifrado `base64` y colocar en el cuerpo del mensaje datos cifrados en consecuencia (véase la función `base64_encode` más abajo).

Para los tipos MIME correspondientes a datos binarios (imagen, sonido, documento PDF...), se utiliza un cifrado `base64` y el cuerpo del mensaje contiene los datos cifrados en consecuencia (véase la función `base64_encode` más abajo).

Enviar un mensaje en formato HTML con la función `mail` es relativamente simple.

Es necesario:

- colocar las líneas correspondientes en el encabezado.
- introducir los datos HTML en el cuerpo del mensaje.

Ejemplo

```
<?php
// Destinatarios.
$destinatarios = 'xavier@zeus.es';
// Asunto.
$asunto = '¡Hola!';
// Encabezados adicionales.
$encabezados.= '';
$encabezados.= "From: \"Olivier\" <olivier@diane.com>\n";
$encabezados .= "MIME-Version: 1.0\n";
$encabezados .= "Content-Type: text/html; charset=utf-8\n";
$encabezados .= "Content-Transfer-Encoding: 8bit\n";
// Mensaje (HTML).
$mensaje .= '';
$mensaje .= "<html>\n";
$mensaje .= "<head><title>¡Hola!</title></head>\n";
$mensaje .= "<body>\n";
$mensaje .= "<font color=\"green\">¡Hola!</font>\n";
$mensaje .= "</body>\n";
$mensaje .= "</html>\n";
// Envío.
$ok = mail($destinatarios,$asunto,$mensaje,$encabezados);
?>
```

Si utiliza un cifrado `base64`, puede llamar a la función `base64_encode` para realizar el cifrado de datos.

Sintaxis

```
cadena base64_encode(cadena datos)
```

`datos` Datos que se van a cifrar.

Esta función devuelve los datos cifrados.

Además, para cumplir con las especificaciones, debe cortar los datos cifrados en `base64` en bloques de 76 bytes separados por una secuencia `\r\n`.

Esta operación puede realizarse de manera muy sencilla utilizando la función `chunk_split`.

Sintaxis

```
cadena chunk_split (cadena datos, entero longitud, cadena
separador)
```

`datos` Datos que se van a cortar.

`longitud` Longitud de los fragmentos (por defecto, 76).

`separador` Separador de bloques (`\r\n` por defecto).

La función `chunk_split` devuelve la cadena cortada.

Ejemplo de uso para el envío de un mensaje

```
<?php
// Destinatarios.
$destinatarios = 'xavier@zeus.es';
// Asunto.
$asunto = '¡Hola!';
// Encabezados adicionales.
$encabezados = '';
$encabezados .= "From: \"Olivier\" <olivier@diane.com>\r\n";
$encabezados .= "MIME-Version: 1.0\r\n";
$encabezados .= "Content-Type: text/html; charset=utf-8\r\n";
$encabezados .= "Content-Transfer-Encoding: base64\r\n";
// Mensaje (HTML).
$mensaje .= '';
$mensaje .= "<html>\n";
$mensaje .= "<head><title>¡Hola!</title></head>\n";
$mensaje .= "<body>\n";
$mensaje .= "<font color=\"green\">¡Hola!</font>\n";
$mensaje .= "</body>\n";
$mensaje .= "</html>\n";
// Cifrado de corte.
$mensaje = chunk_split(base64_encode($mensaje));
// Envío.
$ok = mail($destinatarios,$asunto,$mensaje,$encabezados);
?>
```

3.3 Mensaje con archivo adjunto

El caso del envío de un mensaje con archivo adjunto permite ilustrar el uso del formato Multipart MIME.

Ejemplo (fuente de un mensaje con un archivo adjunto en formato Multipart MIME)

```
From: "Olivier" <olivier@diane.com>
To: "Xavier" <xavier@zeus.es>
Subject: ¡Hola!
Date: Mon, 10 Sep 2001 09:24:13 -0100
Message-ID: <3b9c6a403d9f000b@hermes.diane.com>
MIME-Version: 1.0
Content-Type: multipart/mixed; boundary="=O=L=I=V=I=E=R="

--=O=L=I=V=I=E=R=
```

```
Content-Type: text/plain; charset=utf-8
Content-Transfer-Encoding: 8bit

Ver archivo adjunto.

--=O=L=I=V=I=E=R=
Content-Type: application/octet-stream; name="PJ.DOC"
Content-Transfer-Encoding: base64
Content-Disposition: attachment; filename="PJ.DOC"

0M8R4KGxGuEAAA...
AAAAAAAAAAAAAAAAAAAAAAAAA==

--=O=L=I=V=I=E=R=--
```

Un mensaje Multipart MIME contiene los encabezados estándares de un mensaje; a continuación, dos líneas de encabezados adicionales (en negrita) que indican que el mensaje está en formato Multipart MIME y, finalmente, las diferentes partes del mensaje; cada parte tiene su propio encabezado, que indica su formato (tipo MIME y cifrado).

En el encabezado del mensaje, encontramos las dos líneas `MIME-Version` y `Content-Type`. Para un mensaje Multipart MIME, `Content-Type` es igual a `multipart/mixed` seguido de una opción `boundary` que da la cadena utilizada para marcar el comienzo de las diferentes partes del mensaje (`=O=L=I=V=I=E=R=` en nuestro ejemplo).

Cada parte del mensaje comienza con dos signos «menos» seguidos de la cadena dada por `boundary` (`--=O=L=I=V=I=E=R=`, en nuestro ejemplo).

En el encabezado de cada parte, encontramos las dos líneas `Content-Type` y `Content-Transfer-Encoding` que especifican el tipo MIME y el cifrado de la parte.

Los datos de la parte vienen a continuación.

El final del mensaje está marcado por dos signos «menos», seguidos de la cadena dada por `boundary` seguida de dos signos «menos» (`--=O=L=I=V=I=E=R=--`, en nuestro ejemplo).

La cadena dada por `boundary` debe elegirse con cuidado para evitar que se confunda con los datos, lo cual provocaría una interpretación incorrecta del mensaje.

En el encabezado de cada parte, es posible indicar una línea de encabezado adicional (`Content-Disposition`) que sugiere al cliente de correo una manera de presentar los datos correspondientes al usuario: los dos valores posibles son `inline` (los datos se presentan directamente en el mensaje) o `attachment` (los datos se presentan como un archivo adjunto); en este caso, se puede sugerir un nombre de archivo mediante la opción `filename`.

Ejemplo

```
Content-Disposition: attachment; filename="PJ.DOC"
```

Para enviar un mensaje Multipart MIME con la función `mail`, debe construir las diferentes partes del mensaje en el parámetro `mensaje`, respetando la estructura indicada anteriormente; el parámetro `encabezado` de la función `mail` contiene los encabezados estándares e incluye el encabezado que indica que se trata de un mensaje en formato Multipart MIME.

Observación

Las diferentes partes del mensaje deben estar separadas por una línea en blanco (`\r\n`). Dentro de cada parte, ocurre lo mismo entre el encabezado de la parte y los datos. Véase la nota en la sección Enviar un mensaje de texto sin archivos adjuntos, relativa a la secuencia `\r\n`.

Ejemplo de envío de un mensaje con archivo adjunto

```
<?php
// Destinatarios.
$destinatarios = 'xavier@zeus.es';
// Asunto.
$asunto = '¡Hola!';
// Encabezados adicionales.
$encabezados  = '';
// -> origen del mensaje
$encabezados .= "From: \"Olivier\" <olivier@diane.com>\r\n";
// -> mensaje en formato Multipart MIME
$encabezados .= "MIME-Version: 1.0\r\n";
$encabezados .= "Content-Type: multipart/mixed; ";
$encabezados .= "boundary=\"=O=L=I=V=I=E=R=\"\r\n";
// Mensaje.
$mensaje  = ' ';
// -> primera parte del mensaje (texto propiamente dicho)
//    -> encabezado de la parte
$mensaje .= "--=O=L=I=V=I=E=R=\r\n";
$mensaje .= "Content-Type: text/plain; ";
$mensaje .= "charset=utf-8\r\n ";
$mensaje .= "Content-Transfer-Encoding: 8bit\r\n";
$mensaje .= "\r\n";   // Línea en blanco
```

```
//    -> datos de la parte
$mensaje .= "Ver el archivo adjunto.\r\n";
$mensaje .= "\r\n";   // línea en blanco
// -> segunda parte del mensaje (archivo adjunto)
//    -> encabezado de la parte
$mensaje .= "--=O=L=I=V=I=E=R=\r\n";
$mensaje .= "Content-Type: application/octet-stream; ";
$mensaje .= "name=\"PJ.DOC\"\r\n";
$mensaje .= "Content-Transfer-Encoding: base64\r\n";
$mensaje .= "Content-Disposition: attachment; ";
$mensaje .= "filename=\"pj.doc\"\r\n";
$mensaje .= "\r\n";             // línea en blanco
$datos = file_get_contents('pj.doc');
//    -> cifrado y corte de los datos
$datos = chunk_split(base64_encode($datos));
//    -> datos de la parte (integración en el mensaje)
$mensaje .= "$datos\r\n";
$mensaje .= "\r\n";             // línea en blanco
// Delimitador de fin del mensaje.
$mensaje .= "--=O=L=I=V=I=E=R=--\r\n";
// Envío del mensaje.
$ok = mail($destinatarios,$asunto,$mensaje,$encabezados);
?>
```

Se pueden enviar varios datos adjuntos mediante la repetición, tantas veces como sea necesario, de las líneas de código correspondientes.

Observación

En teoría, todo el mensaje podría construirse en el encabezado (el parámetro `mensaje` *equivale a una cadena vacía, pero esto no funciona correctamente en todas las plataformas).*

4. Ejercicio 15: enviar un correo electrónico

En este ejercicio, vamos a crear un formulario que permita enviar un mensaje electrónico.

Indicaciones:

- En un nuevo directorio, cree un nuevo script PHP `mail.php`. En este nuevo script, rellene el código HTML que permita mostrar una página HTML llamada «Nuevo mensaje», conteniendo un formulario con el siguiente aspecto:

A
De
Asunto
Texto
Enviar

- Los campos «A», «De» y «Asunto» son de tipo texto, con un tamaño de 40, y se llaman respectivamente `a`, `de` y `asunto` (atributo `name`). El campo «Texto» es de tipo textArea, de tamaño 20 líneas y 80 columnas y se llama `texto` (atributo `name`). El botón «Enviar» se llama `ok` (atributo `name`). La alineación de los campos se obtiene gracias a la utilización del código CSS aplicado a las etiquetas `<label>` (el diseño del formulario es secundario en la realización de este ejercicio).
- Este formulario se tratará por el script PHP `mail.php`.
- Al inicio del script, inserte una sección de código PHP que compruebe si el script se llama durante el tratamiento del formulario; si es el caso:
  - Recupere el contenido de los campos en las variables.
  - Defina una variable de tipo tabla que va a contener los encabezados adicionales enviados en el mensaje.
  - Envíe el mensaje.

Ejemplo

```
<?php
// Tratamiento del formulario.
if (isset($_POST['ok'])) {
 // Recuperación de la información introducida (que hay que comprobar).
 $a = $_POST['a'];
 $de = $_POST['de'];
 $asunto = $_POST['asunto'];
 $texto = $_POST['texto'];
 // encabezados adicionales.
 $encabezados['From'] = $de;
 $ encabezados ['Reply-To'] = $de;
 $ encabezados ['Content-Type'] = 'text/plain; charset=utf-8';
 $ encabezados ['X-Priority'] = '1';
 // Envío del mensaje.
 $ok = mail($a,$asunto,$texto,$ encabezados);
}
?>
<!DOCTYPE html>
<html xmlns="http://www.w3.org/1999/xhtml" lang="es">
 <head>
   <meta charset="utf-8" />
   <title>Nuevo mensaje</title>
   <style>
   label { display: block; width: 60px; float: left; }
   </style>
 </head>
 <body>
   <!—Visualización del formulario -->
   <form action="mail.php" method="post">
   <div>
     <label>A</label>
     <input type="text" name="a" size="40" maxlength="40" />
     <br /><label>De</label>
     <input type="text" name="de" size="40" maxlength="40" />
     <br /><label>Asunto</label>
     <input type="text" name="asunto" size="40" maxlength="40" />
     <br /><label>Texto</label>
     <textarea name="texto" rows="20" cols="80"></textarea>
     <br />
     <input type="submit" name="ok" value="Enviar" />
   </div>
   </form>
 </body>
</html>
```

Esta primera versión es muy sencilla y se tendría que mejorar mucho, controlando la entrada de datos del usuario.

Anexo

1. Variables PHP predefinidas

PHP predefine un gran número de variables relativas a su funcionamiento. Para acceder a esta información, es necesario utilizar matrices asociativas propuestas por PHP.

Las matrices asociativas son las siguientes:

Nombre	Contenido
`$GLOBALS`	Matriz asociativa de todas las variables disponibles en el ámbito del script (véase capítulo Escribir funciones y clases PHP).
`$_COOKIE`	Matriz asociativa de variables pasadas al script por las cookies (véase capítulo Gestionar sesiones).
`$_GET`	Matriz asociativa de variables pasadas al script por un método `GET` (véanse capítulos Gestionar formularios y enlaces y Gestionar sesiones).
`$_POST`	Matriz asociativa de variables pasadas al script por un método `POST` (véanse capítulos Gestionar formularios y enlaces y Gestionar sesiones).
`$_FILES`	Matriz asociativa que contiene información acerca de los archivos cargados desde el ordenador del usuario al servidor web (véase capítulo Gestionar formularios y enlaces).
`$_ENV`	Matriz asociativa de variables de entorno del sistema operativo pasadas al script (véase capítulo Gestionar sesiones).

Nombre	Contenido
`$_SERVER`	Matriz asociativa de variables del servidor pasadas al script (variable de entorno y variables del servidor HTTP especialmente).
`$_REQUEST`	Matriz asociativa que combina las matrices `$_GET`, `$_POST` y `$_COOKIE` (véanse capítulos Gestionar formularios y enlaces y Gestionar sesiones).
`$_SESSION`	Matriz asociativa de datos de sesión accesible en el script (véase capítulo Gestionar sesiones).

Estas matrices asociativas son variables «superglobales»: están disponibles en todo el script, incluso dentro de las funciones, sin necesidad de declararlas globales (`global $...` no sirve para nada).

Ejemplo: visualización del contenido de $_SERVER

```
UNIQUE_ID = YEdL9IPSgWGmQhmeZbdyYwAAAAU
SCRIPT_URL = /eni/index.php
SCRIPT_URI = http://athena.local/eni/index.php
HTTP_HOST = athena.local
HTTP_ACCEPT = text/html,application/xhtml+xml,application/xml;q=0.9,*
/*;q=0.8
HTTP_UPGRADE_INSECURE_REQUESTS = 1
HTTP_COOKIE = test[0]=z%C3%A9ro; test[1]=uno; test=test;
hora=06%3A54%3A46; apellido=HEURTEL; nombre=Olivier;
PHPSESSID=km65vgi823eq6aslm4rqed6acr
HTTP_USER_AGENT = Mozilla/5.0 (Macintosh; Intel Mac OS X 10_15_7)
AppleWebKit/605.1.15 (KHTML, like Gecko) Version/16.3 Safari/605.1.15
HTTP_ACCEPT_LANGUAGE = es-ES
HTTP_ACCEPT_ENCODING = gzip,deflate
HTTP_CONNECTION = keep-alive
PATH = /usr/local/sbin:/usr/local/
bin:/usr/sbin:/usr/bin
SERVER_SIGNATURE =
SERVER_SOFTWARE = Apache/2.4.6 () PHP/8.2.3
SERVER_NAME = athena.local
SERVER_ADDR = 192.168.56.200
SERVER_PORT = 80
REMOTE_ADDR = 192.168.56.101
DOCUMENT_ROOT = /var/www/html
REQUEST_SCHEME = http
CONTEXT_PREFIX =
CONTEXT_DOCUMENT_ROOT = /var/www/html
SERVER_ADMIN = root@localhost
```

```
SCRIPT_FILENAME = /app/script/eni/index.php
REMOTE_PORT = 56774
GATEWAY_INTERFACE = CGI/1.1
SERVER_PROTOCOL = HTTP/1.1
REQUEST_METHOD = GET
QUERY_STRING =
REQUEST_URI = /eni/index.php
SCRIPT_NAME = /eni/index.php
PHP_SELF = /eni/index.php
REQUEST_TIME = FLOAT = 1615285236.8775
REQUEST_TIME = 1615285236
```

Alguna información interesante aparece en negrita.

La función `phpinfo` permite mostrar esta información (entre otra).

2. Constantes PHP predefinidas

PHP predefine un gran número de constantes que incluyen:

Nombre	Contenido
`__FILE__` *	Nombre del archivo en ejecución. Da el nombre del archivo incluido si se utiliza en un archivo incluido.
`__LINE__` *	Número de línea en ejecución. Da el número de la línea del archivo incluido si se utiliza en un archivo incluido.
`__DIR__` *	Carpeta del archivo en ejecución. Equivalente a `dirname(__FILE__)`.
`__NAMESPACE__`	Nombre del espacio de nombres actual.
`PHP_VERSION`	Versión de PHP.
`PHP_OS`	Sistema operativo del servidor PHP. Ejemplos (no exhaustivos): `AIX`, `Linux`, `SunOS`, `WINNT`.
`PHP_OS_FAMILY`	Familia del sistema operativo del servidor PHP : `Windows`, `BSD`, `Darwin`, `Solaris`, `Linux` o `Unknown`.
`TRUE` *	Valor booleano verdadero (`TRUE`).
`FALSE` *	Valor booleano falso (`FALSE`).
`NULL` *	Valor `NULL`.
`E_*`	Códigos de error (véase capítulo Gestionar los errores en un script PHP).

Nombre	Contenido
DIRECTORY_SEPARATOR	Carácter separador utilizado en los nombres de directorio para la plataforma en la que está instalado PHP.
PHP_EOL	Secuencia de caracteres utilizada por la plataforma para representar una nueva línea. Se incluyó en la versión 5.0.2.
PHP_INT_MAX	Valor del entero más grande.
PHP_INT_MIN	Valor del entero más pequeño.
PHP_INT_SIZE	Tamaño de los enteros (número de bytes)..
PHP_FLOAT_DIG	Número de decimales que se pueden redondear en un número en coma flotante sin perder precisión. Añadido en versión 7.2.
PHP_FLOAT_EPSILON	El número más pequeño en coma flotante positivo tal que `1.0 + x <> 1.0`.
PHP_FLOAT_MIN	El número más pequeño en coma flotante admitido.
PHP_FLOAT_MAX	El número más grande en coma flotante admitido.

Las constantes seguidas por un asterisco no distinguen entre mayúsculas y minúsculas (se pueden utilizar indistintamente en mayúsculas o minúsculas).

3. Ejemplos adicionales

3.1 Introducción

La potencia del lenguaje PHP se ve reforzada por la existencia de un gran número de bibliotecas que amplían las características del lenguaje: corrección ortográfica, generación de documentos PDF (*Portable Document Format*), manipulación de documentos XML (*eXtensible Markup Language*), o JSON (*JavaScript Object Notation*), acceso a servidores FTP (*File Transfer Protocol*), acceso a servidores IMAP (*Internet Message Access Protocol*), acceso a directorios LDAP (*Lightweight Directory Access Protocol*), cifrado, gestión del protocolo SNMP (*Simple Network Management Protocol*), compresión, etc. Algunas bibliotecas requieren bibliotecas adicionales. Estas bibliotecas dan respuesta a diferentes necesidades especiales y no se describen en detalle en este libro.

En esta parte del anexo, vamos a dar tres ejemplos comentados de uso de estas bibliotecas, correspondientes a tres necesidades frecuentes:

- Leer un documento XML.
- Generar un documento PDF.
- Generar una imagen.

Para obtener más información sobre las bibliotecas disponibles o sobre una función, consulte la ayuda en línea disponible en la página web oficial de PHP (www.php.net/manual/es/).

3.2 Leer un documento XML

Este ejemplo ilustra las posibilidades de la extensión SimpleXML.

Para este ejemplo, suponemos que hay una almacenada en un archivo llamado `artículos.xml`:

```
<?xml version='1.0' encoding='UTF-8'?>
<artículos>
  <artículo código="A1" color="amarillo">
    <identificador>1</identificador>
    <texto>Albaricoques</texto>
    <precio>35.5</precio>
  </artículo>
  <artículo código="A2" color="rojo">
    <identificador>2</identificador>
    <texto>Cerezas</texto>
    <precio>48.9</precio>
  </artículo>
  <artículo código="A3" color="rojo">
    <identificador>3</identificador>
    <texto>Fresas</texto>
    <precio>29.95</precio>
  </artículo>
  <artículo código="A4" color="amarillo">
    <identificador>4</identificador>
    <texto>Melocotones</texto>
    <precio>37.2</precio>
  </artículo>
</artículos>
```

Código

```
<!DOCTYPE html>
<html xmlns=http://www.w3.org/1999/xhtml lang="es">
  <head>
    <meta charset="utf-8" />
```

```
  <title>Leer un documento XML</title>
</head>
<body>
<div>

<?php
// Cargar el documento XML = simplexml_load_file():
// - devuelve un objeto de la clase simplexml_element
//   o FALSE en caso de error (documento XML mal formado, por ejemplo).
$xml = simplexml_load_file('artículos.xml');
if (! $xml) { exit; }

// El objeto $xml tiene una estructura que corresponde a la
// estructura de nuestro documento:
// - artículo (matriz de objetos):
//      - identificador;
//      - texto;
//      - precio.

// Ruta del nudo artículo (matriz).
echo "<b>Ruta de \$xml->artículo</b><br />\n";
foreach ($xml->artículo as $artículo) {
  printf("%s,%s,%s,%s,%s<br />\n",
         $artículo->identificador,
         $artículo->texto,
         $artículo->precio,
         $artículo['código'],
         $artículo['color']);
}

// Acceso a una información específica.
echo "<b>Acceso a una información específica</b><br />\n";
printf("Antes - Precio de %s = %s (código = %s)<br />\n",
       $xml->artículo[2]->texto,
       $xml->artículo[2]->precio,
       $xml->artículo[2]['código']);
$xml->artículo[2]->precio = 123;
$xml->artículo[2]['código'] .= '+';
printf("Después - Precio de %s = %s (código = %s)<br />\n",
       $xml->artículo[2]->texto,
       $xml->artículo[2]->precio,
       $xml->artículo[2]['código']);

// Extracción de los atributos de un nodo = método attributes():
// - devuelve un objeto de la clase simplexml_element;
// - en nuestro ejemplo, recuperación de los atributos del 1er
```

```
artículo.
  $atributos = $xml->artículo[0]->attributes();

  // Ruta de los atributos así recuperados.
  echo "<b>Atributos del primer artículo</b><br />\n";
  foreach($atributos as $nombre => $valor) {
    printf("%s = %s<br />\n",$nombre,$valor);
  }

  // Extraer los hijos de un nodo = método children():
  // - devuelve un objeto de la clase simplexml_element.
  echo "<b>Ruta del árbol</b><br />\n";
  echo "raíz<br />\n";
  foreach ($xml->children() as $nombre1 => $nivel1) {
    printf("----%s (%s,%s)<br />\n",
           $nombre1,$nivel1['código'],$nivel1['color']);
    foreach ($nivel1->children() as $nombre2 => $nivel2) {
      printf("--------%s = %s<br />\n",$nombre2,$nivel2);
    }
  }

  // Efectuar una búsqueda Xpath = método xpath():
  // - devuelve una matriz de objetos de la clase simplexml_element.
  echo "<b>Búsqueda Xpath: /artículos/artículo</b><br />\n";
  $resultado = $xml->xpath("/artículos/artículo");
  foreach ($resultado as $valor) {
    printf("%s,%s<br />\n",$valor->identificador,$valor->texto);
  }
  echo "<b>Búsqueda Xpath: artículo/texto</b><br />\n";
  $resultado = $xml->xpath("artículo/texto");
  foreach ($resultado as $valor) {
    printf("%s<br />\n",$valor);
  }
  echo "<b>Búsqueda Xpath: //precio</b><br />\n";
  $resultado = $xml->xpath("//precio");
  foreach ($resultado as $valor) {
    printf("%s<br />\n",$valor);
  }

  // Generar una cadena XML = método asXML().
  echo "<b>Cadena XML</b><br />\n";
  file_put_contents ('los_artículos.xml',$xml->asXML());
  file_put_contents ('un_artículo.xml',$xml->artículo[0]->asXML());
  echo "Ver los archivos 'los_artículos.xml' y 'un_artículo.xml'<br />
>\n";
```

```
  ?>

  </div>
  </body>
</html>
```

Resultado en pantalla

```
Ruta de $xml->artículo
1,Albaricoques,35.5,A1,amarillo
2,Cerezas,48.9,A2,rojo
3,Fresas,29.95,A3,rojo
4,Melocotones,37.2,A4,amarillo
Acceso a una información específica
Antes - precio de Fresas = 29.95 (código = A3)
Después - precio de Fresas = 123 (código = A3+)
Atributos del primer artículo
código = A1
color = amarillo
Ruta del árbol
raíz
----artículo (A1,amarillo)
--------identificador = 1
--------texto = Albaricoques
--------precio = 35.5
----artículo (A2,rojo)
--------identificador = 2
--------texto = Cerezas
--------precio = 48.9
----artículo (A3+,rojo)
--------identificador = 3
--------texto = Fresas
--------precio = 123
----artículo (A4,amarillo)
--------identificador = 4
--------texto = Melocotones
--------precio = 37.2
Búsqueda Xpath: /artículos/artículo
1,Albaricoques
2,Cerezas
3,Fresas
4,Melocotones
Búsqueda Xpath: artículo/texto
Albaricoques
Cerezas
Fresas
Melocotones
Búsqueda Xpath: //precio
```

```
35.5
48.9
123
37.2
Cadena XML
Ver los archivos 'los_artículos.xml' y 'un_artículo.xml'
```

Contenido del archivo los_artículos.xml

```
<?xml version="1.0" encoding="UTF-8"?>
<artículos>
  <artículo código="A1" color="amarillo">
    <identificador>1</identificador>
    <texto>Albaricoques</texto>
    <precio>35.5</precio>
  </artículo>
  <artículo código="A2" color="rojo">
    <identificador>2</identificador>
    <texto>Cerezas</texto>
    <precio>48.9</precio>
  </artículo>
  <artículo código="A3+" color="rojo">
    <identificador>3</identificador>
    <texto>Fresas</texto>
    <precio>123</precio>
  </artículo>
  <artículo código="A4" color="amarillo">
    <identificador>4</identificador>
    <texto>Melocotones</texto>
    <precio>37.2</precio>
  </artículo>
</artículos>
```

Contenido del archivo un_artículo.xml

```
<artículo código="A1" color="amarillo">
    <identificador>1</identificador>
    <texto>Albaricoques</texto>
    <precio>35.5</precio>
  </artículo>
```

3.3 Generar un documento PDF

La extensión PDF de PHP que permite generar documentos PDF ya no está instalada de forma predefinida (y ya no tiene mantenimiento). Además, esta extensión utiliza la biblioteca PDFlib, que requiere una licencia (http://www.pdflib.com/products/pdflib-family/).

Existen varias alternativas gratuitas para generar documentos PDF, como la biblioteca FPDF (http://www.fpdf.org/?lang=es). Esta biblioteca no se instala de forma predefinida con PHP, pero está presente en el paquete XAMPP. Esta es la biblioteca que usaremos en este ejemplo (versión 1.85 del 10/11/2022).

Observación

Asegúrese de descargar una versión reciente (1.8 o posterior), ya que las versiones anteriores de esta biblioteca utilizan un método con el mismo nombre que la clase como método constructor, lo cual ya no es compatible.

El código que se muestra a continuación genera el siguiente documento PDF:

Lista de artículos

Texto	Precio
Albaricoques	35,50
Cerezas	48,90
Fresas	29,95
Melocotones	37,20

Pagina 1

La lista de artículos se lee del archivo XML `artículos.xml` utilizado en la sección Leer un documento XML.

Código

```
<?php

// Inclusión de la biblioteca.
include ('../include/fpdf/fpdf.php');

// Cargar la lista de artículos desde el documento XML.
$xml = simplexml_load_file('artículos.xml');
if (! $xml) {
  exit('Error al cargar la lista de artículos.');
}

// Crear un nuevo documento PDF = new FPDF()
// - primer parámetro = orientación
//      > P = vertical - L = apaisado
// - segundo parámetro = unidad de medida
//      > pt = punto - mm = milímetro - cm = centímetro
// - tercer parámetro = formato (A3, A4, etc)
// Todos los parámetros son opcionales. Predeterminado = P, mm, A4.
$pdf = new FPDF('P','mm','A4');

// Definir los saltos de página automáticos = SetAutoPageBreak()
// - primer parámetro = automático (true/false)
//      > P = vertical - L = apaisado
// - segundo parámetro = margen.
//     > distancia en relación con el final de la página que desencadena
//        el salto (2 cm predeterminado, si activo)
$pdf->SetAutoPageBreak(false);

// Crear una nueva página en el documento = AddPage()
// - primer parámetro = orientación.
//      > P = vertical - L = apaisado
//        Por defecto el del documento.
$pdf->AddPage();

// Definir la información de resumen del documento = SetTitle(),
// SetAuthor(), SetSubject().
$pdf->SetTitle('Lista de artículos');
$pdf->SetAuthor('Olivier HEURTEL');
$pdf->SetSubject('Frutas');

// Definir la tipografía utilizada = SetFont()
// - primer parámetro = familia;
//      > nombre de una familia estándar (Courier, Helvética o Arial,
//        Times, Symbol, ZapfDingbats) o de un nombre definido por
//        AddFont().
```

```
// - segundo parámetro (opcional) = estilo;
//     > combinación de: B = negrita - I = cursiva - U = subrayado
// - tercer parámetro (opcional) = tamaño en puntos.
// Ver también el método SetFontSize() para modificar el tamaño.
$pdf->SetFont('Arial','B',16);

// Escribir texto desde la posición actual = Write()
// - primer parámetro = altura de la línea;
// - segundo parámetro = texto a escribir.
// Utiliza las características actuales de tipografía, colores, etc.
// El retorno de línea es automático cuando se llega al final
// del margen derecho (o cuando se encuentra el carácter \n).
$pdf->Write(5, 'Lista de artículos');

// Efectuar un salto de línea = Ln()
// - primer parámetro (opcional) = altura de la línea.
// La abscisa toma el valor del margen izquierdo.
$pdf->Ln(10);

// Cambiar el tamaño de tipografía = SetFontSize()
// - primer parámetro = tipografía en puntos.
$pdf->SetFontSize(12);

// Definir el color que se utilizará para el texto = SetTextColor()
// - si un solo parámetro = nivel de gris (entre 0 y 255);
// - si 3 parámetros = componentes RGB (entre 0 y 255).
$pdf->SetTextColor(255,0,0); // rojo

// Definir el color que se utilizará para el fondo = SetFillColor()
// - si un solo parámetro = nivel de gris (entre 0 y 255);
// - si 3 parámetros = componentes RGB (entre 0 y 255).
$pdf->SetFillColor(255,255,140); // amarillo claro

// Escribir una celda = Cell()
// - primer parámetro = longitud (0 = hasta el margen derecho);
// - segundo parámetro = altura;
// - tercer parámetro = texto a escribir;
// - cuarto parámetro = borde;
//     > es un número: 0 = ningún borde - 1 = marco
//     > es una cadena: combinación de L (izquierda), T (alto),
//                          R (derecha), B (bajo)
// - quinto parámetro = posición final;
//     > 0 = a la derecha - 1 = inicio de la línea siguiente - 2 = debajo
// - sexto parámetro = alineación;
//     > L o cadena vacía = a la izquierda - C = centrado - R = a la
derecha
```

```
// - séptimo parámetro = relleno.
//      > 0 = no - 1 = sí
// solo el primer parámetro es obligatorio.
$pdf->Cell(80,7,iconv('UTF-8','windows-1252','Texto'),1,0,'C',1);
// título de la columna
$pdf->Cell(40,7,'Precio',1,1,'C',1); // título de la columna

// Cambiar el color y la tipografía
$pdf->SetFont('Arial','',12); // '' = normal
$pdf->SetTextColor(0,0,0); // negro

// En un bucle, escribir los datos de la matriz
foreach ($xml->artículo as $artículo) { // ruta del documento XML
  $precio = number_format((float)$artículo->precio,2,',',' ');
  $pdf->Cell(80,7,iconv('UTF-8','windows-1252',$artículo->texto),1);
  $pdf->Cell(40,7,$precio,1,1,'R'); // línea siguiente + a la derecha
}

// Colocarse en un lugar específico de la página = SetXY()
// - primer parámetro = abscisa (x);
// - segundo parámetro = ordenada (y).
// El origen es la esquina superior izquierda.
// Si los valores son negativos, el origen es la esquina
// inferior derecha.
// Ver también SetX() y SetY().
$pdf->SetXY(10,-10); // 1 cm a la izquierda, 1 cm del final

// Mostrar el número de página = PageNo()
$pdf->SetFontSize(10);
$pdf->Cell(0,0,'Página '.$pdf->PageNo(),0,0,'R');

// Mostrar una imagen = Image()
// - primer parámetro = nombre del archivo;
// - segundo parámetro = abscisa de la esquina superior izquierda;
// - tercer parámetro = ordenada de la esquina superior izquierda;
// - cuarto parámetro (opcional) = longitud de la imagen;
//      > 0 o nada = calculado automáticamente
// - quinto parámetro (opcional) = altura de la imagen;
//      > 0 o nada = calculado automáticamente
// - sexto parámetro (opcional) = tipo.
//      > JPG o JPEG o PNG
//      > Deducido de la extensión si ausente
$pdf->Image('../imágenes/logo.jpg',10,285,20);

// Definir el color a utilizar para el dibujo = SetDrawColor()
// - si un solo parámetro = nivel de gris (entre 0 y 255)
```

```
// - si 3 parámetros = componentes RGB (entre 0 y 255)
$pdf->SetDrawColor(128); // nivel de gris
$pdf->line(10,15,200,15); // línea horizontal superior
$pdf->line(10,285-2,200,285-2); // línea horizontal inferior

// Enviar el documento a un destino = Output()
// - primer parámetro (opcional) = nombre del archivo;
// - segundo parámetro (opcional) = tipo de destino.
//      > F = archivo en el servidor
//        I = navegador (en línea)
//        D = navegador (descarga)
// Si no hay parámetro: destino = I.
// Si se especifica un nombre: destino predeterminado = F.
$pdf->Output(); // navegador (en línea)

?>
```

Observación

La biblioteca FPDF no es compatible con UTF-8. Sin embargo, la biblioteca tFPDF, versión modificada de la biblioteca FPDF, permite utilizar UTF-8. Para usar esta biblioteca es necesario que la extensión mbstring esté instalada en PHP (véase la documentación PHP a este respecto).

Observación

En un primer momento, una solución más sencilla consiste en utilizar la función `iconv` *para convertir texto UTF-8 en Windows-1252 que la librería admite. Esta técnica se utiliza en el ejemplo anterior, en el que se supone que el script y el documento XML están codificados en UTF8.*

3.4 Generar una imagen

La extensión GD de PHP permite crear y manipular imágenes.

El código que se muestra a continuación permite generar la siguiente página:

Mi gráfico

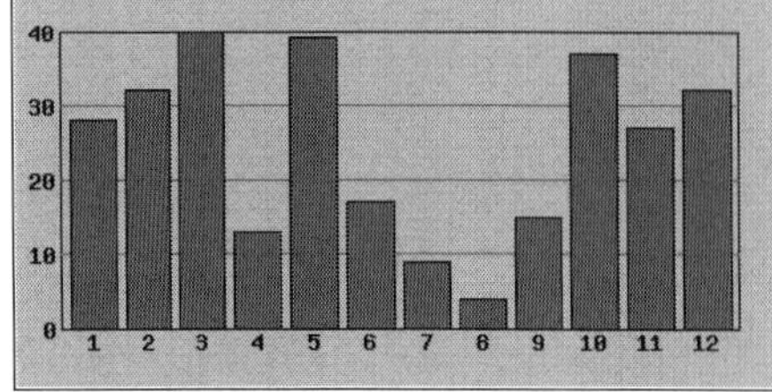

La generación del gráfico se realiza de manera dinámica en la llamada a la página; para este ejemplo, los datos del gráfico se calculan de manera aleatoria.

Código

```
<!DOCTYPE html>
<html xmlns=http://www.w3.org/1999/xhtml lang="es">
  <head>
   <meta  charset="utf-8" />
    <title>Mi gráfico</title>
  </head>
  <body>
    <div>
    <b>Mi gráfico</b>
    <p>
    <img alt="Mi gráfico" src="mi-grafico.php" />
    </p>
    </div>
  </body>
</html>
```

Observe que la tipografía de la imagen es un script PHP que crea la imagen de forma dinámica cuando se muestra la página. Esta técnica también puede utilizarse para mostrar en una página una imagen que está almacenada en una base de datos.

Script mi-grafico.php

```
<?php

// Definir un encabezado que indique que se trata de una imagen (aquí
PNG).
header('Content-type: image/png');

/*

Las funciones definidas en el script utilizan dos variables globales:
- $imagen         = recurso de imagen en curso de creación;
- $altura_imagen = altura de la imagen.

Para las coordenadas, el origen es la esquina superior izquierda.
Para el dibujo de nuestro gráfico, utilizamos un origen en la esquina
inferior izquierda (más práctico). Las funciones efectúan la conversión.

*/

// Función de dibujo de un rectángulo
// - $x1,$y1         = punto 1
// - $x2,$y2         = punto 2
```

```
// - $borde, $fondo = colores del borde y del fondo
//
function rectángulo($x1,$y1,$x2,$y2,$borde,$fondo) {

  global $imagen;
  global $altura_imagen;

  // Conversión del sistema de coordenadas para el eje y.
  $y1 = $altura_imagen - 1 - $y1;
  $y2 = $altura_imagen - 1 - $y2;

  // Dibujar el borde de un rectángulo = imagerectangle
  imagerectangle($imageb,$x1,$y1,$x2,$y2,$borde);

  // Relleno (si es necesario, por ejemplo $fondo informado).
  if ( ( $fondo != NULL) and ($x1 != $x2) and ($y1 != $y2) ) {

    // Rellenar un rectángulo = imagefilledrectangle.
    imagefilledrectangle($imageb,$x1+1,$y1-1,$x2-1,$y2+1,$fondo);
  }
}

// Función de dibujo de una línea:
// - $x1,$y1  = punto 1;
// - $x2,$y2  = punto 2;
// - $color = color.
//
function línea($x1,$y1,$x2,$y2,$color) {

  global $imagen;
  global $altura_imagen;

  // Conversión del sistema de coordenadas para el eje y.
  $y1 = $altura_imagen - 1 - $y1;
  $y2 = $altura_imagen - 1 - $y2;

  // Dibujar una línea = imageline.
  imageline($imagen,$x1,$y1,$x2,$y2,$color);

}

// Función de dibujo de un texto:
// - $fuente     = código de la tipografía predefinida (1 a 5)
// - $x,$y       = punto de referencia
// - $texto      = texto
// - $color    = color
```

```
// - $horizontal = alineación horizontal con respecto al punto
//                 de referencia
//      > D = alineado a la derecha, C = centrado, G = alineado a la
izquierda
// - $vertical   = alineación vertical con respecto al punto de
referencia
//      > H = texto superior, C = centrado, B = texto inferior
//
function texto($fuente,$x,$y,$texto,$color,$horizontal,$vertical) {

  global $imagen;
  global $altura_imagen;

  // Conversión del sistema de coordenadas para el eje y.
  $y = $altura_imagen - 1 - $y;

  // Calcular la longitud de un carácter en una tipografía =
  // imagefontwidth.
  $longitud = imagefontwidth($fuente) * strlen($texto);

  // Calcular la altura de un carácter en una tipografía =
  // imagefontheight.
  $altura = imagefontheight($fuente);

  // Cálculo de coordenadas en función de la alineación.
  switch ($horizontal) {
    case 'D':
      $x = $x - $longitud;
      break;
    case 'C':
      $x = $x - floor($longitud/2);
      break;
    case 'G':
      break;
  }
  switch ($vertical) {
    case 'H':
      $y = $y - $altura;
      break;
    case 'C':
      $y = $y - floor($altura/2);
      break;
    case 'B':
      break;
  }
```

```
  // Dibujar un texto = imagestring.
  imagestring($imagen,$fuente,$x,$y,$texto,$color);
}

// Para este ejemplo, los datos del gráfico se calculan de
// forma aleatoria:
// - unidad, valor mínimo y valor máximo para el eje y;
$eje_y_unidad = 10;
$eje_y_mín = 0;
$eje_y_máx = 40;
// - número de barras: entre 5 y 15;
$número_barras = rand(5,15);
// - poner los datos en la matriz.
$datos = array();
for ($i = 1 ; $i <= $número_barras ; $i++) {
  $datos[$i] = rand($eje_y_mín,$eje_y_máx);
}

// Dimensiones del dibujo (píxeles).
$longitud_imagen = 400;  // longitud de la imagen
$altura_imagen = 200;    // altura de la imagen
$margen_blanco = 2;      // margen blanco
$margen_izquierdo = 25;  // margen izquierdo con la zona de trazado
$margen_derecho = 20;    // margen derecho con la zona de trazado
$margen_superior = 20;   // margen superior con la zona de trazado
$margen_inferior = 30;   // margen inferior con la zona de trazado
$separación_barras = 5;  // separación entre las barras

// Deducir la longitud y la altura de la zona de trazado.
$longitud_trazado = $longitud_imagen - $margen_derecho -
$margen_izquierdo;
$altura_trazado = $altura_imagen - $margen_superior - $margen_inferior;

// Deducir la longitud de las barras y la escala del eje y.
$longitud_barra =
  (int) (($longitud_trazado-$separación_barras)/$número_barras-
$separación
_barras;)
$escala_eje_y =
  (int) ($altura_trazado-1) / $eje_y_máx;

// Crear la imagen = imagecreatetruecolor.
$imagen = imagecreatetruecolor($longitud_imagen,$altura_imagen);

// Definir los colores = imagecolorallocate
// en RGB
```

```
$blanco = imagecolorallocate($imagen, 255, 255, 255);
$negro = imagecolorallocate($imagen, 0, 0, 0);
$gris_claro = imagecolorallocate($imagen, 192, 192, 192);
$gris_oscuro = imagecolorallocate($imagen, 100, 100, 100);
$verde = imagecolorallocate($imagen, 0, 128, 0);

// Coordenadas de la imagen.
$ox1 = 0; $oy1 = 0;
$ox2 = $longitud_imagen - 1; $oy2 = $altura_imagen - 1;
// Dibujar el marco exterior.
rectángulo($ox1,$oy1,$ox2,$oy2,$negro,$blanco);

// Coordenadas de la imagen menos el borde blanco.
$mx1 = $ox1 + $margen_blanco; $my1 = $oy1 + $margen_blanco;
$mx2 = $ox2 - $margen_blanco; $my2 = $oy2 - $margen_blanco;
// Dibujar el fondo gris claro.
rectángulo($mx1,$my1,$mx2,$my2,$gris_claro,$gris_claro);

// Coordenadas de la zona de trazado.
$tx1 = $ox1 + $margen_izquierdo; $ty1 = $oy1 + $margen_inferior;
$tx2 = $ox2 - $margen_derecho; $ty2 = $oy2 - $margen_superior;
// Dibujar el marco de la zona de trazado.
rectángulo($tx1,$ty1,$tx2,$ty2,$negro,NULL);

// Dibujo de líneas horizontales con su etiqueta.
$x1 = $tx1;
$x2 = $tx2;
for ($eje = $eje_y_mín ; $eje <= $eje_y_máx ; $eje += $eje_y_unidad) {
  $y1 = $ty1 + $eje * $escala_eje_y;
  $y2 = $y1;
  // No dibujar la línea abajo y arriba.
  if ( ( $eje > $eje_y_mín ) and ( $eje  $eje_y_máx ) ) {
    línea($x1,$y1,$x2,$y2,$gris_oscuro);
  }
  texto(3,$x1-2,$y1,$eje,$negro,"D","C");
}

// Dibujo de las barras.
$i = 0;
foreach($datos as $clave => $valor) {
  $i++;
  $x1 = $tx1 + $separación_barras + ($i-
1)*($separación_barras+$longitud_barra);
  $x2 = $x1 + $longitud_barra;
  $y1 = $ty1;
  $y2 = $y1 + $valor * $escala_eje_y;
```

```
  rectángulo($x1,$y1,$x2,$y2,$negro,$verde);
  texto(3,(int)(($x1+$x2)/2),$y1,$clave,$negro,"C","B");
}

// Generar la imagen en formato PNG = imagepng:
// - ya sea en la pantalla (sin segundo parámetro);
// - ya sea en un archivo (segundo parámetro = nombre del archivo).
// Existen funciones similares para otros formatos.
imagepng($imagen /*, 'imagen.png' */);

// Eliminar la imagen = imagedestroy.
imagedestroy($imagen);

?>
```

4. Resumen de las principales novedades de la versión 8.0, 8.1 y 8.2

Estas son las principales novedades de la versión 8 que hemos presentado en este libro:

- Constantes que diferencian obligatoriamente entre mayúsculas y minúsculas.
- Excepción `Error` (que interrumpe el script si no se gestiona) en caso de utilización de una constante no definida (la constante ya no se interpreta como una cadena).
- Error de nivel `E_WARNING` en caso de utilización una variable no inicializada.
- Error de nivel `E_WARNING` en caso de utilización de una notación de tipo matriz en una variable de tipo `null`, `bool`, `int`, `float` o `resource`.
- La conversión de un número de punto flotante en cadena de caracteres ya no tiene en cuenta el entorno de localización (inglés, español, etc.).
- Comparación más sana entre los números y las cadenas.
- Supresión de la posibilidad de utilizar las llaves para acceder al enésimo carácter de una cadena
- Supresión de la posibilidad de utilizar las llaves para acceder a un elemento de una matriz.
- Evolución de las reglas de conversión de una cadena de caracteres en un número.
- Nuevo tipo `mixed`.
- Nuevo tipo de retorno `static`.
- Nueva unión de tipos.
- Utilización obligatoria de los paréntesis al encadenar operadores ternarios (`?`).
- Nueva expresión `match`.

- El operador de concatenación es ahora menos prioritario que la suma y la resta (en las versiones anteriores, tenía la misma prioridad).
- Los argumentos con nombre permiten pasar argumentos a una función según el nombre del parámetro, y no según la posición del parámetro.
- Supresión de la posibilidad de utilizar (`unset`) para convertir una expresión en `NULL`.
- Supresión de la posibilidad de utilizar (`real`) y la función `is_real()` (en su lugar, se pueden utilizar (`float`) e `is_float()` respectivamente).
- Excepción `TypeError` si la función `count()` se aplica a una variable que no es una matriz.
- Comportamiento más estricto de las funciones `in_array()` y `array_search()` durante las búsquedas en una cadena de caracteres.
- Llamar a la función `implode()` invirtiendo los parámetros ya no está admitido.
- Posibilidad de pasar como parámetro el ancho o precisión en las funciones `printf()` y similares utilizando el símbolo `*`.
- Posibilidad de llamar a la función `number_format()` con solo tres parámetros.
- El parámetro de longitud de la función `substr()` puede ser `NULL`, lo que equivale a omitir el parámetro (y, por tanto, a devolver el resto de la cadena y no una cadena vacía como anteriormente).
- El parámetro buscado en las funciones `strpos()`, `strrpos()`, `stripos()`, `strripos()`, `strstr()`, `strchr()`, `strrchr()` y `stristr()` se interpreta ahora como una cadena (y no como un código ASCII si es de otro tipo).
- En las funciones `date()`, `strftime()`, `getdate()` y `idate()`, pasar `NULL` como parámetro al timestamp equivale a omitir el parámetro y, por tanto, a utilizar el timestamp actual (en lugar del timestamp 0 en las versiones anteriores).
- El entorno de localización predefinido es C y ya no se hereda parcialmente del entorno (para `LC_TYPE`).
- La función `mktime()` requiere un parámetro como mínimo y, por tanto, ya no permite devolver el timestamp actual (utilice la función `time()` en su lugar para obtener el timestamp actual).
- Autorización de la coma al final de la lista de los parámetros en la definición de una función o un método.
- Definir un parámetro opcional antes de un parámetro obligatorio ha quedado obsoleto.
- Un parámetro que tiene un valor predefinido a `NULL` en el momento de la ejecución (por ejemplo, una constante igual a `NULL`) ya no puede aceptar el valor `NULL`.

- Supresión de la posibilidad de utilizar un método que lleva el mismo nombre que la clase como método constructor.
- Los parámetros del método constructor pueden convertirse automáticamente en propiedades del objeto.
- El operador `new` puede utilizarse con cualquier expresión (siempre y cuando el resultado de esa expresión sea un nombre de una clase válida).
- Nuevo operador `nullsafe (?->)`.
- Utilizar el operador `parent::` en una clase que no tiene ningún padre genera un error fatal durante la compilación.
- La visibilidad de un método privado o de una propiedad privada puede redefinirse en una subclase.
- Llamar a un método no estático de forma estática genera una excepción `Error` (Antes de la versión 8, había quedado obsoleto).
- Posibilidad de omitir la variable en el bloque `catch`.
- `throw` puede utilizarse como una expresión.
- El operador `@` ya no suprime la visualización de los errores fatales que provocan la detención del script.
- La directiva `error_reporting` se predefine a `E_ALL`.
- El parámetro que da el contexto del error ya no se pasa a las funciones personalizadas de gestión de los errores (almacenadas con la función `set_error_handler()`).
- Supresión de la directiva `track_errors` y, por tanto, de la variable `$php_errormsg`.

Las principales novedades de la **versión 8.1** que se presentan en este libro son las siguientes:

- El valor de una constante puede ser un objeto instanciado con el operador `new`.
- El valor predefinido de un parámetro puede ser un objeto instanciado con el operador `new`.
- El valor inicial de una variable estática puede ser un objeto instanciado con el operador `new`.
- El valor predefinido de un parámetro promovido a propiedad puede ser un objeto instanciado con el operador `new`.
- Se ha eliminado la conversión implícita de un número de coma flotante a un número entero que provoca una pérdida de precisión.
- Se ha añadido el tipo de retorno `never`.
- Se ha añadido la intersección de tipos.

- Descomposición de matrices con claves alfabéticas.
- En una llamada a una función, descomposición de matrices con claves alfabéticas iguales a los nombres de los parámetros de la función.
- Es obsoleto pasar el valor `NULL` a un parámetro interno de función que no es explícitamente opcional.
- La función `strftime()` queda obsoleta.
- Se permite pasar un parámetro con su nombre después de pasarlo en forma de decomposición de matriz.
- Un parámetro opcional especificado antes de uno obligatorio se trata siempre como obligatorio, incluso cuando se realiza una llamada utilizando los nombres de los parámetros.
- Una propiedad de una clase puede declararse como de solo lectura.
- Las variables estáticas utilizadas en métodos heredados no sobrecargados se comparten con el método padre.
- Una constante de clase o de interfaz puede declararse como final.
- Se ha añadido la noción de enumeración.
- Las funciones `htmlspecialchars()`, `htmlspecialchars_decode()` y `htmlentities()` utilizan por defecto `ENT_QUOTES | ENT_SUBSTITUTE` en lugar de `ENT_COMPAT`.
- El filtro `FILTER_SANITIZE_STRING` queda obsoleto (utilice en su lugar la función `htmlspecialchars()`).
- Se ha añadido la ruta completa del archivo a la matriz `$_FILES`.
- Errores reportados de forma predeterminada como una `mysqli_sql_exception` en la extensión MySQLi y ya no como un error `E_WARNING`.
- Se ha añadido una nueva función `mysqli_fetch_column()`.
- Los parámetros se pueden enlazar con valores directamente en la función `mysqli_stmt_execute()`.

Las principales novedades de la **versión 8.2** presentadas en este libro son las siguientes:

- La interpolación `${variable}` queda obsoleta. En su lugar, se debe utilizar la forma alternativa `{$variable}`.
- El tipo iterable ya no es un pseudotipo, sino un alias para la unión de tipos `array|Traversable`.
- Los tipos `null` y `false` pueden utilizarse como tipos independientes y no solo en una unión de tipos.
- Se ha añadido el tipo `true` como tipo independiente.

- Es posible combinar una unión de tipos y una intersección de tipos, siempre que se escriba en forma normal disyuntiva.
- Las funciones `[a|k][r]sort` siempre devuelven `TRUE`.
- Las funciones `ksort` y `krsort` utilizan las reglas estándares de PHP para comparar cadenas y números y colocan las claves numéricas antes que las claves de cadena en orden ascendente (antes de la versión 8.2 era al revés).
- La función `str_split` devuelve una matriz vacía si la cadena está vacía en lugar de un array que contiene una fila vacía.
- Las funciones que realizan conversiones de mayúsculas y minúsculas (`strtolower`, `strtoupper`, `lcfirst`, `ucfirst`, `ucwords`) o búsquedas/comparaciones que no diferencian entre mayúsculas y minúsculas (`stristr`, `stripos`, `strripos`, `str_ireplace`) ya no tienen en cuenta ninguna característica lingüística local definida mediante la función `setlocale` y solo funcionan en el rango de caracteres ASCII.
- Se ha añadido una opción para no capturar subpatrones a la definición de un patrón de expresión regular.
- Se puede declarar una clase como de solo lectura.
- La creación de propiedades dinámicas ha quedado obsoleta.
- Se pueden definir constantes en un trait (rasgo).
- Se puede acceder a las propiedades `name` y `value` de una enumeración en la expresión utilizada para definir una constante.

!

?, 71
??, 73
??=, 73
?->, 267
..., 62, 222, 240
[], 52, 56, 62
{, 42
{$, 42
@, 309, 310
<?=, 21
<=>, 74
=>, 251
$, 36
$}, 42
$$, 38
$_COOKIE, 342, 575, 622
$_ENV, 29, 622
$_FILES, 408
$_GET, 342, 622
$GLOBALS, 244
$php_errormsg, 323
$_POST, 342, 622
$_REQUEST, 342, 575, 622
$_SERVER, 402, 569, 622, 640
$_SESSION, 584, 622
$this, 262

abs, 136
abstract, 273
Alcance de una constante, 35
Archivo
    abrir, 200
    cambiar nombre, 204
    cerrar, 201
    copiar, 204
    de configuración, 27
    descargar desde el servidor, 413
    eliminar, 204
    enviar desde el cliente, 407
    escribir, 202, 203
    incluir, 91
    leer, 201, 203
    probar la existencia, 205
    tamaño, 205
array, 54
array_column, 134
array_key_first, 135
array_key_last, 135
array_replace, 126
array_search, 125
arsort, 127
asort, 127
Autenticación
    HTTP, 569
    verificar las credenciales de identificación introducidas, 571
Autenticar, 566

B

base64, 630
base64_encode, 631
Booleano, 46
boolval, 121
break, 79, 88
Bucle, 82, 84

C

Cadena de caracteres, 40
    convertir en un número, 44
case, 79
catch, 284
ceil, 137
chdir, 205
checkdate, 178, 374
chunk_split, 631
Cifrado, 197
Clase
    abstracta, 273
    anónima, 283
    atributo, 259
    concepto, 257
    __construct, 261
    constructor, 261
    definir, 258
    __destruct, 262
    excepciones, 284
    final, 274
    instanciar, 264
    interfaz, 275
    legado, 268
    métodos, 259
    promoción de propiedades constructoras, 263
    propiedad, 259

__toString, 262
trazo, 280
class, 258
closedir, 206
Closure, 250
Codificación, 346
HTML, 379, 381
Comentario, 22
Concatenación, 68
Configuración, 27
const, 32, 57
constant, 105
Constantes, 32
de tipo matriz, 57
predefinidas, 641
Content-Disposition, 413
Content-Length, 413
Content-Type, 413
Continue, 88
Controles condicionales, 76
Conversiones, 111
Cookie, 573
conservar la información de una visita a otra, 616
determinar si un equipo acepta las cookies, 578
valor, 575
copy, 204
Correo electrónico, 625
From:, 628
mensaje con archivo adjunto, 632
mensaje de texto sin archivos adjuntos, 625
mensaje en formato HTML, 629
mensaje en formato MIME, 629
Reply-To:, 628
To:, 628
X-Priority:, 628
count, 123

D

date, 176, 179
date.timezone, 28
date_parse_from_format, 191
declare, 228
  strict_types, 236
default_charset, 25, 31
define, 32, 57
defined, 104
die, 95, 315
DIR, 641
Dirección de correo electrónico, 377
Directivas de configuración, 27
Directorio
  abrir, 205
  actual, 205
  cerrar, 206
  leer, 206
DIRECTORY_SEPARATOR, 199, 642
display_errors, 28, 310
do ... while, 84
doubleval, 119
download, 413
Duración
  variable, 37

E

echo, 19
empty, 106
enctype, 408
Enlace, 327
  controlar los datos recuperados, 372
  recuperar los datos de una URL, 342

Entero, 39
error_clear_last, 322
Errores, 303
  funciones de gestión, 308
  gestionar los errores de forma personalizada, 313
  mostrar mensajes, 309
  provocar un error, 320
  suprimir visualización de mensajes, 309
error_get_last, 322
error_log, 312
error_reporting, 28, 310
Espacios de nombres, 297
Etiquetas
  <a href>, 597
  <a>, 327, 413
  <br ?>, 382

, 382
  <form>, 330
  <input>, 334, 357, 364, 366, 372
  <option>, 361, 362
  <select>, 334, 361, 362
  <textarea>, 357, 372
  eliminar, 382
  PHP, 19
Excepción
  Error, 305
  TypeError, 225, 233
exit, 95, 315
Explode, 130
Expresiones regulares, 161
  estructura, 161
  funciones, 171
extends, 268

F

fclose, 201
Fecha
    validez, 374
Fetch, 421
FILE, 641
file, 201
file_exists, 205
file_get_contents, 203
file_put_contents, 203
filesize, 205
file_uploads, 408
filter_input, 393
filter_input_array, 393
filter_var, 387
filter_var_array, 390
Filtros, 385
finally, 285
float, 39
floatval, 119
floor, 137
fopen, 200
for, 85
Formulario, 330
    acceso a las bases de datos, 538
    botón "reset" o "button", 366
    botón de imagen, 365
    botón de validación, 364
    campo que contiene texto, 357
    casilla de verificación, 358
    construir dinámicamente, 333
    controlar los datos recuperados, 372
    datos introducidos, 342
    de búsqueda y de introducción de datos, 560
    de entrada con lista, 555
    enviar un archivo desde el cliente, 407

filtros, 394
grupo de botones de opción, 358
lista de selección, 550
lista de selección múltiple, 362
lista de selección única, 361
lógica de flujo de texto, 404, 405
matriz para recuperar los campos, 352
visualizar una lista, 552
FPDF, 648
fread, 201
func_get_arg, 239
func_get_args, 239
Funciones, 219
alcance de las constantes, 247
anónimas, 250
de conversión, 114
de flecha, 251
declaración, 219
declaración del tipo de datos de un parámetro, 233
declaración del tipo de datos devueltos, 224
generadora, 253
lista variable de parámetros, 239
llamada, 219
parámetros, 230
pasar parámetros, 237
recursividad, 248
tipo strict, 228, 234
utilizar el nombre del parámetro en la llamada, 241
valor predeterminado du un parámetro, 231
variable, 229
variable estática, 246
variable globale, 244
variable locale, 244
func_num_args, 239
function, 219
fwrite, 202

GD, 652
Generador, 253
getdate, 189
global, 244

H

header, 208, 401, 413, 569, 598
hrtime, 194
HTML 5, 25
htmlentities, 381
htmlspecialchars, 379
htmlspecialchars_decode, 381
http_build_query, 347
HTTP_USER_AGENT, 640

I

idate, 195
if, 76
implements, 276
implode, 132
in_array, 124
include, 91
include_once, 91
Incluir un archivo, 91
Instrucción
    separador, 21
intdiv, 138
integer, 39
Interface, 275
intval, 119

is_array, 116
is_bool, 116
is_double, 116
is_float, 116
is_int, 116
is_integer, 116
is_long, 116
is_null, 116
is_numeric, 116
is_object, 116
is_real, 116
is_resource, 116
is_scalar, 116
isset, 107
is_string, 116

K

krsort, 127
ksort, 127

L

lcfirst, 143
LINE, 641
list, 61
Llaves, 42
LOCAL, 481
Location, 401
log_errors, 313
ltrim, 150

mail, 625, 630
match, 89
Matrices
- acceder a un elemento individual, 57
- alcance, 64
- asociativas, 50
- constant, 57
- creación, 52
- examinar, 60
- numéricas, 50, 122

Matriz
- descomponer, 62

max, 132, 138
MAX_FILE_SIZE, 408
md5, 197
Mensajes de error, 304
- E_ALL, 305, 310
- E_COMPILE_ERROR, 304
- E_COMPILE_WARNING, 304
- E_CORE_ERROR, 304
- E_CORE_WARNING, 304
- E_DEPRECATED, 305
- E_ERROR, 304
- E_NOTICE, 304
- E_PARSE, 304
- E_RECOVERABLE_ERROR, 305
- E_STRICT, 305
- E_USER_DEPRECATED, 305
- E_USER_ERROR, 304
- E_USER_NOTICE, 305
- E_USER_WARNING, 305
- E_WARNING, 304

microtime, 193
MIME, 629
- Content-Transfer-Encoding, 630
- Content-Type, 630
- MIME-Version, 630

min, 132, 138
mktime, 192
Módulo, 68
Multipart MIME, 629, 632
    Content-Disposition, 634
MySQLi
    alias de columna, 434
    asociar variables PHP a los parámetros de la consulta, 448
    AUTO_INCREMENT, 442
    cerrar una consulta preparada, 462
    conexión, 423
    conocer el número de líneas del resultado, 431
    consulta preparada, 446
    desconexión, 423
    ejecutar una consulta, 429
    ejecutar una consulta preparada, 450
    extraer el resultado de una consulta de lectura, 432, 453
    gestionar las transacciones, 463
    gestionar los errores, 444, 461
    lectura de todas las líneas, 441
    lectura de una línea, 440
    leer el resultado de la consulta, 432
    llamar un programa almacenado, 465
    obtener información sobre el resultado de una consulta de actualización, 441
    obtener información sobre el resultado de una consultación de actualización, 458
    obtener información sobre el servidor MySQL, 424
    preparar una consulta, 447
    recuperar información sobre el posible error de la última conexión, 425
    seleccionar una base de datos, 427
    utilizar un resultado almacenado, 455
    vincular variables PHP con las columnas del resultado de una consulta de lectura, 452
mysqli.allow_persistent, 424
mysqli.max_links, 424
mysqli.max_persistent, 424
mysqli_affected_rows, 441

mysqli_autocommit, 463
mysqli_begin_transaction, 463
mysqli_close, 424
mysqli_commit, 463
mysqli_connect, 423
mysqli_connect_errno, 425
mysqli_connect_error, 425
mysqli_errno, 444
mysqli_error, 444
mysqli_fetch_all, 435
mysqli_fetch_array, 432
mysqli_fetch_assoc, 432
mysqli_fetch_object, 432
mysqli_fetch_row, 432
mysqli_free_result, 430
mysqli_get_host_info, 424
mysqli_get_server_info, 424
mysqli_insert_id, 442
mysqli_num_rows, 431
mysqli_prepare, 447
mysqli_query, 429
mysqli_real_escape_string, 535
mysqli_rollback, 463
mysqli_select_db, 427
mysqli_stmt_affected_rows, 458
mysqli_stmt_bind_param, 448
mysqli_stmt_bind_result, 452
mysqli_stmt_close, 462
mysqli_stmt_errno, 461
mysqli_stmt_error, 461
mysqli_stmt_execute, 450
mysqli_stmt_fetch, 453
mysqli_stmt_free_result, 456
mysqli_stmt_insert_id, 458

mysqli_stmt_num_rows, 455
mysqli_stmt_store_result, 456

N

__NAMESPACE__, 298, 641
namespace, 297
new, 264
nl2br, 382
Notación científica, 39
NULL, 47
number_format, 149
Número
 de punto flotante, 39
 de versión, 28
 decimal, 39
 validez, 376

O

oci_bind_by_name, 488
oci_close, 483
oci_commit, 507
oci_connect, 481
oci_error, 484, 520
oci_execute, 491, 506
oci_fetch_all, 493, 497
oci_fetch_array, 493
oci_fetch_assoc, 493
oci_fetch_object, 493
oci_fetch_row, 493
oci_free_cursor, 516
oci_free_statement, 516
oci_get_implicit_resultset, 516

oci_new_cursor, 512
oci_new_descriptor, 510
oci_num_rows, 495, 507
oci_parse, 487, 506
oci_pconnect, 482
oci_rollback, 507
oci_server_version, 484
ODBC, 419
opendir, 205
Operador
- -, 68
- --, 68
- !, 71
- !=, 69
- !==, 69
- ?, 71
- ??, 73
- ??=, 73
- ?->, 267
- ., 68
- .=, 69
- *, 68
- **, 68
- **=, 69
- *=, 69
- /, 68
- /=, 69
- &, 67, 238
- &&, 71
- %, 68
- %=, 69
- +, 68
- ++, 68
- +=, 69
- <, 69
- <=, 69
- <=>, 74
- -=, 69
- =, 65

==, 69
===, 69
>, 69
||, 71
and, 71
aritmético, 68
cadena, 68
combinado, 69
de asignación de fusión NULL, 73
de asignación por referencia, 67
de asignación por valor, 65
de comparación, 69
de comparación combinado, 74
de fusión NULL, 73
lógico, 71
nullsafe, 267
or, 71
precedencia, 75
ternario, 71
xor, 71
Oracle, 480
actualizar los datos, 506
ALTER SESSION, 481
analizar una consulta, 487
BFILE, 490
BLOB, 490
cerrar un cursor, 512
cláusula RETURNING, 507
CLOB, 490
conexión, 481
consultas con parámetros, 486, 504
cursor, 512
cursor implícito, 516
DBMS_SQL.RETURN_RESULT, 516
desconexión, 481
Easy Connect, 481
ejecutar una consulta, 486
entorno NLS, 480, 517
extraer el resultado de la consulta, 493
gestión de las transacciones, 506

gestionar errores, 520
leer las líneas, 503, 504
llamar un procedimiento almacenado, 512
LOB, 490
NLS_NUMERIC_CHARACTERS, 519
NLS_TERRITORY, 518
número de líneas, 507
obtener información en caso de error de conexión, 484
obtener información sobre el servidor, 484
ORACLE SID, 481
paquete, 513
PL/SQL, 512
REF CURSOR, 512
ROWID, 490, 510
TO_CHAR, 481
TO_DATE, 481
TO_NUMBER, 481
vincular las variables de PHP a los parámetros de la consulta, 488
output_buffering, 210

P

PDF, 647
PHP Data Objects (PDO), 531
php.ini, 27
PHP_AUTH_PW, 569
PHP_AUTH_USER, 569
PHP_EOL, 199, 642
PHP_FLOAT_DIG, 39, 642
PHP_FLOAT_EPSILON, 39, 642
PHP_FLOAT_MAX, 642
PHP_FLOAT_MIN, 39, 642
phpinfo, 28, 641
PHP_INT_MAX, 39, 642
PHP_INT_MIN, 39, 642
PHP_INT_SIZE, 642

PHP_OS, 641
PHP_OS_FAMILY, 641
PHP_VERSION, 28, 641
phpversion, 28
preg_match, 172, 373
preg_match_all, 172
preg_replace, 175
printf, 145
print_r, 111

R

rand, 139
rawurldecode, 348
rawurlencode, 346
readdir, 206
readfile, 202
readonly, 260, 263
Recuperar, 421
Recurso, 47
Reglas para los nombres, 25
rename, 204
request_order, 622
require, 91
require_once, 91
restore_error_handler, 316
restore_exception_handler, 319
Retorno de carro, 43
round, 120, 140
rsort, 127
rtrim, 150

S

Salto de línea, 43
scandir, 206
Script
    interrumpir, 95
Secuencias de escape, 43
sendmail_from, 626
sendmail_path, 626
Separador de instrucciones, 21
Sesiones, 565
    utilizar cookies, 573
    utilizar la gestión de sesiones, 580
Sesiones de PHP, 580
    directivas de configuración, 594, 600
    ejemplos de aplicación, 602
    manipular los datos registrados, 584
    transmisión del identificador, 594
session.auto_start, 601
session.cache_expire, 601
session.cache_limiter, 601, 604
session.cookie_domain, 601
session.cookie_lifetime, 601
session.cookie_path, 601
session.cookie_secure, 601
session.name, 584
session.save_path, 600
session.use_cookies, 594
session.use_only_cookies, 594, 608
session.use_trans_sid, 594
session_abort, 585
session_destroy, 590
session_id, 582, 598
session_name, 583, 598
session_reset, 588
session_start, 581, 601

session_status, 593
setcookie, 573
set_error_handler, 313
set_exception_handler, 318
setlocale, 183
settype, 114
short_open_tag, 19
SID, 598
SimpleXML, 643
SMTP, 626
sort, 127
sprintf, 145
static, 246
strcasecmp, 144
strcmp, 144
strftime, 181
strict_types, 228
string, 40
stripos, 152
strip_tags, 382
str_ireplace, 156
stristr, 154
strlen, 143, 373
strpos, 152
strrchr, 154
str_replace, 156
strripos, 152
strrpos, 152
str_split, 133
strstr, 154
strtolower, 143
strtoupper, 143
strtr, 157
strval, 118

Sustitución de variables, 41
switch, 79

T

Tabulación, 43
Throwable, 318
time, 192
Tipo strict, 228, 236
Tipos de datos, 38
    compuestos, 39
    declaración, 47
    escalares, 38
    especiales, 47, 48
Tipos MIME, 413, 630
    application/octet-stream, 630
    Content-Disposition, 413
    Content-Length, 413
    Content-Type, 413
    image/jpeg, 630
    text/html, 630
    text/plain, 630
track_errors, 323
Trazo, 280
trigger_error, 320
trim, 150, 372
try, 284
TWO_TASK, 481

U

ucfirst, 143
ucwords, 143
uniqid, 197
unlink, 204

unset, 109
upload, 407
upload_max_filesize, 408
upload_tmp_dir, 409
URL
    parámetros, 328
    transferir caracteres especiales, 345
url, 599
urldecode, 348
urlencode, 346
use, 251, 281, 299
user_error, 320
usuario_existe, 572
UTF-8, 31, 159, 381, 390

V

v[s]printf, 148
var_dump, 110
var_export, 111
Variable, 35
    conversión en cadena, 118
    conversión en entero, 119
    conversión en número, 119
    definida, 105
    dinámica, 38
    duración, 37
    eliminar, 106
    estática, 246
    información, 106
    predefinida, 639
    sustitución, 41
    tipo, 116
    vacía, 105
    variable, 38
variables_order, 622

- Versión
  - número, 28
- Versión 8, 12, 13, 48, 103
  - @, 309
  - $php_errormsg, 323
  - comparación entre un número y una cadena, 70
  - constantes, 34, 59
  - conversión de un número de punto flotante en una cadena de caracteres, 40
  - convertir una cadena en un número, 44
  - count(), 123
  - date(), 181
  - encadenar los operadores ternarios, 72
  - enésimo carácter en una cadena, 44
  - error_reporting, 310
  - excepción al llamar a un método no estático estáticamente, 280
  - expresión match, 89
  - getdate(), 190
  - idate(), 196
  - implode(), 132
  - in_array(), 125, 126
  - is_real, 117
  - LC_CTYPE, 184
  - lista de los parámetros, 230
  - llaves, 58
  - método constructor, 261
  - mktime(), 193
  - notación (real), 113
  - notación (unset), 113
  - notación de tipo matriz, 59
  - novedades, 658
  - number_format, 149
  - operador new(), 266
  - operador nullsafe ¿->, 267
  - operador parent::, 271
  - parámetro opcional, 232
  - pasar parámetros a una función, 103
  - precedencia de los operadores, 75
  - printf y similares, 148
  - promoción de propriedades de constructor, 263

redefinir la visibilidad de un método ou propriedad privada, 271
set_error_handler, 313
str_contains(), 160
str_ends_with(), 160
strftime(), 185
strpos() y similares, 154, 156
str_starts_with(), 160
substr(), 151
throw utilizable coma una expresión, 287
tipos, 49
unión de tipos, 49
utilizar el nombre del parámetro en la llamada de una función, 241
valor predefinido, 236
variable opcional en un bloque catch, 285
variables, 36
Versión 8.1
constante de clase o de interfaz final, 277
constante inicializada por un objeto, 33
descomponer matriz con claves alfabéticas, 63
descomponer una matriz con claves alfabéticas, 63
enumeración, 288
filtro FILTER_SANITIZE_STRING obsoleta, 386
interpolación ${variable} obsoleta, 42
parámetro promovido en propiedad inicializado por un objeto, 264
propiedad de solo lectura, 260, 263, 272
ruta completa del archivo en la matriz $_FILES, 409
tipo de retorno never, 49
valor predefinido de un parámetrro igual a un objeto, 231
variable estática inicializada por un objeto, 246
variables estáticas usadas en los métodos heredados, 272
vincular parámetros directamente en la función mysqli_stmt_execute, 450
Versión 8.2, 42
clase en solo lectura, 272
combinar una unión de tipos y una intersección de tipos, 49
conversión entre mayúsculas y minúsculas independiente de las características linguisticas locales, 142
creación de propiedades dinámicas es obsoleta, 268

definición de constantes en un trait (rasgo), 280
funciones [a][k][r] ordenadas regresan siempre TRUE, 128
opción para no capturar subpatrones
en una expresión regular, 171
tipos null, true y false autorizados en una declaración, 48
valor que devuelve la función str_split para una cadena vacia, 134
Vínculo, 327
void, 220, 226

while, 82
WWW-Authenticate, 569

XHTML, 25
XML, 643

yield, 253

Para poder acceder durante un año
a la versión online de este libro,
envíenos su justificante de compra a

librodigital@ediciones-eni.com

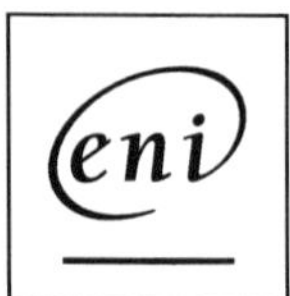